Akteneinsicht Christa Wolf

Akteneinsicht Christa Wolf

Zerrspiegel und Dialog

Eine Dokumentation

Herausgegeben von
Hermann Vinke

Luchterhand
Literaturverlag

1. Auflage Juni 1993
2. Auflage Juni 1993

Umschlagentwurf: Max Bartholl
Satz: Alphabeta Gerds GmbH, Hamburg
Druck, Bindung: Ebner Ulm
Printed in Germany
ISBN 3-630-86814-2

Inhalt

Vorwort 9

Die Akte
Auskunftsbericht, Personalakte, Arbeitsvorgang 15

Auskunftsbericht aus dem Jahr 1965 19
Personalakte 1955–1964 26
Arbeitsvorgang 1959–1962 110

Die Medien
Reaktion, Gegenreaktion 141

»Eine Auskunft« (Berliner Zeitung, 21. 1. 93) 143
»Das ganze Leben eine Episode?« (Berliner Zeitung, 22. 1. 93) 145
»Unsere berühmteste Schriftstellerin Christa Wolf: Ich war IM« (Bild, 22. 1. 93) 146
Thomas Rietzschel, »Mit einer gewissen intellektuellen Ängstlichkeit« (Frankfurter Allgemeine Zeitung, 22. 1. 93) 147
Frank Schirrmacher, »Fälle. Wolf und Müller« (Frankfurter Allgemeine Zeitung, 22. 1. 93) 148
WoS [Wolfram Schütte], »Doppelzüngler. Jagdszenen um Christa Wolf« (Frankfurter Rundschau, 22. 1. 93) 149
Erich Loest, »Wer zu spät kommt, den bestraft das Mißtrauen« (Die Welt, 22. 1. 93) 151
»Die ängstliche Margarete« (Der Spiegel, 25. 1. 93) 152
Christa Wolf an Walter Kaufmann, 28. 1. 93 157
Leserbrief von Walter Kaufmann an den Spiegel 158
»Die schwierige Sicht auf unsere Vergangenheit« (Berliner Zeitung, 26. 1. 93) 159
Achim Wahrenberg, »Was bleibt – Nachdenken über Christa W.« (Märkische Allgemeine Zeitung, 27. 1. 93) 160
Frank Schirrmacher, »Literatur und Staatssicherheit« (Frankfurter Allgemeine Zeitung, 28. 1. 93) 161
»Kassandra blickt zurück« (Wochenpost, 28. 1. 93) 163
»Margarete in Santa Monica«, *Interview Christa Wolf mit Fritz-Jochen Kopka* (Wochenpost, 28. 1. 93) 164

Fritz J. Raddatz, »Von der Beschädigung der Literatur durch ihre Urheber« (DIE ZEIT, 28. 1. 93) 168
»Zum Schweigen gebracht«, *Offener Brief von Hans-Jürgen Fischbeck an Fritz J. Raddatz,* 3. 2. 93 171
Christa Wolf an Hans-Jürgen Fischbeck, 11. 2. 93 175
Hans-Jürgen Fischbeck an Christa Wolf, 23. 3. 93 176
Paul Kanut Schäfer an Fritz J. Raddatz, 2. 2. 93 177
Günther Rühle, »Müller & Wolf« (Tagesspiegel, 31. 1. 93) 178
Leserbrief Christa Wolf (Der Spiegel, 1. 2. 93) 179
Statement von Christa Wolf an den Spiegel (24. 1. 93) 180
Christa Wolf an Volker Hage, 7. 2. 93 181
Volker Hage an Christa Wolf, 5. 3. 93 182
»Von Dichtern und Heuchlern« (Stern, 28. 1. 93) 183
»Der Waschzwang ist da, also muß gewaschen werden«, *Gespräch mit Christoph Hein über Christa Wolf* (Freitag, 29. 1. 93) 187
»Die Helden des Rückzugs« (Frankfurter Rundschau, 5. 2. 93) 191
Antje Vollmer, »Der Zeitgeist ist Anarchist« (taz, 6. 2. 93) 192
Christa Wolf an Antje Vollmer, 7. 2. 93 193
Antje Vollmer an Christa Wolf, 3. 5. 93 194
Volker Hage, »Wir müssen uns dem Schicksal stellen« (Der Spiegel, 8. 2. 93) 196
Friedrich Schorlemmer, »Eine Statue fällt, ein Mensch bleibt« (Wochenpost, 11. 2. 93) 198
Christa Wolf an Friedrich Schorlemmer, 11. 2. 93 202
Friedrich Schorlemmer an Christa Wolf, 9. 3. 93 204
Günter Gaus, »Die Durchquerung der DDR-Wüste rückwärts« (Freitag, 12. 2. 93) 206
Karl Markus Michel, »Mitarbeiter und Mitspieler« (Die Woche, 18. 2. 93) 209
Wolfgang Schreyer, »Wer die Unschuld verlor . . .« (Wochenpost, 11. 3. 93) 212

Der Geschwister-Scholl-Preis
»Störfall« in München 215

Erwin Schumacher an Georg Kronawitter, 23. 1. 93 216
»Christa Wolf unverzüglich Scholl-Preis aberkennen«/»Irrtümer« (Süddeutsche Zeitung, 26. 1. 93) 217

»Diskussion wegen ›Störfall‹ abgelehnt« (Börsenblatt für den Dt. Buchhandel, 29. 1. 93) 218
Rose Backes an Christa Wolf, 29. 1. 93 219
Herbert Rosendorfer, »Störfall Scholl-Preis« (Süddeutsche Zeitung, 30./31. 1. 93) 220
Inge Aicher-Scholl an Christa Wolf, 2. 2. 93 221
Christa Wolf an Inge Aicher-Scholl, 16. 2. 93 222
Inge Aicher-Scholl an Christa Wolf, 3. 3. 93, *und eine Erklärung* (München, 25. 2. 93) 223
»Kein Buch des Widerstands« (Süddeutsche Zeitung, 12. 2. 93) 225
Karin Friedrich an Christa Wolf, 22. 2. 93 226
Christa Wolf an Karin Friedrich, 2. 3. 93 227
Gerhard Bletschacher an Christa Wolf, 2. 3. 93 228
Christa Wolf an Gerhard Bletschacher, 12. 3. 93 229

Akademieaustritt
Mißverständnisse und gutgemeinte Appelle 231

Christa Wolf an Walter Jens, 30. 1. 93 232
»Christa Wolf bekümmert mich«. *Gespräch mit Walter Jens über die Rolle der Stasi-Akten* (Freitag, 12. 2. 93) 233
Christa Wolf an Walter Jens, 4. 3. 93 235
»›Schreibtischhenkern‹ zum Opfer gefallen?« (taz, 8. 3. 93) 237
Christian Semler, »Sich selbst im Weg« (taz, 8. 3. 93) 238
Elfriede Jelinek, »Das Recht zu schweigen« (taz, 12. 3. 93) 239

Zur Person:
Christa Wolf im Gespräch mit Günter Gaus 241

»Auf mir bestehen«, *Christa Wolf im Gespräch mit Günter Gaus* 242

»Opfer-Akte«
Gefangen im Netz permanenter Beobachtung 265

Beschluß, 12. 2. 1969 268
Geschäftliche Verbindungen über den Luchterhand Verlag, Darmstadt 270
Verbindungen zu Privatpersonen 271
Stasi-Kontrollbericht auf russisch und deutsch, 6. 10. 1970 272

Spitzelreports, August/Oktober 1974 274
Christa Wolf, »Ich war nicht die Dichterin dieses Staates« (Frankfurter Allgemeine Zeitung, 3. 2. 93) 284
Sachstandsbericht, 18. 9. 1978 286
Einzelaktivitäten der Stasi bis 1989 289

Briefwechsel
»Du sollst wissen, daß Du nicht isoliert bist« 291

Christa Wolf an Joachim Gauck, 26. 1. 93 292
Christa Wolf an Joachim Gauck, 29. 1. 93 292
Joachim Gauck an Christa Wolf, 9. 4. 93 294
Paul Parin an Christa Wolf, 7. 2. 93 298
Rosemarie Heise an Christa Wolf, 8. 2. 93 300
Günter Grass an Christa Wolf, 9. 2. 93 302
Christa Wolf an Günter Grass, 21. 3. 93 304
Heiner Halberstadt an Christa Wolf, 17. 2. 93 308
Peter Härtling an Christa Wolf, 8. 2. 93 311
Christa Wolf an Peter Härtling, 11. 2. 93 311
Peter Härtling an Christa Wolf, 24. 2. 93 312
Christa Wolf an Peter Härtling, 4. 3. 93 313
Peter Härtling an Christa Wolf, 4. 3. 93 314
Volker und Anne Braun an Christa Wolf, 25. 2. 93 315

Zur Sache: Deutschland
Günter Gaus über die »Sieger«-Mentalität 317

Günter Gaus, »Frühes Schlußwort« 319

Daten zu Leben und Werk von Christa Wolf 338

Danksagung

Vorwort

Akteneinsicht Christa Wolf – ein Lehrstück aus dem deutschen Einigungsprozeß, in mancherlei Hinsicht exemplarisch, zugleich vielfach verkantet und daher nicht leicht zu handhaben.

Das Stück hat mit dem westdeutschen Hang zu tun, alles, was die ehemalige DDR ausgemacht hat, möglichst schnell zu beseitigen und nach dem Treuhand-Prinzip abzuwickeln: übernehmen, abstoßen, einplanieren. Und es hat mit der Ohnmacht der Betroffenen zu tun, die vergeblich die Maximen ihres neuen Rechtsstaates einfordern, wozu das Gebot der Fairneß zählt.

»Klare Verhältnisse« sind uns Deutschen besonders lieb, und dieser innige Wunsch nach Ordnung konnte auch an der ostdeutschen Literatur nicht vorbeigehen. Christa Wolf spürte ihn bereits im Frühsommer 1990, also noch vor der staatlichen Einigung, als ihre Erzählung *Was bleibt* erschien. Dieser Versuch, ihre sich über Jahrzehnte hinziehende Bespitzelung durch die Stasi zu thematisieren, wurde öffentlich zurückgewiesen: Sie wolle sich in die Reihen der Verfolgten einschleichen, wurde der Schriftstellerin vorgeworfen, dabei sei sie in Wirklichkeit als »Staatsdichterin« die prominenteste Apologetin des SED-Regimes gewesen.

Knapp drei Jahre später, Anfang 1993, wurde aus dem Literaturstreit eine Stasi-Debatte um Christa Wolf, als bekannt wurde, daß in den Akten der Gauck-Behörde in Berlin ein IM-Vorgang (IM = Informeller Mitarbeiter) über Christa Wolf existiert. Das Echo auf diese Nachricht, die von ihr selbst bekanntgegeben wurde, war verheerend. Das Nachrichtenmagazin »Der Spiegel« stellte fest: »Das Material wirkt erdrückend.« Und in der Wochenzeitung »DIE ZEIT« steigerte der Publizist Fritz J. Raddatz die öffentliche Anklage noch: »Ihr (gemeint sind Christa Wolf und der zuvor »enttarnte« Heiner Müller. H. V.) habt Euch doch zu Aufbau-Helfern eines Verfolgungssystems gemacht.«

Vor allem mit dem »ZEIT«-Artikel von Raddatz erreichte die von westdeutschen Medien geführte Stasi-Debatte einen vorläufigen Höhepunkt und erfuhr bald darauf einen jähen Absturz, denn einzelne Zeitungen, wie zum Beispiel die »Frankfurter Allgemeine«, klinkten sich aus und kehrten – aus welchen Motiven auch immer – zur Mäßigung zurück, worauf die »ZEIT« schließlich einen Salto Mortale probierte und für einen Schluß der Debatte plädierte, als ließe sich die gesamte

Stasi-Debatte mit einem Federstrich im Feuilleton aus der Welt schaffen.

Diese Stasi-Debatte hatte in den Wochen zuvor irrlichternde Züge angenommen. Im Wettlauf der großen Blätter und Magazine, die nächste Enthüllungsstory zuallererst und ganz exklusiv zu bekommen, in dieser hysterischen Atmosphäre geriet vieles durcheinander, wurden einzelne Menschen an den Rand ihrer Existenz getrieben, nahm der deutsche Einigungsprozeß Schaden.

Um kein Mißverständnis aufkommen zu lassen: Ich bin für die Offenlegung der Akten und befürworte insofern die Aufgabe der Gauck-Behörde, also die Tätigkeit des »Bundesbeauftragten für die Unterlagen des Staatssicherheitsdienstes der ehemaligen DDR«. Die Handhabung dieses Auftrags durch den Bundesbeauftragten Joachim Gauck ist eine andere Sache; diese zieht immer wieder Kritik auf sich, auch und vor allem im Fall von Christa Wolf.

In einem von Enthüllungsmanie geprägten Klima sah die Schriftstellerin Christa Wolf zunächst keine Chance, ihren eigenen, mehr als drei Jahrzehnte zurückliegenden »Stasi-Fall« auch nur halbwegs sachlich zu diskutieren. Den Hinweis, daß es eine solche Phase in ihrem Leben gab, hatten sie und ihr Mann Gerhard Wolf beim Studium ihrer sog. Opfer-Akte im Mai 1992 in der Gauck-Behörde gefunden. (Die Begriffe »Täter«- und »Opfer-Akte« sind unscharf; der Einfachheit halber und weil sie sich einzubürgern beginnen, werden sie an einigen wenigen Stellen mit Einschränkung übernommen.)

Die angeblichen Enthüllungen über den Dramatiker Heiner Müller (die sich später in Luft auflösten) veranlaßten Christa Wolf, ihren »Fall« bekanntzugeben. Unter der Überschrift »Eine Auskunft« veröffentlichte sie am 21. Januar 1993 in der »Berliner Zeitung« die acht Monate zuvor gemachte Entdeckung: »Ich fand aber bei meinen Akten, zu einem ›Auskunftsbericht‹, auch ein dünnes Faszikel, aus dem ich erfuhr, daß die Stasi mich von 59 bis 62 zunächst als ›GI‹ (Geheimer Informator), dann als ›IM‹ (Informeller Mitarbeiter) geführt hat.«

Kurz darauf erschien in der »Wochenpost« (Berlin) ein Interview mit Christa Wolf, das auch eine Information enthält über jene Person, »die ich damals war«: »Ideologiegläubig, eine brave Genossin, von der eigenen Vergangenheit her mit einem tiefen Minderwertigkeitsgefühl behaftet gegenüber denen, die durch ihre Vergangenheit legitimiert, im historischen Recht zu sein schienen.« Und in einem Fernsehinterview, das Günter Gaus »Zur Person: Christa Wolf« führte (SAT 1, 1. 3. 1993), sagt sie von sich: »Es war ein Schock für mich, in meiner sog. Opfer-Akte einen Hinweis zu finden, daß es auch einen IM-Vorgang von mir gibt.« Und an anderer Stelle heißt es: »Ein fremder Mensch tritt mir da gegenüber. Das bin nicht ich.«

Ich kann nachvollziehen, daß Christa Wolf Einzelheiten aus dieser Zeit erfolgreich aus ihrem Bewußtsein verdrängt hatte. Diese Phase ihrer Biographie wurde durch die nachfolgenden Jahrzehnte, die von Bespitzelung und ständiger Kontrolle bestimmt waren, überlagert und an den Rand geschoben. Auch andere ehemalige DDR-Bürger schildern glaubwürdig, sie müßten heute manchmal einzelne Abschnitte ihres Lebens mühsam zurückholen, die völlig verschwunden gewesen seien. Ohne Verdrängung ist in totalitär regierten Staaten ein halbwegs normales menschliches Leben nicht möglich. Aber Verdrängung ist ein Mechanismus, den es auch unter anderen Bedingungen gibt.

Ein glücklicher Umstand, und zwar ein mehrmonatiger Aufenthalt in Santa Monica an der Westküste der USA, half der Schriftstellerin, die Wochen, die der Bekanntgabe ihres IM-Vorgangs folgten, zu überstehen. Sie gewann sogar die nötige Distanz und bald die Kraft zu einem souveränen Umgang mit ihrem »Fall«. Christa Wolf betrieb von Santa Monica aus »Krisenmanagement«: Sie telefonierte, schrieb Freunden und Kritikern Briefe, von denen hier einige wichtige abgedruckt sind, und gab Interviews – Versuche, dem Zerrspiegel ihrer Person einen Dialog entgegenzusetzen.

Das größte Handicap in dieser Situation jedoch war, daß einzelne Zeitungen fleißig aus ihrer IM-Akte zitierten, sie selbst jedoch nicht im Besitz dieser Unterlagen war. In der Gauck-Behörde in Berlin hatte sie von einer Mitarbeiterin – was nicht erlaubt ist – kurz Gelegenheit bekommen, die Papiere anzublättern. Das gesamte Material bekam sie erst zu Gesicht und zur Einsicht, als Günter Gaus es mit nach Kalifornien brachte.

Die Presse hat bislang lediglich Auszüge aus der IM-Akte von Christa Wolf veröffentlicht. Dieses Buch legt erstmals die komplette Akte im Faksimile vor, komplett insoweit, wie Daten- und Personenschutz-Bestimmungen dies zulassen, also mit fehlenden Seiten und Schwärzungen von Namen, die von der Gauck-Behörde vorgenommen wurden.

Der Antrieb zu diesem Buch geht von Christa Wolf aus, die damit ihre in der »Berliner Zeitung« begonnene »Auskunft« auf eine vollständige

Akteneinsicht erweitert. Das Buch beginnt mit der Wiedergabe jenes Auskunftsberichts, auf den Christa und ihr Mann Gerhard Wolf im Mai 1992 beim Aktenstudium gestoßen waren.

Dem »Auskunftsbericht« folgt zunächst die von der Stasi angelegte »Personalakte« Christa Wolf, die aus 116 Einzelpapieren besteht, darunter Einschätzungen von Informellen Stasi-Mitarbeitern zu Christa Wolf, Rückblenden auf Treffberichte, Unterlagen über Auslandsreisen usw. Der dritte Teil, der sog. Arbeitsvorgang, enthält die eigentlichen Treffauswertungen und Treffberichte mit einer einzigen von Christa Wolf handschriftlich bezeugten Auskunft über Walter Kaufmann. Die übrigen stammen aus der Feder von Stasi-Leuten.

Das Material läßt neben einer Bewertung des IM-Vorgangs eine klare zeitliche Einordnung zu. Christa Wolf wurde vor ihrer Anwerbung jahrelang von der Stasi beobachtet, und zwar von 1955 bis 1959. Die Kontrolle wurde nach 1962 und vor allem mit dem Beginn des Operativen Vorgangs »Doppelzüngler« verschärft und systematisch ausgebaut. Rein zeitlich gesehen, schrumpft der IM-Vorgang (1959–1962) also zu einer relativ kurzen Phase. Das gilt erst recht, wenn man sich die IM-Tätigkeit genau ansieht. Die Lektüre der IM-Akte macht meines Erachtens klar, daß die Stasi mit großem Aufwand versucht hat, die aufstrebende Literaturredakteurin Christa Wolf Ende der fünfziger Jahre für sich zu gewinnen und langfristig in das Agentennetz einzubinden. Christa Wolf ihrerseits hat sich zunächst auf eine Mitarbeit eingelassen; sie war als »brave Genossin« durchaus gesprächsbereit und akzeptierte auch die äußeren Merkmale einer Konspiration: Deckname, konspirative Wohnung usw.

In der Praxis lieferte sie jedoch das Gegenteil dessen, was die Stasi von ihr erwartete: generelle Einschätzungen, Urteile, wie sie sie auch in ihren Literaturkritiken öffentlich aussprach, die zudem von Vorsicht und Zurückhaltung geprägt waren – damit kann kein Spitzelapparat der Welt etwas anfangen. Deswegen kamen nur wenige Treffen zustande, und deswegen verlor die Stasi schon bald jegliches Interesse an IM »Margarete«.

Spitzeldienste, das Ausspionieren von Mitmenschen, womöglich von nächsten Angehörigen, das Denunzieren von Dissidenten – ein solches Verhalten löst heute zu Recht Abscheu aus. Die Akte von Christa Wolf aber enthält nichts, was auf eine solche schäbige IM-Tätigkeit hindeutet. Nicht nur ihr literarisches Werk, nicht nur Auftritte und Aktionen wie ihre Unterschrift unter die Petition gegen die Biermann-Ausbürgerung, letztlich spiegelt auch die IM-Akte das Ringen um Eigenständigkeit einer jungen Literatin in dem Staat DDR, der seine Bürgerinnen und Bürger auf vielfältige Weise zu verbiegen suchte. Christa Wolf aber wurde nicht verbogen.

Andererseits bleibt festzuhalten, daß die Schriftstellerin zwar nicht durch die Stasi, jedoch durch die Stasi-Debatte im vereinten Deutschland beschädigt wurde, und zwar, wie ich finde, mutwillig und ohne sachlichen Grund. Die Beschädigung selbst ist nicht mehr aus der Welt zu schaffen, wohl aber können die Folgen begrenzt und eingedämmt werden, was nicht zuletzt im Interesse der ehemaligen DDR-Bürgerinnen und -Bürger ist, deren Selbstwertgefühl im Einigungsprozeß mit Füßen getreten wurde. Insofern hat der »Fall« Christa Wolf durchaus exemplarischen Charakter.

Ohne Demutsgeste, erst recht ohne Schuldbekenntnis legt Christa Wolf ihre sog. Täter-Akte und einen kleinen Auszug aus der Opfer-Akte, über die Bespitzelung durch die Stasi und den KGB, vor. Sie will erklären, nicht sich rechtfertigen. Das ist neu, das ist bisher einmalig, daß ein beschuldigter Mensch sich auf diese Weise wehrt. Das ist zugleich nach den Erfahrungen der jüngsten Vergangenheit nicht ohne Risiko.

Hermann Vinke — Bremen, im Mai 1993

Die Akte
Auskunftsbericht, Personalakte, Arbeitsvorgang

»Sie schrieb Buchkritiken, deren Titel sie klug auswählte, vor allem über solche Bücher, die in der Öffentlichkeit von sich reden machen.«

IM »Hanna« 1958
über Christa Wolf

Die Lektüre von Stasi-Akten ist mühsam. Das gilt auch für die Unterlagen, die Erich Mielkes Spitzelapparat über die Schriftstellerin Christa Wolf angelegt hat. Ein Teil des Materials, und zwar das, was unter der Bezeichnung »IM-Vorgang« läuft, lagert in Halle, die sog. Opfer-Akte befindet sich in Berlin.

»Die Genossin Wolf wurde am 24. 3. 1959 als GI ›Margarete‹ auf der Linie der Schriftsteller von der HA V/2 geworben, jedoch nicht handschriftlich verpflichtet.« Dieser Satz steht in einem »Auskunftsbericht« zur »Opfer-Akte«, die unter dem Decknamen »Doppelzüngler« geführt wurde.

Dem Auskunftsbericht folgt die Personalakte, die in vielerlei Hinsicht aufschlußreich ist und von den Medien entweder unterschlagen oder ausgeschlachtet wurde. Beispielsweise geht daraus hervor, daß die Stasi seit Herbst 1955 systematisch Material über Christa Wolf gesammelt hat: Lebensläufe, Belege über Mitgliedschaften, Einschätzungen durch Schriftstellerkollegen, etwa derart: »Sie ist eine außerordentlich begabte junge Literaturwissenschaftlerin und Kritikerin.« (21. 12. 1955). Von 1956 bis 1959 werden vor allem Bewertungen eingeholt. So notiert die IM »Hanna« über die ihr offenbar wohlbekannte Kollegin: »Sie schrieb Buchkritiken, deren Titel sie klug auswählte, vor allem über solche Bücher, die in der Öffentlichkeit von sich reden machen.« (22. 8. 1958).

Im Herbst 1958 stellt der Stasi-Mitarbeiter Kurt Möllendorff erste direkte Ermittlungen in der Wohnung der Familie Wolf in Berlin-Karlshorst an und vermerkt anschließend in seinem Bericht: »Die Person, die ich angetroffen habe, war allem Anschein nach das Dienstmädel.« Ein anderer Informant namens »Schmidt«, der sich mit Möllendorff austauscht, vermittelt in seinem Bericht eine Idee für ein noch intensiveres Auskundschaften der Familie Wolf: »In der Angelegenheit Wolf wäre seiner (Möllendorffs, H. V.) Ansicht nach noch mehr zu ermitteln, wenn er mit dem Dienstmädchen Beziehungen aufnehmen könnte . . .« (11. 10. 1958).

Im Frühjahr 1959 trifft die Stasi Vorbereitungen, um zu einem Anwerbeversuch überzugehen. Dazu wird ein 12-Punkte-Plan aufgestellt, der das Netz der »Ermittlungen« noch erheblich enger zieht und nichts dem Zufall überlassen will. Weitere Einschätzungen werden angefordert, z. B. die »Personalien des zweiten Kindes« sollen erfragt werden, mögliche Verwandte in Westberlin ermittelt.

Bis Anfang März 1959 geben mehrere Stasi-Mitarbeiter Einschätzungen zu Christa Wolf ab, darunter der GI »Herbert« sowie die GI »Lotti« und »Hanna«, die Angelegenheit »Ledig« wird als Anknüpfungspunkt aufbereitet. Unter dem Datum des 2. März 1959 bringt Leutnant Paroch schließlich formell seinen »Vorschlag zu Werbung eines geheimen Informators auf der Linie der Schriftsteller« ein. Sogar das »Ansprechen des Kandidaten« (in der Stasi-Sprache existiert meistens nur »der Kandidat« oder der »Informator«, auch wenn es sich um eine Frau handelt) wird genau vorab beschrieben.

Nach diesen umfassenden Vorbereitungen findet am 24. März 1959 in einer konspirativen Wohnung an der Französischen Straße Nr. 12 in Berlin die eigentliche »Anwerbung« statt, und zwar in Anwesenheit des stellvertretenden Abteilungsleiters Seidel und des Sachbearbeiters Paroch. Kein Zweifel, die Stasi hat mit Christa Wolf viel vor. Aber daraus wird nichts. Im Laufe der nächsten Monate kommen lediglich drei weitere Treffen zustande. Über zwei Begegnungen existieren Berichte, die dritte wird nur erwähnt. Im September 1959 siedelt Christa Wolf mit ihrer Familie nach Halle über. Leutnant Paroch, ihr »Sachbearbeiter«, zieht am Ende der Berliner Aktivitäten ein Resümee, das gerade reicht, sein Gesicht zu wahren: »Der Inhalt der gegebenen Berichte hatte nur informatorischen Charakter . . . Auffallend an der Zusammenarbeit war eine größere Zurückhaltung und eine überbetonte Vorsicht . . .« (24. 11. 1959).

Für die Stasi wurde eine Informelle Mitarbeit auch nach dem Ortswechsel fortgesetzt. Die Schriftstellerin sieht das anders. In Halle hatte sie gelegentlich Aussprachen mit dem offiziell auftretenden Stasi-Leutnant Richter, der für den Mitteldeutschen Verlag zuständig war, der im Verlag ein- und ausging. Gespräche fanden in der Wohnung des Ehepaares Wolf statt, und Gerhard Wolf war fast immer dabei. Im Mittelpunkt dieser Gespräche stand die Literatur, die Verlagsarbeit.

Das vorliegende Material über die Kontakte in Halle stützt diese Interpretation. Im ersten Halbjahr 1960 kommen laut Akte überhaupt keine Treffs zustande, in der zweiten Hälfte registriert Stasi-Leutnant Richter mit zumeist kurzen Protokollnotizen vier Begegnungen, die für die Stasi offenbar völlig unergiebig verlaufen. Im Protokoll vom 30. 9. 1960 heißt es bezeichnenderweise: »Beim Treff ging es im wesentlichen darum, das Vertrauen der GI zu den Organen des MfS zu stärken und zu festigen.« Im Klartext heißt das: GI »Margarete« lieferte noch immer nichts Brauchbares.

Die Treffauswertung vom 3. Dezember 1960 liest sich fast wie die Tagesordnung einer Sitzung des Schriftsteller-Verbandes; die behandelten Fragen werden aufgelistet und durch allgemeine Angaben von Christa Wolf ergänzt. Im gesamten Jahr 1961 fanden überhaupt keine Treffs statt. Anfang 1962 kommen noch zwei Treffen zustande, die für die Stasi ebenfalls ohne Wert sind.

Kein Wunder, daß die Spitzel-Behörde bald jegliches Interesse an Christa Wolf verlor. Unter dem Datum 29. 11. 1962 wird aufgrund eines Beschlusses der Bezirksverwaltung Halle des MfS der IM-Vorgang mit dem Decknamen »Margarete« abgeschlossen. Lapidar wird verfügt: »Die IM verzog von Halle nach Kleinmachnow. An einer Übernahme des IM ist die BV Potsdam nicht interessiert.« Und verständlich ist auch, daß Christa Wolf die wenigen und zudem völlig unregelmäßigen Kontakte in Halle nicht in einen Zusammenhang mit einer letztlich im Sande verlaufenen Anwerbung in Berlin gebracht hat. Für sie reduziert sich die Stasitätigkeit auf eine Episode, und exakt darum handelt es sich, wenn man berücksichtigt, daß diese Episode eingebettet war in Jahre und schließlich Jahrzehnte der Bespitzelung.

Abkürzungen

ABV	Abschnittsbevollmächtigter der Polizei
Abt. »M«	Fahndung im grenzüberschreitenden Postverkehr
BDM	Bund Deutscher Mädel (Kürzel aus der NS-Zeit)
BGL	Betriebsgewerkschaftsleitung
BPO	Betriebsparteienorganisation
BV	Bezirksverwaltung
GSF	Gesellschaft für Deutsch-Sowjetische Freundschaft
DSV	Deutscher Schriftstellerverband der DDR
DPA	Deutscher Personalausweis (DDR)
FDJ	Freie Deutsche Jugend
FDGB	Freier Deutscher Gewerkschaftsbund
GI	Geheimer Informator (wurde später abgelöst durch die Kürzel IM = Informeller Mitarbeiter)
GHI	Gesellschaftlicher Hauptinformant
Gen.	Genosse
GMS	Geselschaftlicher Mitarbeiter für Sicherheit
GST	Gesellschaft für Sport und Technik
GO	Grundorganisation
HA	Hauptabteilung
IKW	Inhaber einer konspirativen Wohnung
IM	Informeller Mitarbeiter des MfS
KD	Kreisdienststelle (des MfS)
KW	Konspirative Wohnung
MfS	Ministerium für Staatssicherheit
MTS	Maschinen-Traktor-Station
NDL	Neue Deutsche Literatur, Monatszeitschrift, herausgegeben vom Schriftstellerverband der DDR
Op.	Operativ
OV	Operativer Vorgang
PID	Politisch-ideologische Diversion
PUT	Politische Untergrundtätigkeit
SED	Sozialistische Einheitspartei Deutschlands
VP	Volkspolizei
WD	Westdeutschland
WKW	Wer kennt wen? (WKW-Schema zur genauen Erfassung eines Personenkreises)
WPO	Wohnparteienorganisation
ZK	Zentralkomitee der SED

Auskunftsbericht aus dem Jahr 1965

Hauptabteilung XX/1 Berlin, am 21.12.1965

A u s k u n f t s b e r i c h t

über W o l f , geb. Ihlenfeld, Christa
geb. am 18. 3. 1929 in Landsberg/Warthe
wh. Kleinmachnow, Förster-Funke-Allee 26
freischaffende Schriftstellerin
Kandidatin des ZK der SED

Soziale Herkunft

Ihr Vater, Otto Ihlenfeld, geb. am 24. 2. 1897 war Kaufmann mit eigenem Lebensmittelgeschäft in Landsberg und gehört der SED an.
Ihre Mutter, Herta Ihlenfeld, geb. am 8. 12. 1899, ist von Beruf Buchhalterin. Sie sind gegenwärtig als Verwalter des Schriftstellerheims in Petzow bei Potsdam tätig.

Berufliche Entwicklung

1935-45 Volks- und Oberschule in Landsberg/Warthe
1946-49 Oberschule in Schwerin und Frankenhausen/Kyffh.
1949-53 Germanistik-Studium an der Universität Jena u. Leipzig
1953-55 wissensch. Mitarbeiterin im Deutschen Schriftstellerverband
1956-3Mon. Verlag "Neues Leben" als Cheflektor
1956-58 freiberufliche Tätigkeit f. DSV und NDL
1958-60 Neue Deutsche Literatur als Redakteur
1960 Mitteldeutscher Verlag Halle als Lektorin (Außenlektorat) Literaturkritikerin und Schriftstellerin
etzt freischaffende Schriftstellerin und Literaturwissenschaftlerin

- 2 -

- 2 -

Politische Entwicklung

1939-45	BDM
1948	FDJ/Mitgl. der Fakultätsleitung der Uni Jena 1951 und Seminargruppensekretär 1952/53 in Leipzig/
1949	SED (Parteisekretär des DSV Halle, jetzt Kandidat des ZK der SED)
	DSF
1953	FDGB
	GST
	DSV (Mitglied des Vorstandes)

Auszeichnungen

1961	Kunstpreis der Stadt Halle für die "Moskauer Novelle"
1963	Heinrich-Mann-Preis für "Der geteilte Himmel"

Familienverhältnisse

Ehemann: Gerhard Wolf
geb. am 16. 10.1928
tätig als Schriftsteller und Lektor
Er gehört der SED an, leistet im Wohngebiet gute gesellschaftliche Arbeit und wird als guter Genosse eingeschätzt.

Kinder: Annette, geb. am 29. 1.1952
Katrin, geb. am 28. 9.1956

Reisen

Im März 1964 weilte die Genn. Wolf zu einer Schriftsteller-lesung im politisch-literarischen Club "Voltaire" in Frankfurt/Main. Die Einladung erfolgte durch die Leitung des Clubs über den Deutschen Schriftstellerverband.
Im Juni 1965 nahm sie am 33. Internationalen PEN-Kongreß in Jugoslawien teil.
Weitere Reisen sind nicht bekannt.

- 3 -

- 3 -

Einschätzung der Genossin Wolf

Aus vorhandenen Unterlagen ergibt sich folgende politische Einschätzung der Genossin Wolf:

Die Genn. Wolf leistete schon in ihrer Studentenzeit in Jena und Leipzig 1949 - 53 eine gute politische Arbeit, nahm aktiv Stellung zu brennenden Fragen und setzte in kämpferischer Art die Parteilinie durch.
Aus inoffiziellen Einschätzungen von 1958/59 geht hervor, daß sie aktiv an der Parteiarbeit teilnimmt, sachlich und parteilich auftritt und ihre Parteiaufträge (Durchführung von Hausversammlungen, Verteilen von Flugblättern in WD) erfüllte.
Gleichzeitig wird in diesen Einschätzungen darauf hingewiesen, daß die Genn. Wolf nicht gern "Neuland betritt und das letzte Risiko scheut" und viel Wert auf das Urteil bekannter Genossen legt.
Ihre Meinung, daß ihr die Parteiorganisation des DSV "nichts mehr geben" kann, wird als Ansatz zur Überheblichkeit eingeschätzt.
In allen damaligen inoffiziellen Berichten wird die Genn. Wolf übereinstimmend als aktive und gute Genossin eingeschätzt, zumal sie in einem politisch wertvollen Artikel in der NDL gegen ein revisionistisches Buch von Ehm Welk Stellung nahm.
Über die Tätigkeit der Genn. Wolf als Parteisekretär des DSV in Halle liegen keine Einschätzungen vor. Es ist jedoch bekannt, daß die Genn. Wolf einer sozialitischen Brigade im VEB Waggonbau Ammendorf angehörte und eine gute kulturelle Zusammenarbeit vorhanden war.
Von einer inoffiziellen Quelle wird die Genn. Wolf 1960 als parteiverbundene Genossin mit sicherem ideologischen Urteil eingeschätzt.
Infolge ihrer leichten Beeinflußbarkeit traten in der Folgezeit bei der Genn. Wolf bei ernsten politisch-ideologischen Auseinandersetzungen zeitweise politische Schwankungen auf, indem sie Zweifel an der Richtigkeit der Kulturpolitik der Partei, insbesondere an den Methoden ihrer Realisierung, äußerte.

- 4 -

- 4 -

1963 vertrat sie z. B. die Meinung, daß sie das Schreiben werde, was und wie sie es für richtig hält.
Anfang 1964 äußerte sie ihr Unverständnis darüber, daß Stefan Heym kritisiert wurde (offenbar im Zusammenhang mit seinem Buch "Der Tag X").
Auf dem Schriftsteller-Kolloquium im Dezember 1964 in Berlin trat die Genn. Wolf jedoch in einem Diskussionsbeitrag sehr positiv gegen die negativen Auffassungen Stefan Heyms auf.
1964 im Wohngebiet geführte Ermittlungen besagen, daß die Genn. Wolf in der Straßenparteigruppe aktiv mitarbeitet und als aktive und pflichtbewußte Genossin geschätzt wird.

Auf Grund der Beratung des Genossen Walter Ulbricht mit Kulturschaffenden in Berlin fand Anfang Dezember 1965 eine Aussprache im Schriftstellerverband in Potsdam statt, an der auch die Genn. Wolf teilnahm. Obwohl die Genossin Wolf bei der Beratung mit dem Genossen Ulbricht mit anwesend war, lehnte sie jetzt eine Stellungnahme zu den dort aufgeworfenen Problemen ab und erklärte: "Ich will mit der ganzen Sache nichts zu tun haben, warum soll ich immer Stellung nehmen und Sündenbock sein?"

In der am 8. 12. 1965 stattgefundenen Parteiversammlung des Schriftstellerverbandes in Potsdam, wo ebenfalls über die Beratung beim Genossen Ulbricht gesprochen wurde, äußerte die Genossin Wolf: "Wenn die Kulturpolitik so weitergeht, wie sie sich gegenwärtig abzeichnet, kann ich meine ganzen Manuskripte ebenfalls verbrennen."
Mit dieser Äußerung steht offensichtlich folgende Tatsache in Verbindung:
Der Ehemann der Genn. Wolf, Gerhard Wolf, ist freischaffend tätig. Beide zeichnen für den bereits beim DEFA-Spielfilmstudio abgedrehten Film "Die Geburt eines Schmetterlings" als Autoren verantwortlich.
Nach Einschätzung eines qualifizierten IM beinhaltet dieser Film auch solche Tendenzen, wie sie vom 11. Plenum kritisiert wurden.

- 5 -

- 5 -

Aus allen vorliegenden Hinweisen ergibt sich, daß die Genn. Wolf als eine gute Genossin eingeschätzt wird, die jedoch zeitweilig politischen Schwankungen unterliegt.

Operative Hinweise

Die Genossin Wolf wurde am 24. 3. 1959 als GI "Margarete" auf der Linie Schriftsteller von der HA V/1 geworben, jedoch nicht schriftlich verpflichtet. Bei ihrer Übersiedlung nach Halle wurde sie der dortigen BV übergeben.
Zur inoffiziellen Zusammenarbeit mit der Genossin Wolf ist einzuschätzen, daß sie die gestellten Aufträge zwar erfüllte, ihre Berichte jedoch nur informatorischen Charakter trugen. An op. Material oder Vorgängen arbeitete sie nicht.
Auffallend an der inoffiziellen Zusammenarbeit war ihre überbetonte Vorsicht und größere Zurückhaltung, die auf einer gewissen intellektuellen Ängstlichkeit basieren.
Die Genossin Wolf wird zwar als parteiverbunden eingeschätzt, jedoch scheint ihr Verhältnis zur Partei mehr intellektuell-verstandesmäßig und weniger klassenmäßig fundiert zu sein.
In Halle lehnte sie den Besuch einer KW ab. Nach ihrer Übersiedlung in den Bezirk Potsdam wurde die IM-Akte im Archiv abgelegt.
Durch die KD Potsdam wurde bekannt, daß sich die Familie Wolf am 13. 10. 1964 und am 20. 10. 1964 am Parkplatz Saarmund mit einer namentlich nicht bekannten westdeutschen Person traf.
Operative Maßnahmen wurden von der KD infolge der positiven polititischen Einstellung der Familie Wolf nicht eingeleitet.

Roscher
Roscher
Oberleutnant

Anmerkungen

S. 20 *als Verwalter des Schriftstellerheims* Herta und Otto Ihlenfeld waren ab 1954 im Schriftstellerheim in Petzow am Schielowsee bei Werder/Havel als Heimleiter tätig.

S. 21 *im politisch-literarischen Club »Voltaire«* In einer ganzen Reihe von deutschen Städten gab es Treffpunkte aufbegehrender Studenten sowie Linksintellektueller, wie den Club »Voltaire« in Frankfurt/Main. Sie nannten sich auch »Republikanischer Club« oder einfach »Demokratischer Club« und entwickelten sich zu Aktionszentren der 68er Studentenbewegung.
Ebenda *Internationaler PEN-Kongreß* Der Internationale PEN-Kongreß 1965 fand in der jugoslawischen Küstenstadt Bled statt.

S. 23 *»Die Geburt eines Schmetterlings«* Der Film *Fräulein Schmetterling* (Drehbuch: Christa und Gerhard Wolf, Regie: Kurt Barthel) lag zur Zeit des 11. Plenums des ZK in der SED 1965 im Rohschnitt vor und wurde, wie zahlreiche andere Filme, verboten (siehe auch: *Kahlschlag, Das 11. Plenum des ZK der SED 1965, Studien und Dokumente.* Berlin: Aufbau-Verlag 1991).

S. 24 *Operative Maßnahmen* erfolgten erst seit 1968.

Personalakte 1955–1964

Editorische Vorbemerkung

Die in Faksimile wiedergegebenen Aktenstücke entstammen zwei Kopien der Gauck-Behörde; einmal hat die Behörde Christa Wolf eine Kopie zur Verfügung gestellt. Weil einzelne Seiten in einem für die Wiedergabe technisch nicht ausreichenden Zustand waren, hat der Herausgeber bei der Gauck-Behörde eine zweite Kopie beantragt und auch erhalten. Für die Reproduktion wurde jeweils das Material verwendet, das die beste technische Qualität besaß. Deswegen und weil die Gauck-Behörde aus Datenschutzgründen sowie an einzelnen Stellen aus Versehen z. B. die Rückseite eines Suchzettels nicht mitkopiert hat, ist die Numerierung auf den einzelnen Seiten nicht vollständig.

Um Mißverständnissen vorzubeugen, wird darauf hingewiesen, daß das von der Stasi gesammelte Material keineswegs ausschließlich aus MfS-Quellen stammt. Die Lebensläufe von Christa Wolf etwa, Personalbögen und dergleichen wurden gesammelt und der Personalakte beigefügt, natürlich mit dem Ziel, ein möglichst lückenloses Bild einer Person zu bekommen.

Ministerium für Staatssicherheit **Vertrauliche Dienstsache!**

Verw./Bezirksverwaltung ~~M.f.S.~~ Halle

Abteilung/Kreisdienststelle V

~~Vorlauf~~ / Personalakte

Nr. ~~728/59~~
~~683/60~~
Halle 1258/60

Kategorie GI

Deckname Margarete

Beginn 24.3.1959

Beendet

Archiv-Nr. Halle-3627/62

Anzahl der Blätter 109

112

V 0267 858 30.0 Form 62

Abl.2

Regierung der
Deutschen Demokratischen Republik
Ministerium für Staatssicherheit

Vertrauliche Dienstsache!

Inhaltsverzeichnis

Personal -Vorgang Reg.-Nr. 728/59

Lfd. Nr.	Inhaltsangabe	Blatt Nr.	Bemerkungen
1.	Aufstellungsbogen	1	
2.	KW-Aufstellung	2	
3.	Aktenspiegel	3	
4.	Suchzettel über den GI	4	
5.	Personalbogenkopie des GI	5-8	
6.	Lebenslaufkopie u. Abschrift des GI	9-11	
7.	Abschrift der Aufnahme in den DSV	12	
8.	5 Abschriften offizieller Beurteilungen des GI	13-17	
9.	Objektnotiz	18	
10.	Inoffizielle Einschätzungen des GI	19-21	
11.	Umschlag	22	
12.	Ermittlungsbericht	23	
13.	Suchzettel über GI u. Angehörige	24-28	
14.	Auszug aus stenogr. Protokoll der theoret. Konf.	29-35	6.-8. Juni 1958
15.	Aktenvermerk über Auslandsreisen	36	
16.	Aktenvermerk über Bekanntwerden des GI	37	
17.	Plan zur Aufklärung des GI	38	
18.	Überprüfung bei Abt. "M" u. Aktenvermerk	39-41	
19.	Inoffizielle Einschätzungen des GI	42-44	
20.	Einschätzung des GI durch Mitarbeiter	45	
21.	Aktenvermerk zur Aufklärung des Arbeitsverh.	46	
22.	Ermittlungsbericht	47-48	
23.	Aktennotiz über eine Verbindung	49-50	
24.	Personalunterlagen über [geschwärzt] d. GI	51-69	
25.	Personalunterlagen über beide [geschwärzt] des GI	70-81	

VII 0005 1256 3.0.0

Inhaltsverzeichnis

Personal Vorgang Reg.-Nr. 728/59

Lfd. Nr.	Inhaltsangabe	Blatt Nr.	Bemerkungen
26.	Inoffizielle Beurteilung der [geschwärzt] des GI	82-83	
27.	Suchzettel über Verbindungen des GI	84-85	
28.	Vorschlag zur Werbung	86-91	
29.	Aktenvermerk über Bestellung zur Anwerbung	92	
30.	Anwerbungsbericht	93-95	
31.	Mitteilung des Ref. Auslandsreisen	96	
32.	Aktenvermerk über WKW	97	
33.	Einschätzung und Perspektivplan	98-99	
34.	Schreiben der HA V/1	100	
35.	Einschätzung über den IM	101	
36.	Auskunftsbericht vom 5.4.62	102-107	
37.	Abschlußvermerk	108	
38.	Einstellungsbeschluß	109	
39.	Aktenvermerke	110+111	
40	Form W	112+113	
41	Ermittlungsbericht	114+115	
42	Abschlußbericht	116	

1

Regierung der
Deutschen Demokratischen Republik
Staatssekretariat für Staatssicherheit
Verwaltung / Bezirksverwaltung MfS

Vertrauliche Dienstsache!

Aufstellungsbogen

über die Mitarbeiter, die den Personal -Vorgang

Reg.-Nr.: 728/59 bearbeitet oder in den Vorgang Einsicht genommen haben.

Lfd. Nr.	Name, Vorname	Abteilung / Kreisdienststelle	Datum der Einsichtnahme	Unterschrift des Mitarbeiters
1.	Ltn. Paroch, Benno	HA V/1		Parochy
2.	" [illegible], Alfred	V/1		[illegible]
3	[illegible] Streit, Horst	V/1		[illegible]
4	Graupner	HA XX/AG-RV	5.4.-22.6.[illegible]	[illegible]
5	[illegible]	[illegible]	19.6.-12.7.74	

Ü

Regierung der
Deutschen Demokratischen Republik
Ministerium für Staatssicherheit

Vertrauliche Dienstsache!

Form 25

KW

die der GI – GHI – GM "Margarete" (Deckname) Reg.-Nr. 728/59
aufgesucht hat.

Deckname der KW	Reg.-Nr. der KW	aufgesucht am	
		Datum	in der Zeit von / bis
KW "Höhe"	1136/59	24.4.59	16⁰⁰ – 19⁰⁰

VII 0107 456 100.0

3

Regierung der
Deutschen Demokratischen Republik
Ministerium für Staatssicherheit

Vertrauliche Dienstsache!

Aktenspiegel

für die Personalakte des geheimen Informators – Hauptinformators – geheimen Mitarbeiters – Inhaber einer konspirativen Wohnung

Reg.-Nr.: 728/59

Bestätigt am: 2.3.1959

Angeworben am: 24.3.1959

Angeworben durch: Ltn. Paroch Oltn. Seidel, der bei der geworbenen Person unter den Namen: Wegner – Siebert bekannt ist.

Kategorie: GJ

Linie, auf der die geworbene Person arbeitet: Abwehr im DSV

Deckname der geworbenen Person: Margarete

Losungswort:

Personenbeschreibung:

Größe: ca 1,70

Gestalt: schlank

Gesicht: oval

Haar: schwarz

Bart: –

Besondere Kennzeichen: keine

VII 0023 256 100.0 Form 28

Dieses Feststellungsergebnis dient als Mitteilung an die Dienststelle, für welche die umseitig genannte Person einliegt.

Vertrauliche Dienstsache!

Original

MfS

Bezirks-Verwaltung MfS

Abt./Kreisdienststelle HA. V/1/IV

Berlin, den 18. 6. 1958

Suchzettel über

Name Wolf

Vorname Christa

geb. am 18.3.1929

Geburtsort

Arbeitsstelle und Beruf Redakteurin der NDL im Deutschen Schriftstellerverb.

Wohnadresse Berlin – Karlshorst Stechlinstr. 4

Hinweis zur Person

Anlaß der Überprüfung Neueinstellung im Objekt DSV

(Unterschrift des Mitarbeiters)

Leiter der Abteilung/Kreisdienststelle

(Unterschrift)

VII 0271 856 500.0 Form 10

Der Bundesbeauftragte für die
Unterlagen des Staatssicherheitsdienstes
der ehemaligen
Deutschen Demokratischen Republik
KOPIE

Feststellungsergebnis:

XV Liegt nicht ein
20. JUNI 1959
3

Vertrauliche Dienstsache!

Durchschrift

MfS
Bez.-Verwaltung MfS
Abt./Kreisdienststelle HA VII/IV
Berlin, den 18. 6. 1959

Suchzettel über

Name Wolf
Vorname Christa
geb. am 18. 3. 1929
Geburtsort
Arbeitsstelle und Beruf Redakteurin der NDL im Deutschen Schriftstellerverb.
Wohnadresse Berlin - Karlshorst Stecklinstr. 4
Hinweis zur Person
Anlaß der Überprüfung Neueinstellung im Objekt DSV

(Unterschrift des Mitarbeiters)

Leiter der Abteilung/Kreisdienststelle

(Unterschrift)

(Stempel der ausgebenden Dienststelle)

Der Bundesbeauftragte für die Unterlagen des Staatssicherheitsdienstes der ehemaligen Deutschen Demokratischen Republik

KOPIE
Vertraulich!

Personalbogen

Zur Beachtung: Sämtliche Fragen sind gewissenhaft und in gut lesbarer Schrift zu beantworten. Striche sind unzulässig. Falls die hier vorgesehenen Spalten zur genauen Beantwortung nicht ausreichen, ist eine Anlage beizufügen. Legen Sie einen ausführlichen handschriftlichen Lebenslauf bei.

A. Personalien

1. Name (bei Frauen auch Geburtsname) W o l f geb. Ihlenfeld
2. Vornamen (Rufnamen unterstreichen) C h r i s t a Margarete Elfriede
3. Geburtsdatum und Geburtsort 29.3.1929, Landsberg/Warthe
4. Staatsangehörigkeit deutsch (seit wann?)
5. Nummer des Deutschen Personalausweises und ausstellende Behörde XV 0551405 Präsidium d.VP, Berlin
6. a) Jetzige Wohnung (auch vorübergehende) (Telefonanschluß ist anzugeben) Berlin-Karlshorst, Stechlinstr.4

b) Sämtliche Wohnanschriften seit 1932 (mit Jahresangabe)

1929-32 Landsberg/W. Küstriner Str.
1932-36 " Sonnenplatz 5
1936-45 " Fr.-Wilh.-Kranichstr.1
1945 Grünefeld, Krs. Nauen
1945-1947 Gammelin, Krs. Hagenow, Meckl.
1947-49 Bad Frankenhausen/Kyffh. Thomas-Münzerstr.9
1949-51 Jena, Ricarda-Huch-Weg 32
1951-53 Leipzig N22, Fritzschestr.13

7. Familienstand (ledig / verheir. / Lebensgefährte / geschieden / verwitw. / getr. lebend) verh. Eigener Hausstand? ja

8. Familienangehörige (Angaben in den ersten 3 Spalten auch wenn verstorben)

Name und Vorname	Geburtsdatum	Überwiegende Tätigkeit bis 1945	Jetzige Tätigkeit	Anschrift der Arbeitsstelle
[redacted]	[redacted]	[redacted]	[redacted]	[redacted]
Mutte[redacted]	[redacted]	[redacted]	[redacted]	"
Ehepartne[redacted] (Leben[redacted]	[redacted]	[redacted]	[redacted]	[redacted]
Kinder [redacted]	[redacted]			

HA Pers. 7/D Vordruck-Leitverlag Erfurt Ag 140 2025/100 1 35 13038

6

B. Bildungsgang

9. a) Schul- und Hochschulbildung (auch Ort, Zeit, Abschlußprüfungen)
Oberschule, Abitur 1949 in Frankenhausen, Note: sehr gut
Hochschulstudium Germanistik, Staatsexamen 1953 Leipzig, Note: Sehr gut

b) Welche Fremdsprachen beherrschen Sie perfekt in Wort und Schrift? Gute Englischkenntnisse

C. Berufliche Entwicklung

10. Erlernter Beruf Germanistin

11. Fachliche Spezialkenntnisse Literatur

12. Berufsbildung, Lehrgänge an Fachschulen und Prüfungen im Beruf (auch Ort und Zeit angeben)
entfällt

13. Gesamte bisherige Tätigkeit
(einschl. Angaben über Unterbrechung durch länger. Schulbesuch, läng. Krankheit, Erwerbslosigkeit u. dgl.)

Zeitangabe von	bis	Anschrift der Arbeitsstelle	Tätig als	Einkommen
1953 -		Deutscher Schriftstellerverb. Berlin W 8, Friefrich-str. 169	Wissenschaftl. Mitarbeiterin	950,-DM

14. Sind Sie z. Z. in ungekündigter Stellung? ja Grund des Ausscheidens

15. Haben Sie sich schriftstellerisch betätigt? ja, Rezensionen in der NDL u. im ND (Buchkritiken)
(wenn ja, weitere Angaben gegebenenfalls auf einem besonderen Blatt)

16. Sind Sie körperbehindert? — Um wieviel %? — Sind Sie Inhaber eines Schwerbeschädigten-Ausweises? —
Ausweis-Nr. entfällt Ausstellungsdatum und -ort
Art des Körperschadens

D. Militärverhältnis bis 1945 (auch Dienst in Polizei und anderen militärischen Formationen)

17.

Zeitangabe von	bis	Formation oder Dienststelle	Höchster Dienstgrad
		entfällt	

18. Welche Auszeichnungen, Orden oder Parteiorden wurden Ihnen vor dem 8. Mai 1945 verliehen und wann?

entfällt

19. Waren Sie von 1939 an in Kriegsgefangenschaft?

a) Wann, wo und durch welche Militärmacht erfolgte die Gefangennahme? entfällt

b) In welchen Lagern waren Sie untergebracht?

c) Haben Sie an Lehrgängen teilgenommen? (wenn ja, wann, wo und Dauer)

d) Welche Lagertätigkeit haben Sie in der Gefangenschaft ausgeübt?

e) Wann, wo und durch welche Militärmacht erfolgte die Entlassung?

E. Gesellschaftliche Entwicklung

20. Welchen Parteien, Gewerkschaften oder sonstigen Organisationen gehörten bzw. gehören Sie an? (zeitliche Reihenfolge)

Bezeichnung der Organisation	Wo eingetreten	Mitglied von	bis	welche Funktionen	von	bis
a) Parteien						
SED	Bad Franken-hausen	Febr.1949				
b) Gewerkschaften						
FDGB	Berlin	Sept.1953		BGL Vors.	Dez53-	Febr.55
c) Organisationen						
BDM	Landsberg/W.	1939-	1945			
FDJ	Bad Frankenh.	Nov.1948		Ltg.d.Oberschulgr.1949		
				Fakultätsltg.Univ.Jena,1951		
				Sekretär einer Seminargr.		
				Univ. Leipzig 1952/53		
DSF	Bad Frankenh.	März 1949				
GST	Berlin	Dez.1953				

21. Welche Partei- und Gewerkschaftsschulen und Lehrgänge haben Sie seit dem 8. Mai 1945 besucht (wann, wie lange)?

entfällt

8

22. Sind Sie anerkannt als Verfolgter des Naziregimes (VdN)? nein

23. Welche Auszeichnungen wurden Ihnen seit dem 8. Mai 1945 verliehen und wann?
entfällt

24. Wurden Sie nach dem 13. Oktober 1948 für einen anerkannten Verbesserungsvorschlag prämiiert?
(Zutreffendes falls nähere Angaben im Lebenslauf)
nein

F. Sonstiges

25. Waren Sie im Ausland? (wann, wo, weshalb, etwaige Arbeitsstellen)
Ungarn, Mai 1954, Delegatio n d.DSV

26. Haben Sie Verwandte im Ausland? (welche, wo)
nein

27. Sind Sie oder Ihr Ehepartner (Lebensgefährte) Eigentümer von Grundbesitz, Unternehmen oder daran beteiligt?
(Art und wo) nein

a) Sind Sie vorbestraft? (wenn ja, Angabe der Straftat, des Strafmaßes und des Zeitpunktes der Verurteilung)
nein

b) Haben Sie einen Wirtschaftsstrafbescheid erhalten? (wenn ja, nähere Angaben)
nein

c) Schwebt gegen Sie ein gerichtliches oder polizeiliches Ermittlungsverfahren? (wenn ja, nähere Angaben)
nein

29. Nennen Sie Personen mit genauer Anschrift, die über Sie Auskunft geben können
(keine Verwandten od. Familienmitglieder)

1. [geschwärzt]
2. [geschwärzt]
3. [geschwärzt]

versichere, die vorstehenden Angaben wahrheitsgemäß und vollständig gemacht zu haben. Es ist mir bekannt, daß falsche Angaben eine fristlose Entlassung und strafrechtliche Folgen nach sich ziehen können.

Berlin, den 5.Juli 1955

Anlage Lebenslauf

Christa Wolf
(Unterschrift)

Vom Bewerber nicht auszufüllen!

L e b e n s l a u f

Ich bin am 18.3.1929 in Landsberg /Warthe geboren. Mein Vater war Kaufmann.

Von 1935 bis 1939 besuchte ich die Volksschule in Landsberg, dann bis 1945 die dortige Oberschule. Seit 1939 war ich Mitglied des BDM.

1945 verließen wir Landsberg wegen der näherrückenden Kampfhandlungen. Bis zum April 1945 wohnten meine Mutter, mein drei Jahre jüngerer Bruder und ich in Grünefeld b. Berlin. Mein Vater befand sich zu dieser Zeit schon in sowjetischer Kriegsgefangenschaft.

Den Zusammenbruch des Hitlerregimes erlebte ich mit 16 Jahren,als wir nach erneuter Evakuierung mit einem Treck unterwegs waren. Wir blieben über zwei Jahre in Gammelin/Mecklenburg. Ich arbeitete dort längere Zeit als Schreibkraft des Bürgermeisters und sammelte meine ersten Erfahrungen bei der praktischen Durchfühtung der Bodenreform.

Im März 1946 begann ich wieder,in Schwerinz die Oberschule zu besuchen. Ich mußte aber im Mai schon wieder den Schulbesuch unterbrechen, weil ich an Tbc erkrankte. Bis Februar 1947 war ich in einer Lungenheilstätte und wurde als geheilt entlassen.

Nach einigen Weiteren Monaten Schulbesuch in Schwerin siedelte unsere Familie im Oktober 1947 nach Bad Frankenhausen/Kyffh. über, wo mein Vater, der inzwischen aus der Kriegsgefangenschaft entlassen worden war, als Heimleiter eines Kindersanatoriums zu arbeiten begann.

In Frankenhausen schloß ich 1949 die Oberschule mit dem Abitur ab.

Von 1949 bis 1951 studierte ich Germanistik in Jena.In der Zeit leistete ich, wie auch später, viel gesellschaftliche Arbeit in der FDJ- Fakultätsgruppe. Ich gehörte seit November 1948 der FDJ an und trat 1949 in die Sozialistische Einheitspartei Deutschlands ein

1951 heiratete ich. Mein Mann arbeitet als Redakteur am Leipziger Rundfunk. Deshalb studierte ich die letzten beiden Studienjahre in Leipzig. Ich war dort Sekretär einer Seminargruppe. 1953 machte ich mein Staatsexamen in Germanistik mit der Note "Sehr gut".

Im Januar 1952 wurde meine Tochter Annette geboren.

-2-

Nach Beendigung meines Studiums arbeitete ich als wissenschaftliche Mitarbeiterin im Deutschen Schriftstellerverband. In dieser Tätigkeit bekam ich einen guten Einblick in den Entwicklungsstand der neuesten Literatur, sammelte Erfahrungen bei der Arbeit mit jungen Autoren, machte Lektoratsarbeit und war beteiligt an verschiedenen literaturpolitischen Arbeiten des Verbandes. Ich schrieb Buchkritiken für die "Neue Deutsche Literatur", für das "Neue Deutschland" und den Pressedienst der SED. Funktionen: BGL-Vorsitzende, Prop.-arbeit in der Partei.
Ich möchte meine Stellung wechseln, um möglichst vielseitige praktische Erfahrungen in der Literaturarbeit zu sammeln. Ich nehme an, daß gerade die Verlagsarbeit mir die Möglichkeit dazu geben würde. Im Verlag "Neues Leben" hoffe ich meine pädagogischen Kenntnisse anwenden zu können (ich habe vier Semester Pädagogik studiert und auch einige pädagogische Praktika gemacht.)

Christa Wolf

Berlin, d. 5.7.55.

A b s c h r i f t

Lebenslauf

Ich bin am 18. März 1939 in Landsberg an der Warthe geboren.
Mein Vater war Kaufmann,
Bis 1945 besuchte ich die Grund- und Oberschule in meiner Heimatstadt. Ich war seit meinem zehnten Lebensjahr Mitglied des BDM.
Vor der näher rückenden Front flüchtend, verließen wir Landsberg im Januar 1948. Unterwegs, auf der Landstraße erlebte ich mit 16 Jahren den Zusammenbruch des Hitlerregimes. Nach längerer Zeit fanden wir in Gammelin, einem kleinen Dorf in Mecklenburg, Unterkunft. Ich arbeitete dort als Schreibkraft des Bürgermeisters und bekam Einblick in die großen Anstrengungen der sowjetischen und deutschen Verwaltungen, das Leben wieder zu normalisieren.
An Tbc erkrankt, verbrachte ich einige Monate in einer Heilstätte und setzte anschließend den unterbrochenen Schulbesuch in Bad Frankenhausen, dem neuen Wohnsitz meiner Eltern fort. 1949 beendete ich dort die Oberschule mit dem Abitur.
Das Ergebnis meiner Auseinandersetzungen mit meinen eigenen falschen Anschauungen während des Faschismus und meinen Erlebnissen nach der Befreiung war mein Eintritt in die FDJ im November 1948.
Seit dem Februar 1949 gehöre ich der Sozialistischen Einheitspartei Deutschlands an.
Ich studierte von 1949 - 53 Germanistik in Jena und Leipzig. Ich leistete in dieser Zeit viel gesellschaftliche Arbeit in der FDJ.
1953 beendete ich mein Studium mit dem Staatsexamen.
Seit November 1953 arbeite ich als wissenschaftliche Mitarbeiterin im Deutschen Schriftstellerverband. Diese Arbeit ermöglicht mir einen guten Einblick in den Entwicklungsstand unserer neuesten Literatur. Ich veröffentlichte Literaturkritiken, machte Lektoratsarbeit für den Verband und verschiedene Verlage und sammelte Erfahrungen in der Arbeit mit jungen Autoren.
In den allernächsten Monaten werde ich eine andere Arbeit als Cheflektor im Ve lag "Neues Leben" übernehmen.

gez. Christa Wolf

Berlin, den 2o. Sept. 1955

A b s c h r i f t

Deutscher Schriftstellerverband
Bezirk Berlin

am 3.11.1955

Christa W o l f
Als wissenschaftlicher Mitarbeiter des Verbandes und im Hinblick darauf, daß sie in nächster Zeit Cheflektor des Verlages "Neues Leben" werden wird, nehmen wir die Kollegin W. als Mitglied auf.

Aufnahmekommission:

gez. [geschwärzt] gez. [geschwärzt]

gez.: [geschwärzt] geb. [geschwärzt]

gez. [geschwärzt]

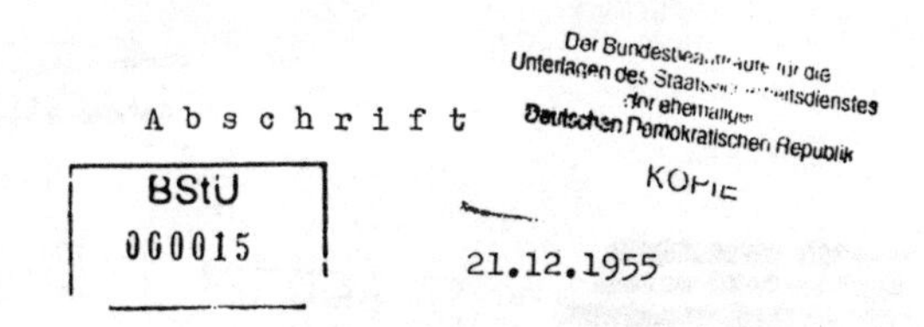

A b s c h r i f t

BStU
000015

KOPIE

21.12.1955

Liebe Kollegen!

Durch intensive Studienarbeit in Anspruch genommen, war es mir leider nicht möglich, eher auf Ihr Schreiben vom 9.11. zu antworten.
Hier also nun meine Bemerkungen über die Kollegin Christa WOLF:

Sie ist eine außerordentlich begabte junge Literaturwissenschaftlerin und Kritikerin. Sie ist in ihren Urteil selbständig, gewissenhaft und gründlich. Daß sie eine gute Kennerin unserer Literatur und der lebenden Schriftsteller ist, wird Ihnen ja bekannt sein. -Sie scheint mir für die Arbeit eines Cheflektors sehr git geeignet zu sein. Sie hat auch in ihrer gesamten beruflichen wie gesellschaftlichen Arbeit im Schriftsteller-Verband Ernst und Verantwortungsbewußtsein an den Tag gelegt. Die deutsche Literatur hat von ihr noch viel zu erhoffen und sie dürfte, ihren Kenntnissen und Fähigkeiten entsprechend, ruhig ein wenig selbstbewußter sein, als sie es jetzt ist. Auch wäre es gut, wenn sie sich noch mehr Härte und Entschlossenheit aneignen würde. Helft ihr dabei. Stärkt ihr den Rücken der Verlag wird davon provitieren.
Ich hoffe, ich habe genug gesagt.

Besten Gruß

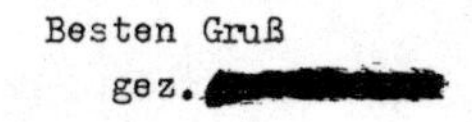

gez.

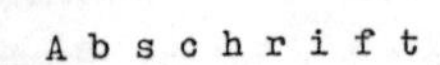

A b s c h r i f t

Berlin, den 3.1.1956

An den
Verlag "Neues Leben"
Kaderabteilung
Berlin W 8
Markgrafenstr. 30

Betr.: Anfrage vom 9.11.55 (Beurteilung über Frau Wolf)

Ich kenne Christa Wolf seit 1951. Wir studierten zusammen an der gleichen Fakultät der Karl-Marx-Universität. Christa Wolf war sowohl fachlich wie gesellschaftlich Vorbild für ihre Seminargruppe. Als besonders positive Eigenschaft möchte ich ihr aktives Stellungnehmen zu brennenden Fragen hervorheben, ihre Fähigkeit, selbständig Probleme aufzugreifen und den Dingen auf den Grund zu gehen.
Auch in Berlin bestätigte sich diese kämpferische Haltung. Dazu kommt eine durch Erfahrung und Praxis vertiefte iedeologische Klarheit und gesellschaftliches Bewußtsein.

gez.

Für die Verspätung meiner Stellungnahme bitte ich um Entschuldigung.

A b s c h r i f t

Deutscher Schriftstellerverband 14.2.1956 Els.

Verlag "Neues Leben"
Berlin W 8
Markgrafenstr. 30

Betr.: Beurteilung Christa W o l f

Kollegin Christa WOLF hat in der Zeit vom 1. September 1953 bis zum 31.12.55 als wissenschaftliche Mitarbeiterin für Prosa in unserem Verlag gearbeitet.
Sie hat sich während dieser Zeit zu einer beachtlichen und anerkannten Kritikerin entwickelt. Viele Schriftsteller erkennen ihren positiven Einfluß auf unsere Gegenwartsliteratur dankbar an. Christa WOLF verfügt über ausgezeichnete und umfassende Kenntnisse der deutschen Literatur. Sie hat einen sehr guten Kontakt zu einer großen Anzahl von Schriftstellern und versteht es, auf deren konkrete Schaffensprobleme einzugehen und mit ihnen zu arbeiten,
Kollegin WOLF hat in der gesamten Zeit ihrer Tätigkeit im Deutschen Schriftstellerverband gesellschaftliche Arbeit in der Parteileitung und in der BGL geleistet.
Sie ist vom fachlichen und politischen Standpunkt eine hochqualifizierte Mitarbeiterin, die zu selbständiger, leitender Tätigkeit befähigt ist. Ihre Mitarbeit im Verlag Neues Leben kann für denselben nur von großem Gewinn sein.

Deutscher Schriftstellerverband
gez. [geschwärzt] gez. [geschwärzt]

Abschrift

Berlin, den 15. Februar 1956

Verlag Neues Leben
- Kaderabteilung -
B e rl i n W 8
Markgrafenstr. 3o

Betr.: Kollegin Christa W o l f, Berlin-Karlshorst
Bezug: Ihre Anfrage vom 9.11.55 - MH:hd.-

Werte Kollegen!

Sie werden verstehen, daß man solch einen Hinweis, wie ihn mir Christa WOLF mit etwa folgenden Worten gab: eine Beurteilung über sie seit nicht so unbedingt eilig, da sowieso alles perfekt sei, nur damit beantworten kann, daß man sich eben ein bißchen Zeit läßt.
Mit Christa WOLF bekam Ihr Verlag eine sehr zuverlässige, gewissenhafte, gründlich und exakt arbeitende Kraft, zu der ich Sie reinen Herzens beglückwünschen kann. Wollen wir nur hoffen, daß sie bei der vielen Arbeit bei Ihnen Zeit behält, ihre Kenntnisse und Fähigkeiten auch in direkter Weise der größeren Öffentlichkeit durch kritische Artikel weiter zur Verfügung zu stellen.

Mit freundlichen Grüßen!

gez. [geschwärzt]

/17

A b s c h r i f t

Verlag Neues Leben Berlin

9.4.58

An den
Deutschen Schriftstellerverband
- Kaderabteilung -

B e r,l i n W 8
Friedrichstr. 169

Werte Kollegen,

beiliegend überreichen wir die 57 Blatt umfassende Personalakte der Kollegin Christa WOLF zur weiteren Verwendung.
Kollegin Christa WOLF, geb. 18.3.29, war in der Zeit vom 1.1.56 - 30.4.56 bei uns als Cheflektor tätig. Sie mußte leider wegen Schwangerschaft aus dem Verlag ausscheiden. Infolge der kurzen Zeit ihrer Tätigkeit ist eineumfassende Beurteilung nicht möglich. Es kann aber gesagt werden, daß sie sich gut eingesetzt hat. Sie hat sehr schnell Kontakt zu den Kollegen und auch ihr Vertrauen gewonnen und wäre zweifellos den Aufgaben eines Cheflektors gewachsen gewesen.

Mit kollegialem Grüßen
VERLAG NEUES LEBEN
gez. [geschwärzt]

18

Berlin, den 9.4.1958

Mitteilung an
Koll. [geschwärzt]

Christa WOLF, geb. 18.3.29, verheiratet, 2 Kinder, wohnhaft Berlin-Karlshorst, Stechlinstr. 4 arbeitet ab 1.4.58 als Redakteurin in der NDL. Uhr Gehalt beträgt DM 1.2oo,-

gez. [geschwärzt]
gez. [geschwärzt]

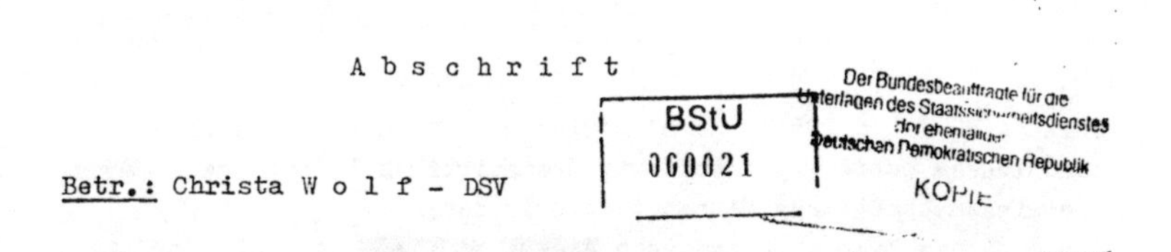
Abschrift

Betr.: Christa W o l f - DSV

Ich kenne WOLF seit 1954 aus meiner Tätigkeit im DSV. Sie war dort in der Literatur-, später wissenschaftlichen Abteilung beschäftigt. Sie schrieb Buchkritiken, deren Titel sie klug auswählte, vor allem über solche, Bücher, die in der Öffentlichkeit von sich reden machen. Sie gehört zu den Menschen die stets warten, was die anderen sagen, ihre Meinung dann wohl dosiert und klug abwertend zum Ausdruck bringen. Sie kam zum Verlag "Neues Leben" als Cheflektor, wo sie sich aber nicht bewähren konnte - wahrscheinlich, weil auf einer solchen Stelle viel Initiative verlangt wird und man auch stets ein gewisses Risiko auf sich nehmen muß. Vor allem das letzte scheut sie stets, sie wird sich stets bemühen, sich auf das Urteil bekannter Genossen stützen zu können. Sie arbeitet zuverlässig, verlangt allerdings lange Fristen und übernimmt nie sog. undankbare Aufgaben. Ich schätze sie für klug ein, man kann mit ihr gut im Kollektiv arbeiten, wenn man ihre Schwächen kennt und nicht Initiative von ihr verlangt. M.E. ist sie sehr auf Karriere bedacht - nicht einmal im schlechten Sinne - und will unter keinen Umständen etwas tun, wo Neuland zu betreten ist, oder wo sie gegen die Meinung bekannter Leute ankämpfen müßte. Wenn schon, dann nur im Kollektiv, das sie deckt. Daß die ihre Eltern als Heimleitung ins Friedrich-Wolf-Heim gebracht hat, aufgrund guter Beziehungen zu ████, haben ihr Viele übel genommen, Sie arbeitet eng mit ihrem ████ zusammen (████.) und sie unterstützen sich gegenseitig bei der Ausübung ihrer Verbandsfunktionen. Ihr Ziel ist wahrscheinlich, eine einflußreiche Funktion und Rolle in der Literaturkritik zu spielen. Beziehungen entscheiden bei ihr alles.
Sie ist sicher eine gute und zuverlässige Genossin, hat aber bei allen Entscheidungen auch stets im Hintergrund ihr persönliches Ziel im Auge. - "lebenskrlug", wie man so nennt. Wie sie sich in einer Situation vrhalten würde, wo so etwas wegfallen muß, kann ich nicht sagen.

Berlin, den 2o.8.1958 gez. "Hannes"

Abschrift

Christa WOLF kam 1954 - nachdem sie in Leipzig ihr Studium abgeschlossen hatte (sie studierte Germanistik bei Prof. Hans Mayer) als wissenschaftliche Mitarbeiterin in den DSV.
Zur gleichen Zeit etwa kam auch [geschwärzt], der mit Christa WOLF zusammen in Leipzig studiert hatte, nach Berlin. [geschwärzt] hatte seine Examensarbeit über "Kuba" (Kurt Bartel) geschrieben und [geschwärzt] hatte ihm die Stelle in Berlin angeboten. Soweit mir bekannt, hat [geschwärzt] dann empfohlen, auch Christa WOLF nach Berlin zu holen.
Christa wohnte mit ihrem [geschwärzt] und ihrer [geschwärzt] vorerst im Hause des DSV, in der Wohnung, die jetzt der Hausmeister des Ausschusses für Deutsche Einheit bewohnt, bis sie auf Fürsprache des DSV eine Wohnung in Berlin-Karlshorst erhielt, die sie bis jetzt noch bewohnt.
Christa WOLF gehörte während ihrer Tätigkeit im DSV der Betriebsgewerkschaftsleitung an und war längere Zeit BGL-Vorsitzende.
Sie ist in ihrem Wesen ziemlich ruhig, hat auf Grund ihres Studiums umfangreiche literarische Kenntnisse und war nebenbei noch freiberuflich als Literaturkritikerin tätig.
Als Ende 1954 ein Heimleiterehepaar für das Schriftstellererholungsheim gesucht wurde, empfahl Christa WOLF ihre [geschwärzt]. Ihr [geschwärzt], seit 1947 Genosse unserer Partei, war Leiter des Kindersanatoriums in Bad Frankenhausen. Er wollte sich arbeitsmäßig verändern. Anfang 1955 wurde das [geschwärzt] als Heimleiter eingestellt.
Im Januar 1956 schied Christa WOLF aus dem DSV aus, da sie eine Stelle als Chefredakteur im Verlag "Neues Leben" antreten wollte. Da sie ein Kind erwartete, arbeitete sie nur ein paar Monate im Verlag, blieb auch nach der Entbindung zu Haus und war freiberuflich als Literaturkritikerin tätig.
Seit März 1956 ist sie Mitglied des DSV gehörte der BPO-Autoren an, und war Mitglied der Parteileitung der BPO-Autoren.
Ihre Ferien verbrachte sie meist draußen am Schwielowsee, ihre [geschwärzt] war meist in den Sommermonaten bei den [geschwärzt] am Schwielowsee.
Ihr [geschwärzt] arbeitete bis 1957 als Kulturredakteur beim Deutschlandsender und ist seit kurzer Zeit ebenfalls freischaffend tätig.
Als im Frühjahr 1958 die Redaktion der "NDL" neu besetzt werden sollte, schlug die Partei vor, sich an die Genossin [geschwärzt]

- 2 -

- 2 -

[geschwärzt] und Christa WOLF zwecks Mitarbeit zu wenden. Beide Genossen lehnten diese Arbeit ab, da sie freischaffend tätig bleiben wollten. Erst mehrere Aussprachen im ZK führten dazi, daß beide ihre Zustimmung gaben. Christa WOLF mit der Einschränkung, daß sie nur an 3 Tagen in der Woche, Montag - Mittwoch und Freitag im DSV sein kann, die übrigen Tage in der Woche wird sie zu Haus arbeiten, nicht privat, sondern in ihrer Eigenschaft als Redakteurin der "NDL". 48 Std. wöchentlich im DSV zu sein kann sie aus familiären Gründen nicht einrichten (Unterbringung der Kinder u.ä.) Christa WOLF vertritt in Diskussionen einen klaren klassenmäßigen Standpunkt ich halte sie für eine vertrauenswürdige Genossin.

22.8.58 gez. "Hanna"

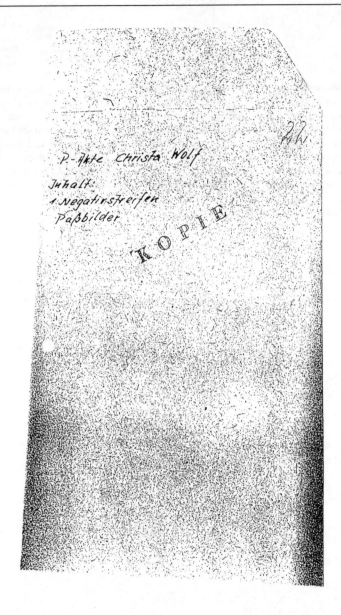

22

P-Akte Christa Wolf

Inhalt:
1 Negativstreifen
Paßbilder

KOPIE

Bericht.

Betr.: Ermittlungen über Frau Christa W o l f,Berlin - Karlshorst
Stechlinstraße 4.

Die Person,die ich angetroffen habe,war allem Anschein nach das Dienstmädel.Fam. Wolf besitzt eine sehr umfangreiche Bibliothek,mit Werken fortschrittlicher Autoren und ältere Werke. Das Wohnzimmer,in dem sich die Bibliothek befindet ist exklusiv eingerichtet und läßt auf Wohlhabenheit schließen.Sie besitzen auch einen Fernsehempfänger.Auf dem Schreibtisch liegen viele kleinere Büchoer,die Kunstcharakter tragen z.B."PICASSO" usw. . Auch liegen einige Exemplare "Neues Deutschland" auf dem Tisch. Das anwesende Kind,das dann aus dem Hause gegangen ist trug das Halstuch der "Jungen Pioniere".Ich kann mir nicht vorstellen, daß die anwesende junge Frau die Frau Wolf war,denn sie sprach auch des öfteren von ihrem Chef und meinte damit wohl Herrn Wolf. Die Äußerlichkeiten lassen auf eine fortschrittlich eingestellte Familie schließen.

Berlin am 10. Oktober 1958.

(Möllendorff)

Exemplare :
1 Orinal
1 Durchschlag

Auszug aus dem Bericht des GHI "Schmidt" vom 11.10.58 über den Treff mit GI "Möllendorf".

...In der Angelegenheit Wolf wäre seiner Ansicht nach noch mehr zu ermitteln, wenn er mit dem Dienstmädchen Beziehungen aufnehmen könnte. Sollte noch mehr erforderlich sein, dann wäre sein Vorschlag durchaus angebracht. ....

gez. Schmidt.

Dieses Feststellungsergebnis dient zur Mitteilung an die Dienststelle, für welche die umseitig genannte Person einliegt.

Kontrollkarte liegt ein
am 22.1.59 verlängert

Vertrauliche Dienstsache!

Original

MfS
Bez.-Verwaltung MfS
Abt./Kreisdienststelle HA. V/1/IV
Berlin, den 20. 1. 1959

Suchzettel über

Name Wolf
Vorname Christa
geb. am 18. 3. 1929
Geburtsort Landsberg/Warthe
Arbeitsstelle und Beruf Redakteurin NDL
Wohnadresse Berlin - Karlshorst Stechlinstr. 4
Hinweis zur Person Mitglied des DSV
Anlaß der Überprüfung Kont. Aufn.

(Unterschrift des Mitarbeiters)

Leiter der Abteilung/Kreisdienststelle

(Unterschrift)

VII 0271 856 500.0 Form 10

Feststellungsergebnis

SfS
Liegt ein für Büro MfS
Bez.Verw.
Abt./KD. V/1
Mitarb. Paroch
Archiv-Nr.
Datum 21.1.59
Unterschrift

Wi 28.3.59

Vertrauliche Dienstsache!

Durchschrift

MfS
Bez.-Verwaltung MfS
Abt./Kreisdienststelle HA. V/1/IV
Berlin, den 20. 1. 1959

Suchzettel über

Name Wolf
Vorname Christa
geb. am 18. 3. 1929
Geburtsort Landsberg/Warthe
Arbeitsstelle und Beruf Redakteurin in der NDL
Wohnadresse Berlin - Karlshorst Stechlinstr. 4
Hinweis zur Person Mitglied des DSV
Anlaß der Überprüfung Kont. Aufn.

(Unterschrift des Mitarbeiters)

Leiter der Abteilung/Kreisdienststelle

(Unterschrift)

Dieses Feststellungsergebnis dient a[illegible] Mitteilung an die Dienststelle, für welche die umseitig genannte Person einliegt.

Vertrauliche Dienstsache!

Original

MfS

Bez.-Verwaltung MfS

Abt./Kreisdienststelle HA. V/1/IV

Berlin, den 20. 1. 19[illegible]

Suchzettel über

Name

Vorname

geb. am

Geburtsort

Arbeitsstelle und Beruf

Wohnadresse Berlin-Karlshorst

Hinweis zur Person Mitgl. des DSV

Anlaß der Überprüfung Angeh. einer interessierenden Person

(Unterschrift des Mitarbeiters)

Leiter der Abteilung/Kreisdienststelle

(Unterschrift)

VII 0271 856 500,0 Form 10

Feststellungsergeb.

XV Liegt nicht ein

21. JAN. 1959

3

Vertrauliche Dienstsache!

Durchschrift

MfS

Bez.-Verwaltung MfS

Abt./Kreisdienststelle HA. V/1/IV

Berlin, den 20. 1. 1959

Suchzettel über

Name

Vorname

geb. am

Geburtsort

Arbeitsstelle und Beruf

Wohnadresse

Hinweis zur Person Mitgl. des DSV

Anlaß der Überprüfung Angeh. einer interessierenden Person

(Unterschrift des Mitarbeiters)

Leiter der Abteilung/Kreisdienststelle

(Unterschrift)

Dieses Feststellungsergebnis dient a. Mitteilung an die Dienststelle, für welche die umseitig genannte Person einliegt.

Vertrauliche Dienstsache!

Original

MfS

Bez.-Verwaltung MfS

Abt./Kreisdienststelle HA V/1/IV

Berlin, den 20. 1. 1959

Suchzettel über

Name

Vorname

geb. am

Geburtsort

Arbeitsstelle und Beruf Hausfrau

Wohnadresse

Hinweis zur Person

Anlaß der Überprüfung

(Unterschrift des Mitarbeiters)

Leiter der Abteilung/Kreisdienststelle

(Unterschrift)

VII 0271 856 500.0 Form 10

Feststellungsergebi

XV Liegt nicht ein
21. JAN. 1959
Unterschrift: 11

Vertrauliche Dienstsache!

Durchschrift

MfS

Bez.-Verwaltung MfS

Abt./Kreisdienststelle HA V/1/IV

Berlin, den 20. 1. 195

Suchzettel über

Name

Vorname

geb. am

Geburtsort

Arbeitsstelle und Beruf Hausfrau

Wohnadresse

Hinweis zur Person

Anlaß der Überprüfung

(Unterschrift des Mitarbeiters)

Leiter der Abteilung/Kreisdienststelle

(Unterschrift)

Dieses Feststellungsergebnis dient a. Mitteilung an die Dienststelle, für welche die umseitig genannte Person einliegt.

Vertrauliche Dienstsache!

Original

MfS

Bez.-Verwaltung MfS

Abt./Kreisdienststelle HA. V/1/IV

Berlin, den 20. 1. 1959

Suchzettel über

Name

Vorname

geb. am

Geburtsort

Arbeitsstelle und Beruf

Wohnadresse

Hinweis zur Person Verwandter zu uns

Anlaß der Überprüfung interessierenden Person

(Unterschrift des Mitarbeiters)

Leiter der Abteilung/Kreisdienststelle

(Unterschrift)

VII 0271 856 500.0 Form 10

Feststellungsergebn

XV Liegt nicht ein
21. JAN. 1959
Unterschrift: 11

Vertrauliche Dienstsache!

Durchschrift

MfS

Bez.-Verwaltung

Abt./Kreisdienststelle

, den 1959

Suchzettel über

Name

Vorname

geb. am

Geburtsort

Arbeitsstelle und Beruf

Wohnadresse

Hinweis zur Person

Anlaß der Überprüfung

(Unterschrift des Mitarbeiters)

Leiter der Abteilung/Kreisdienststelle

(Unterschrift)

Vertrauliche Dienstsache!

Durchschrift

MfS

Bez.-Verwaltung MfS

Abt./Kreisdienststelle II/4

Berlin, den 29. 7. 1959

Suchzettel über

Name Wolf geb. Ihlenfeldt

Vorname Christa

geb. am 18. 3. 29

Geburtsort Landsberg

Arbeitsstelle und Beruf Redakteurin bei NDL

Wohnadresse Bln.-K'horst, Stechlinstr. 4

Hinweis zur Person

Anlaß der Überprüfung Feststellung

[illegible]
(Unterschrift des Mitarbeiters)

Leiter der Abteilung/Kreisdienststelle

i. V. [illegible]
(Unterschrift)

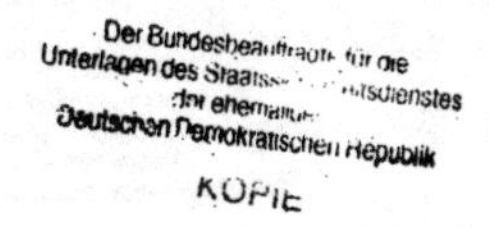

BStU
000038

Dieses Feststellungsergebnis dient als Mitteilung an die Dienststelle, für welche die umseitig genannte Person einliegt.

SfS	MfS
Liegt ein für Bar	
Bez.Verw.	
Abt./KD.	V/1 Parech
Mitarb.	
Archiv-Nr.	
Datum	6. 2. 59
Unterschrift	

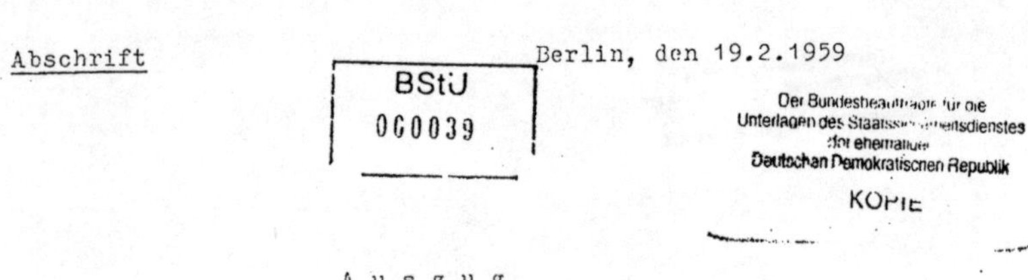

Abschrift

Berlin, den 19.2.1959

A u s z u g

aus dem stenografischen Protokoll der Theoretischen Konferenz des Deutschen Schriftstellerverbandes vom 6. bis 8. Juni 1958 im Neuen Stadthaus, Jüdenstrasse.

Christa W o l f

Ich habe mich hier bis zu diesem letzten Diskussionsbeitrag nicht gerade behaglich gefühlt aus folgendem Grund:gestern fing Genosse ███ an, über Fragen zu sprechen, die jeden von uns doch sehr stark berühren müßten. Die Reaktion war allgemein zustimmendes Gelächter und offensichtliche allgemeine Zustimmung überhaupt. Ich glaube, man lacht so, wie wir darüber gelacht haben, nur über völlig überwundene Dinge. Ich glaube aber nicht, daß die Dinge, über die ███ gesprochen hat, schon so überwunden sind, daß wir sie derartig herzlich frei und belachen könen. Vielleicht irre ich mich darin, aber ich möchte doch versuchen, dieses Mißverständnis hier zu klären, weil wir in der schöpferischen Arneit in den nächsten Monaten weitgehend davon ausgehen werden, was diese Konferenz ergab, und weil ich schon öfter erlebt habe nach solchen Konferenzen, daß völlig verschiedene Ansichten trotzdem noch bestanden und jeder glaubte, es richtig zu verstehen. Zum Beispiel erschien es nach dem Referat des Genossen ███ gestern so, als ob sich unsere Literatur allgemein auf einem richtigen Wege befinde, als ob es auf diesem Wege mehr oder weniger gelungene Versuche, und natürlich auch ganz gelungene und auch evtl. ganz mißlungene Versuche gäbe. Von welchen Kriterien aus diese Versuche mißlungen oder gelungen waren, wurde meiner Ansicht nach nicht genügend klar. So wurde der Begriff des sozialistischen Realismus als Bewertungsmaßstab in diesem Referat nicht angeführt, dadurch entstand zwischen dem ersten

- 2 -

und zweiten Referat keine Beziehung, die aber doch vorhanden sein sollte. Beide Referate hätte zwei Seiten einer Sache behandeln sollen, so aber erschien sie mir als zwei nebeneinander stehende Blöcke, wobei ich natürlich beiden Referaten die wertvollen Gedanken und Anregungen nicht absprechen möchte. Ich hatte den Eindruck, daß viele nach diesen Referaten, die vielleicht unsere frühere Situation nicht genügend kennen, oder anders kennen als ich, glauben konnten, es ist alles in Ordnung und eigentlich ist der gröbste Klassenkampf in der Literatur vorbei. Es ist so, daß wir in den letzten zwei Jahren wirklich das Gröbste überwunden haben in dieser Hinsicht, aber wenn man in einer Redaktion oder in einem Verlag ist, bekommt man täglich eine Menge Sachen auf den Tisch gelegt, die anders klingen. Ich kann sagen, daß es nicht einfach ist, vorausgesetzt, daß man sich nicht selbst irrt, den betreffenden Autor, den es betrifft, davon zu überzeugen, warum man eine Sache aus diesem ideologischen Grund nicht bringen will, warum man sie überhaupt nicht bringen will, jedenfalls nicht kommentarlos. Jeder von uns weiß, daß die Verlage augenblicklich in einer ausgesprochen schwierigen Situation befinden. Ich will nicht von Krise reden. Jeder weiß, daß es harte Auseinandersetzungen gibt. Das sind doch aber alles Formen von Literaturkritik, wenn auch diejenigen, die Kritik üben, nicht immer berufene Literaturkritiker sein müssen. Es gibt doch bedenkliche Auswirkungen von Literaturkritik, wenn zum Beispiel ein Autor als Folge der Auseinandersetzung mit seinen Büchern die Republik verläßt. Das sind doch Sachen, die wir nicht abstreiten können. Es ist doch nicht so, als ob sich unsere Literatur in einer wunderbaren Harmonie befände.

Es gibt aber auch so etwas: Oft hört man, daß ein Schriftsteller sagt, gerade Ältere, man könne bei uns nicht über alles so schreiben. Das ist eine Sache, die man nicht so mit leichter Hand von sich weisen darf und einfach sagen kann, das ost Opportunismus oder Revisionismus, daß man sich überlegt, kann man bei uns über alles schreiben. Es gibt, wenn man sich darüber nicht sehr viel Gedanken macht, sehr leicht die Schlußfolgerung: weil man tatsächlich nicht

- 3 -

- 3 -

über alles schreiben kann (es wird ja nicht alles gedrückt, was geschrieben wird) also haben wir doch einen harten Kurs. Und in unserer Zeit, wie sie nun einmal ist, kann eben keine große Literatur und keine tiefe Literatur entstehen. Das ist, soweit ich es sehe, der Kern unserer Diskussion oder sollte es sein. Das war auch der Kern der Diskussion, von der Genosse THIEME vorhin sprach, die im Mansfelder Gebiet stattgefunden hat. Er hat völlig Recht, daß diese Diskussion etwas Neuees war, daß wir sie nicht stark genug betonen und auswerten können. Interessant war aber dabei, daß sich die Diskussion eigentlich nicht um ein belletristisches Werk drehte, sondern daß es um ein Werk ging, bei dem es viel schneller als bei belletristischen auf die Kernfrage der Beurteilung kommen konnte. Es war dieser Erlebnisbericht von Mansfelder Arbeitern, wo man fragen konnte, stimmt es nicht oder war es ein richtiges Bild. Für den Herausgeber gab es also kein Ausweichen mehr.

In unserer Literatur ist es augenblicklich so, daß man sehr oft auf das Argunment, was du geschrieben hast, ist nicht wahr, die Antwort erhält: es ist aber wirklich passiert. Es ist nicht so, daß diese Auseinenadersetzung zwischen Naturalismus und Realismus überwunden wäre. Ich hielt es deshalb für richtig, hier noch einmal darüber zu sprechen. Ich weiß, daß folgender Fall, der im Grunde genommen sehr vielen bekannt ist, in Einzelheiten vielleicht nicht so viel, unter Schriftstellern viel Staub aufgewirbelt hat. Jeder weiß, daß Boris DJATSCHENKO lange Zeit an dem Buch über den zweiten Weltkrieg geschrieben hat, dessen Handlung bis zum Ende des Krieges reichte. Und dann ist auch jetzt durch die Veröffentlichungen in den Mitteilungen jedem, der es noch nicht wußte, bekannt geworden, daß dieses Buch zwar fertig gestellt, aber nie gedruckt worden ist und eben auch nicht veröffentlicht, und jeder weiß von dem Zurückziehen des Abdruckes in der "Berliner Illustrierten". Die erste Reaktion der vieler Schriftsteller war: Das ist aber allerhand, wie können di sich wagen, so in die Freiheit eines Schriftstellers einzugreifen, wieder derartig administrative Methoden anzuwenden. Als ich davon

- 4 -

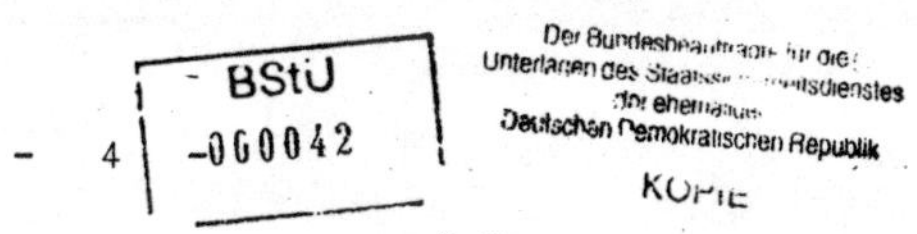

hörte, war meine erste Reaktion: Das ist aber ein tolles Stück, daß es möglich ist, eine solche Sache aus der "Berliner Illustrierten" zurückzuziehen und Anlaß zu derartigen Diskussionen zu geben. Ich habe das Buch gelesen und habe gesehen, daß nichts anders in der Situation, so wie sie vorhanden waren, möglich gewesen ist.

Dieses Buch hat folgende Grundkonzeption: Boris DJATSCHENKO ging davon aus, daß in unserer Zeit, da der Sozialismus mit dem Kapitalismus auf Leben und Tod zu kämpfen hat, auch die Menschen, die den Sozialismus aufbauen, eigentlich unmenschlich werden müssen und das auch für Sozialisten eigentlich keine Möglichkeit bleibt, sich als Menschen zu bewahren und zu bewähren. Es ist sinnlos, hier etwa den Inhalt des Buches zu erzählen. Das ist eine Grundkonzeption, die von ihm selbst auch ähnlich formuliert wurde. Er hat dann in einer Diskussion gesagt, daß viele dieser Geschichten, die in dem Buch aufgeschrieben sind, wirklich passiert sind.

Zu derselben Zeit entstand bei uns ein anderes Buch, das wir jetzt in diesem oder nächsten Monat alle in der Hand haben werden und über das ich deshalb spreche, weil ich es wünsche, daß sehr viele es lesen mögen. Es ist das Buch des Genossen Bruno APITZ "Nackt unter Wölfen", Es kommt im Mitteldeutschen Verlag heraus. Dieses Buch behandelt teilweise denselben Stoff wie das Buch von DJATSCHENKO, nämlich das Leben im Konzentrationslager, in Buchenwald in diesem Falle. Er hat nicht wie DJATSCHENKO, der sich vorgenommen hatte, ein ganz hartes Buch zu schreiben, er hat die Absicht gehabt, ein menschliches Buch zu schreiben, nämlich zu schreiben, wie der Mensch, wie gerade der Sozialist sich unter den härtesten vorstellbaren Bedingungen als Mensch bewähren kann und wie er Mensch bleiben kann. Ich muß sagen, daß natürlich selten ein solches Anschauungsmaterial zu einer These vorliegt wie diese beiden Bücher, und daß natürlich auch nicht jeder die beiden Bücher, und gerade das erste kennen wird. Aber für mich hat sich daran bewiesen, daß man nicht konfliktlos schreiben muß, wenn man für uns optimistisch schreiben will, daß man nicht Tragik umgehen muß, wenn man

- 5 -

optimistisch schreiben will, daß man keinen Scheinoptimismus, keinen oberflächlichen Optimismus produzieren muß, um sozialistische Literatur zu machen. Und deshalb glaube ich, kann man nicht genügend auf dieses Buch hinweisen und es propagieren.

Auf ein Argument möchte ich noch eingehen, das sehr oft in letzter Zeit in Diskussionen aufgetaucht ist. Man sprach über Arbeiten von Schriftstellern, und wenn man sie verwarf, war das letzte Argument immer: Aber dieser Autor ist doch talentiert, es ist doch ein Talent, mann kann ihn doch nicht kaputtmachen. Ja, was ist nun eigentlich ein Talent? Wann kann man von einem sozialistischen Schriftsteller, von einem Talent sprechen? Die allgemein geläufigen Ansichten darüber will ich nicht wiederholen, wie ich übrigens auch nicht widersprepreche. Aber mir ist gerade in letzter Zeit klar geworden, daß für uns, um von einem Talent sprechen zu können, noch etwas hinzu kommt, was sehr oft nicht in diesen Begriff mit hineningezogen wird, nämlich: Viele sagen, ein Talent ist als Schriftsteller, wer das kongenial ausdrücken kann, was er denkt. Ich glaube, heute kann man schon sagen: ein talentierter sozialist. Schriftsteller, das ist einer, der denken und fühlen kann, was zu denken und zu fühlen richtig ist, und er das auszudrücken versteht. Es ist doch nicht gleichgültig, welchen Konflikt ein Schriftsteller als Hauptkonflikt oder gestaltenswerten Konflikt empfindet. Er darf heute nicht mehr Konflikte aufgreifen, die am Rande liegen, die rein zufällig vielleicht seine eigenen Konflikte sind. Er muß heute schon etwas dazu tun, sich selbst für sein eigenes Leben die richtigen Konflikte zu verschaffen. Und wenn es kleinbürgerliche, am Rande liegende Konflikte sind, wirdes ihm immer wieder passieren, fast wie im Märchen vom Hasen und Igel, wenn ein Buch fertig ist, steht die Wirklichkeit, über die er geschrieben hat, auch nicht/schon da, sondern ist längst schon viel weiter.

Ja, wie ist das nun zu machen? Es gibt dafür natürlich kein Grundrezept. Und ich muß sagen, daß es für mich auch immer noch ein Problem ist, in Bezug auf die Literaturkritik, wie man es anstellen

- 6 -

soll, sowohl theoretisch und in Bezug auf die Unmenge von Lektüre, die nötig ist, aber auch in Bezug auf die praktische Verbindung mit dem Leben, das draußen vor sich geht, völlig auf der Höhe zu sein. Ich weiß für mich, daß ich das nicht bewältige. Aber für den Schriftsteller ist es wahrscheinlich noch viel wichtiger, das unbedingt zu erreichen. Ich glaube, daß das für viele der jüngeren Schriftsteller in der Zukunft bedeuten muß, ihre Lebensweise zu verändern, und ich würde mich sehr freuen. Ich verstehe eigentlich nicht, warum zu diesem Problem hier niemend spricht, der sich doch von vielen, was bis jetzt gesagt worden ist, hätte getroffen fühlen müssen. Ich jedenfalls habe mich von vielem getraoffen gefühlt. Zum Beispiel hat hier der Genosse SALOMON gesprochen, und es fällt mir schwer, ihm zu widersprechen, weil er Wismut-Kumpel ist und ich praktisch nie in der Produktion gearbeitet habe. Aber ich glaube, so wie er hier gesprochen hat, obwohl er natürlich in den grundlegenden Fragen vollkommen Recht hat, ich weiß nicht, wie uns das etwas weiter helfen soll, solche allgemeinen und vollkommen richtigen Erklärungen. Wir haben ja alle z.B. so etwas auf dem IV. Deutschen Schriftstellerkongreß gehabt. Wir haben dort alle Beifall geklatscht und alle die Hand erhoben bei der Resolution, in der sich unsere Schriftsteller zur Methode des sozialistischen Realismus bekannten. Und dann kamen zwei Jahre. In diesen zwei Jahren waren wir weiter davon entfernt als je, daß diese Methode sich wirklich bei uns durchsetzen würde.

Ein Problem wollte ich noch gern anschneiden, das ich eben hier mal gestreift habe, nämlich das Problem des Scheinoptimismus, weil Günter CWOJDRAK auch dazu gesprochen hat. Ja, es ist wahr, daß natürlich es nicht nur optimistische - ich will es mal so audrücken- Konflikte in unserem Leben gibt, daß es nicht nur Konflikte gibt, die eine optimistische Lösung finden können. Es gibt auch tragische Konflikte, das stimmt. Und es ist natürlich einzusehen, warum die Literatur nicht auch dann Wurzeln schlägt, wenn der Grundcharakter, der optimistische Grundckarakter unserer Zeit trotzdem zum Ausdruck kommt. Ich habe gestern abend, als ich den Film "Die Kraniche ziehen" gesehen hatte, bemerkt, daß es sogar tragische Konflikte

- 7 -

- 7 -

gibt in der sozialistischen Gesellschaft, die es in der kapital. Gesellschaft nicht gibt. Es gibt also z.B. diesen Konflikt, der in diesem Film beantwortet wird. Er kann nur tragisch sein in der sozialistischen Gesellschaft. Diesen selben Konflikt übertragen auf meinetwegen die Handlung zwischen einem Hitlersoldaten und einem deutschen Mädchen, ist einfach keine Tragödie, sodaß also man selbstverständlich nicht solch einen oberflächlichen Scheinoptimismus heute mehr fordert, wenn von optimistischer Literatur gesprochen wird. Aber diese Forderung ist richtig und unabdingbar. (Beifall).

F.d.R.

\- Abschrift -

Fragebogen für Reisen ins Ausland

Name, Vorname:	WOLF geb. IHLENFELD, Christa Margarethe Elfriede
geb. am	18. 3. 1929
Staatsangehörigkeit	Deutsch
Familienst.	verheiratet mit Gerhard WOLF, Redakteur
wohnh.	Berlin-Karlshorst, Stechlinstr. 4
Beruf:	Schriftstellerin
Partei	SED
Auslandsreisen:	1954 in Ungarn - Delegationsreise 1. - 2o. Juni 1957 Delegationsreise nach der UdSSR
DPA	VP Berlin, XV o551405, ausgestellt am 11. o2. 1954
Personenbeschreibung	groß, ovales Gesicht, graugrüne Augen, schwarzes Haar, besondere Kennzeichen keine

Berlin, den 23. 5. 1957 gez. Christa WOLF

Vermerk

Christa WOLF ist Mitglied einer Delegation, die auf Einladung des Sowjetischen Schriftstellerverbandes für 2 Wochen nach Moskau fährt, um einen Freundschaftsvertrag zu unterzeichnen.

Deutscher Schriftstellerverband
gez. [geschwärzt]

Der Bundesbeauftragte für die Unterlagen des Staatssicherheitsdienstes der ehemaligen Deutschen Demokratischen Republik

KOPIE

BStU 000047

37

Hauptabteilung V/1/IV Berlin, den 2o.2.1959

A k t e n v e r m e r k

Betr.: Bekanntwerden des GI - Kandidaten WOLF, Christa

Durch den GI "HANNA" werden dem MfS sämtliche Kaderpolitischen Veränderungen im Schriftstellerverband mitgeteilt. Etwa Anfang März 1958 teilte der GI "HANNA" mit, daß eine Umbesetzung der Kader in der Redaktion der "Neuen Deutschen Literatur" erfolgen muß, und vom ZK u.a. auch die Genn. WOLF als zukünftiger Redakteur vorgeschlagen wurde. Nach einigen Aussprachen erfolgte auch am 1.4.1958 die Einstellung der Genn. WOLF in die NDL. Der GI bemerkte damals noch, daß die Genn. WOLF Germanistik studiert habe und vordem schon als wissenschaftliche Mitarbeiterin in dem Verband bis zur Geburt ihres zweiten Kindes gearbeitet hatte.

(P a r o c h)
Ltn.

38

Hauptabteilung V/1/IV

Berlin, den 2o.2.1959

P l a n

zur Aufklärung des Kandidaten WOLF, Crista zur Werbung als GI

Nach Sichtung des vorhandenen Materials ist noch folgendes Aufzuklären:

1. Im Wohngebiet des Kandidaten sind konkrete Ermittlungen zu führen, da die Ermittlungen des GI "MÖLLENDORF" völlig unzureichend sind. erl.

2. Nochmalige Einschätzung des Kandidaten, besonders der charakterlichen Seiten durch den GI "LOTTI" beim nächsten Treff vornehmen. erl.

3. Genaue Aufklärung des Arbeitsverhältnisses des Kandidaten vornehmen mit Hilfe des GI "HANKA" zwecks Festlegung des Werbetermins. erl.

4. Vermerk über das Bekanntwerden des Kandidaten durch den Mitarbeiter schreiben. erl.

5. Persönliche Einschätzung des Kandidaten durch den Mitarbeiter fertigen. erl.

6. Beim Referat Auslandreisen ist zu prüfen, welche Auslandsreisen der Kandidat und deren [geschwärzt] bisher durchführten. erl.

7. Aktenvermerk schreiben,, welche Funktionen der Kandidat im DSV ausführt.

8. Aufklärung des [geschwärzt] des Kandidaten durchführen (ist ebenfalls freischaffender Schriftsteller) erl.

9. Die kurzen Personalien des zweiten Kindes vom Kandidaten beschaffen erl.

1o. Den [geschwärzt] des Kandidaten in der Abt. XII überprüfen und nach Bekanntsein der Anschrift bzw. des jetzigen Aufenthalts Ermittlungen einleiten.

11. Der Kandidat soll Verwandte in Westberlin wohnen haben, aufklären um wem es sich handelt und welche Beziehungen zum Kandidaten bestehen.

12. Variante auserbeiten zum Ansprechen des Kandidaten, dazu soll die Sache [geschwärzt] verwendet werden.

(P a r o c h)

Ltn.

An die Abt. M

Vertrauliche Dienstsache

Durchschrift

MfS

Bez.-Verwaltung MfS

Abt./Kreisdienststelle HA. VII/1/IV

Berlin, den 23.2. 1959

Suchzettel über

Name Wolf

Vorname Christa u. Gerhard

geb. am

Geburtsort

Arbeitsstelle und Beruf

Wohnadresse Berlin-Karlshorst Stechlinstr. 4

Hinweis zur Person

Anlaß der Überprüfung

(Unterschrift des Mitarbeiters)

Leiter der Abteilung/Kreisdienststelle

(Unterschrift)

Dieses Feststellungsergebnis dient als Mitteilung an die Dienststelle, für welche die umseitig genannte Person einliegt.

ALK - M

Liegt ~~nicht~~ ein

Liegt ein für: Österreich

Datum: 23/2.59

Unterschrift:

Feststellungsergebnis:

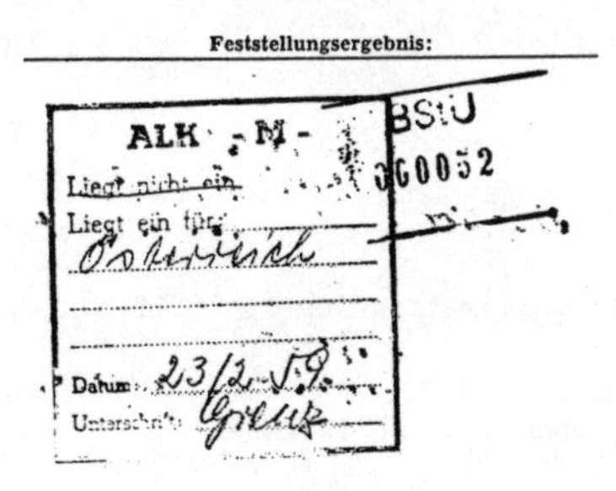

Wir bitten um Ausleihung des vorhandenen Materials

Seidel
(Seidel)
stellv. Abt.-Ltr. V/1

An V/1 41

bt.-M- Auslandskartei:

erbindung mit

█████ ,

██ ██ /Österreich

█████. ██

/ur einmal am 13.6.57 Post von Österreich registriert.
/eiteres Material liegt nicht vor.

i.A. Greuz

KOPIE

/estverbindung:

Obengenannter ist Schriftsteller u. Mitglied des "Komma-Clubs" der eine stärkere Verbindung zwischen westdeutschen und Kunstschaffenden us der DDR herstellen will.
Eine Abschrift ging ~~nach~~ an die Verwaltung Groß-Berlin

i A Rödlaff

Hauptabteilung V/1/IV Berlin, den 25.2.1959

A u s z u g

Aus einer mündlichen Information des GI "LOTTI", gegeben beim Treff am 2o.2.1959

Betr.: Einschätzung von Genn. Christa WOLF

Die Genn. WOLF besitzt einen guten Intellekt und kennt sich besonders auf dem Gebiet der Literatur gut aus, besitzt bei den Schriftstellern Renomé und wird anerkannt. Als Literaturkritikerin tritt sie parteilich auf.
Als sie das erste mal im Apparat des DSV arbeitete, gehörte sie der Parteileitung an und später der Parteileitung der Autoren des Berliner Verbandes.
Ihre Mitarbeit im gesellschaftlichen Leben der GO ist positiv und sie spricht auch sachlich und parteilich in den Mitgliederversammlungen. Parteiaufträge - auch Kleinarbeit - führt sie ordentlich aus und drückt sich nicht. So hat sie z.B. zur Volkswahl in Hausversammlungen gesprochen und auch zur westberliner Senatswahl verteilte sie in Westberlin Flugblätter.
Insgesamt gesehen hat die Genn. WOLF ein gutes Verhältnis zur Partei. Sie vertritt immer ihre Meinung und macht auch mal einen Zwischenruf, wenn ihr etwas nicht in Ordnung zu gehen scheint.

Ihre Familienverhältnisse sind geordnet, sie hat zwei Kinder und ihr Mann ist gleichfalls freiberuflich und beschäftigt sich mit Lyrik. Im Verband schließt sie sich geselligen Beisammenseins an und bringt auch ihren Mann mit. Sie soll eine Hausangestellte haben, die ihr die Hausarbeit macht und auch mit dort wohnen soll. WOLFs bewohnen eine Etage eines kl. Hauses.
Negativ beurteilte der GI einen kleinen Ansatz zur Überheblichkeit bei der Genn. WOLF, der sich darin äusert indem ihr angeblich die Parteiorganisation des Apparates des DSV nichts geben kann und strebt ständig für einen Zusammenschluß mit der BPO Autoren des Berliner Verbandes.

Die Genn. WOLF soll einen Onkel oder Tante in Westberlin wohnen haben aber wie sie selbst geäußert hat, besteht ihrerseits keinerlei Verbindungen. Weiter unterhielt sie Verbindung zu einem westdeutschen

- 2 -

Schriftsteller ████ ████ aus Münehen der den dortigen "Kommaclub" einer bunt zusammengewürfelten Gruppe von Intellektuellen die irgendwie Interesse an der Literatur besitzen - angehört.
Durch die in letzter Zeit gezeigte Haltung █████ die der DDR gegenüber feindlich eingestellt ist, hat die Genn. WOLF in einen Brief ganz entschieden sich von LEDIG distanziert.

Eine enge Freundschaft verbindet die Genn. WOLF zu der Literaturkritikerin ████████████████ die nach Meinung des GI besonders durch die Gleichheit der beruflichen Interessen herrührt aber es können auch schon Jahre des gemeinsamen Universitätsstudiums Ursache sein.

Zu ihren Eltern am Schwielowsee unterhält sie einen engen Kontakt.

Weiter hat sie noch einen Bruder der in Dresden auf der TH studierte und angeblich schon verheiratet sein soll.
Soweit die möglichen Angaben des GI "LOTTI".

(P a r o c h)
Ltn.

Hauptabteilung V/1/IV Berlin, den 25.2.1959

A u s z u g

aus dem Treffbericht vom 25.2.1959 von einem Treff mit dem GI "HERBERT".

Weiterhin wurde der GI über folgende Schriftsteller befragt:

1. Christa WOLF:

Die Eltern der Christa WOLF, die in der NDL beschäftigt ist, verwalten in Petzow bei Potsdam das Schriftstellerheim. Christa WOLF hat in Leipzig bei Prof. Hans MAIER studiert und ist fachlich wie politisch immer in den Vordergrund getreten. Zur Zeit ihres Studiums in Leipzig hatte sie ihr Parteidokument verloren, dafür jedoch nur eine kleine Strafe erhalten, da ihre politische Arbeit gut war. Ihre Artikel die sie veröffentlicht, sind stets vom Standpunkt der Partei geschrieben.
Weitere Angaben kann der GI nicht machen, will jedoch mit seiner Frau darüber sprechen, da diese längere Zeit in der NDL beschäftigt war.

gez. VOIGT

F.d.R.d.A. PAROCH

Hauptabteilung V/1/IV Berlin, den 25.2.1959

A k t e n v e r m e r k

Betr.: Einschätzung des GI-Kandidaten WOLF, Christa durch den Mitarbeiter des MfS

Die Kandidatin wurde durch dem GI "HANNA" dem MfS bekannt und daraufhin wurde eine nähere Einschätzung durch die GI "HANNA" und "HANNES" vorgenommen.
Bei der Kandidatin handelt es sich um eine Genossin, die Mitglied des Deutschen Schriftstellerverbandes ist und als Literaturkritikerin arbeitet. Durch ihre literaturwissenschaftliche Arbeit lernt sie viele Werke hauptsächlich von Gegenwartsautoren kennen, die sie analysiert und dann in wissenschaftlicher Form als Literaturkritiken in verschiedenen Publikationsorganen der DDR - hauptsächlich in der NDL - veröffentlicht. Dadurch hat sie einen großen Überblick über das Gegenwartsschaffen unserer DDR-Schriftsteller, aber auch einiger Ausländer. Der Kandidat ist für operative Zwecke von großen Nutzen, da sie in der Lage ist, uns Informationen über einzelne Schriftsteller zu geben, die durch ihre nicht die Kulturpolitik unserer Partei und Regierung unterstützen oder bürgerlichen Tentenzen unterworfen sind. Hinsichtlich des Kampfes gegen die ideologische Diversion auf dem Gebiet der Literatur ist sie Abwehrmäßig von großen Nutzen.

Unter den Schriftstellern genießt der Kandidat ein gutes Ansehen und ihre Kritiken finden Beachtung. Das konnte besonders auf der theoretischen Konferenz des DSV über Probleme des Realismus im Juni 1958 festgestellt werden als der Kandidat zur Konferenz sprach und beachtlichen Beifall erhielt. Ihr Auftreten ist sehr selbstbewußt und es scheint sich um eine gute, zuverlässige Genossin bei ihr zu handeln.

(P a r o c h)
Ltn.

Hauptabteilung V/1/IV Berlin, den 25.2.1959

A k t e n v e r m e r k

Betr.: Aufklärung des Arbeitsverhältnisses der Genn. Christa WOLF

Zur Einschätzung und Ermittlung des Arbeitsverhältnisses der Genn. WOLF wurden die GI "LOTTI" und"HANNA" befragt die übereinstimmt folgendes ergab.
Die Genn. WOLF hat gleich zu Beginn ihres Arbeitsverhältnisses als Redakteurin der NDL die Bedingung gestellt, daß sie nur an drei Tagen in der Woche in der Redaktion arbeitet und die übrige Zeit ihre Tätigkeit zu Hause für die NDL durchführt. Sie ist nur Montags, Mittwochs und Freitags im Verband. Ihre Arbeitszeit, wie bei allen anderen wissenschaftlichen Mitarbeitern dieser Redaktion beginnt zwischen 1o.oo bis 11.oo Uhr und endet um 17.oo Uhr.
Sie verfügt über ein alleiniges Arbeitszimmer.

(P ä r o c h)
Ltn.

Hauptabteilung V/1/IV Berlin, den 26.2.1959

E r m i t t l u n g s b e r i c h t

über die Fam. WOLF, wohnhaft in Berlin-Karlshorst, Stechlinstr. 4
Polizeilich gemeldet sind: geb.am

Die Fam. WOLF wohnt seit 16.3.1954 unter obiger Anschrift.

Seit dem 3.4.1958 ist bei der Familie Wolf eine

gemeldet, die auch in dem selben Haus wohnhaft ist.

Von den befragten Auskunftspersonen konnte über die Fam. WOLF folgendes in Erfahrung gebracht werden:
Beide Eheleute gehören der SED an und arbeiten literarisch. Sie werden als durchaus fortschrittlich eingeschätzt, beteiligen sich jedoch nicht am gesellschaftlichen Leben im Wohngebiet, was darauf zurück zu führen ist, daß sie des öfteren in der DDR unterwegs sind. Auch ist im Wohngebiet überhaupt keine große gesellschaftliche Arbeit organisiert, da es sich meist um bürgerliche Menschen und alte Rentner handelt, die dort ansäsig sind. Wenn Spenden und Geldsammlungen im Wohngebiet durchgeführt werden, beteiligen sich die WOLFs mit guten Beiträgen, da sie auch hohe Einkünfte beziehen.
Die Familie WOLF bewohnt in einen Zweifamilienhaus das gesamte erste Obergeschoss mit etwa 3-4 Zimmern.
Weiter würde bekannt, daß die Frau WOLF einmal in München zu einer literarischen Veranstaltung war, sonst sind keinerlei Westbeziehungen bekannt geworden.
Beziehungen zu anderen Personen sind den Auskunftspersonen von der Familie WOLF nicht bekannt. Das Familienverhältnis wird als geordnet bezeichnet. Auch liegen bei der VP keinerlei negativen Hinweise über die Familie WOLF vor.
Im selben Haus wohnte ein
namens , zu dem die WOLFs aber keinerlei Verbindungen unterhielten.
Zu der der WOLFs wurde noch bekannt, daß diese zuvor im Schriftstellererholungsheim am Schwielowsee gearbeitet hat

- 2 -

wo die Eltern der WOLF als Heimleitung tätig sind und von diesen an ihre ███ die ███ vermittelt wurde. Bei diesem ███ soll es sich um eine sehr solide lebende Person handeln, die evtl. in ihren Heimatort bei Potsdam ███.

(P a r o c h)
LTN.

Aktennotiz

Betr.: [geschwärzt], [geschwärzt]

In der Sitzung des Sekretariats am 8.12.1958 wurde, ausgehend von den Veröffentlichungen [geschwärzt] in der "Kultur" (25.8.58 und 15.11.58), über die Entwicklung und Haltung von [geschwärzt] und unser Verhalten zu ihm gesprochen.

Am 25.8.58 hatte [geschwärzt] eine Rezension des sowjetischen Filmes "Wenn die Kraniche ziehen" veröffentlicht. Er benutzte diese Rezension, um einige Ausfälle gegen den sozialistischen Realismus und gegen die Kulturfunktionäre der DDR, insbesondere der DEFA, zu machen. In dem Artikel vom 15.11.58, der auf der ersten Seite der "Kultur" erschien, gab [geschwärzt] ein Bekenntnis zu Gott ab, deklarierte seine Rückkehr zu Gott und erklärte, alle Leute, die nicht gottesgläubig seien, seien Parasiten.

Die Diskussion im Sekretariat ergab folgende Feststellung: Im Sommer dieses Jahres erklärte [geschwärzt] gegenüber Christa Wolf und [geschwärzt], daß er die Absicht habe, in die DDR zu übersiedeln. Er habe keine Aufträge mehr auszuführen (er hatte immer so getan, als habe er Aufträge von der KPD. Eine Nachforschung, die Kollegin [geschwärzt] vornahm, ergab, daß er nicht Mitglied der KPD ist). Weiter gab er zur Begründung seines Übersiedlungswunsches an, er habe drüben nicht mehr die Möglichkeit zu schreiben, auf der anderen Seite sei Westdeutschland sein Stoff, und er möchte am liebsten zwei ständige Wohnsitze haben, einen in Westdeutschland un einen bei uns.

Christa Wolf teilte diesen Überseidlungswunsch dem Kollegen [geschwärzt] mit, der die Absicht äusserte, mit [geschwärzt] darüber zu sprechen. Allerdings kam es einige Wochen nicht zu dieser Besprechung. Christa Wolf informierte den Genossen Mückenberger. Inzwischen erschien die Rezension der Kraniche; darauf schrieb Christa Wolf einen Brief an [geschwärzt], auf den er nicht mehr geantwortet hat. Seither war er auch nicht mehr in Berlin.

[geschwärzt] ist seiner Einstellung nach kein Kommunist, obwohl er sich dafür hält. Er ist ein linksradikaler Anarchist. Er ist der Meinung, die Arbeiterklasse Westdeutschlands sei korrumpiert, man könne mit ihr nichts erreichen. Es sei höchstens mit bestimmten Schichten der Intelligenz etwas zu machen. Er war der Überzeugung, daß die Friedenskräfte in der Welt nicht stark genug seien einen Krieg zu verhindern, daß es also sicher zu einem Krieg kommen werde.

Es fanden heftige Diskussionen über seine Kunstauffassungen und auch über seine Bücher statt. Christa und Gerhard Wolf versuchten, ihm klar zu machen, daß das, was er schreibt, keine sozialistische Literatur sei.

[geschwärzt] ist ein labiler Mensch mit vielen Komplexen und Inkonsequenzen.

Offensichtlich ist sein Linksradikalismus jetzt in einen Rechtsradikalismus umgeschlagen. Er hat in seinen früheren Gesprächen viel klarer als zum Sozialismus gegen die Kirche und die Regierung Stellung genommen. Seine letzte Veröffentlichung muß also für alle, die ihn und seine Bücher kennen, als eine völlige Absage an sein bisheriges Leben betrachtet werden. Er hat sich offensichtlich dem Gegner verkauft.

- 2 -

\- 2 -

█████ war hier mit den Kollegen █████ und █████ vom Verlag des Ministeriums für Nationale Verteidigung bekannt und mit █████ offensichtlich sehr befreundet. Er wollte zusammen mit █████ ein Haus beziehen. Dies zerschlug sich dann aber.

Es kam zur Sprache, daß er früher in einigen Fällen eindeutig öffentlich Stellung genommen habe; so wurden vom Komma-Klub ein von ihm verfasstes und unterschriebenes Flugblatt verteilt, als Kästner in München sprach. Er erhob Anklage gegen den ehemaligen Nazirichter Muhs, der polnische Kinder auf dem Gewissen hat, und veröffentlichte in dieser Angelegenheit einen offenen Brief in der "Kultur" (die Staatsanwaltschaft verlangte damals Unterlagen von ihm, und es wurde veranlasst, daß dieses Material notariell beglaubigt aus Polen ihm zugeschickt wird).

Von █████ erfuhren wir, daß █████ jetzt einen Kriminalroman für █████ schreibt

Es wurde vereinbart, daß die Übersiedlungsangelegenheit als erledigt betrachtet werden müsse und daß Christa Wolf ihm auf Grund der früheren Verbindung einen unmißverständlichen Brief schreibt, in dem er zu einer Stellungnahme aufgefordert wird.

/█████/

Berlin, den 11. Dezember 1958

Nachfolgende Seiten
53 – 85
betreffen ausschließlich
die Rechte Dritter
nach §§ 12 – 14 StUG

(Handschriftlicher Vermerk der Gauck-Behörde. Anm. d. Hg.)

Hauptabteilung V/1/IV

Berlin, den 2.3.1959

V o r s c h l a g

zur Werbung eines geheimen Informators auf der Linie Schriftsteller.

Bekanntwerden des Kandidaten:

Etwa Anfang März 1958 teilte der GI "HANNA" mit, daß eine kadermäßige Umbesetzung der Redaktion "Neue Deutsche Literatur" erfolgt, da die bisherigen Redakteure keine parteiliche Haltung in ihrer Pressearbeit zeigten. Vom ZK (Kulturabteilung) wurden zur Besetzung dieser Funktionen Genossen vorgeschlagen, so unter anderen auch den Kandidaten. Nach einigen Aussprachen erfolgte auch am 1.4.1958 die Einstellung des Kandidaten in die NDL.

Zur Person des Kandidaten:

W o l f, geb. Ihlenfeld, Christa, Margarete
geb.am: 18.3.1929 in Landsberg/Warthe
Staatsbürger der DDR u. deutscher Nationalität,
wohnhaft in Berlin-Karlshorst, Stechlin-str. 4
Beruf: Germanistin, jetzt Literaturwissenschaftlerin (Literaturkritik) beschäftigt als Redakteur in der "Neuen Deutschen Literatur" (NDL) des Deutschen Schriftstellerverbandes.

Der Kandidat entstammt der sozialen Herkunft nach kleinbürgerlichen Verhältnissen. Der Vater war Kaufmann mit eigenem Lebensmittelgeschäft in Landsberg. Von 1935 bis 1939 besuchte sie die Volksschule in Landsberg und anschließend bis 1945 die dortige Oberschule. Anfang 1945 verließ der Kandidat Landsberg wegen der heranrückenden Kampfhandlungen und wohnte mit der Mutter und Bruder in Grüneefeld b. Berlin, der Vater war zu der Zeit schon in sowj. Kriegsgefangenschaft Nach erneuter Evakuierung wohnte der Kandidat über zwei Jahre in Gammelin/Mecklenburg, wo sie als Schreibkraft beim Bürgermeister arbeitete.

Im März 1946 begann sie die Oberschule in Schwerin zu besuchen und mußte im Mai 1946 diesen unterbrechen, da sie an Tbc erkrankte.
Bis Februar 1947 war sie in einer Lungenheilstätte von wo sie als geheilt entlassen wurde.

- 2 -

 87

– 2 –

Nach einigen Monaten Schulbesuch in Schwerin siedelte sie mit ihren Angehörigen im Oktober 1947 nach Bad Frankenhausen / Kyffh. über, wo ihr Vater, der inzwischen aus der sowjet. Kriegsgefangenschaft entlassen worden war, als Heimleiter eines Kindersanatoriums dort arbeitete.
In Frankenhausen schloß sie 1949 die Oberschule mit Abitur ab.
Von 1949 bis 1951 studierte sie Germanistik in Jena. In dieser Zeit leistete der Kandidat viel gesellschaftliche Arbeit in der FDJ-Fakultätsgruppe.
1951 heiratete der Kandidat. Ihr Mann arbeitete zu dieser Zeit als Redakteur am Leipziger Rundfunk. Deshalb studierte sie die letzten beiden Studienjahre in Leipzig. Sie war dort Sekretär einer Seminargruppe. 1953 machte sie ihr Staatsexamen in Germanistik mit der Abschlußnote "sehr gut".
In einer offiziellen Einschätzung vom 3.1.1956 ihrer [geschwärzt] wird die Arbeit des Kandidaten an der Universität wie folgt beurteilt:

> "Ich kenne sie seit 1951. Wir studierten zusammen an der gleichen Fakultät der Karl-Marx-Universität. Sie war sowohl fachlich wie gesellschaftlich Vorbild für ihre Seminargruppe. Als besonders positive Eigenschaft möchte ich ihr aktives Stellungnehmen zu brennenden Fragen hervorheben, ihre Fähigkeit, selbständig Probleme aufzugreifen und den Dingen auf den Grund zu gehen.
> Auch in Berlin bestätigte sich diese kämpferische Haltung. Dazu kommt eine durch Erfahrung und Praxis vertiefte ideologische Klarheit und gesellschaftliches Bewußtsein."

Nach Beendigung ihres Studiums arbeitete sie als wissenschaftliche Mitarbeiterin im Deutschen Schriftstellerverband. In dieser Tätigkeit bekam sie einen guten Einblick in den Entwicklungsstand der neusten Literatur, sammelte Erfahrungen bei der Arbeit mit jungen Autoren, machte Lektoratsarbeit und war beteiligt an verschiedenen literaturpolitischen Arbeiten des Verbandes.
Um viele praktische Erfahrungen sammeln zu können, bewarb sich der Kandidat im Verlag "Neues Leben" wo sie von 1.1.56 bis 30.4.56 als Cheflektor arbeitete und wegen Schwangerschaft dann ausschied.

Die offizielle Beurteilung des DSV vom 14.2.56 über die Arbeit des Kandidaten besagt:

> "Sie hat sich während dieser Zeit zu einer beachtlichen und anerkannten Kritikerin entwickelt. Viele Schriftsteller erkennen ihren positiven Einfluß auf unsere Gegenwartsliteratur dankbar an. Sie verfügt über ausgezeichnete und umfassende Kenntnisse der deutschen Literatur. Sie hat einen sehr guten Kontakt zu einer großen Anzahl von Schriftstellern und versteht es, auf deren konkrete Schaffensprobleme einzugehen und mit ihnen zu arbeiten..."

Auch in der Beurteilung des Verlages "Neues Leben" wird sie als

– 3 –

- 3 -

qualifizierte Kraft eingeschätzt, die durchaus den Aufgaben eines Cheflektors gewachsen gewesen wäre.

Nach ihrem Ausscheiden aus dem Verlag "Neues Leben" arbeitete der Kandidat freiberuflich, erfüllte Verbandsaufträge und arbeitete für die NDL. Durch die bereits angeführten Gründe über die Arbeit der vorherigen Redaktion der NDL wurde die Kandidatin nach vorheriger Rücksprache mit dem ZK am 1.4.1958 als Redakteur in der NDL eingesetzt, wo sie bis zum gegenwärtigen Zeitpunkt arbeitet.

Zur inoffiziellen Beurteilung des Kandidaten liegen vier GI - Einschätzungen vor die in ihren Inhalt keine Widersprüche aufweisen, wie es auch keinerlei Widersprüche zu den übrigen Aufklärungsergebnissen gab.
Die gründlichste Einschätzung der Kandidatin stammt vom GI "HANNES" vom 2o.8.1958 in der es heißt:

"Sie schrieb Buchkritiken, deren Titel sie klug auswählte, vor allem über solche Bücher, die in der Öffentlichkeit von sich reden machen. Sie gehört zu den Menschen die stets warten, was die anderen sagen, ihre Meinung dann wohl dosiert und klug abwertend zum Ausdruck bringen. Sie kam zum Verlag "Neues Leben" als Cheflektor, wo sie sich wahrscheinlich nicht bewähren konnte, weil auf einer solchen Stelle viel Initiative verlangt wird und man auch stets ein gewisses Risiko auf sich nehmen muß. Vor allem das letzte scheut sie stets, sie wird sich stets bemühen, sich auf das Urteil bekannter Genossen stützen zu können.
Sie arbeitet zuverlässig, verlangt allerdings lange Fristen und übernimmt nie sog. undankbaren Aufgaben. Ich schätze sie für klug ein, man kann mit ihr gut im Kollektiv arbeiten, wenn man ihre Schwächen kennt und nicht Initiative von ihr verlangt. M.E. ist sie sehr auf Karriere bedacht - nicht einmal im schlechten Sinne - und will unter keinen Umständen etwas tun, wo Neuland zu betreten ist, oder wo sie gegen die Meinung bekannter Leute ankämpfen müßte. Wenn schon, dann nur im Kollektiv, das sie deckt. ... "

Vom GI "LOTTI" wird der Kandidat wie folgt beurteilt (Auszug aus einem Treffbericht vom 2o.2.1959)

"Ihre Mitarbeit im gesellschaftlichen Leben der GO ist positiv und sie spricht auch sachlich und parteilich in den Mitgliederversammlungen. Parteiaufträge - auch Kleinarbeit- führt sie ordentlich aus und drückt sich nicht. So hat sie z.B. zur Volkswahl in Hausversammlungen gesprochen und auch zur westberliner Senatswahl verteilte sie in Westberlin Flugblätter. ...
Negativ beurteilt der GI einen kleinen Ansatz zur Überheblichkeit, der sich darin äußert, indem ihr angeblich die Parteiorganisation des Apparates des DSV nichts geben kann und sie strebt ständig für einen Zusammenschluss mit der BPO-Autoren des Berliner Verbandes an."

Im Treffbericht vom 25.2.1959 berichtete der GI "HERBERT" über die Kandidatin:

"Sie hat in Leipzig bei Prof. Hans MAYER studiert und ist

- 4 -

89

- 4 -

fachlich wie politisch immer in ~~den Vorder~~grund getreten. Zur Zeit ihres Studiums in Leipzig hatte sie ihr Parteidokument verloren, dafür jedoch nur eine kleine Strafe erhalten, da ihre politische Arbeit gut war. Ihre Artikel die sie veröffentlicht, sind stets von Standpunkt der Partei geschrieben. .."

Wie aus den inoffiziellen Berichten hervorgeht ist die Kandidatin im gesellschaftlichen Leben aktiv tätig und hat eine positive Einstellung zu unserer sozialistischen Entwicklung.
Bereits seit Februar 1949 ist sie Mitglied der SED und hatte schon gewählte Leitungsfunktionen inne. Weiterhin ist die Kandidatin Mitglied des FDGB seit 1953, der FDJ seit 1948, der DSF seit 1949 und der GST seit 1953.
Während der Zeit des Faschismus gehörte die Kandidatin von 1939 - 1945 der fasch. BDM an.

Die Verwandten und andere Verbindungen des Kandidaten:

Die Kandidatin ist seit 1951 verheiratet mit
W o l f, Gerhard, Paul geb.am [geschwärzt] in [geschwärzt].

[geschwärzt]

Gegenwärtig arbeitet er als freischaffender Literaturkritiker, ist Mitglied des Deutschen Schriftstellerverbandes und arbeitet auch beruflich sehr eng mit seiner Frau zusammen.
Er wurde auf den Objektvorgang des DSV registriert.

Aus der Ehe gingen bisher zwei Kinder hervor
W o l f, [geschwärzt] geb.am [geschwärzt] und
W o l f, [geschwärzt] geb.am [geschwärzt]
beide Kinder befinden sich im Haushalt der Eltern und werden in erster Linie von der bei der Fam. W o l f wohnenden und dort beschäftigten Hausangestellten
[geschwärzt] geb.am [geschwärzt]
betreut. Die [geschwärzt] führt ein ruhiges zurückgezogenes Leben. Ihr Leumund wird im Wohngebiet als positiv gewertet.

Eine enge Verbindung unterhält die Kandidatin zu ihren Eltern
I h l e n f e l d, Otto, Karl geb.am [geschwärzt]

I h l e n f e l d, geb. Jaekel, Hertha, Martha, Marie
geb.am [geschwärzt]

- 5 -

- 5 -

Beide arbeiten seit Anfang 1955 als Heimleiterehepaar im Schriftstellererholungsheim in Petzow bei Potsdam.
war selbständiger Kaufmann von 1927 - zu seiner Einberufung zur faschistischen Wehrmacht wo seine das Geschäft bis 1945 weiter führte. Er war in sowj. Gefangenschaft, wurde 1945 entlassen trat 1947 der SED bei, gehört dem FDGB, der DSF und dem Sport an. In diesen Organisationen führte er verschiedene kleinere Funktionen aus. 1951 erhielt er die Medaille "Für ausgezeichnete Leistungen". Bevor er als Heimleiter in Petzow arbeitete, war er von 1947-1955 als Leiter eines Kindersanatoriums in Bad Frankenhausen tätig.
Die der Kandidatin ist im DFD organisiert.
In der vorliegenden inoffiziellen Beurteilung des vom GI "HANNA" werden sie als fleißige, aber geschäftstüchtige Leute bezeichnet. Er kümmert sich um jeden Gast . Ansonsten werden beide als positive Personen eingesch.

Inwieweit Verbindungen der Kandidatin zu ihren , bestehen, konnte nicht ermittelt werden. Der Bruder studiert auf der TH in Dresden, wurde in der Abt. XII über rüft und liegt nicht ein.

Durch den GI "LOTTI" wurde noch bekannt, daß die Kandidatin zu der Literaturkritikerin ein enges kameradschaftliches Verhältnis haben soll. Die ist eine positive Person, die sehr parteilich auftritt und schreibt.

<u>Einschätzung des Kandidaten durch den op. Mitarbeiter:</u>

Bei der Kandidatin handelt es sich um eine Genossin, die Mitglied des Deutschen Schriftstellerverbandes ist und als Literaturkritikerin arbeitet. Durch ihre literaturwissenschaftliche Arbeit lernt sie viele Werke von Gegenwartsautoren kennen, die sie analysiert und dann lieraturkritische Artikel darüber in verschiedenen Publikationsorganen, hauptsächlich in der NDL, veröffentlicht. Dadurch hat sie einen großen Überblik über das Gegenwartsschaffen unserer Schriftsteller. Die Kandidatin ist für operative Zwecke von großem Nutzen, da sie in der Lage ist, uns Informationen über einzelne Schriftsteller zu geben, die in ihren Werken nicht die Kulturpolitik unserer Partei und Regierung unterstützen und bürgerlichen Tentenzen unterworfen sind. Hinsichtlich des Kampfes gegen die ideologische Diversion auf dem Gebiet der Literatur ist sie abwehrmäßig wertvoll. Unter den Schriftstellern genießt der Kandidat ein gutes Ansehen und ihre Kritiken finden Beachtung.

- 6 -

- 6 -

Art der Werbung:

Als äußerer Anlass für das Gespräch wird die Kandidatin über [geschwärzt] -einen westdeutschen Schriftsteller, der einmal sehr positiv zur DDR stand, jedoch völlig umschwenkte und seine Rückkehr zu Gott erklärte - befragt, da sie [geschwärzt] vom DSV her kennt. Das Gespräch wird dann übergeleitet auf ihre literaturkritische Arbeit, wo im Zusammen hang die Frage der ideologischen Diversion auf dem Gebiet der Literatur mit behandelt wird und welche Maßnahmen des Kampfes sich daraus ergeben. Daraufhin wird dann das Werbegespräch einsetzen, wo jenach Umständen dann zu prüfen ist, inwieweit eine schriftliche Verpflichtung mit Decknamen angebracht ist.
Die Werbung soll auf der Basis der Überzeugung erfolgen.

Bestellung zur Werbung, Ort und Zeit der Werbung:

Die Kandidatin arbeitet nur an drei Tagen in der Woche im DSV und kommt meist zwischen 1o.oo - 11.oo Uhr zur Arbeitsstelle. Es ist geplant, die Kandidatin unterwegs anzusprechen um mit ihr einen für sie zweckmäßigen Zeitpunkt für ein Gespräch zu vereinbaren. Im anderen Fall wäre eine Bestellung durch einen anderen Mitarbeiter notwendig, der die Kandidatin in ihren Arbeitszimmer im DSV aufsuchen müßte.
Als Ort der Werbung ist ein inoffizielles Zimmer in der Französischen Strasse Nr. 14 in Berlin W 8, vorgesehen, das sich in einen Gebäude befindet, wo eine Anzahl von öffentlichen Institutionen wie z.B. Sparkasse, untergebracht sind.
Als Zeit der Werbung ist die Woche vom 16.3 bis 2o.3.1959 vorgesehen.

Um Genehmigung des Vorschlags wird gebeten.

genehmigt: Seblet
Stellv. Abt.-L. E/1

Paroch
(P a r o c h)
Ltn.

Hauptabteilung V/1/IV Berlin, den 24. 3. 1959

Aktenvermerk

Am Montag, den 24. 3. 1959 wurde um 14⁰⁰ die Genn. Christa Wolf vom Genossen Ultn. Gütling für den nächsten Tag um 15⁰⁰ Uhr zu einer Aussprache in das Haus Französische Strasse 12-13 bestellt, die die Wolf sofort zusagte. Ihr wurde noch mitgeteilt, daß sie zu keiner weiteren Person über das bevorstehende Gespräch sprechen soll.

Da das Ansprechen wie vorgesehen unterwegs nicht erfolgen konnte, da sie nicht wie vorher ermittelt wurde zu selber Zeit das Haus verlies, wurde sie daraufhin in ihrem Arbeitszimmer unter Anweisung als MfS angesprochen und bestellt. Voraussetzungen waren gegeben, da sie allein ein Arbeitszimmer hat.

Paroch
Ltn.

Hauptabteilung V/1/IV Berlin, den 25.3.1959

BStU
000107

Der Bundesbeauftragte für die Unterlagen des Staatssicherheitsdienstes der ehemaligen Deutschen Demokratischen Republik
KOPIE

A n w e r b u n g s b e r i c h t

Am 24.3.1959 wurde in der Zeit von 15.oo Uhr bis 18.oo Uhr in Anwesenheit des stellv. Abteilungsleiters Gen. SEIDEL und des Sachbearbeiters Gen. PAROCH in einen inoffiziellen Zimmer in der Französischen Str. Nr. 12 die Literaturwissenschaftlerin und Kritikerin Christa WOLF als geheimer Informator angeworben.

Verlauf des Werbegesprächs:
Nach der Vorstellung und Ausweisung als Mitarbeiter des MfS wurde nach einleitenden persönlichen Gespräch die Frage auf den westdeutschen Schriftsteller ███ gelenkt zu der die Kandidatin persönlichen Kontakt unterhielt. Sie berichtete über ihr Zusammentreffen mit ███ im Schriftstellererholungsheim am Schwielowsee, ging im weiteren Gesprächsverlauf auf die ideologische Haltung ███ ein und charakterisierte ihn als einen Wirrkopf, der letztlich zum Gegner der DDR in seiner Publizistik wurde. Sie hat dementsprechend sich von ███ schriftlich distanziert. Weiter berichtete sie über die Verbindungen ███ in der DDR. In diesen Zusammenhang sprach die Kandidatin von einer Münehenreise, die sie im Auftrag des DSV mit ███ zusammen durchführte und auch dort im Kommaclub in München in einen Diskussionsabend sprach.
Das Gespräch wurde dann übergeleitet auf die Probleme in der NDL, ihre dortigen Aufgaben, die kadermäßige Situation und Fragen des Gegenwartsschaffens unserer Schriftsteller. Dabei wurde über solche Fragen wie der "harten Schreibweise" und ihre Vertreter, die subjektivistisch und zum Teil revisionistisch die Gegenwartsprobleme unserer Literatur behandeln. In diesen Zusammenhang wurde über die große Gefahr dieser Tentenzen gesprochen, wobei besonders festgestellt wurde, daß noch eine beträchtliche Anzahl von Schriftstellern nicht auf den Boden der Kulturpolitik von Partei und Regierung stehen und zweifelsohne für feindliche Tentenzen in der Ideologie ein offenes Ohr haben. Dabei fielen solche Namen von der Kandidatin wie ███ und andere. Dabei wurde der Kandidatin aufgezeigt, wie der Gegner versucht auf unsere DDR-Schriftsteller Einfluß zu nehmen und besonders solche heraussucht, deren Schaffen

- 2 -

- 2 -

in der letzten Zeit Gegenstand der ~~öffentlichen~~ Kritik war. Für die Kandidatin waren diese Fragen von Interesse, auch da wo ihr geschildert wurde, wie republikflüchtige Schriftsteller vom Gegner zum Renegaten gemacht wurden. Dabei wurde ihr nachgewiesen, welche großen Aufgaben die Sicherheitsorgane der DDR haben.
In diesen Zusammenhang wurde auf das direkte Werbegespräch übergeleitet und sie befragt, inwieweit sie zu einer Unterstützung, entsprechend ihrer Möglichkeiten – die ihr dabei ausführlich aufgezeigt wurden – gegenüber dem MfS bereit ist. Ohne großes zögern gab sie ihre Zustimmung, wobei sie bemerkte, daß sie sich ihrer großen Verantwortung zu gebender Urteile bewußt ist, jedoch von unsererseits es nicht als alleiniges Urteil zu betrachten ist, da sie auch irren könne.
Anschließend wurden die Fragen der Konspiration erläutert, sie besonders über den Charakter der inoffiziellen Zusammenarbeit belehrt und sie auch mündlich zum Schweigen gegenüber dritten Personen verpflichtet. Hier wurde von ihr der Einwand gebracht, daß sie von dieser Sache ihren ■■■ der auch Genosse sei, zu informieren, da es in ihrer bisherigen Ehe noch nie Geheimnisse gegeben habe und wenn sie ihm dies nicht sage, es zu einen Mißtrauen untereinander kommen würde. Nach längerer eingehender Diskussion zu dieser Frage wurde festgelegt, daß ein kurzes Gespräch mit einen Vertreter des MfS geführt wurde und nicht die Rede von einer Zusammenarbeit ihren ■■■ gegenüber sein kann.
In der Diskussion zu dem Prinzip der Konspiration wurde über die Notwendigkeit eines Decknamens gesprochen und ausführlich erläutert. Sie wählte sich selbst auf kurze Hinweise unsererseits den Decknamen:

"M a r g a r e t e"

Einschätzung der Kandidatin während des Werbegesprächs:
Die Kandidatin machte einen ruhigen, gefaßten Eindruck. Sie gab klare umfassende Auskünfte, wobei besonders bei den Fragen um die Person ■■■ sie alles genau und ausführlich berichtete. Dieser gegebenen Antworten stimmen genau mit unseren Ermittlungen überein, sodaß unser Eindruck hinsichtlich der Ehrlichkeit der Kandidatin bestätigt wurde. Lediglich bei der Frage der Konspiration und das Verbot gegenüber dritten Personen zu sprechen, versetzte sie in eine leichte unruhige Stimmung, die jedoch durch ein Entgegenkommen unsererseits bereinigt wurde. Von einer schriftlichen Verpflichtung wurde wegen ihrer Mentalität Abstand genommen.

- 3 -

- 3 -

Als nächster Treff wurde mit ~~der Kandidatin~~ Mittwoch, der 22.4. um 16.oo Uhr im selben Gebäude wo die Anwerbung erfolgte festgelegt.

Werbungskosten:

(P a r o c h)
Ltn.

gesehen: (S e i d e l)
stellv. Abteilungsleiter
der HA. V/1

Anmerkung:
Der geworbene GI erhielt die Telefon u. ApparatNr. des MfS und vom GI wurde seine Dienstnummer 22 o7 31 22 und die
Privatnummer 5o 14 33 übergeben.

Abteilung XII / 4
- A.-Reisen -

Berlin, den 20.5. 1959
Tgb.-Nr.: 1401 / V /59
Schrö.

An die
Hauptabteilung ..V/1.......

im H a u s e
============

MfS
— 15 —
21. MAI 1959
Tgb. Nr. 4754
Weiter an: 1091
Te
IV

Betr.: W o l f, Christa geb. 18.3.1929 Landsberg
wohnh.: Berlin-Karlshorst, ~~Stechlinstr. 4~~
besch.: Diplom-Germanistin - Deutscher Schriftstellerverb.

Die Genannte ist in der Zeit vom 17.5.-31.5.59 zu einem
Erfahrungsaustausch

nach ..M o s k a u /SU.... gereist..... ~~vorgesehen.~~

Um Kenntnisnahme wird gebeten.
Registr. für
Mitarb. Paroch

Leiter der Abteilung XII
(K a r o o s) Oberstleutnant
i.A.: ~~Ober~~leutnant
Hrajá

97

Hauptabteilung V/1 Berlin, den 2.7.1959

A k t e n v e r m e r k

KOPIE

Der GI "MARGARETE" ist persönlich den Mitarbeitern des MfS Oltn. SEIDEL und Ltn. Paroch bekannt. Mit Letzteren erfolgt die Zusammenarbeit.

Paroch
(P a r o c h)
Ltn.

Hauptabteilung V/1/IV Berlin, den 24.11.1959

Einschätzung und Perspektivplan

für den GI "MARGARETE" 728/59

Der GI "MARGARETE" wurde am 24.3.1959 geworben mit dem Ziel, uns Informationen aus verschiedenen Kreisen von Schriftstellern über ihr künstlerisches Schaffen und persönliches Leben zu beschaffen, da der GI in seiner Funktion als Redakteur der NDL viele Möglichkeiten dazu hat. Inzwischen hat sich die Situation des GI dahingehend geändert, daß sie mit ihren Mann nach Halle verzogen sind um dort in einen Betrieb kulturpolitische und literarische Arbeit zu leisten. Der Umzug erfolgte im September 1959. Zuvor hatte der GI noch seinen Jahresurlaub genommen, sodaß der GI Anfang August das letzte mal getroffen wurde und durch den Umzug noch keine Möglichkeit für einen Treff bestand.
Mit dem GI wurden seit der Werbung nur wenige Treffs durchgeführt, die in der KW stattfanden. Eine der Ursachen waren die vielen Dienstreisen die der GI unternehmen mußte und andererseits eine zu geringe Besetzung der Redaktion die als Gründe vom GI dargestellt wurden. Zu den vereinbarten Treffs ist der GI jedoch pünktlich erschienen und hatte auch die gegebenen Aufträge erfüllt. Der Inhalt der gegebenen Berichte hatte nur informatorischen Charakter und konnten zur Einschätzung von Personen verwandt werden. Auffallend an der Zusammenarbeit war eine größere Zurückhaltung und überbetonte Vorsicht, die aus einer gewissen intellektuellen Ängstlichkeit herrührt.
Bei intensiever Erziehungsarbeit wären diese Schwächen des GI zu überwinden, da der GI einen hohen Bildungsgrad besitzt und auch eine gute Parteiverbundenheit zeigt. Wobei das Verhältnis zur Partei weniger klassenmäßig fundiert als mehr intelektuell-verstandesmäßig ist. In den pol.-ideologischen Diskussionen mit dem GI konnte durchaus eine sehr progressive Einstellung zu unserer Entwicklung festgestellt werden.

Ausgehend von den gegebenen Voraussetzungen und Möglichkeiten hat der GI folgende Perspektive:

1. Der GI verfügt über Hochschulbildung, hat Germanistik studiert

- 2 -

- 2 -

und arbeitet seit einigen Jahren auf literarischen Gebiet, besonders als Literarturkritikerin. Durch ihr kritisches Einschätzungsvermögen und vieler Veröffentlichter Rezensionen hat sie im allgemeinen ein gutes Ansehen bei zahlreichen Schriftstellern. Da sie sehr viel sich mit Neuerscheinungen beschäftigt, ist dehalb in der Lage, Einschätszungen einzelner literarischer Gattungen zu treffen, kann Einzelwerke von Autoren begutachten und einschätzen, hat Kenntnisse zur Person vieler Autoren, die sie in Gesprächen erweitern kann, nimmt viel an Konferenzen und Tagungen teil.

2. Da ihr ████ gleichfalls auf literarischen Gebiet tätig ist und darüberhinaus noch als Lektor arbeitet, kann Margarte auch über ihren ████ viele und interessierende Informationen bringen.
3. Durch die unter Punkt 1 geschilderten Möglichkeiten ergibt sich für den GI eine reichhaltige Perspektive unter den Literaturschaffenden. So fährt sie bisweilen auch nach Westdeutschland um hier Verbandsaufträge durchzuführen, die von uns ausgenutzt werden können.

Nähere Details können zur Zeit nicht weiter festgelegt werden, da der GI erst in Halle getroffen werden muß, um sein jetziges Tätigkeitsgebiet gründlich kennen zu lernen. Auch müssen die Formen der weiteren Zusammenarbeit noch geklärt werden.

Paroch
(P a r o c h)
Ltn.

1857 900

EGIERUNG DER DEUTSCHEN DEMOKRATISCHEN REPUBLIK
Ministerium für Staatssicherheit
Hauptabteilung V/1

Berlin, den 1o.6.196o
Pa/Rt
Tgb.Nr.: V/1/IV/ /6o

KOPIE

ın das
Ministerium für Staatssicherheit
Bezirksverwaltung Halle
Abteilung V/1 - ~~Gen. Richter~~

8282

Halle
==========

Betr.: GI "Margarete" Reg.Nr. 728/59
Bezug: Mündliche Vereinbarung mit Gen. Richter

Anliegend übersenden wir die Akten des obengenannten GI zwecks Übernahme. Die Übergabe erfolgt nach vorheriger termingemäßer Vereinbarung durch den Gen. Paroch.

Anlage: 1 P.-u. A.-Akte

Leiter der Abteilung
(Stange)
Major

- Abteilung V / 1 -

Abschrift
=================

Christa W o l f , etwa 30 Jahre, SED,
wohnhaft Halle, Amselweg 34, verheiratet mit
Gerhard W o l f , 2 Kinder.

Christa W o l f stammt aus Westpreußen, lebte anfangs in Mecklenburg, studierte in Jena und Leipzig Germanistik, arbeitete dann in der Redaktion der NDL (Neue Deutsche Literatur). Hier fiel sie auf durch ihrem berühmten Artikel über das revisionistische Buch von Ehm Welk "Im Morgengrauen". In einer Zeit, da der Revisionismus in der Literatur um sich griff, war diese Kritik besinders wertvoll. In den letzten Jahren war sie faktisch Chefredakteurin der NDL. 1959 wollte sie in die Republik, um näher an die Basis zu kommen. IM Einvernehmen mit dem ZK der SED zog sie nach Halle, arbeitet im Mitteldeutschen Verlag und ist Parteisekretär des Schriftstellerverbandes in Halle. In Artikeln westdeutscher Zeitschriften wird sie als "linientreue Dogmatikerin" bezeichnet.
Sie ist sehr parteiverbunden, tritt überall als Genossin auf, hat ein sicheres ideologisches Urteil bei der Begutachtung von Manuskripten. Sie versucht immer, ihr persönliches Leben mit den Prinzipien der Partei in Übereinstimmung zu bringen.
Sie hat ein offenes Wesen, neigt zur Kompromißlosigkeit.
Ihre Mitarbeit im Mitteldtsch. Verlag ist freiberuflich, sie gehört aber der soz. Brigade an. Außerdem arbeitet sie in kultureller Hinsicht mit einer Brigade des Waggonbau Ammendorf zusammen.

gez. "W e i n e r t"

23.6.60

102

- Abteilung V/1 - Halle, den 5.4.1962

1958

A u s k u n f t s b e r i c h t

Personalien:

Name, Vorname:	W o l f , Christa geb. Ihlenfeld
geb. am:	18.3.1929 in Landsberg/Warthe
Beruf:	Germanistin
wohnhaft:	Halle, Amselweg 34
jetzt beschäftigt:	freischaffende Schriftstellerin und Literaturkritikerin
Tel-Nr. im Betrieb:	entfällt
Wohnungsanschluß:	32830
Familienstand:	verheiratet mit Gerhard Wolf wohnhaft: Halle, Amselweg 34 freisch. Literaturkritiker u. Lektor
Anzahl der Kinder:	2 - [illegible] und 5 Jahre
Partei vor 1945:	keine
nach 1945:	SED
Organisationen:	FDGB, DSF, GST
Militärverhältnis:	keines
Vorstrafen:	keine
Op.-nutzb. Kenntnisse:	keine
Berufl. Spezialkenntnisse:	Literatur
Besitzverhältnisse:	keine
Personenbeschreibung:	ca. 1,70 m groß, schlank, schwarzes Haar
Deckname:	"Margarete" geworben am 24.3.1959 durch Ltn Paroch, HA V/1, Berlin
Registrier-Nr.:	1258/60 GI

Charakteristik:

Die IM ist die Tochter eines Kaufmanns. Sie besuchte die Volks- und Oberschule. Von 1949 - 1951 studierte sie Germanistik an der Universität in Jena.

- 2 -

103

- 2 -

Danach ist sie zunächst wissenschaftliche Mitarbeiterin im Deutschen Schriftstellerverband Berlin und in der Redaktion der Zeitschrift "Neue Deutsche Literatur".
Seit Mitte 1960 ist sie Lektorin (Außenlektorat) für den Mitteldeutschen Verlag Halle, Literaturkritikerin und Schriftstellerin. Für ihre "Moskauer Novelle" erhielt sie 1961 den Kunstpreis der Stadt Halle.
Im Deutschen Schriftstellerverband leistete sie auch nach ihrer Übersiedlung 1960 nach Halle eine gute und parteimäßige Arbeit. Bis zum vergangenen Jahr war sie Parteisekretär des Verbandes. Ihr Einstellung zur Arbeiter-und-Bauernmacht und zur Partei der Arbeiterklasse ist positiv und aufrichtig.
In moralischer Hinsicht wurde nichts negatives bekannt.

<u>Op. Entwicklung u. Ergebnisse der bisherigen Zusammenarbeit:</u>

Die Anwerbung erfolgte durch die HA V/1 des MfS Berlin auf ideologischer Basis mit dem Ziel der operativen Absicherung des Deutschen Schriftstellerverbandes. Eine schriftliche Verpflichtungserklärung wurde von ihr nicht abverlangt. Finanzielle Forderungen stellte die IM nicht. Sonstige Zuwendungen wurden Ihr nicht übergeben.
An Vorgängen oder sonstigen operativen Materialien hat die GI nicht gearbeitet. Ihre Informationen bezogen sich auf die Situation im Schriftstellerverband und im Verlagswesen.
Die IM ist ehrlich und gibt auf alle interessierenden Fragen bereitwillig Auskunft. Sie lehnte jedoch Treffs in KW ab.

<u>Bestehende Verbindungsart und Möglichkeiten:</u>

Was lernte die IM in der Zusammenarbeit mit dem MfS kennen?

<u>Operative Mitarbeiter:</u>

Ltn. Paroch, MfS Berlin, HA V/1 - unter Wegner bekannt
O.-Ltn. Seidel, MfS Berlin, HA V/1 - unter Siebert bekannt
Ltn. Richter V/1 - unter Klarnamen bekannt.

<u>IM, die ihn kennen:</u> keine

- 3 -

104

-,3 -

IM, die er kennenlernte: keine

KW, die der IM kennenlernte:

KW "Höhe" (Berlin)

Telefonnummern:

7856

Gegenwärtige Verbindung:

Persönliche Treffs in Abständen von 20 - 25 Tagen in der Wohnung des IM.

Losungswort:

Nicht vereinbart.

Technische Mittel:

Keine übergeben

Dokumente, die dem IM zur Durchführung bestimmter Aufträge ausgehändigt wurden:

keine

KOPIE

Nahe Verwandte und Bekannte:

Bekannter: [geschwärzt]

wh. [geschwärzt], [geschwärzt].

[geschwärzt]

[geschwärzt]

(Richter)

-Ltn.-

108

- Abteilung V / 1 - Halle/S?, d. 29.11.1962

Betr.: Einstellen des IM-Vorgangs "M a r g a r e t e"
Reg.-Nr. 1258/60

Die IM war von Juni 1960 bis August 1962 in Halle wohnhaft und als freischaffende Schriftstellerin tätig.
In der Zusammenarbeit informierte sie uns allgemein über die Situation im Deutschen Schriftstellerverband Halle.
Operative Schwerpunkte konnten von ihr nicht festgestellt und bearbeitet werden. Da sie es ablehnte, eine KW zu besuchen, fanden die Treffs in ihrer Wohnung statt.

KOPIE

Im August dieses Jahres verzog die IM von Halle nach Kleinmachnow (Bezirk Potsdam).
Nach Rücksprache mit dem Referatsleiter der Abt. V /1, Gen Untat, ist die BV Potsdam an einer Übernahme der IM nicht interessiert.
Der IM-Vorgang wird abgelegt.

Bestätigt:

Der Leiter der Abteilung V

(B e c k)
Major

(R i c h t e r)
Ltn.

- Oemem. -

109

Bezirk Halle

Vertrauliche Dienstsache!

Diensteinheit Abt. V/1

Mitarbeiter Richter

Halle, den 29.11.1962

Reg.-Nr. 1258/60

Beschluß

für das ~~Anlegen~~/Einstellen eines IM-Vorgangs
(Vorgangsart angeben)

Auszufüllen bei IM-Vorlaufakte

1. Vorgesehene Kategorie ....
2. Wohnadresse ....

(Bei Operativ- Vorlaufakte werden k e i n e Angaben benötigt.)

Auszufüllen bei IM-Vorgang

1. Kategorie GI
2. Wohnadresse Halle, Amselweg 34
3. Deckname "M a r g a r e t e"
4. Reg.-Nr. .... der Vorlaufakte.

KOPIE

Auszufüllen bei Operativ-Vorgang (bzw. Untersuchungsvorgang ohne Haft)

1. Deckname ....
2. Reg.-Nr. .... der Vorlaufakte.
3. Delikt ....

Auszufüllen bei Objekt-Vorgang

1. Bezeichnung des Objekts ....

Auszufüllen bei Kontroll-Vorgang

1. Zum ....-Vorgang, Reg.-Nr. ....

Anmerkung: Die Gründe für das Anlegen/Einstellen umseitig angeben.

Gründe für das XXXXX/Einstellen

Die IM verzog von Halle nach Kleinmachnow.
An einer Übernahme des IM ist die BV Potsdam nicht
interessiert.

KOPIE

Mitarbeiter ....

Leiter der Diensteinheit ....

Bestätigt am .... von ....
(Unterschrift)

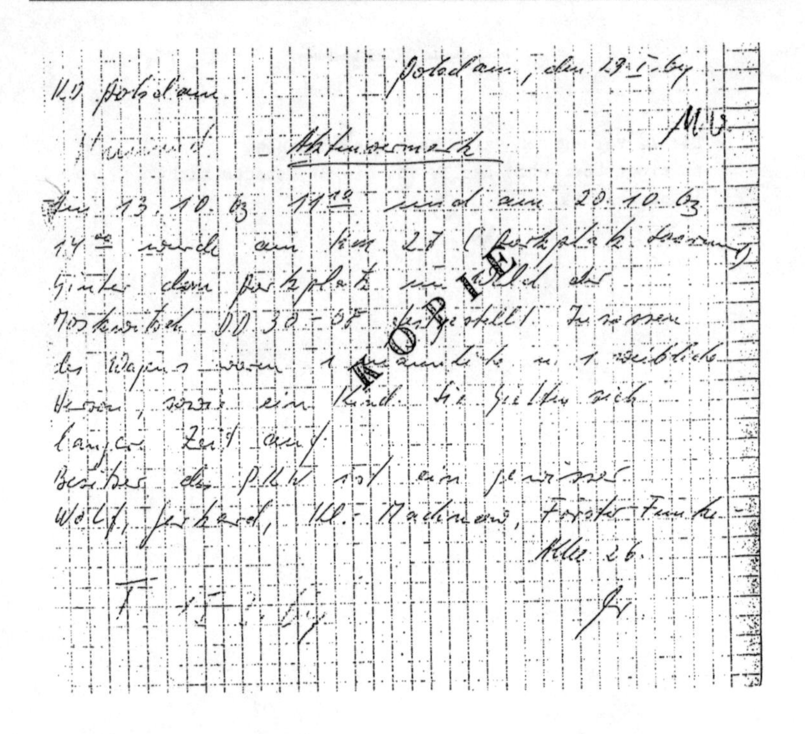

KD Potsdam

Potsdam, den 29.1.84

M.O.

[illegible]

Aktenvermerk

Am 13.10.83 11.00 und am 20.10.83 14.00 wurde am km 27 (Parkplatz Saarmund) hinter dem Parkplatz im Wald der Moskwitsch DD 30-05 festgestellt. Insassen des Wagens waren 1 männliche u. 1 weibliche Person, sowie ein Kind. Sie hielten sich längere Zeit auf.
Besitzer des PKW ist ein gewisser Wolf, Gerhard, Kl.-Machnow, Förster-Funke-Allee 26.

Gr.

[illegible]

KOPIE

KD Potsdam den, 18.2.64

Wolf, Gerhard [redacted]
Lektor freischaffend [redacted]
Förster Fincke Allee 26

Wolf, Christa geb. Ihlenfeld geb. 18.3.29
in Landsberg/W.
Schriftstellerin freischaffend IV 0551405
2 Kinder 52/56

KOPIE

F. 10.
[illegible] 20.2.64

Vertrauliche Dienstsa

MfS Original

Bez.-Verwaltung

~~Abt.~~/Kreisdienststelle

Mitarbeiter

Druckschrift

Tel.-Nr.

, den 19

Suchzettel über

Name

Vorname

geb. am

Geburtsort

Arbeitsstelle und Beruf

Wohnadresse

Hinweis zur Person

KOPIE

Archiv-Material angefordert

Unterschrift des Mitarbeiters

Leiter der Abteilung/Kreisdienststelle

i.V.

Unterschrift

0235-663 500.0 Form 1 Potsdam

Abschrift

115

Volkspolizeikreisamt
Potsdam
Rev. Kleinmachnow

Kleinmachnow, den 2.3.1964

Betr.: Ermittlung zur Person W o l f. Christa,
wohnhaft: Kleinmachnow, F.Funke-Allee 26

Die W o l f ist am 18.3.1929 in Landsberg geboren. Sie ist verheiratet und hat zwei Kinder im Alter von 11 und 8 Jahren. Von Beruf ist sie freischaffende Schriftstellerin. Sie schreibt mit ihrem Ehemann Gerhard fortschrittliche Bücher, welche vorwiegend ausländische Probleme zum Inhalt haben.
Aus diesem Grunde hat sie auch schon ausländische Gäste in ihrem Haus gehabt, über die jedoch keine näheren Ermittlungen geführt werden konnten.
Frau W o l f ist Genossin unserer SED. Vom WPO-Sekretär, Gen. ████████ wird sie als aktive, pflichtbewußte und gute Genossin charakterisiert.
In ihrer Straßenparteigruppe leistet sie eine gute Parteiarbeit. Dieses kommt zum Ausdruck, daß sie am 20.10.1963 zur Volkswahl aktive Arbeit im Wahllokal leistete.
Im Wohngebiet hat die Genn. W o l f durch ihr nettes und höfliches Auftreten einen sehr guten Leumund und wird von ihren Nachbarn geachtet. Ihre Kinder sind immer sauber gekleidet und haben eine gute Erziehung.
Irgend welche Klagen gibt es im Wohngebiet über die Genn. W o l f, Christa nicht.

ABV Abschn.
VP Hptwm.

gez. ████

KOPIE

Da Ehefrau des Wolf gute Genossin und ehem. ehrlicher GI, diese zur Klärung des Treffs bzw. Aufenthalter auf die OAB persönlich, ohne Umschweife angesprochen
fo/20.3.64

F.d.R.d.A.
Laux

Anmerkungen

S. 27 *Personalbogen* Personalbogen zur Bewerbung und Anstellung beim Verlag Neues Leben Berlin, bei dem Christa Wolf von 1955–1956 als Cheflektorin tätig war. Das MfS besorgte sich solche Unterlagen (wie auch die dazu geschriebenen Lebensläufe) aus den Personalabteilungen der betreffenden Betriebe.

S. 33 *Suchzettel* Die in Faksimile wiedergegebenen Suchzettel hatten mehrfachen Zweck. Z. B. dienten sie dazu festzustellen, ob eine Person vom MfS erfaßt werden sollte oder bereits erfaßt war. Ferner galt der Suchzettel der Kontrolle des Umfeldes bestimmter Personen, sogar zur Pkw-Kontrolle wurde der Zettel benutzt, der also eine Form der Erfassung darstellt.

S. 41 *im Januar 1948* Es muß natürlich 1945 heißen.

S. 49 *Buchkritiken* »Um den neuen Unterhaltungsroman« (Rezension von E(mil) R(udolf) Greulich, *Das geheime Tagebuch*). In: Neues Deutschland, Berlin/DDR, Nr. 169/1952
»Probleme des zeitgenössischen Gesellschaftsromans. Bemerkungen zu dem Roman *Im Morgennebel* von Ehm Welk«. In: NDL, 1/1954
»Komplikationen, aber keine Konflikte« (Rezension von Werner Reinowski, *Diese Welt muß unser sein*). In: NDL, 6/1954
»Die schwarzweißrote Flagge« (Rezension von Peter Bamm, *Die unsichtbare Flagge*). In: NDL, 3/1955
»Menschliche Konflikte in unserer Zeit« (Rezension von Erwin Strittmatter, *Tinko*). In: NDL, 7/1955
»Besiegte Schatten?« (Rezension von Hildegard Maria Rauchfuß, *Besiegte Schatten*). In: NDL, 9/1955
»Menschen und Werk« (Rezension von Rudolf Fischer, *Martin Hoop IV*). In: NDL, 11/1955
»›Freiheit‹ oder Auflösung der Persönlichkeit?« (Rezension von Hans Erich Nossack, *Spätestens im November* und *Spirale – Roman einer schlaflosen Nacht*). In: NDL, 4/1957
»Autobiographie und Roman« (Rezension von Walter Kaufmann, *Wohin der Mensch gehört*). In: NDL, 10/1957
»Botschaft wider Passivität« (Rezension von Karl Otten, *Die Botschaft*). In: NDL, 2/1958
»Erziehung der Gefühle?« (Rezension von Rudolf Bartsch, *Geliebt bis ans bittere Ende*). In: NDL, 11/1958

Die Buchkritiken von Christa Wolf lassen schon früh eine Distanz zum ideologisch formatierten Literaturbetrieb erkennen. In der Kritik des Romans *Die Welt muß unser sein* von Werner Reinowski schrieb sie 1954:

»Wer die Gelegenheit hatte, eine Reihe von Manuskripten, Fabeln und Exposés durchzusehen, die den gleichen Stoff gestalten wollen (gibt es überhaupt gleiche Stoffe in der Literatur?), der erschrickt vor der Gleichförmigkeit, mit der fast überall bestimmte Figuren als unerläßliche Requisiten immer wieder auftreten: der Parteisekretär, der Bürgermeister, der Funktionär der gegenseitigen Bauernhilfe (die beiden letzten spielen meist eine fragwürdige Rolle). Um sie herum gruppieren sich dann zwanglos ein fortschrittlicher Kleinbauer, ein schwankender Mittelbauer, ein reaktionärer Großbauer, der zu irgendwelchen drastischen Sabotageakten greift; dann gibt es noch ein Liebespaar (einer von beiden arbeitet auf der MTS) und als Kulisse einige klatschende Dorffrauen. Nun sage noch einer, die Vielfalt des Lebens sei nicht eingefangen.«

Über die Zunft der Literaturkritik, der sie für einige Jahre zugehörte, formulierte Christa Wolf 1964:

»Ich habe manchmal den Eindruck, daß viele Kritiken nicht für die Leute geschrieben werden, die sie lesen sollen, und auch nicht für den Autor, sondern für irgendwelche in der Einbildung vorhandene höhere Instanzen, die sich dazu freundlich äußern sollen.« (*Zweite Bitterfelder Konferenz. Protokoll.* Berlin 1964, S. 233)

Im Vorwort zu Maxie Wanders Buch *Guten Morgen, du Schöne. Frauen in der DDR* wird die Distanz zum DDR-gängigen Literaturverständnis vollends deutlich:

»Diese Texte entstanden nicht als Belege für eine vorgefaßte Meinung; sie stützen keine These, auch nicht die, wie emanzipiert wir doch sind. Kein soziologischer, politischer, psychotherapeutischer Ansatz liegt ihnen zugrunde. Maxie Wander, in keiner Weise umfrageberechtigt, war durch nichts legitimiert als durch Wißbegierde und echtes Interesse.« (Aus: Maxie Wander, *Guten Morgen, du Schöne. Frauen in der DDR.* Darmstadt und Neuwied: Luchterhand Verlag 1978, S. 10)

S. 62 *das Buch von Djatschenko* Es handelt sich hierbei um den Roman *Herz und Asche* von Boris Djacenko, der 1954 in Berlin erschienen ist. Der zweite Band wurde von der Zensur unterdrückt.

S. 72 *im Apparat des DSV* Seit 1953 arbeitete Christa Wolf als wissenschaftliche Mitarbeiterin des Deutschen Schriftstellerverbandes in Berlin.
Ebenda *Senatswahl* Am 7. 12. 1958 fanden die Wahlen zum Westberliner Senat statt. Christa Wolf war bei diesen Wahlen Wahlhelferin der SED, wurde beim Verteilen von Wahlbroschüren von der Westberliner Polizei verhaftet und war für mehrere Tage in Untersuchungshaft in der Haftanstalt Alt Moabit.

S. 73 *Kommaclub* vgl. 2 Seiten zuvor, unten. Der »Kommaclub« wollte die Kontakte und Verbindungen zwischen Autoren und Schriftstellern in der Bundesrepublik und der DDR verstärken.

S. 79 *in der »Kultur«* Unabhängige Zeitschrift mit internationalen Beiträgen. Hg. von Johannes M. Hönscheidt. Stuttgart 1952 ff.

S. 94 *die gegebenen Aufträge erfüllt* Bezieht sich auf den Aktenvermerk vom 2. 7. 1959 im »Arbeitsvorgang« (vgl. S. 124)

Arbeitsvorgang 1959–1962

KOPIE

Ministerium für Staatssicherheit

Vertrauliche Dienstsache!

Verw./Bezirksverwaltung M.f.S. Halle

Abteilung/Kreisdienststelle V

Arbeitsvorgang

Nr. ~~718/59~~ ~~683/60~~ Halle 1258/60

Kategorie GJ

Deckname Margarete

Band 1

Beginn 24.3.1959

Beendet

Archiv-Nr. Halle-3627/62

Anzahl der Blätter 21

V 0267 858 25.0 Form 63

Ast 9

Inhaltsverzeichnis

Arbeits-Vorgang Reg.-Nr. 728/59

Lfd. Nr.	Inhaltsangabe	Blatt Nr.	Bemerkungen
1.	Personenindex	1	
2.	Treffbericht vom 24.4.1959	2–6	
3.	Aktenvermerk vom 23.4.1959	7	
4.	Aktenvermerk vom 6.5.1959	8	
5.	Aktenvermerk vom 21.5.1959	9	
6.	Aktenvermerk vom 2.7.1959 und GI-Bericht	10–11	
7.	Aktenvermerk vom 24.9.1959	12	
8.	" " 28.7.60, 30.9., 28.10.60	13–15	
9.	" " 3.12.60 u. Bericht d. [illegible]	16–19	
10.	" " 18.1.62, 20.2.62	20–21	

V 0430 159 250.0 Form 8

Inhaltsverzeichnis

Arbeits -Vorgang Reg.-Nr. 721/59

Lfd. Nr.	Inhaltsangabe	Blatt Nr.	Bemerkungen

V 0430 159 250.0 Form 8

Inhaltsverzeichnis

Arbeits -Vorgang Reg.-Nr. 728/59

Lfd. Nr.	Inhaltsangabe	Blatt Nr.	Bemerkungen

V 0022 258 250.0 Form 8

Ministerium für Staatssicherheit

Vertrauliche Dienstsache!

Form 2

Index

Blatt Nr.: 1

über die im Arbeits -Vorgang Reg.-Nr.: 728/59
genannten Personen.

Lfd. Nr.	Name, Vorname	Nummer des Blattes, auf dem die Person genannt ist	Karteikarte angelegt am:	Karteikarte erhalten: (Unterschrift)
1.	[illegible]	2,		
2.	[illegible], [illegible]	2,		
3.	[illegible], [illegible]	2,3,6,		
4.	[illegible],	3,		
5.	[illegible],	3		
6.	[illegible], [illegible]	3,4,6,10,11,		
7.	[illegible], [illegible]	4,6,		
8.	[illegible]	5,		
9.	[illegible]	10,		
10.	[illegible], [illegible]	17-19		

VII 0269 856 100.0

(bitte wenden)

117

Blatt Nr.: ....

Index

über die im ......Arbeits......-Vorgang Reg.-Nr.: ......728/59......
genannten feindlichen Organisationen und Objekte.

Lfd. Nr.	Bezeichnung der Organisation oder Objekts	Nummer des Blattes, auf dem die Organisation genannt ist	Karteikarte angelegt am:	Karteikarte erhalten (Unterschrift)
	wurden bis Blatt 12 keine genannt.		[illegible]	

KOPIE

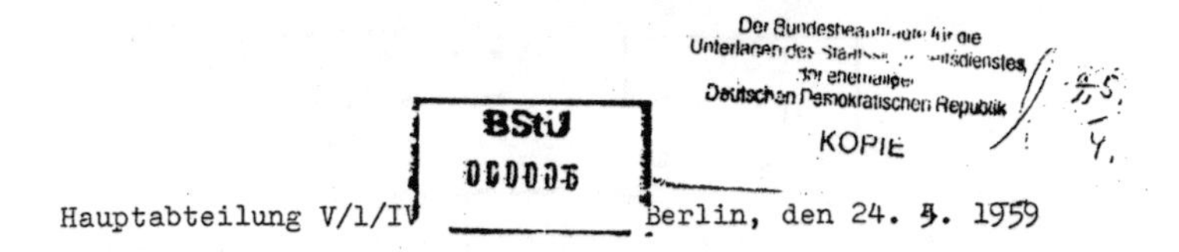

Hauptabteilung V/1/IV Berlin, den 24. 5. 1959

T r e f f b e r i c h t

Am 22. 4. 1959 wurde in der Zeit von 16.oo - 19.oo Uhr mit dem GI "Margarete" in einem inoffiziellen Zimmer des Hauses, Französische Str. ████ in Berlin W 8 ein Treff durchgeführt. (KW "Höhe")

Das Gespräch zu Beginn des Treffs berührte persönliche Fragen, wobei nochmals auf die vorhergehende Zusammenkunft eingegangen wurde. Dabei wurde der GI gefragt, ob sie mit ihrem ████ über das mit uns stattgefundene Gespräch gesprochen hat, was sie verneinte, da sie es nicht für zweckmässig halten würde.

"Margarete" berichtete dann über ihre persönliche Perspektive und teilte mit, daß sie noch bis zum Herbst als Redakteur der NDL arbeiten will, um dann im Bezirk Halle in einem Schwerpunktbetrieb des Chemieprogramms als Kulturfunktionär zu arbeiten. Dazu hat sie solche Pläne, wie Buchlesungen, literarische Diskussionen durchzuführen und eine Betriebschronik zu erarbeiten.

Gegenwärtig gibt es in der Redaktion der NDL große Schwierigkeiten, da der Genosse ████ als ████ ████ aus gesundheitlichen Gründen gekündigt hat und der GI z.Zt. als amtierender Chefredakteur tätig ist. Der Genosse ████ ████ ████, gleichfalls Redakteur der NDL, hat nach längerer Krankheit vor einigen Tagen wieder seine Arbeit aufgenommen. Personalmäßig soll die Redaktion der NDL wieder verstärkt werden, jedoch gibt es noch keine konkreten Vorschläge hierfür.

Im weiteren Gesprächsverlauf wurde "Margarete" nach dem ehemaligen Mitarbeiter des DSV, ████, gefragt. Sie kennt ████ nur flüchtig und weiß, daß er 1956 auf dem Kongreß Junger Künstler in Karl-Marx-Stadt mit unberechtigten Forderungen aufgetreten ist. Auch war ihr bekannt, daß ████ ████ ████ ████ ████ ████ ████ ████ ████ ████. ████ ████ ████ ████ ████ ████.

- 2 -

Hinsichtlich seiner literarischen Fähigkeiten setzt sie ████ nicht sehr hoch ein. Sie ist der Meinung, daß er nur ein geringes literarisches Talent besitzt. Seine 1956 gezeigte schwankende Haltung schätzt der GI so ein, daß ohne weiters als Hauptursache sein Umgang anzusehen ist, dabei nannte der GI Namen wie ████, ████ u.a. Da ████ ein noch sehr junger Mensch ist, wäre zweifellos aus ihm etwas zu machen, wenn er aus seinem Bohemeleben herausgerissen würde, und es gibt nach Meinung des GI bereits gute Anzeichen, indem sich ████ bemühte an Schwerpunkten des sozialistischen Aufbaus mitzuarbeiten, um dort das Leben richtig zu studieren. Was aus ihm in der letzten Zeit geworden ist, konnte der GI nicht sagen, da ████ auch nie im Hause des DSV zu sehen ist. Der GI selbst hat keinen persönlichen Kontakt zu ████.

Im Anschluß daran wurde über den Schriftsteller ████ ████-████ gesprochen und der GI um eine Einschätzung gebeten.

"Margarete" schätzt ████ als talentierten und perspektivvollen Schriftsteller ein, der noch einige Schwierigkeiten hinsichtlich der Sprache (er schreibt seine bisherigen Manuskripte in Englisch) und der konkreten Kenntnisse der Situation in Deutschland und Lebensbedingungen in der DDR. Zu ████ hatte der GI persönlichen Kontakt durch berufliche Zusammenarbeit. Es fanden auch mehrere Auseinandersetzungen zwischen dem GI und ████ über ein Manuskript statt, das in der NDL veröffentlicht werden sollte, aber wegen Fehler in der ideologischen Konzeption nicht gebracht wurde. Die ideologischen Fehler waren jedoch nicht von schwerwiegender Art, sondern resultierten aus der Unkenntnis der Lage in Deutschland, da sich das Manuskript mit einem Problem des gespaltenen Landes beschäftigte. Der GI konnte feststellen, daß bei dieser Auseinandersetzung ████ durchaus die Argumente seines Diskussionspartners anerkannte und auch gewillt ist, die Schlußfolgerungen daraus zu ziehen. Weiter war dem GI bekannt, daß ████ ████, ████ ████

- 3 -

leben. Obwohl ███ ein großes Talent zu werden verspricht, hindern ihn jedoch daran nicht unwesentlich seine oftmals ███. In dieser Hinsicht schätzt ihn der GI als einen labilen Menschen ein. Gegenwärtig arbeitet ███. an einem Roman, dessen Titel dem GI jedoch nicht bekannt ist.

Im weiteren Gesprächsverlauf wurde der GI nach dem Schriftsteller ███ ███ gefragt. Dazu teilte der GI mit:

███ ███. war unmittelbar nach der Gründung des DSV ███ ███ des Berliner Verbandes. Er entwickelte eine große gesellschaftliche Aktivität und wird vom GI als einer der besten und bewusstesten Genossen eingeschätzt. In den Tagen der ungarischen Konterrevolution 1956, wo zahlreiche Schwankungen unter den Schriftstellern festzustellen waren, ist ███. in einer Mitgliederversammlung des Verbandes aufgetreten und hat dort in einem kämpferisch-revolutionären Diskussionsbeitrag gegen die Faschisten in Ungarn Stellung genommen und gefordert, man solle internationale Brigaden aufstellen, diese bewaffnen und zum Kampf für die ungarische Arbeiter- und Bauernmacht einsetzen. Er erklärte sich sofort dazu bereit und würde sich als erster freiwillig melden. Der GI meinte, daß es sehr schade wäre, daß Genosse ███ durch ███ in letzter Zeit nicht mehr so aktiv am gesellschaftlichen Leben teilnehmen könnte. Der GI erinnerte sich auch, daß ███, der in der Nähe der Sektorengrenze wohnt, öfters Drohbriefe von feindlichen Elementen erhalten hat, da er auch im Wohngebiet als bewusster Kommunist auftritt. In literarischer Hinsicht hat sich Genosse ███ mehr dem Film zugewandt. So stammt von ihm das Drehbuch zu dem bekannten DEFA-Film "Mich dürstet", der den Kampf des spanischen Volkes gegen die Franco-Diktatur zum Inhalt hat. ███ war selbst Spanienkämpfer.
Im weiteren Treffverlauf wurde mit dem GI nochmals über die Regeln der Konspiration gesprochen, um dabei das persönliche Verhalten des GI bei Begegnungen udgl. sowie Betreten und Verlassen konspirativer Wohnungen und Schreiben von Berichten

- 4 -

Der GI hatte zu diesem Problem keine Fragen. In diesem Zusammenhang teilte er mit, daß vor einigen Wochen zwei Angehörige des MfS,(nach ihrer Vermutung) der GI hatte sich den Ausweis nicht genau angesehen, von ihm Namen westdeutscher Schriftsteller forderten, die man für Aufklärungszwecke ansprechen könnte. Der GI teilte diesen auch einige Namen mit, worauf eine dieser Personen später nochmals bei dem GI erschien und von ihm forderte, daß er diese Schriftsteller aus WD im Namen der NDL nach Berlin einladen soll und dann diese den obigen Personen zuzuführen. Der GI lehnte dieses Ansinnen ab, da er nicht die Verantwortung dafür tragen kann, daß die NDL und der DSV als Institutionen der Anwerbung gebraucht werden können. Daraufhin erwiderte diese Person, die sich unter dem Namen "HEINI" vorstellte, daß sie zu dem I. Sekretär des Verbandes, Genossen ██████, gehen wird, um sich dort die notwendige Hilfe zu holen. Der GI war sehr empört über diese Art und Weise, da sie dadurch vor dem Genossen ██████ kompromittiert wird. Der GI besitzt auch die Telefon-Nr. dieser Personen und nach dem Treff holte er diese aus seinem Arbeitszimmer im DSV und übergab sie.
Die Telefon-Nr. lautet: 5o 16 37

Dem GI wurde zugesagt, diese Angelegenheit zu überprüfen und ihm empfohlen, jegliche Beziehungen zu diesen Personen abzubrechen.

Erteilter Auftrag
Der GI erhielt den Auftrag, eine ausführliche Einschätzung über die beiden Schriftsteller ██████ und ██████ bis zum nächsten Treff zu fertigen.

Nächster Treff
Der nächste Treff findet am 5. 5. 1959, um 16.45 Uhr, in der KW "Casino" statt. Der GI wurde mit dem Verhalten in einer KW vertraut gemacht.

– 5 –

<u>Einschätzung</u>
Der GI kam einige Minuten später zum Treff und entschuldigte sich sehr höflich, da noch Besucher von ihr abzufertigen waren. Während des gesamten Gesprächs konnte festgestellt werden, daß sie auf die gestellten Fragen bereitwillig Antwort gab und der Inhalt der gegebenen Einschätzungen der im Bericht genannten Personen stimmt völlig mit den Angaben anderer Informatoren überein.
In der Perspektive ist es notwendig, daß mit dem GI dahingehend gearbeitet wird, mehr aufgeschlossener von sich heraus uns interessierende Fragen zu berichten. Dies wird sich noch änderen in dem Maße, in dem wir es verstehen das Vertrauen von ihr zu erringen.

<u>Auswertung des Treffs</u>
1. Die im Bericht enthaltenen Angaben über die Personen ███, ███ und ███ sind wertvoll für die bisherigen Aufklärungsergebnisse, sie werden durch die Angaben des GI zum Teil ergänzt.

2. Die vom GI berichtete Angelegenheit über das Auftauchen dieser zweifelhaften Personen ist zu klären, um damit in Zukunft politische Fehler im DSV auszuschalten.

<u>Treffkosten</u> DM 3.--

(P a r o c h)
Ltn.

7

Hauptabteilung V/1/IV

Berlin, den 23.4.1959

A k t e n v e r m e r k

Bei der Telefon Nr. 5o 16 37 handelt es sich um einen Anschluß der Nationalen Volksarmee, Berlin - Grünau, Regattastr. 1o - 11, der seit 25.8.1958 dort besteht. Er ist nicht im Telefonbuch eingetragen. Das Ermittlungsergebnis stammt von der Abt. Nachrichten und Waffen.

(P a r o c h)
Ltn.

8

Hauptabteilung V/1/IV

Berlin, den 6.5.1959

A k t e n v e r m e r k

Am Dienstag, den 5.5.1959 teilte der GI "MARGARETE" telefonisch mit, daß sie zu dem vereinbarten Treff an diesen Tage nicht kommen kann, da eine wichtige Dienstreise von ihr durchgeführt werden muß. Der GI wird nach dem 1o. Mai wieder anrufen, wo ein neuer Trefftag festgelegt wird.

(P a r o c h)
Ltn.

Hauptabteilung V/1/IV

Berlin, den 21.5.1959

<u>A k t e n v e r m e r k</u>

Der GI "MARGARETE" teilte mit, daß sie ab Montag, den 18.5.1959 am Sowjetischen Schriftstellerkongress in Moskau als Pressevertreter teilnehmen wird. Die Rückkehr liegt noch nicht auf den Tag genau fest und wird wahrscheinlich in den ersten Junitagen erfolgen. Nach ihrer Rückkehr wird dann sofort ein Treffermin vereinbart.

(H a r o c h)
Ltn.

Hauptabteilung V/1/IV

Berlin, den 2.7.1959

A k t e n v e r m e r k

Am 1.7.1959 wurde mit dem GI "MARGARETE" in der Nähe vom THälmannplatz um 13.3o Uhr ein Kurztreff durchgeführt.

Wie beim letzten Treff vereinbart übergab der GI eine Anzahl von Materialien. Dabei handelt es sich um eine genaue Aufstellung über diejenigen Arbeiten an den Schriftsteller des Berliner Verbandes 1959 und 196o schreiben. Weiter ist ein Brief von ██████ dabei, den er auf Grund einer Rezension der NDL über seine Erzähleranthologie an diese geschrieben hat. Diese beiden Materialien muß der GI wieder beim nächsten Treff zurückerhalten. Weiter übergab der GI einex handschriftliche Einschätzung über den Autor ████ ██████.
In kurzen Gespräch über persönliche Fragen, teilte der GI mit, daß sie in der Zeit von 13.7. bis 5.8.1959 in Urlaub geht.

Auswertung der Materialien:
Die Aufstellungen über das gegenwärtige Schaffen der Berliner Schriftsteller wird zur Fertigung einer Analyse benutzt.
Der übergebene Brief von ██████ kommt fotokopiert zum Vorgang.
Der Bericht über ███████ kommt abschriftlich zur Handakte.

Nächster Treff:
Der nächste Treff mit dem GI"MARGARETE" wird in der KW "CASINO" stattfinden, wobei der Tag und die Uhrzeit nach der Rückkehr des GI vom Urlaub festgelegt werden, da der GI über seine stehenden Termine zu dieser Zeit noch keinen Überblick hat.

Paroch
(P a r o c h)
Ltn.

Mir wurde ███ ███ bekannt, kurz nachdem er in die DDR übergesiedelt war. Damals hatte ich im Verlag Neues Leben mit ihm zu tun, wo er sein erstes Buch „Wohin der Mensch gehört" herausbrachte. Später hatte ich nur noch selten und zufällig Kontakt und Diskussionen mit ihm.

███ mußte als sehr junger Mensch während der Nazi-Zeit aus Deutschland fliehen, weil er rassisch verfolgt wurde; seine Eltern sind umgekommen; er ist hier in einem bürgerlichen Haus aufgewachsen, kam nach seiner Flucht in ein Internierungslager nach England und dann nach Australien. Dort arbeitete er auf Plantagen und trat dann in die Armee ein, wurde zum technischen Dienst verwendet. Während seiner Armee-Zeit und später als Hafenarbeiter und Seemann kam er mit den sozialen Kämpfen der australischen Arbeiter zusammen. Er trat der Gewerkschaft bei und wurde, soviel ich weiß, Gewerkschaftsfunktionär. Ich glaube, er war auch Mitglied der KP Australiens. Soviel ich weiß, ist er mit dem bekannten ~~au~~ australischen Schriftsteller ███ ███ befreundet.

Über seine ideologische Entwicklung hier in der DDR kann ich wenig sagen. Ich schätze ihn so ein: Er ist konsequenter Antifaschist und Antiimperialist, weil er in Australien die imperialistischen Ausbeutungsmethoden direkt erlebt hat. Er war bei einem Besuch in Westdeutschland entsetzt über die dortigen Verhältnisse. Andererseits hat er es wahrscheinlich nicht immer leicht, sich hier zurechtzufinden, weil er die Entwicklung vor 1955 nicht erlebt hat. Er ist sehr egozentrisch und verhältnismäßig weich, wie ich glaube, auch beeinflußbar. Von seiner ███ ███ ███ gefolgt war (soviel ich weiß, ist sie Genossin gewesen), hat er sich dann getrennt. Danach soll er mit ███ ███ liiert gewesen sein. Über seinen sonstigen Umgang weiß ich nichts, auch nicht über sein Verhalten im Bezirksverband Potsdam unter den Schriftstellern.

Ich halte ███ für recht talentiert. Sein Talent ist gefährdet durch mangelhafte theoretische Kenntnisse. Er ist, scheint mir, zu sehr Impressionen ausgesetzt; manchmal vermißt man dabei die gedankliche Durchdringung des Stoffes.

Zu Anfang hat ███ sich seine Arbeiten von ███, der in Westberlin wohnt, und ███ übersetzen lassen. Jetzt arbeitet ███ für ihn als Übersetzer.

den 1. Juli 59 [illegible]

Hauptabteilung V/1/IV

Berlin, den 24.9.1959

A k t e n v e r m e r k

Zu dem mit GI "MARGARETE" vereinbarten Treff nach ihrem Urlaub im August ist es nicht mehr gekommen, da Unterzeichneter in Urlaub ging und in der Zwischenzeit der GI nach Halle übersiedelte.

Mit der Abteilungsleitung müssen weitere Maßnahmen zwecks der Treffdurchführung in Halle abgesprochen werden.

Paroch

(P a r o c h)
Ltn.

13

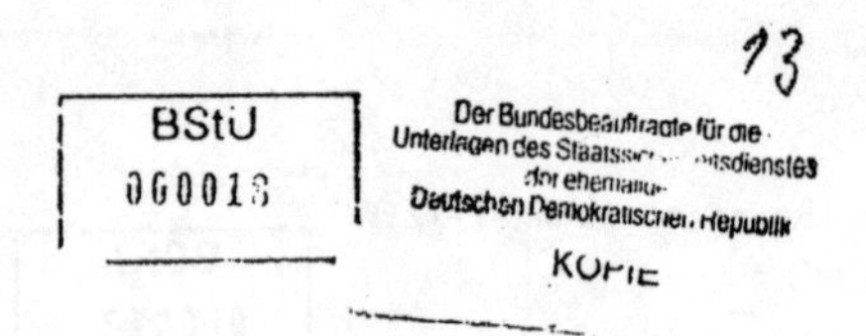

– Abteilung V – Halle (Saale), den 28.7.60
Referat 1

T r e f f a u s w e r t u n g

Betr.: Durchgeführter Treff mit GI „Margarete"

Am 28.7.60 in der Zeit von 10.30 bis 12.00
wurde mit dem IM ein Treff in der ~~KW~~ Wohnung der GI
durchgeführt.

1. Verlauf des Treffs:
Heute wurde der Kontakt zur GI „Margarete" aufgenommen (nach Überstellung der GI-Unterlagen aus Berlin) behandelt: Verhalten Kinder sowie Schülerinnen im I.S.V.

2. Einschätzung und Verhalten des IM:
Aufgeschlossen; bat jedoch die Zusammenarbeit nicht so „übertrieben konspirativ" durchzuführen, da ihr solche Form unangenehm sei. Lösung: Schweigen über Gespräche i. Verbindung, Treffs in ihrer Wohnung, Möglichkeiten dazu günstig

3. Wie erfolgte die Erfüllung des Auftrages:
hatte unsererseits keine Aufträge erhalten.

b.w.

4. Berichte oder sonstoges Material des IM:
Berichte: . . . 1 . . positiv, . . 1 . allgemein.
Sonstiges Material:

5. Maßnahmen zum Bericht des IM:

6. Aufträge an IM – welche Instruktionen wurden gegeben:

1. Aufklärung des Verhaltens des Schriftstellers [redacted] in Bernburg u. Calbe.
Verhalten der Leitung des DSV zur Aufnahme des F. als Mitglied der AG. Jg. Autoren in Erfahrung bringen.
2. Interessierendes über DSV, MCV und Schriftsteller festhalten.

7. Nächster Treff:
Am 22. 9. 60 um 14⁰⁰ Uhr, in der Wohnung . .

Gesehen: . . . .

- Abteilung V / 1 - Halle/S., d. 30.9.1960 94

T r e f f a u s w e r t u n g
============================

Treff mit GI "M a r g a r e t e"
am 29.9.1960 von 14,00 bis 16,30 Uhr
in der Wohnung der GI

1. Der für den 22.9.60 vereinbarte Treff mußte von der GI wegen einer dringenden Autorenbesprechung im DSV Halle abgesagt werden. Der telefonische Anruf erfolgte von ihr rechtzeitig.
Beim gestrigen Treff wurden in der Hauptsache Fragen des Deutschen Schriftstellerverbandes Halle, der Schriftsteller des Bezirkes, der Behandlung von Manuskripten (Beispiel: ████s"Roman über die Entwicklung eines faschistisch erzogenen Jungen und Agenten) sowie das Verhalten des Schriftstellers ███ ████ behandelt.
Beim Treff ging es im wesentlichen mit darum, das Vertrauen der GI zu den Organen des MfS zu stärken und zu festigen.
GI "M a r g a r e t e" zeigte sich sehr gesprächig und offen. Ihrer Forderung, keine Treffs in KWs durchzuführen, muß zunächst entsprochen werden. Ihr ist es angenehmer, den Kontakt nicht streng konspirativ bestehen zu lassen. Soweit dies die Durchführung der Treffs in ihrer Wohnung betrifft, kann es entsprochen werden.
2. Aufträge: Verhalten des Schriftstellers ██████
im Schriftstellerverband Halle beachten.
Einschätzung der Situation im DSF.
3. Der nächste Treff: am 27.10.1960 - 14,00 Uhr.

gesehen: [Unterschrift] - Ltn. - 30/9.

[Unterschrift]
(R i c h t e r)
Ltnt.

95

– Abt. V/1 –　　　　Halle/S., d. 28.10.60

Treffauswertung

Treff mit GI „Margarete"
am 27.10.60 von 14^{00} bis 16^{30} Uhr
in der Wohnung der GI

1. Der geplante Treff mit der GI „Margarete" wurde pünktlich begonnen.
Im Mittelpunkt des Treffgespräches standen Situationsschilderung, Fragen und Probleme unter den Schriftstellern des Bezirksverbandes Halle sowie des Mitteldeutschen Verlags. Die Berichterstattung der GI war umfassend, jedoch gab es keine wesentlichen Momente feindlicher oder negativer Vorkommnisse.
Auf Befragen charakterisierte „Margarete" die Schriftsteller ███ ███, ███ und ███ ███.

2. GI „Margarete" berichtete aufgeschlossen, umfassend, doch noch nicht mit der erforderlichen „Liebe" für unsere Aufgaben. Sie diskutiert sehr gern über ideologische Fragen und über Literatur.

3. Aufgabenstellung:

a) Verhalten der Schriftsteller [geschwärzt], [geschwärzt], [geschwärzt] u. [geschwärzt] im DSV beachten.
Klären, wieso [geschwärzt] eigentlich Mitglied des Verbandes wurde! Welche schriftstellerischen Arbeiten liegen von ihm vor?

b) Situationsberichterstattung über DSV und Mitteldt. Verlag

c) Beachtung von revisionistischen Tendenzen in den vorgelegten Manuskripten.

4. Der nächste Treff:
am Freitag, d. 2.12.60 – 14^{00} Uhr –
Wohnung
(Im November 1960 nimmt die GI an einem Forschungsauftrag in Weimar teil).

[Unterschrift] 28/10. [Unterschrift]
– Ltn. – Ltn.

16

– Abteilung I/1 – Halle/S., d. 3.12.60

Treffauswertung

Treff mit GI „Margarete"
am 2.12.60 von 14^{00} bis 17^{15} Uhr
in der Wohnung der GI

1. Beim gestrigen Treff wurden folgende Fragen ausführlich behandelt:
   a) Neuwahl des Vorsitzenden des Dtsch. Schriftstellerverbandes – Vorschläge [geschwärzt] u. [geschwärzt]
   b) Verhalten [geschwärzt] im DSV.
   [geschwärzt] soll wieder Kreisbibliothekar in Naumburg werden.
   c) Einstellung des stellv. Cheflektors [geschwärzt], Mitteldtsch. Verlag (s. Bericht)
   d) Situation im Mitteldtsch. Verlag – mangelhaftes Verantwortungsbewußtsein des Cheflektors [geschwärzt]
   e) Diskussion über Ursachen und Gründe der Republikflucht von Ärzten u. Lehrern.

2. Bericht über [geschwärzt] zur P-Akte GI „Weimar" (~~handschriftlich~~).
   (Bericht wurde im Stenogramm aufgenommen – im Original zur

3. Aufgaben:
a) Informierung über die Tätigkeit des D.S.V.
b) Situationsberichterstattung über Mitteldeutschen Verlag
c) Ausführliche Einschätzung des Cheflektors [geschwärzt] (Mitteldeutsch. Verlag) – kennzeichnender bürokratischer Arbeitsstil

Der nächste Treff am 17. 1. 61 – 14⁰⁰ Uhr – gl. Ort

[Unterschrift]
Ltn.

- Abteilung V/1 - Halle, den 3. Dezember 1960

Einschätzung

Betr.: , im
Mitteldeutschen Verlag, Halle,

Beim gestrigen Treff mit der GI "Margarete" wurde nachstehende Einschätzung über den Obengenannten im Stenogramm aufgenommen:

" Ich kenne Gen. seit 1959 näher. Er ist im Mitteldeutschen Verlag Halle. Er leitet eine Lektoratsgruppe und ist Brigadeleiter der Lektoratsbrigade.

a) Als Gruppenlektor: er hat die Aufgabe, die Arbeit der Lektoren in seiner Gruppe anzuleiten und zu kontrollieren, d.h. ihre ideologische Arbeit am Manuskript zu überprüfen.
Ausserdem muss er dabei eine wesentliche organisatorische Arbeit leisten. Zu seiner Gruppe gehören die Lektoren
und (Berlin).
Er selbst betreut noch ca. 10 Schriftsteller u.a. .

b) Als Brigadeleiter: Da der Cheflektor des Mitteldeutschen Verlages nicht voll und ganz seinen Aufgabengerecht wird, wurde dem Gen. die Organisierung, Kontrolle sowie die Leitung der Brigade des Lektorats im Mitteldeutschen Verlag übertragen.
Dies erfolgte, weil er politisch und ideologisch eher dazu in der Lage ist, als der Cheflektor.

- 2 -

12

- 2 -

Gen. [geschwärzt] ist Mitglied der BGL im Verlag.
Sonstige Funktionen im Verlag hat er nicht.
Er ist ausserdem in der Leitung des Klubs der Intelligenz Halle und Mitglied des Beirats beim Rat des Bezirkes Halle zur Verleihung der Händelpreise..,
[geschwärzt] besitzt langjährige praktische Erfahrungen im Verlagswesen und die entsprechende Liebe zu seinem Beruf als Lektor. Mit den Autoren arbeitet er sehr gut zusammen. Er besitzt ausgezeichnete Umgangsformen und weiss, diese Leute richtig zu behandeln.
Er ist ein guter Praktiker, was ihm fehlt, sind systematische literaturwissenschaftliche Kenntnisse (erhat keine Hochschule absolviert).
Die Arbeit mit den jungen Autoren liegt ihm besonders am Herzen. Er hat eine "Nase" für Begabungen, spürt hier ist ein Talent. Bei der Förderung solcher jungen Schri-ftsteller wagt er etwas, traut sich etwas zu.
Dies trifft voll und ganz auch auf andere Belange zu.
Bei Vorschlägen zeigt er sich aufgeschlossen und bereitwillig. Er ist stets bemüht, neue Erkenntnisse kritisch zu verarbeiten und anzuwenden.
Er besitzt Initiative, die jedoch unter den schwierigen Arbeitsbedingungen als Lektor mitunter etwas erlahmen. Diese Schwächen überwindet er stets nach kurzer Zeit.

[geschwärzt] vertritt konsequent die Politik der Partei ohne Einschränkungen. Man kann sich voll und ganz auf ihn verlassen. Er ist derjenige, der im Verlag die ideologischen Probleme aufgreift, sie auf die Tagesordnung stellt und wesentlich zu deren Klärung beiträgt.
Er ist in dieser Hinsicht die entscheidendste Stütze im Verlag. In moralischer Hinsicht gibt es keine Bedenken.
Er liebt Geselligkeiten, ist aber kein Trinker. [geschwärzt]

[geschwärzt].

- 3 -

79

- 3 -

[geschwärzt] wurde auf Grund ihrer Zweifel an der Politik der Partei nach den Ereignissen des XX. Parteitages und des Ungarn-Putsches aus der Partei ausgeschlossen. Auf diese übt er in politischer Hinsicht keinen besonderen Einfluss aus. Es scheint, als haben beide in diesen Belangen einen sogenannten [geschwärzt]. Durch eine persönliche Unterhaltung mit [geschwärzt] wurde bekannt, dass überhaupt [geschwärzt]. Allerdings steht [geschwärzt] nicht auf der Tagesordnung, da beide in bestimmte Dinge des anderen nicht hineinreden."

KOPIE

(Richter)
- Ltn. -

– Abteilung V / 1 – Halle/S., d. 19.1.1962

T r e f f a u s w e r t u n g

Betr.: Durchgeführter Treff mit GI "M a r g a r e t e"
am 18.1.1962 von 14,oo bis 16,15 Uhr

1. In einer ausführlichen Behandlung wurde gestern durch die GI "M a r g a r e t e" die Situation im Deutschen Schriftstellerverband eingeschätzt. Sie betonte dabei, daß zur Zeit ein Zustand der Stagnation, der politischen Gleichgültigkeit und somit der Unsicherheit im Verband vorhanden ist. Die GI selbst hatte Kritik an den Ausführungen des Gen. [geschwärzt] (Bezirksleitung der Partei) geübt, da sie der Auffassung ist, die Beschlüsse des 14. Plenums wie des XXII. Parteitages der KPdSU hätten eine konkretere Auswertung speziell für den Bezirk Halle erfahren müssen. Ohne daß man eine Aussprache mit ihr führte, spürt sie jetzt eine Isolierung durch die Mitarbeiter der Bezirksleitung.

   Ein schriftliche Bericht wurde nicht angefertigt. Nach der Durchführung der kommenden Leitungssitzungen im DSV wird gemeinsam mit der GI eine umfassende Analyse über den Verband erarbeitet.

2. Aufträge:
   Allseitige Information verschaffen: Situation im DSV Halle

3. Der nächste Treff:
   am Dienstag, d. 20.2.1962 – 14,oo Uhr – Wohnung der GI

(R i c h t e r)
Ltn.

19/1.62

- Abteilung V/1 Halle, d. 20.2.62

Betr.: Vorbereitung zum Treff mit GI „Margarete" am 20.2.62, 14°° Uhr

Für den heutigen Treff steht folgende Aufgabenstellung:

1. Analysierung der Situation im DSV (mangelhafte Führungstätigkeit durch die Genossen des Verbandes)
2. Verhalten der Schriftsteller ███ (███ und ███ im DSV
3. Befragung der GI über die Situation im Mitteldeutschen Verlag Halle (für Analyse an HA V)
4. Stimmungen und sonstige Vorkommnisse

KOPIE

bestätigt:

[illegible] [illegible]
Ultn.

20/2.62

Der zum 20.2.1962 mußte durch die GI abgesagt werden. Gestern wurde dieser mit o.g. Aufgabenstellung durchgeführt. Die Berichterstattung erfolgte mündlich und aufgeschlossen.

[illegible]
Ultn.

Anmerkungen

S. 117 *Schwerpunktbetrieb* 1960/61 betreute Christa Wolf zusammen mit Gerhard Wolf im VEB Waggonbau Ammendorf in Halle/Saale einen Zirkel schreibender Arbeiter. Christa Wolf war dort Mitglied einer Brigade. Studien zur späteren Erzählung *Der geteilte Himmel.* Halle: Mitteldeutscher Verlag 1963.

S. 119 *das Drehbuch zu dem DEFA-Film »Mich dürstet«* Das Drehbuch zu dem DEFA-Film *Mich dürstet* (1956) schrieb Walter Gorrish. Es basiert auf dessen 1946 geschriebenen Roman *Um Spaniens Freiheit.*
Ebenda *Schreiben von Berichten* Der Satz ist unvollständig.

S. 124 *Erzähleranthologie* Deutsche Erzähler des zwanzigsten Jahrhunderts. Hg. von Kurt Böttcher, Paul Günther Krohn und Karl Heinz Berger. Berlin 1958.

S. 127 *Übersiedlung nach Halle* im Herbst 1959.

S. 129 f. *Leutnant Richter* Im Gegensatz zu den MfS-Offizieren in Berlin, die unter Decknamen auftraten, handelt es sich bei Leutnant Richter um den offiziellen, vom Bezirk Halle beauftragten Mitarbeiter für den Mitteldeutschen Verlag, dort ein- und ausgehend bekannt. Seine Gespräche, die in der Wohnung von Christa und Gerhard Wolf stattfanden, hatten von vornherein keinen konspirativen Charakter, auch nahm an ihnen fast durchweg Gerhard Wolf teil. Mit den Vorgängen in Berlin, sagt Gerhard Wolf, wurden diese Gespräche weder von ihm noch von Christa Wolf in Zusammenhang gebracht. Warum Gerhard Wolf in den Berichten Richters nicht erwähnt wird, ist unklar.

Die Medien
Reaktion, Gegenreaktion

> »Halten Sie der Würde
> Ihres Werkes die Treue. Erklären
> Sie. Nehmen Sie mir und Ihren
> Lesern die Traurigkeit.«
> Fritz J. Raddatz in »DIE ZEIT«

Wie würde die Presse reagieren? Diese Frage stellte sich Christa Wolf, nachdem sie im Mai 1992 in der Gauck-Behörde in Berlin beim Studium ihrer »Opfer-Akte« den Hinweis auf den IM-Vorgang »Margarete« gefunden hatte. Die Antwort konnte die Schriftstellerin sich ausmalen. Als die »Berliner Zeitung« den Aufsatz »Eine Auskunft« gebracht hatte, begann die Kampagne gegen die einst in Ost und West hochverehrte Dichterin.

Mit Häme reagierte zunächst die »Bild«-Zeitung: »Unsere berühmteste Schriftstellerin Christa Wolf: Ich war IM ... aber ich wußte es nicht« – so die Balkenüberschrift. Ein anderes Boulevard-Blättchen, der »Berliner Kurier«, hatte nichts begriffen und stellte in einer Zwölf-Zeilen-Meldung alles auf den Kopf: »Auch Christa Wolf, die renommierte DDR-Autorin (›Kindheitsmuster‹, ›Kassandra‹), wurde von der Stasi als IM geführt. Sie und ihr Mann trugen den Namen ›Doppelzüngler‹, berichtete sie der ›Berliner Zeitung‹ nach der Einsicht in ihre 42 Bände umfassende Stasi-Akte aus den Jahren 1968 bis 1980 ...« (BK 21. 1. 1993).

Das Nachrichtenmagazin »Der Spiegel« hatte sich auf dem freien Stasi-Akten-Markt eine Kopie besorgt. In einem ausführlichen Beitrag unter der Überschrift »Die ängstliche Margarete« wurde kräftig verallgemeinert: »Unter dem selbstgewählten Decknamen ›Margarete‹ plauderte sie drei Jahre lang Details über Kollegen aus, politische, aber auch intime. Die Galionsfigur der DDR-Identität als zaghafte Opportunistin – später wurde sie selbst bespitzelt.« (»Der Spiegel«, 25. 1. 93).

Noch vehementer als »Der Spiegel« legte sich »DIE ZEIT« ins Zeug. Für das Feuilleton der Wochenzeitung steigerte sich Fritz J. Raddatz in seinen »Bemerkungen zu Heiner Müller und Christa Wolf« in ein uner-

trägliches Pathos: »Halten Sie der Würde Ihres Werkes die Treue. Erklären Sie. Nehmen Sie mir und Ihren Lesern die Traurigkeit.« (»DIE ZEIT«, 29. 1. 93)

Daneben enthält das Presse-Echo, wie der Leser im folgenden feststellen kann, aber auch erstaunlich ruhige Betrachtungen. So vermerkte Frank Schirrmacher in der »Frankfurter Allgemeinen«: »Christa Wolf hat in ihren Berichten niemanden belastet und fast durchweg nur Freundliches über aufrechte Genossen und talentierte Kollegen berichtet. Alles andere verliert sich ins Unbestimmte und ist von großer Allgemeinheit.« (FAZ 22. 1. 93)

Mit einzelnen Autoren nahm Christa Wolf von Kalifornien aus brieflichen Kontakt auf, etwa mit der früheren Bundestagsabgeordneten der Grünen, Antje Vollmer, die in der »Tageszeitung« eine kluge Analyse der Stasi-Debatte um Christa Wolf veröffentlicht hatte, sowie mit dem Bürgerrechtler Hans-Jürgen Fischbeck, dessen Brief ebenfalls abgedruckt wird. Auch Pfarrer Friedrich Schorlemmer, der mit einem Aufsatz für die Berliner »Wochenpost« die Diskussion um Christa Wolf fortsetzte – »Eine Statue fällt, ein Mensch bleibt« –, bekam Post aus Santa Monica. Die Schriftstellerin reagierte auf leicht durchscheinende Kritik Schorlemmers mit den Worten: »Inzwischen habe ich ein paar Wochen hinter mir, die zu den härtesten in meinem Leben gehören, und wenn jetzt irgendeine Himmelsmacht mir anbieten würde, das alles, einschließlich des Anlasses – die Akte – ungeschehen zu machen, ich könnte es nicht mehr annehmen.« (11. 2. 93)

Editorischer Hinweis
Orthographische Flüchtigkeitsfehler der Briefschreiber in diesem Kapitel wie im Kapitel »Briefwechsel« (vgl. S. 191 ff.) sind stillschweigend korrigiert worden, individuelle Schreibweisen wurden jedoch beibehalten.

Eine Auskunft

Von Christa Wolf

Die Vorgänge um Heiner Müller sind der letzte Anstoß für mich, diesen Artikel zu schreiben, über den ich seit einigen Monaten nachdenke: seit dem Mai vorigen Jahres, als mein Mann und ich unsere Stasi-Akten einsehen konnten. Wir sahen uns mit 42 Bänden konfrontiert, allein für die Zeit zwischen 1968 und 1980 – die Akten über die letzten zehn Jahre scheinen vernichtet zu sein.

Wir erfuhren, daß wir seit 1968 als „Operativer Vorgang" „Doppelzüngler" minutiös observiert wurden, daß wir von einem Netz von „IM" umgeben waren, was wir erwartet hatten, darunter enge Freunde, was wir so nicht erwartet hatten; daß natürlich unser Telefon, zeitweilig auch die Wohnung, abgehört, die Post ausnahmslos geöffnet und zum Teil abgelichtet wurde; daß man „Legenden" für Informelle Mitarbeiter erfand, um sie bei uns einzuschleusen, Skizzen von unserer Wohnung und der Lage unseres Hauses anfertigte, mich zeitweilig für Auslandsreisen „sperrte" und auch einmal ein Fahndungsblatt über uns ausgab; daß man jedes einzelne meiner Bücher von anscheinend germanistisch gebildeten IM „begutachten" ließ, die in grotesken „Analysen" eine ständig wachsende Staatsfeindlichkeit konstatierten.

Ich fand auch einen Bericht, der mich bis heute erbittert: Als die Mitverfasser des Protestes gegen die Ausbürgerung Wolf Biermanns Ende 76 unter massiven Druck gesetzt wurden, ihre Unterschrift zurückzuziehen, habe ich dieses Ansinnen jedesmal abgelehnt – was alles durch die Akten belegt ist. Da setzte die Stasi unter den Mitunterzeichnern das Gerücht in Umlauf, ich hätte mich in geheimer Aussprache von meiner Unterschrift distanziert; befriedigt wird dann festgestellt, daß dieses Gerücht unter einigen meiner Freunde Mißtrauen gegen mich weckte und eine Spaltung unserer Gruppe bewirkte. Die Namen dieser Freunde werden genannt, es schmerzte mich sehr, sie dort zu lesen. Nun erst konnte ich mir auch erklären, woher die Behauptung, ich sei in der Biermann-Sache „umgefallen", immer wieder in der westdeutschen Presse auftauchen konnte.

Unser „Operativer Vorgang" bezog sich auf den § 106 des Strafgesetzbuches, die Abkürzungen für die zu recherchierenden Straftatbestände lauteten „PiD" und „Put": „Politisch-ideologische Diversion" und „Politische Untergrundtätigkeit". Die Wortwahl uns gegenüber verschärfte sich von Jahr zu Jahr.

Ich fand aber bei meinen Akten, zu einem „Auskunftsbericht", auch ein dünnes Faszikel, aus dem ich erfuhr, daß die Stasi mich von 59 bis 62 zunächst als „GI" („Gesellschaftlicher Informant"), dann als „IM" geführt hat. Das traf mich völlig unvorbereitet. Ich erinnerte mich nur, 1959, als ich Redakteurin der NDL war, von zwei Herren der „Behörde" aufgesucht worden zu sein, die über meine Beziehungen zu einem westdeutschen Autor unterrichtet waren, welcher sich gerade scharf gegen die DDR geäußert hatte. Dadurch eingeschüchtert, erklärte ich mich bereit, mich wieder mit ihnen zu treffen. Ich erhielt einen Decknamen, woran ich keine Erinnerung habe, man hat aber, laut Akte, keine schriftliche Verpflichtungserklärung von mir verlangt. Ich hätte „intellektuelle Bedenken" gehabt, heißt es, und ich hätte nicht an „OP.-Material oder Vorgängen" gearbeitet. In einem Abschlußbericht der Berliner Dienststelle ist von meiner „überbetonten Vorsicht" und „größeren Zurückhaltung" die Rede.

Als wir 1959 nach Halle zogen, wurde die Akte dort, wiederum ohne mein Wissen, weitergeführt. In Halle besuchte uns, keineswegs geheim, und ohne daß ich einen Zusammenhang mit den Berliner Vorgängen hätte herstellen können, mehrmals ein Genosse R. in unserer Wohnung, der hauptamtlicher Mitarbeiter der Stasi und als „Betreuer" für den Mitteldeutschen Verlag eingesetzt war, was jeder wußte. Mit ihm habe ich über Verlagsangelegenheiten und kulturpolitische Fragen gesprochen – damals noch in der Annahme, über diesen Weg Kritik wirksamer befördern zu können. Denn gerade die Hallenser Jahre waren eine wichtige Etappe in der Entwicklung meiner kritischen Haltung, besonders zur Kulturpolitik der DDR. Ich hatte die ersten Auseinandersetzungen im Schriftstellerverband, meine Einstellung zum XXI. Parteitag der KPdSU wurde in der Parteizeitung „Freiheit" öffentlich kritisiert. Dies alles steht nicht in der mir bekannten Akte, die nur wenige Blätter enthält, aber in dieser Zeit muß die Stasi-Behörde eingesehen haben, daß sie sich in mir geirrt hatte: Als wir im Sommer 1962 in den Bezirk Potsdam zogen, hat die dortige Stasi sich „nicht daran interessiert" gezeigt, mich zu „übernehmen". Die Akte wurde am 13. 10. 1962 geschlossen und im Archiv abgelegt.

Von da an, besonders seit meinem „nicht parteimäßigen" Verhalten auf dem 11. Plenum des ZK der SED im Dezember 65, verstärkte sich die Observation, die dann 68 in einen „Operativen Vorgang" umgewandelt wurde.

Natürlich fragte ich mich, ob ich mit diesem Fund – was heißen mußte: mit einer Darstellung meiner „Aktenlage" überhaupt – an die Öffentlichkeit gehen sollte. Es widerstrebte mir sehr, mir meine kritische Haltung gegenüber den Fehlentwicklungen in der DDR durch die Stasi bezeugen zu lassen; ich wollte meine Bücher und mein Verhalten, das viele kennen und dessen ich mich nicht zu schämen habe, als Zeugnisse gewertet wissen. Ich hatte nichts zu „bekennen" außer der Tatsache, daß ich die Rolle der Stasi vor mehr als dreißig Jahren nicht in der Schärfe sah wie später: Es hat seitdem keinen Kontakt mehr mit einer Person gegeben, die sich als Mitarbeiter der Stasi ausgewiesen hätte, man hat nie wieder versucht, Informationen von mir zu bekommen.

Deshalb hielt ich es nicht für notwendig, diesen alten, verjährten Vorgang öffentlich zu machen. Ich hatte gar keine Hoffnung – angesichts der Hysterie, die allein durch die zwei magischen Buchstaben „IM" ausgelöst wird –, daß eine solche Veröffentlichung eine Aufnahme finden könnte, die den wirklichen Relationen dieses Vorgangs in meinem Leben auch nur einigermaßen entsprechen würde. Ich mußte fürchten, auf diese zwei Buchstaben reduziert zu werden. Ich stand noch unter dem Eindruck der Kampagne gegen mich und fühlte mich neuen Angriffen nicht gewachsen. Ich war und bin darüber bedrückt, daß durch die Jagd nach „IM" eine Auseinandersetzung mit der komplexen Realität DDR und auch die selbstkritische Aufarbeitung unserer Lebensläufe in diesem Land eher blockiert als befördert wird. Ich wollte meine Entwicklung in einem größeren Zusammenhang darstellen, in dem auch diese Aktenerkenntnisse ihren Platz finden sollten.

Heute sehe ich, daß diese Zurückhaltung falsch war. Ich weiß nicht, ob dieser Artikel nun dazu beitragen kann, die Diskussion um unsere Vergangenheit zu versachlichen und zu entdämonisieren. Ich weiß, alle diese Akten halten nur ein Zerrbild meiner Lebenswirklichkeit fest. Ich habe erfahren, daß Kraft dazu gehört, sich gegen den versteinernden Blick zu wehren, der einen da noch nachträglich bannen will; mich damit auseinanderzusetzen habe ich als eine Fortsetzung meines Strebens nach innerer Unabhängigkeit gesehen, von dem die letzten Jahrzehnte meines Lebens in der DDR geprägt waren. Ich habe Zeit gebraucht, um mich meiner selbst zu vergewissern und jetzt darüber sprechen zu können.

In: Berliner Zeitung, 21. 1. 93

Das ganze Leben gegen eine Episode?

Christa Wolf erklärt sich zu Stasi-Akten

Von unserem Redaktionsmitglied Cornelia Geißler

In Christa Wolfs Beitrag „Eine Auskunft" in der Berliner Zeitung von gestern hatte die Schriftstellerin unter anderem erklärt, daß sie von 1959 bis 1962 als „Gesellschaftlicher Informant" und als „Informeller Mitarbeiter" der Stasi geführt wurde. In anderen Medien tauchte daraufhin die Vermutung auf, daß Christa Wolf gerade noch rechtzeitig selbst an die Öffentlichkeit gegangen sei, weil mittlerweile für Journalisten die Einsicht in die sie betreffenden Akten bei der Gauck-Behörde möglich geworden ist. So schreibt die Frankfurter Allgemeine Zeitung, Christa Wolf habe einen Stasi-Bericht mit dem ihr gegebenen Decknamen unterzeichnet.

Dazu befragten wir die Schriftstellerin, die sich derzeit in den USA aufhält.

Christa Wolf erinnert sich an das Dokument, von dem die FAZ spricht. Sie erzählt, daß sie eine Mitarbeiterin der Gauck-Behörde um Hilfe bat, nachdem sie in einem Auskunftsbericht zur Eröffnung des „Operativen Vorgangs" darauf gestoßen war, daß die Staatssicherheit sie von 1959 bis 1962 als IM geführt hatte. Sie sagt: „Da waren wenige Blätter in einer Akte, dabei auch ein handschriftlicher Bericht von mir. Mehr Material von mir gab es dort nicht."

Zu den Vermutungen, ihre Wortmeldung „Eine Auskunft" sei der Versuch, anderen Veröffentlichungen zuvorzukommen, sagte Christa Wolf: „Mich hat der Vorgang um Heiner Müller dazu gebracht, das zu veröffentlichen. Ich wußte nicht, daß zum Beispiel die FAZ einen Antrag auf Akteneinsicht bei der Gauck-Behörde laufen hatte und daß sie diese Einsicht in dieser Woche bekommen hat. Damals, vor acht Monaten, als ich von den Fakten erfuhr, hätte ich sie sicher gleich publik machen sollen. In der allgemeinen Atmosphäre im vorigen Jahr fühlte ich mich nicht dazu in der Lage, weil ich befürchten mußte, was jetzt einzutreten scheint: Daß man ein ganzes Leben, das dann in eine völlig andere Richtung gelaufen ist, auf diese Episode reduzieren würde."

Im Mai 1992 war der „Literaturstreit", der nach ihrem Buch „Was bleibt" entstanden war, kaum abgeebbt. In der Erzählung berichtete sie von der Erfahrung der Observation durch die Stasi. Es entspann sich eine Debatte um die Haltung von Schriftstellern, die in der DDR geblieben waren.

Christa Wolf wollte mit diesem Artikel zur Entmystifizierung des Themas Stasi beitragen: „Und ich hatte auch eine kleine Hoffnung, daß es jetzt möglich wäre, die Entwicklung eines Menschen in einem Zusammenhang mit der Geschichte zu sehen, und daß die Öffentlichkeit in der Lage wäre, einen Vorfall von vor dreißig Jahren, einer Zeit, in der ja sogar Mord verjährt, in die richtige Relation zu rücken. Wenn dies jetzt nicht geschieht, befürchte ich, daß die Aufarbeitung unserer Vergangenheit weiterhin nur auf Stasi-Ebene vorgenommen wird."

In: Berliner Zeitung, 22. 1. 93

Unsere berühmteste Schriftstellerin

Christa Wolf: Ich war IM

...aber ich wußte es nicht

Christa Wolf („Der geteilte Himmel", „Kassandra") wurde von der Stasi abgeschöpft.

Müssen wir das glauben? Auch **Christa Wolf,** unsere berühmteste Schriftstellerin und Fast-Nobel-Preisträgerin, war **als Inoffizielle Mitarbeiterin der Stasi registriert,** hatte einen Decknamen. So steht es in den Akten der Gauck-Behörde. Innerhalb weniger Wochen ist sie **der dritte große Künstler,** den die DDR-Vergangenheit eingeholt hat: nach dem Super-Trompeter **Ludwig Güttler,** nach dem besten deutschen Dramatiker **Heiner Müller.**

Neun Monate hat Christa Wolf das schreckliche Geheimnis mit sich rumgetragen. Jetzt brach es aus ihr heraus. Und sie sagt: Ich wußte nichts davon. **Das Geständnis, Reaktionen – letzte Seite**

Fortsetzung von Seite 1
Christa Wolf (63) entdeckte die belastenden Papiere schon im Mai letzten Jahres: von 1959 -62 „GI" (Gesellschaftlicher Informant), danach „IM". Jetzt erinnert sie sich: „Zwei Herren von der 'Behörde'" hatten die Schriftstellerin besucht, wollten sie anwerben. „Derart eingeschüchtert, erklärte ich mich bereit, mich wieder mit ihnen zu treffen."

„Ich habe einen Decknamen erhalten, kann mich aber nicht mehr an ihn erinnern. Eine Verpflichtungserklärung habe ich nie unterschrieben."

Warum hat Christa Wolf neun Monate geschwiegen? „Heute sehe ich, daß diese Zurückhaltung falsch war." Ihr Mann Gerhard: Wir wußten nicht einmal, was IM ist.

In: Bild, 22. 1. 93

Mit einer gewissen intellektuellen Ängstlichkeit

Beschreibung einer Akte: Wie Christa Wolf als IM für die Stasi gearbeitet hat

„Völlig unvorbereitet", sagt Christa Wolf, habe sie jetzt feststellen müssen, daß auch sie der Stasi als Inoffizieller Mitarbeiter (IM) verbunden war, genauer als Geheimer Informant (GI), wie der Terminus damals, zu Beginn der sechziger Jahre, noch lautete. An dem Tag, an dem diese Zeitung das Material erhielt, das die Schriftstellerin seit geraumer Zeit schon kannte, berichtete auch Christa Wolf in Amerika, wo sie derzeit lebt, von einem „dünnen Faszikel", aus dem sie bei der Durchsicht ihrer Akten in der Gauck-Behörde erfahren habe, daß sie „als IM geführt" worden sei.

Bei dem „Faszikel" aus der Bezirksverwaltung Halle handelt es sich um zwei Aktenmappen, um 130 vergilbte Blätter, die erstmals all das enthalten, was man in anderen Vorgängen bislang vergebens suchte: eine genaue Dokumentation der Werbung, einen „Aktenspiegel" mit Paßbild, detaillierte Pläne, ausführliche Treffberichte und immer wieder Einschätzungen ihrer Arbeit. Schon im „Vorlauf" – er beginnt im Februar 1959 – finden sich zahlreiche Eintragungen, die die „parteiliche" Haltung der „Kandidatin" loben. „Parteiaufträge – auch Kleinarbeit –", heißt es da zum Beispiel am 25. 2. 1959, „führt sie ordentlich aus und drückt sich nicht." Man muß keinen Zwang ausüben, die „GI-Kandidatin Wolf, Christa" genießt das Vertrauen der Behörde: „Hinsichtlich des Kampfes gegen die ideologische Diversion auf dem Gebiet der Literatur ist sie abwehrmäßig von großem Nutzen."

Am 24. 3. 1959 erfolgt die „Werbung" der schon nicht mehr ganz unbekannten Autorin. Der Bericht vermerkt: „Ohne großes Zögern gab sie ihre Zustimmung." Weiter heißt es im Protokoll: „Anschließend wurden die Fragen der Konspiration erläutert." Der „GI" erfuhr eine Belehrung „über den Charakter der inoffiziellen Zusammenarbeit", wurde „auch mündlich zum Schweigen gegenüber dritten Personen verpflichtet", den Ehemann eingeschlossen. Und weil das die Geworbene „in eine leicht unruhige Stimmung" versetzte, war man schließlich zu einem „Entgegenkommen" bereit: „Von einer schriftlichen Verpflichtung wurde wegen ihrer Mentalität Abstand genommen." An „der Ehrlichkeit der Kandidatin" bestand kein Zweifel. Sie zeigte sich kooperativ und wählte sich selbst den Decknamen, an den sie, eigener Aussage zufolge, unterdessen keine Erinnerung mehr hat. Es ist ihr zweiter Vorname „Margarete".

In der Folge steht er über zahlreichen „Treffberichten", die nun allerdings eher allgemeine Informationen enthalten, keine Nachrichten über das „persönliche Leben" anderer, wie sie die Stasi erhoffte. Und so wird schon nach einem halben Jahr in einem ersten Resümee kritisch angemerkt: „Auffallend an der Zusammenarbeit war eine größere Zurückhaltung und (über)betonte Vorsicht, die aus einer gewissen intellektuellen Ängstlichkeit herrührt." Die Verbindung aber wird gleichwohl aufrechterhalten. Man trifft sich weiter „in Abständen von 20 bis 25 Tagen in der Wohnung des IM".

Ein handschriftlicher Bericht von Christa Wolf, den sie mit ihrem Decknamen „Margarete" zeichnete.

Foto F.A.Z.

„Margarete" gibt Auskunft über Spannungen in der Redaktion der NDL, der Zeitschrift „Neue Deutsche Literatur", der sie seit kurzem angehört, auch über das Klima im Schriftstellerverband oder den Mitteldeutschen Verlag kann sie berichten. Gelegentlich überreicht sie einen Brief aus der Redaktionspost oder „eine genaue Aufstellung über diejenigen Arbeiten, an denen Schriftsteller des Berliner Verbandes 1959 und 1960 schreiben". Wo es gewünscht wird, versteht sie sich überdies zur „Einschätzung" einzelner Autoren. Vom 1. Juli 1959 datiert ein handschriftlicher, mit dem Decknamen unterzeichneter Text über den Schriftsteller Walter Kaufmann, den die Autorin „gefährdet" sieht „durch mangelhafte theoretische Kenntnisse". Geheimeres hat sie nie mitzuteilen. Der Führungsoffizier notiert am 28. 10. 1960: „GI ‚Margarete' berichtet aufgeschlossen, umfassend, doch noch nicht mit der erforderlichen ‚Liebe' für unsere Aufgaben. Sie diskutiert sehr gern über ideologische Fragen unserer Literatur."

Darauf aber, scheint es, war die Stasi immer weniger erpicht. Der „IM-Vorgang ‚Margarete'" wurde eingestellt, als die Schriftstellerin 1962 von Halle nach Kleinmachnow verzog. Eine Anfrage bei der Bezirksverwaltung Potsdam hatte ergeben, daß kein Interesse an der „Übernahme des IM" bestand. Die Akte kam ins Archiv, sie wurde vergessen. Mit ihrem schmalen Umfang verschwindet sie fast neben den vielen Ordnern des „Operativen Vorgangs ‚Doppelzüngler'", in dem die Stasi später zusammentrug, was nun wiederum andere IM über Christa und Gerhard Wolf zu berichten wußten. Dennoch erweist sich die Akte als ein Stück wiedergefundener Biographie, das wohl ebenfalls zu bedenken wäre bei der Frage „Was bleibt?".

THOMAS RIETZSCHEL

In: Frankfurter Allgemeine Zeitung, 22. 1. 93

Fälle

Wolf und Müller

Zwei Schriftsteller, zwei Fälle: Christa Wolf und Heiner Müller. Im Fall Wolf gibt es Beweise, im Fall Müller nur Gerüchte. Was ist davon zu halten?

Die Akte von Christa Wolf, die unter dem selbstgewählten Decknamen „Margarete" von 1959 bis 1962 für die Staatssicherheit als IM arbeitete, liegt vor. Wir dokumentieren ihren Inhalt auf dieser Seite. Christa Wolf wußte von dieser Akte, seit sie im Mai vergangenen Jahres Akteneinsicht bei der Gauck-Behörde genommen hatte. Gestern bekannte sie sich in der „Berliner Zeitung" zu ihrer Tätigkeit. Die „Vorgänge um Heiner Müller" seien, so schreibt sie, der „letzte Anstoß" gewesen, sich nun aus freien Stücken zu erklären. Tatsächlich aber stand, wie Christa Wolf wußte, die Veröffentlichung ihrer IM-Akte unmittelbar bevor. Der Verweis auf Heiner Müller und der Wunsch, die Diskussion „zu versachlichen", ist deshalb nicht sehr überzeugend.

Christa Wolf, die berühmteste Autorin der DDR, hat als Dreißigjährige für den Staatssicherheitsdienst gearbeitet. Ihre Akte dokumentiert es. Aber nicht nur von anderen ist darin die Rede, sondern, im Personalteil des Dossiers, auch von der Mitarbeiterin selbst. In unzähligen Beschreibungen und Einschätzungen, die bis zu Augenfarbe und Körpergröße reichen, wird dort ein Bild jener IM „Margarete" entworfen, die damals ihre Karriere als Schriftstellerin begann. Was erkennt man aus diesen ungefähr siebzig Blättern?

Man sieht eine überzeugte Kommunistin, geprägt von der Kriegszeit, beeindruckt von den vorgeblichen Befreiern, gläubig und dankbar für die Heilsversprechungen des Kommunismus. Man sieht eine junge Frau, die an eine die Menschen läuternde Literatur glaubt und daran, daß der Staat, in dem sie lebt, schon geläutert sei. Aus Überzeugung, aber gewiß auch aus Ehrgeiz beginnt sie das Gespräch mit der Staatssicherheit; stets ist sie ein wenig ängstlich, die Regeln der Konspiration sind ihr unangenehm, sie redet wohl viel, aber dennoch rügt die Stasi ihre „überbetonte Vorsicht" und „Zurückhaltung". Was sieht man noch? Wenig, jedenfalls wenig Eindeutiges. Christa Wolf hat in ihren Berichten niemanden belastet und fast durchweg nur Freundliches über aufrechte Genossen und talentierte Kollegen berichtet. Alles andere verliert sich ins Unbestimmte und ist von großer Allgemeinheit.

Das ist der Fall. Er liegt weit zurück, spielt in der Ulbricht-Zeit und umfaßt genau jene Jahre, die den Bau der Mauer brachten. Hat Christa Wolf Menschen geschadet? Wer wollte das sagen, außer den Beteiligten selbst. Aus ihren Berichten jedenfalls tritt nur hervor, daß sie stets auswich und Abträgliches nicht zu Papier brachte. Neben dieser IM-Akte existiert ein vierzigbändiger „Operativer Vorgang". Unter dem Decknamen „Doppelzüngler" wurde das Ehepaar Wolf offensichtlich seit 1968 von der Stasi überwacht.

Was bleibt? Wir haben in dieser Zeitung Christa Wolf – wie übrigens auch Heiner Müller – stets für ihre doppeldeutige Haltung kritisiert. 1987 polemisierte Marcel Reich-Ranicki unter der Überschrift „Macht Verfolgung kreativ?" gegen die These von Christa Wolf, daß man in einem autoritären Regime besser schreibe als im Westen. 1990 begann der Literaturstreit um Christa Wolf, in dem wir ihre intellektuelle Haltung in den vergangenen Jahrzehnten attackierten. All das aber steht auf einem ganz anderen Blatt. Die politische und intellektuelle Auseinandersetzung ist eines; das biographische Verdammungsurteil etwas ganz anderes. Christa Wolf ist Privatperson. Sie kann, was bei einem Politiker notwendig wäre, nicht zurücktreten, denn sie ist ohne öffentliches Amt. Daß Schriftsteller die Rolle des Gewissens der Nation nicht spielen sollten, haben wir nicht zuletzt am Beispiel Christa Wolfs immer wieder betont. Der monströse Glaube, als Schriftsteller moralisch privilegiert zu sein, ist imaginär. Die Existenz dieser Akte ist bedauerlich, aber sie ändert kaum etwas. Es besteht, für Fremde, kein Grund zu verurteilen. Wir jedenfalls tun es nicht.

Um die Stasi-Debatte ist es im kulturellen Milieu seit der Affäre Heiner Müller schlecht bestellt. Wenn die Ängste ostdeutscher Künstler vor westlicher Kaltblütigkeit je zutreffend waren, dann jetzt. Seitdem die Wochenzeitung „Die Zeit" auf der Grundlage sehr dürftiger Materialien öffentlich die sensationsheischende Frage stellte, ob Heiner Müller „ein Schwein" sei, ist eine ernsthafte Auseinandersetzung fast ruiniert worden. Die „Zeit" hat in ihrer jüngsten Nummer noch immer keine neuen Beweise, sondern muß einräumen, daß selbst in den Akten ihres Informanten Schulze kein Hinweis auf Denunziationen Müllers zu finden ist. Sie freut sich aber über das Spektakel, das sie angerichtet hat. „Es gibt wieder eine Debatte", schreibt die verantwortliche Redakteurin Iris Radisch, „und keiner weiß, worum sie geht." Das ist falsch. Wir wissen sehr gut, worum es hier geht: um einen Menschen und dessen öffentliche Beschädigung. Das Feuilleton, so rechtfertigt die Zeitung ihre übereilte Aktion, spiele „Stasi und Gendarm. Hilflos, eitel und schlecht. Da wollen wir mitspielen." Aber hier wird nicht gespielt, hier geht es ausnahmsweise einmal um ernste Dinge – pathetisch, aber nicht übertrieben geredet, um die Existenz von Menschen. „Ohne weitere Dokumente", heißt es weiter, „wird sich der Verdacht gegen Heiner Müller weder erhärten noch zerstreuen. Das ist die Lage." Das ist nichts anderes als eine Rechtfertigung und ein Plädoyer für Denunziation. Ganz konsequent heißt es dann auch in einem bemerkenswerten Satz: „In der Stasi-Debatte gibt es in Wahrheit keine Wirklichkeit und in Wirklichkeit keine Wahrheit." Es kann also, so muß man diese fast panischen Rechtfertigungen lesen, jeder jeden mit allem und jedem verdächtigen.

Hier ist viel Unheil angerichtet worden. Man begreift es nicht.

FRANK SCHIRRMACHER

In: Frankfurter Allgemeine Zeitung, 22. 1. 93

Doppelzüngler

Jagdszenen um Christa Wolf

Jene journalistischen Jakobiner des westliterarischen Wohlfahrtskomitees nach der „Wende", die als Ouvertüre der heutigen „Stasi-Debatte" das Büchlein „Was bleibt" und seine Autorin 1990 durch den Reißwolf drehten, um die Häckselware einer „Staatsdichterin", die sich als Stasi-Opfer aufspielt, und das Spottbild einer ebenso „verlogenen" wie „schäbigen" Persönlichkeit daraus hervorzuzaubern: — unsere tollen Jungs kamen zu spät. Wie so oft war auch dabei die Stasi früher auf der Spur des erst später im Westen erlegten grenzgängerischen Wilds.

Denn die „VEB Horch & Guck" hatte ihre erkennungsdienstlichen Observationen, von deren Sichtbarkeiten in „Was bleibt" berichtet wurde, viel früher aufgenommen. Seit 1968(!) waren Christa Wolf und ihr Mann Gerhard ein „Operativer Vorgang": „Von einem Netz von IM umgeben, was wir erwartet hatten, darunter enge Freunde, was wir so nicht erwartet hatten".

Aus der Einsicht in ihre 42bändige Stasi-Hinterlassenschaft, welche die Wolfs im vergangenen Mai studiert haben und worüber die Autorin jetzt in der „Berliner Zeitung" eine erste „Auskunft" gab, ging hervor: „Daß natürlich unser Telefon, zeitweilig auch die Wohnung, abgehört, die Post ausnahmslos geöffnet und zum Teil abgelichtet wurde; daß man ‚Legenden' für Informelle Mitarbeiter erfand, um sie bei uns einzuschleusen, Skizzen von unserer Wohnung und der Lage des Hauses anfertigte, mich zeitweilig für Auslandsreisen ‚sperrte' und auch einmal ein Fahndungsblatt über uns ausgab; daß man jedes einzelne meiner Bücher von anscheinend germanistisch gebildeten IM ‚begutachten' ließ, die in grotesken ‚Analysen' eine ständig wachsende Staatsfeindlichkeit konstatierten".

„Das Übliche", ist man fast versucht zu sagen, seit die Geheimwissenschaft der Stasi allgemeines Wissensgut geworden ist; übrigens hätten Leser von „Was bleibt", freilich ohne den bösen Blick, der nichts von Christa Wolf mehr unbeschädigt stehen bleiben lassen wollte, das Aquarell dieses Zwielichts dort schon entdecken können. Was unsere Wolfsjäger jedoch *nicht* ahnen konnten: daß ihre DDReigenen Jagdgenossen dasselbe Wild über die gleiche Kimme & Korn schon längst im Visier hatten. „Doppelzüngler" nannten *sie* nämlich bereits 1968, was für ihre westdeutschen Spätzünder von 1990 auf dem Jagdschein stand, mit dem sie die Wolf abschossen.

Man wird nun gespannt sein dürfen, wie unsere fiebrige Jagdgesellschaft die unverhofft zutage gekommene Komplizenschaft von amtlichen DDR-Treibern und schießwütigen Schützen Made in West-Germany sich & uns erklären wird: doppelzüngig, wahrscheinlich.

Ebenso wird man nun sehen, ob ein anderer Wolfsjäger, der die Jagd mit der Behauptung auf die Autorin eröffnete, sie habe insgeheim ihren Namen unter der Pro-Biermann-Resolution zurückgezogen, sich öffentlich entschuldigen wird — nachdem die Stasi-Akten die klammheimliche Freude der „Firma" darüber belegen, daß es ihr mit diesem Falschgerücht gelungen war, selbst engste Freunde der Autorin nachhaltig zu verunsichern. Zum Auftakt des nächsten „Literarischen Quartetts" müßte zumindest ein Dissonanz-Geräusch des Primgeigers zu vernehmen sein, der sich damit seiner unbewußten Stasi-Mitarbeit entledigen könnte.

Aber wahrscheinlich verstreichen solche Augenblicke der Wahrheit, in denen die Ankläger im Namen der Sittlichkeit Gelegenheit hätten, ihren moralischen Jakobinismus auch einmal öffentlich zu reflektieren, ungenutzt. Anstand, Respekt und Augenmaß gehörten zum journalistischen Waidwerk früherer Zeiten; heute schießt jeder aus der Hüfte mit einem Schrotgewehr; weil es genug Betroffene gibt, erübrigt sich die Zielgenauigkeit im Stasi-Unterholz: irgendeinen wird man irgendwie immer treffen.

Da gerade IM „Heiner", der freche Mauertänzer mit den Sieben Schleiern des Zynismus, als Kleinabdruck im Stasi-Zement unter großem Johlen ausgemacht wurde, wird das nun erst recht der Fall sein, nachdem Christa Wolf in Müllers Gefolge „geständig" geworden ist.

Neben der jetzigen „Auskunft" über Stasi-Kesseltreibereien seit 1968 fand sie im Mai letzten Jahres einen ‚Auskunftsbericht', ein dünnes Faszikel, „aus dem ich erfuhr, daß die Stasi mich von '59 bis '62 zunächst als ‚Gesellschaftlicher Informant', dann als IM geführt hat. Das traf mich völlig unvorbereitet", löste ihr aber die Zunge für eine Erinnerung. „Eingeschüchtert" von den Erkenntnissen „der Behörde" über ihre „Beziehungen zu einem westdeutschen Autor, der sich gerade scharf gegen die DDR geäußert hatte", erklärte sich die damalige Redakteurin der Literaturzeitschrift „NDL", die 1961 mit ihrer „Moskauer Novelle" debütierte, zu Treffen bereit. Sie erhielt einen Decknamen, aber eine schriftliche Verpflichtungserklärung wurde von ihr, laut Stasi-Protokoll, nicht verlangt, weil sie „intellektuelle Bedenken" habe. Als die Akte, über deren sonstigen Inhalt Christa Wolf nichts mitteilt — wir dürfen es wohl demnächst an einschlägiger Stelle lesen? —, 1962 (i. e. nach dem Mauerbau) geschlossen wurde, ist von der „überbetonten ‚Vorsicht'" und „der größeren Zurückhaltung" der Autorin die Rede.

Und nun? Wird man ihr jetzt wieder vorhalten, wie bei dem bereits 1979 entstandenen Biographikum „Was bleibt", „zu spät" Akteneinsicht in ihr Leben gegeben zu haben? „Heute sehe ich, daß diese Zurückhaltung falsch war", schreibt Christa Wolf, noch ganz im DDR-Ton einer öffentlichen „Selbstkritik"; aber *in der Sache* hat sie alles für sich. Wer — außer dem Bußprediger eines Inquisitionsgerichts — hätte von der in persona Niedergemachten das erwarten dürfen: sich ausgerechnet mit einem von der Stasi ausgestellten polizeilichen Führungszeugnis „entlasten" zu wollen? Und im gleichen Augenblick, in dem die zwei Buchstaben „IM" zum deutschen Kainszeichen avancierten, sich mit dem Geständnis einer ehemaligen Berührung anzuklagen?

„Überbetonte Vorsicht", „größere Zurückhaltung"? Die Stasi hat schon recht: Christa Wolf ist nie mutig wie Luther gewesen; aber mutig genug, wie die Stasi dokumentiert, um nicht feige zu sein. Als „Doppelzüngler" in einer deutschen Diktatur observiert und einer deutschen Demokratie geschmäht zu werden: das ist schon etwas berauschend Undeutsches.

WoS

In: Frankfurter Rundschau, 22. 1. 93

Wer zu spät kommt, den bestraft das Mißtrauen

Aus der Welt der „Doppelzüngler“: Anmerkungen zu den jüngsten Stasi-Affären um Christa Wolf und Heiner Müller

Von ERICH LOEST

Bonn – Heiner Müller, nun auch Christa Wolf. Von Hermann Kant hatten wir nie etwas anderes angenommen. Daß er mit der Staatssicherheit unter einer Decke steckte, war völlig klar, nur eine Zeitlang konnte man es nicht beweisen.

Vehement klagte er gegen jeden Vorwurf, war stärker Prozeßhansel als Schriftsteller, nun schweigt er fein still. Ich kenne meine Leipziger Pappenheimer, Günter Kunert kennt die Berliner Zuträger –, aber nun auch Autoren wie Heiner Müller und Christa Wolf?

Ich frage mich, warum sie erst jetzt auspacken. Christa Wolf war schon einmal von Jürgen Serke hart angegangen worden, als sie nicht bereit war, einen Spitzel, ihr Freund und Datschennachbar, vor die Tür zu setzen – Nicolau heißt die Kanaille.

Ihre Erzählung „Was bleibt“ nimmt sich nachgerade als täppisch und dummdreist aus – die Staatssicherheit hätte vor ihrer Haustür gelungert. Ein Opferlämmlein sei sie gewesen, sollte das suggerieren.

Nun teilte sie aus den Vereinigten Staaten mit, im Mai letzten Jahres habe sie zusammen mit ihrem Mann 42 Bände Stasi-Akten durchgesehen. Sie sei von Spitzeln umgeben gewesen, sei aber selbst als GI, als „Gesellschaftlicher Informant“, dann als IM geführt worden. Deckname „Doppelzüngler“.

Der klingt freilich nicht so, als sei er mit dem Informantenpaar abgesprochen worden, das hätte mitbeschließen dürfen. (Ein besonders feister Ex-Freund aus meiner Spitzelschar nannte sich „Adler“). An den Decknamen habe sie keine Erinnerung, schreibt Christa Wolf, eine schriftliche Verpflichtung sei laut Akte nicht von ihr verlangt worden.

42 Aktenordner mit jeweils 200 bis 300 Blatt, wie es Stasibrauch war, das ist eine Menge Zeug. Eine reine Opferakte ist es gewiß aus zwei Gründen nicht. Wir alle von Kunze bis Biermann wurden nicht als IM geführt – schon die Vorstellung wäre nachgerade lachhaft – und wir sahen nicht den leisesten Grund, die Öffentlichkeit nicht zu informieren, wobei wir, ohne daß wir uns abgesprochen hätten, die großen Schufte nannten und die kleinen laufen ließen. Die beiden Wolfs aber hielten acht Monate lang den Mund.

„Heute sehe ich, daß diese Zurückhaltung falsch war“, schreibt Christa Wolf jetzt. Nun versucht sie, mit einer äußerst unvollständigen Auskunft „die Diskussion über unsere Vergangenheit zu versachlichen und zu entdämonisieren“. So einfach gelingt das nicht.

Christa Wolf war Nationalpreisträgerin der DDR und genoß alle Privilegien des Reisens und des Arbeitens im Ausland. Sie war die Nobelpreiskandidatin der DDR, für sie wurden immer wieder gute Worte in Stockholm eingelegt. Und auch das sollte man nicht vergessen: Dem Einmarsch in die ČSSR im Sommer 1968 stimmte sie zu.

Daß sie 1976 mit anderen bat, die Regierung der DDR solle die Ausbürgerung Wolf Biermanns

Unbelastet: Schriftsteller Erich Loest FOTO: BRIGITTE FRIEDRICH

noch einmal überdenken – heute wird das gern als Protest bezeichnet – bildet die Ausnahme in der langen Kette des Wohlverhaltens. Kurz bevor die DDR in Scherben fiel, organisierte sie noch diesen fatalen Aufruf „Für unser Land“.

Sie versuchte, eine „sozialistische Alternative zur Bundesrepublik“ zu entwickeln und befürchtete, daß statt dessen „ein Ausverkauf unserer materiellen und moralischen Werte beginnt“. Zu dieser Zeit war sie als Präsidentin einer gewandelten DDR im Gespräch, als unsere Gorbatschowa. Immerhin, sie lehnte ab.

Wer mit einer Selbstbezichtigung zu spät kommt, den bestraft das Mißtrauen. Heiner Müller gefiel sich immer als Possenreißer. Er hat mit Stasileuten Whisky getrunken, seine Gastgeber rechneten hinterher die Spesen mit der Firma ab, so geriet sein Name in die Zettelwirtschaft.

Er sagte ihnen, was er blöd fand im Staate DDR, und hinterher quatschte er über die Treffs mit seinen Freunden. Er war neugierig auf die Stasikerle wie auf alles in diesem verworrenen Leben – das, sagte er sich, kannst du vielleicht einmal für deine Stücke brauchen. Er hätte in seinen kürzlich erschienenen Memoiren darüber Auskunft geben sollen, müssen. Dieser Haken bleibt.

Zu Christa Wolf schauten viele Leserinnen und Leser auf wie zu einer Statue der Moral. Wie es dazu gekommen ist, läßt sich schwer sagen. Ihre Bücher trugen dazu bei wie ihr versonnener Blick, vermuteter Tiefgang, wo Langeweile war, auch der Verzicht auf Heiterkeit, gar Alberei.

Ihre Themen waren gewichtiger als die der SED-Propaganda, zahllose Leser fühlten sich bereichert durch Probleme, die über den tristen DDR-Alltag hinausgingen. Sie sahen in ihr Höheres als nur eine Erzählerin. Viele, die nicht mehr ein noch aus wußten, schrieben an Christa Wolf.

Manchen konnte sie helfen. Allen ist sie jetzt Antwort schuldig. Mit ihrer knappen Auskunft ist es freilich nicht getan.

Vor einiger Zeit gründeten Wolfgang Thierse und Friedrich Schorlemmer ein sogenanntes Tribunal zur Aufarbeitung der DDR-Vergangenheit. Man hat später wenig davon gehört, wobei mir scheint, es ist gescheitert, weil die Täterseite nicht bereit war, auszupacken. Schorlemmer war schließlich auch Mitunterzeichner des Appells „Für unser Land“ – wäre der Wittenberger Pfarrer denn da geeignet, als Mittler zwischen den Wolfs und dem Volke zu wirken?

Irgendwann, bei Heiner Müller oder den Wolfs oder bei einem, der noch folgen wird, dürften wir den Zipfel des Geheimnisses Nummer Eins der letzten DDR-Jahre doch noch zu packen kriegen, des Versuchs nämlich, den maroden Laden nach dem vorgebenen Perestrojkamuster umzubauen, ohne das Heft aus der Hand zu geben.

Es kann doch beileibe kein Zufall sein, daß die Stasi ausgerechnet die wichtigsten Figuren der sich neubildenden Parteien, prominente Politiker wie Ibrahim Böhme, Lothar de Maizière und Wolfgang Schnur, an kurzer Leine führte. Sie schweigen alle drei.

Hat sich Markus Wolf rechtzeitig abgeseilt, um mit notdürftig gewaschenem Pelz wieder satisfaktionsfähig zu sein? Bei Müller, sagt Müller, holten sich ein paar der klügeren Stasioffiziere Rat. War die DDR die einzige Diktatur, die kurz vor ihrem Absturz keine Obristenfronde auf den Plan rief?

Christa, Gerhard und Heiner, wißt ihr was?

In: Die Welt, 22. 1. 93

KULTUR

Die ängstliche Margarete

Die Schriftstellerin Christa Wolf hat vergangene Woche zugegeben, daß sie sich 1959 von der Staatssicherheit der DDR anwerben ließ. Was sie dabei verschwieg: Unter dem selbstgewählten Decknamen „Margarete" plauderte sie drei Jahre lang Details über Kollegen aus, politische, aber auch intime. Die Galionsfigur der DDR-Identität als zaghafte Opportunistin – später wurde sie selbst von der Stasi bespitzelt.

Was bleibt jetzt noch von Christa Wolf? Vor mehr als zwei Jahren, im Sommer 1990, überraschte die berühmteste Dichterin der DDR die Öffentlichkeit zum ersten Mal damit, daß sie sich selbst mit den Machenschaften der Stasi in Verbindung brachte. Die wenig verklausulierte Botschaft ihrer Erzählung „Was bleibt": Sie sei ein Opfer von Bewachung und Bespitzelung gewesen, all ihrer Berühmtheit und Loyalität dem Staat gegenüber zum Trotz.

Am vergangenen Donnerstag verblüffte Christa Wolf, 63, mit einer zweiten Offenbarung. Im Klartext: Sie war nicht nur Opfer, sie war – vor langer Zeit – auch Täter. In der *Berliner Zeitung* gab sie „Auskunft": Die Stasi habe sie drei Jahre lang als „GI"* und „Inoffizieller Mitarbeiter" (IM) geführt und ihr auch – woran sie sich freilich nicht mehr erinnere – einen Decknamen gegeben. Dieser Sachverhalt, auf den sie erst im Mai 1992 beim Studium ihrer Akten gestoßen sein will, habe sie „völlig unvorbereitet" getroffen.

Autorin Wolf: „Das traf mich völlig unvorbereitet"

Ist das glaubwürdig? Und warum hat Christa Wolf die bittere Wahrheit dann noch ein Dreivierteljahr zurückgehalten?

Nach Berlin gelangte ihre komplettierende Darstellung in eigener Stasi-Sache per Fax aus Santa Monica (Kalifornien), wo die Autorin seit September 1992 als Stipendiatin des Getty Centers lebt und arbeitet. Eine Bedingung, die sie vor Antritt ihres neunmonatigen Aufenthalts dort stellte: daß sie von der Presse abgeschirmt werde. Diese Anstrengung wird jetzt wohl zu forcieren sein.

Mit ihrer Selbstenthüllung ist Christa Wolf der Aufdeckung ihrer frühen Stasi-Verstrickungen zuvorgekommen. Mitte vergangener Woche gelangte ein Teil der Wolf-Akten aus der Gauck-Behörde an die Öffentlichkeit. Ob das der Anlaß für den Zeitungsbeitrag war („über den ich seit einigen Monaten nachdenke") oder ob, wie Christa Wolf behauptet, die „Vorgänge um Heiner Müller" den letzten Anstoß dazu gaben?

Eindeutig ist: Das Material wirkt – anders als im Fall des Dramatikers Müller – erdrückend. Christa Wolf täuscht sich selbst und die Öffentlichkeit, wenn sie die belastenden Unterlagen als „dünnes Faszikel" herunterspielt.

Und ihre Beteuerung, sie habe in Halle – dorthin war sie 1959 gezogen – mit dem „hauptamtlichen Mitarbeiter der Stasi" nur noch über kulturpolitische Fragen gesprochen, und das in der Annahme, „über diesen Weg Kritik wirksamer befördern zu können", ist ein mittlerweile allzu geläufiges Bekennermuster – und widerspricht zumindest deutlich den Dokumenten.

Christa Wolf hat sich zuerst 1959 – sechs Tage nach ihrem 30. Geburtstag – in Berlin für Spitzeldienste anwerben lassen. Zwar hat sie später ihrer Zuarbeit den konspirativen Charakter nehmen wollen, indem sie sich Treffen in entsprechenden Wohnungen verbat. Doch fand ihre eifrige Dienstbarkeit bei der Stasi gut drei Jahre lang Anerkennung und Beachtung.

Das dunkelste Kapitel im Leben der weltberühmten Autorin begann – dem

* Geheimer Informator.

drei Seiten langen „Anwerbungsbericht" zufolge – so: „Am 24.3.1959 wurde in der Zeit von 15.00 Uhr bis 18.00 Uhr in Anwesenheit des stellv. Abteilungsleiters Gen. Seidel und des Sachbearbeiters Gen. Paroch in einem inoffiziellen Zimmer in der Französischen Str. Nr. 12 die Literaturwissenschaftlerin und Kritikerin Christa Wolf als geheimer Informator angeworben."

Die beiden Herren stellten sich ihr gleich zu Beginn unmißverständlich als „Mitarbeiter des MfS" vor, zeigten sogar ihre Ausweise. Sie fragten sodann gezielt nach dem westdeutschen Schriftsteller Gert Ledig, zu dem Christa Wolf persönlichen Kontakt unterhielt. „Sie berichtete über ihr Zusammentreffen mit Ledig im Schriftstellererholungsheim am Schwielowsee" und „charakterisierte ihn als einen Wirrkopf, der letztlich zum Gegner der DDR in seiner Publizistik wurde". Weiter – so das Protokoll – „berichtete sie über die Verbindungen Ledigs in der DDR".

Die Offiziere freuten sich, daß sie zur Person Ledigs „alles genau und ausführlich" erzählte und daß die von ihr gegebenen Antworten mit dem Wissensstand der Stasi übereinstimmten. So gewannen sie einen positiven „Eindruck hinsichtlich der Ehrlichkeit der Kandidatin".

Im weiteren Verlauf des dreistündigen Treffens suchten und fanden die Anwerber mit der damaligen Redakteurin der Zeitschrift *Neue Deutsche Literatur* (*NDL*) ideologische Gemeinsamkeiten: Sie wetterten gegen Schriftsteller, die „nicht auf dem Boden der Kulturpolitik von Partei und Regierung stehen" – und Christa Wolf steuerte im Gespräch sogleich Namen zu dieser Gattung bei: „wie Wolfgang Schreyer und andere".

Angesichts solch großer Bereitschaft der Stasi-Kandidatin Wolf konnte alsbald zum direkten Werbegespräch „übergeleitet" werden. Sie wurde „befragt, inwieweit sie zu einer Unterstützung entsprechend ihren Möglichkeiten – die ihr dabei ausführlich aufgezeigt wurden – gegenüber dem MfS bereit ist". Die beiden Offiziere vermerkten: „Ohne großes Zögern gab sie ihre Zustimmung." Sie bat allerdings zu bedenken, daß sie in ihren Urteilen über Schriftsteller „auch irren könne".

Die Offiziere verpflichteten sie nun noch zur „Konspiration", zum Schweigen über ihre inoffizielle Mitarbeit gegenüber dritten Personen. Christa Wolf kamen da Bedenken wegen ihres Mannes Gerhard, der ja „auch Genosse sei". In ihrer Ehe hätten sie bisher „noch nie Geheimnisse" voreinander gehabt. Doch sie ließ sich schließlich auf eine Variante festlegen, die ihr die Offiziere als Entgegenkommen anboten: Sie könne erzählen, sie habe nur ein kurzes Gespräch mit dem MfS geführt, denn auch ihrem Mann gegenüber solle „nicht die Rede von einer Zusammenarbeit" sein.

Zum „Prinzip der Konspiration" gehöre auch die „Notwendigkeit eines Decknamens", erläuterten ihr die beiden Anwerber als nächstes. Christa Wolf, so ist dem Stasi-Protokoll zu entnehmen, wählte selbst den Decknamen „Margarete". Keine überraschende Wahl: Margarete ist ihr zweiter Vorname, zudem ein von Goethe bis Celan prominent literarisch verwendeter Name. Alles vergessen?

Von einer schriftlichen Verpflichtung wurde „wegen ihrer Mentalität" Abstand genommen. Dies war nach der Stasi-Richtlinie 1/58 bei Intellektuellen durchaus möglich und üblich, ist also kein Beleg für Harmlosigkeit. Abschließend tauschte Christa Wolf mit den Offizieren Telefonnummern aus, und ein nächstes Treffen wurde verabredet: in der konspirativen Wohnung (Tarnname: KW „Höhe") in der Nähe ihrer Arbeitsstelle, vier Wochen später.

Führungsoffizier Benno Paroch hatte vor dem Anwerbungsgespräch die „Genossin Wolf" gründlich inspiziert. So wurden „im Wohngebiet des Kandidaten konkrete Ermittlungen" geführt, der Ehemann Gerhard abgeklopft, Kontakte ins Ausland überprüft und auch die „charakterlichen Seiten" der Autorin durch Informantin „Lotti" eingeschätzt.

Die „Lotti" empfahl dem Führungsoffizier Christa Wolf wärmstens: „Als Literaturkritikerin tritt sie parteilich auf." Parteiaufträge führe sie „ordentlich aus". So habe sie „in Hausversammlungen gesprochen und auch zur westberliner Senatswahl in Westberlin Flugblätter" verteilt.

Leutnant Paroch konnte seine Einschätzungen noch durch Informationen von „Herbert", „Hannes" und „Hanna" vervollständigen. Manche dieser Beschreibungen hatten übrigens überraschende Parallelen zu jenen Schmähun-

egierung der
eutschen Demokratischen Republik
inisterium für Staatssicherheit

Vertrauliche Dienstsache!

Aktenspiegel

r die Personalakte des geheimen Informators – Hauptinformators – geheimen Mitarbeiters – Inhaber einer konspirativen Wohnung

eg.-Nr.: 728/59
estätigt am: 4.3.1959
ngeworben am: 24.3.1959
ngeworben durch: Ltn. Paroch Oltn. Seidel, der bei der
eworbenen Person unter den Namen: Wegner Siebert
ekannt ist.
ategorie: GJ
inie, auf der die geworbene Person arbeitet: Abwehr im DSV
KOPIE
eckname der geworbenen Person: Margarete
osungswort:
Personenbeschreibung:
Größe: ca 1,70
Gestalt: schlank
Gesicht: oval
Haar: schwarz
Bart: –
Besondere Kennzeichen: keine

Wolf-Stasi-Akte: Angst vor dem Risiko

Staatschef Ulbricht, Autorin Wolf (1964)*: „Ein Kind der DDR"

* Bei einer Preisübergabe in Berlin.

KULTUR

gen, die die Schriftstellerin viel später, nach der Wende des Jahres 1989, hart trafen. So charakterisierte „Hannes" im Sommer 1958 die damals noch wenig bekannte Literaturwissenschaftlerin auf ihrem Weg nach oben:

Sie schrieb Buchkritiken, deren Titel sie klug auswählte, vor allem über solche Bücher, die in der Öffentlichkeit von sich reden machten. Sie gehört zu den Menschen, die stets warten, was die anderen sagen, ihre Meinung dann wohldosiert und klug abwartend zum Ausdruck bringen. Sie kam zum Verlag „Neues Leben" als Cheflektor, wo sie sich nicht bewähren konnte – wahrscheinlich, weil auf einer solchen Stelle viel Initiative verlangt wird und man auch stets ein gewisses Risiko auf sich nehmen muß. Vor allem das letzte scheut sie stets, sie wird sich stets bemühen, sich auf das Urteil bekannter Genossen stützen zu können.

Christa Wolf, so urteilt Stasi-Informant „Hannes" weiter, sei „sehr auf Karriere bedacht" und „will unter keinen Umständen etwas tun, wo Neuland zu betreten ist oder wo sie gegen die Meinung bekannter Leute ankämpfen müßte. Wenn schon, dann nur im Kollektiv, das sie deckt ..."

Die Stasi interessierte damals vor allem eins: Als geheimer Informant sei sie „für operative Zwecke von großem Nutzen, da sie in der Lage ist, uns Informationen über einzelne Schriftsteller zu geben, die ... nicht die Kulturpolitik unserer Partei und Regierung unterstützen oder bürgerlichen Tendenzen unterworfen sind". Im übrigen sei die Wolf „abwehrmäßig von großem Nutzen" hinsichtlich „des Kampfes gegen die ideologische Diversion auf dem Gebiet der Literatur". Da sie sich viel mit Neuerscheinungen beschäftigen müsse, sei sie in der Lage, „Einschätzungen" und Gutachten zu „Einzelwerken von Autoren" anzufertigen, „die sie in Gesprächen erweitern kann".

Der zweite konspirative Treff des GI „Margarete" fand am 22. April 1959 spätnachmittags statt. Er dauerte wieder rund drei Stunden. Christa Wolf gab „bereitwillig Antwort" auf „die gestellten Fragen", die Personen aus ihrer Umgebung, aus der Redaktionsarbeit bei der *NDL* oder aus dem Schriftstellerverband betrafen: Walter Kaufmann, Manfred Bieler oder Walter Gorrish.

Sie lieferte politische Urteile und literarische; der Führungsoffizier schrieb danach den Treffbericht: fünf Seiten lang. Über den Schriftsteller Manfred Bieler („Der Mädchenkrieg") erfuhr der Stasi-Mann von ihr, „daß er 1956 auf dem Kongreß Junger Künstler in Karl-Marx-Stadt mit unberechtigten Forderungen aufgetreten ist ... und Umgang mit sehr ... labilen Menschen pflegt. Hinsichtlich seiner literarischen Fähigkeiten setzt (gemeint ist: „schätzt", Anm. d. Red.) sie Bieler nicht sehr hoch ein ... Seine schwankende Haltung schätzt der GI so ein, daß ohne weiteres als Hauptursache sein Umgang anzusehen ist, dabei nannte der GI Namen wie Kahlau, Gerlach u.a."

In demselben Bericht taucht auch der heutige Generalsekretär des ostdeutschen Pen-Clubs, Walter Kaufmann, 69, auf, der 1955 aus australischem Exil in die DDR übersiedelte. Mit Kaufmann habe es, so berichtet „Margarete" der Stasi, „mehrere Auseinandersetzungen" über ein Manuskript gegeben, „das in der *NDL* veröffentlicht werden sollte, aber wegen Fehler in der ideologischen Konzeption nicht gebracht wurde". Obwohl Kaufmann dabei „durchaus die Argumente seines Diskussionspartners anerkannte", wird er vom GI „Margarete" schließlich als „labiler Mensch" eingestuft.

„Margarete" plaudert auch über andere Interna ihrer Redaktionsarbeit bei der *NDL*, etwa über Personalquerelen.

Führungsoffizier Paroch war es wichtig, „nochmals über die Regeln der Konspiration" zu sprechen. Er unterrichtete „Margarete" angeblich genauestens über geheimdienstliches Verhalten bei Begegnungen, Betreten und Verlassen konspirativer Wohnungen und beim Schreiben von Berichten. Paroch vermerkte: „Der GI hatte zu diesem Problem keine Fragen." Auftrag bis zum nächsten Treffen: Sie sollte selbst Einschätzungen zweier Schriftsteller anfertigen.

Bei einem „Kurztreff" im Freien, in der Nähe des Ost-Berliner Thälmannplatzes, übergab „Margarete" neue „Materialien", darunter eine „genaue Aufstellung über diejenigen Arbeiten, an denen Schriftsteller des Berliner Verbandes 1959 und 1960 schreiben". Selbst einen persönlichen Brief von Karl Heinz Berger, an sie adressiert, überließ sie dem Führungsoffizier zwecks Kopie. Beides wollte sie unbedingt „beim nächsten Treffen zurückerhalten".

Christa Wolf lieferte laut Akte bei diesem Kurztreff außerdem noch eine handschriftliche Einschätzung über Walter Kaufmann – unterschrieben mit „Margarete" (das erste Kaufmann-Dossier hatte sie mündlich gegeben).

Zu dem nächsten vereinbarten Treffen mit ihrem Berliner Führungsoffizier kam es nicht mehr. Christa Wolf zog nach Halle um. Stasi-Resümee über die Berliner Zeit: Sie „hatte ... die gegebenen Aufträge erfüllt". Doch müsse man eine „Zurückhaltung und überbetonte Vorsicht" bei ihr feststellen, „die aus einer gewissen intellektuellen Ängstlichkeit herrührt". Dies sei aber durch „intensive Erziehungsarbeit" zu überwinden. Erste Zeichen einer Entfremdung?

Am 28. Juli 1960, mehr als ein halbes Jahr nach dem Umzug, besuchte Leut-

KULTUR

Ich halte █████ für recht talentiert. Sein Talent ist gefährdet durch mangelhafte theoretische Kenntnisse. Er ist, scheint mir, zu sehr Impression ausgesetzt; manchmal vermißt man dabei die gedankliche Durchdringung des Stoffes.

Zu Anfang hat █████ sich seine Arbeiten von █████, der in Westberlin wohnt, und █████ übersetzen lassen. Jetzt arbeitet █████ für ihn als Übersetzer.

den 1. Juli 59 Margarete

Autor Kaufmann, Wolf-Bericht: „Gefährdet durch mangelhafte theoretische Kenntnisse"

nant Alfred Richter – der neue Führungsoffizier – sie in ihrer Wohnung. Richter erlebte „Margarete" als „aufgeschlossen". Sie bat jedoch darum, „die Zusammenarbeit nicht so übertrieben konspirativ durchzuführen". Vereinbart wurde weiteres „Schweigen über Gespräche und Verbindung", treffen wollte man sich in ihrer Wohnung.

Nun begannen jene Aktivitäten, bei denen zwischen der heutigen Selbsteinschätzung der Autorin und der Aktenlage der größte Widerspruch klafft. Während die Schriftstellerin angibt, ihre IM-Akte sei in Halle ohne ihr Wissen weitergeführt worden, ferner habe sie die Besuche des „Genossen R. in unserer Wohnung" nicht im Zusammenhang „mit den Berliner Vorgängen" betrachtet, geht aus den Archiven der Gauck-Behörde anderes hervor.

Richter beauftragte den IM mit der Beobachtung eines Schriftstellers aus der Region, zudem sollte „Margarete" erkunden, wie sich die Leitung des Schriftstellerverbandes bei der Aufnahme eines Autors verhalte. Christa Wolf erhielt eine Telefonnummer der Stasi-Bezirksverwaltung, die sie angeblich auch benutzte.

Bei den weiteren Treffen erlebte Leutnant Richter sie als „sehr gesprächig und offen". Immer wieder ging es um

- ▷ die politisch-literarische Einschätzung der Schriftsteller des Bezirkes,
- ▷ die „Behandlung von Manuskripten",
- ▷ Interna des Schriftstellerverbandes Halle,
- ▷ das Verhalten einzelner Schriftsteller,
- ▷ Vorgänge im Mitteldeutschen Verlag, für den Christa Wolf tätig war.

„Margarete" war stets pünktlich und sagte erforderliche Treff-Verschiebungen ordentlich und rechtzeitig ab. Sie „berichtet" weiterhin „aufgeschlossen und umfassend", doch fehle ihr noch die „Sicht" für „unsere Aufgaben", notierte Leutnant Richter im Herbst 1960. Zum Teil waren die Treffen bis zu vier Stunden lang, und Führungsoffizier Richter durfte in Christa Wolfs Gegenwart mitstenographieren, was sie sagte.

So etwa über Heinz Sachs, den stellvertretenden Cheflektor im Mitteldeutschen Verlag. Über den erzählte sie laut Stasi-Protokoll viel Gutes („vertritt konsequent die Politik der Partei ohne Einschränkungen"), aber gab – neben politischen Urteilen – auch Persönliches über ihn preis („angespanntes Ehe-Verhältnis", aber derzeitiger „ehelicher Waffenstillstand").

Umgekehrt ließ sich Leutnant Richter von einem GI „Weinert" über Christa Wolf informieren. Nach Aktenlage spricht manches dafür, daß ebenjener Lektorkollege aus dem Mitteldeutschen Verlag, den Christa Wolf für die Stasi begutachtete, seinerseits Urteile über die Wolf abgab („sehr parteiverbunden", „hat ein sicheres ideologisches Urteil bei der Begutachtung von Manuskripten").

Im Frühjahr 1962 verfaßte Leutnant Richter einen „Auskunftsbericht" über „Margarete": „Die IM ist ehrlich und gibt auf alle interessierenden Fragen bereitwillig Auskunft." Die gegenwärtige Verbindung halte man durch „persönliche Treffs in Abständen von 20 – 25 Tagen in der Wohnung des IM". „Margarete" berichte über „die Situation im Schriftstellerverband und im Verlagswesen".

Als Christa Wolf 1962 von Halle nach Kleinmachnow bei Berlin umzog, erklärte ein „Genosse Unrat", die Bezirksverwaltung Potsdam sei an einer Übernahme des IM „Margarete" schlichtweg „nicht interessiert".

Bevor die Stasi die IM-Akte schloß und archivierte, fügte sie als letztes Blatt noch eine Beobachtung der Volkspolizei, Revier Kleinmachnow, bei. „Frau Wolf", heißt es darin, sei „eine gute Genossin". Sie habe aktive Arbeit im Wahllokal geleistet. Im Wohngebiet habe sie ein „nettes und höfliches" Auftreten. „Ihre Kinder sind immer sauber gekleidet und haben eine gute Erziehung. Irgendwelche Klagen gibt es ... über die Wolf, Christa, nicht."

Da hatte Christa Wolf den Zenit ihrer Beliebtheit bei Staat und Partei schon überschritten. Noch Anfang der sechziger Jahre war sie ein Lieblingskind der Herrschenden gewesen: „Ein Kind der DDR" – so nannte sie das *Neue Deutschland*, und die *National-Zeitung* brachte ein ganzseitiges Porträt mit Fotos, die eine so adrette wie biedere junge Schriftstellerin zeigen. Pflichtgemäß bezeichnete die den Mauerbau 1961 als „Chance". In jener *Berliner Zeitung*, in der jetzt ihre allzu zaghafte Selbstbezichtigung erschienen ist, tönte Christa Wolf im März 1962: „Die letzten drei Jahre ... waren eine Probe auf die Reife und Festigkeit unserer Gesellschaft."

Die Probe auf ihre eigene Festigkeit durfte die Autorin drei Jahre später nachholen. Auf dem 11. Plenum des Zentralkomitees der SED erlaubte sie sich kulturpolitischen Eigensinn, der vom Pfad des braven Sozialistischen Realismus allzu deutlich abwich: ein Plädoyer für das damals streng verpönte Subjektive in der Literatur, das dann 1968 ihr legendäres Buch „Nachdenken über Christa T." prägte.

Als dieser Roman, der die Autorin berühmt machte, in der DDR nach vielen Verzögerungen in minimaler Auflage herauskam, war Christa Wolf schon nicht mehr Kandidatin des SED-Zentralkomitees, und die einst so Wohlgelittene tauchte in den Spalten der DDR-Presse danach lange nicht mehr auf.

Sie spürte den Gegenwind. Im Briefwechsel mit ihrer Kollegin Brigitte Reimann aus dieser Zeit (er soll im Februar unter dem Titel „Sei gegrüßt und lebe" im Aufbau-Verlag erscheinen) ist viel von Ängsten und Bedrückungen die Rede.

Was Christa Wolf damals nicht wußte: Aus der Zulieferin für die Stasi war längst eine wachsam und mit wachsendem Einsatz Beobachtete geworden.

1968 wurde aus der Bespitzelung ein „Operativer Vorgang": Das war

Autor Bieler: „Labile Menschen"

die intensivste Form der Stasi-Überwachung. Christa Wolf und ihr Mann Gerhard wurden fortan unter dem Decknamen „Doppelzüngler" ausgeforscht.

Vom Umfang dieser Aktivitäten konnte sich das Ehepaar erstmals im Mai 1992 einen Begriff machen. „Wir sahen uns mit 42 Bänden konfrontiert, allein für die Zeit zwischen 1968 und 1980 – die Akten über die letzten zehn Jahre scheinen vernichtet zu sein", berichtet Christa Wolf. Das Paar sah sich rückwirkend von einem „Netz von ‚IM'" umgeben („was wir erwartet hatten"), darunter enge Freunde („was wir so nicht erwartet hatten").

Vielleicht ist es verständlich, daß die Taten der anderen den Blick auf eigene Sünden verstellen – zumal ein einzelner Ordner wenig zu bedeuten scheint im Verhältnis zu dem Wust an schwer Verdaubarem. Dennoch kann nicht einfach von einer Jugendsünde die Rede sein – Christa Wolf war 30 Jahre alt, als sie sich mit der Geheimdienst-Firma einließ.

Verwunderlich bleibt, daß eine, wie sich jetzt zeigt, so überaus angepaßte, ängstliche Opportunistin wie sie zu einer Schlüsselfigur des Friedens und der Hoffnung, wenn schon nicht des Widerstands werden konnte.

Nur selten zeigte sie ihre Standfestigkeit in aller Öffentlichkeit, wie 1976, als sie zusammen mit anderen Kollegen gegen die Ausbürgerung Wolf Biermanns protestierte. Daß später immer wieder behauptet wurde, sie habe heimlich ihre Unterschrift zurückgezogen, stellt sich nun, so hat es Christa Wolf ihren Akten entnommen, als geschickt lanciertes „Zersetzungs"-Gerücht der Stasi heraus. Auch eine Entdeckung.

Eine Beschädigung ihres Bildes wird Christa Wolf hinnehmen müssen. Daß sie vorgehabt hat, ihre eigene Entwicklung in einem „größeren Zusammenhang" darzustellen, „in dem auch diese Aktenerkenntnisse ihren Platz finden sollten", wird man ihr gern glauben. Die knappe „Auskunft", die sie sich nun abgerungen hat, kann dem Prestigeverlust wohl kaum entgegenwirken.

Es bleibt von Christa Wolf vor allem ein international beachtetes literarisches Werk. Bücher wie „Kassandra" (1983) oder „Störfall" (1987) haben nie einen Zweifel daran gelassen, daß hier keine Apologetin des DDR-Staates und schon gar nicht, wie immer behauptet, eine „Staatsdichterin" schrieb.

Manches im weitverzweigten Prosawerk der Autorin liest der Argwohn jetzt mit anderen Augen. Die immer wiederkehrenden dunklen Botschaften, das schwebend Vieldeutige in vielen sonst eigentlich recht klaren Texten (der Autorin nicht selten als verschwommen und verschwiemelt angekreidet) – findet dies nun nachträglich eine Erklärung?

So wirkt der verrätselte Anfang der Erzählung „Was bleibt", um die 1990 die Feuilletons sich heftig stritten, plötzlich einleuchtend – auf fatale Weise.

„Nur keine Angst", heißt es dort. „In jener anderen Sprache, die ich im Ohr, noch nicht auf der Zunge habe, werde ich eines Tages auch darüber reden. Heute, das wußte ich, wäre es noch zu früh. Aber würde ich spüren, wenn es an der Zeit ist?" Christa Wolf hat es – gerade noch – gespürt. Die richtige Sprache hat sie nicht gefunden.

In: Der Spiegel, 25. 1. 93

Anmerkungen

Manfred Bieler, der zusammen mit seiner Frau Marcella in München lebt, hat sich in einem Gespräch mit der »Hamburger Morgenpost« (30. 1. 1993) zum »Spiegel«-Bericht über Christa Wolf geäußert. Bieler reagierte gelassen: »Wissen Sie, mit dem, was Christa Wolf da gesagt hat, hat sie mir eigentlich einen großen Gefallen getan. Deutlicher konnte ja wohl nicht gesagt werden, wo ich politisch stand. Die Bezeichnung ›labil‹ ist außerdem fast als Kompliment zu verstehen.« Für die mehr als drei Jahrzehnte zurückliegende Kritik an seinen schriftstellerischen Fähigkeiten revanchierte sich Bieler mit der Bemerkung: »Also, daß Christa Wolf meine Prosa nicht schätzt, kann ich mir vorstellen. Ich schätze ihre auch nicht, deswegen habe ich sie in meinem Buch ›Walhalla‹ auch parodiert.« Manfred Bieler war 1964 mit Hilfe seiner Frau Marcella aus der damaligen ČSSR geflohen. Marcella Bieler sagte der »Hamburger Morgenpost«: »Er hat damals bereits gesagt: ›Das ist eine Zimtzicke‹, damit war der Fall für ihn erledigt. Daß sie nicht ›sauber‹ war, hat er schon früh vermutet.« Von Manfred Bieler lagen bis Ende 19959 als literarische Arbeiten vor: *Der Vogelherd.* In: Neue Deutsche Literatur, Berlin/DDR, 7/1955, und *Der Schuß auf die Kanzel oder Eigentum ist Diebstahl.* Parodien. Vorwort von Thomas Mann. Berlin: Eulenspiegel Verlag 1958.

Walter Kaufmann Schriftsteller, geb. 1924 als Sohn jüdischer Eltern, emigrierte elternlos nach Australien, wo er sich als Seemann und Hafenarbeiter durchschlug. Kaufmann siedelte in den fünfziger Jahren in die DDR über, war schriftstellerisch tätig (*Wohin der Mensch gehört.* Roman. 1957), Reisereportagen, Texte über Israel, Sekretär des PEN-Zentrums Ost.

Gert Ledig geb. 1921 als Kaufmannssohn in Leipzig, ab 1953 als Schriftsteller tätig; 1955 *Stalinorgel.* Ein Antikriegsbuch; 1956 *Vergeltung.* Roman, ebenfalls zum Thema Zweiter Weltkrieg. Seit den sechziger Jahren hat Ledig nichts mehr veröffentlicht. Er unterhielt ein Ingenieurbüro in München, wo er noch heute lebt.

Wolfgang Schreyer geb. 1927 in Magdeburg. Heinrich-Mann-Preis (1956), Preisträger im Preisausschreiben zur Förderung des Gegenwartsschaffens (1957). Er schrieb: *Großgarage Südwest.* Kriminalroman (1952); *Mit Kräuterschnaps und Gottvertrauen.* Roman (1953); *Unternehmen »Thunderstorm«.* Roman (1954); *Der Befehl.* Hörspiel (1955); *Die Banknote.* Kriminalroman (1955); *Schüsse über der Ostsee.* Erzählung (1956); *Der Traum des Hauptmann Loy.* Roman (1956); *Das Attentat.* Erzählung (1957), auch als Hörspiel (1957); *Der Spion von Akrotiri.* Erzählung (1957); *Alaskafüchse.* 5 Berichte aus 3 Erdteilen (1959); *Das grüne Ungeheuer.* Roman (1959); *Tempel des Satans.* Roman (1960).

Christa Wolf an Walter Kaufmann

Santa Monica, d. 28. 1. 93

Lieber Walter,
Du hast nun aus dem SPIEGEL erfahren, daß der einzige Bericht, den ich damals, 1959, für die Stasi geschrieben habe, Dich betraf. Ich wäre froh, wenn Du mir glauben könntest, daß ich die ganzen Jahre über, seit wir uns kennen, die Tatsache, daß ich diesen Bericht geschrieben habe, vergessen, das heißt, verdrängt hatte. Ich hoffe, ich hätte sonst schon eher mit Dir darüber reden können. Nun liegt also dieser Vorgang 34 Jahre zurück, beide sind wir wohl nicht mehr die, die wir damals waren, und es kommt mir jetzt so vor, als würde ich mich für eine fremde Person entschuldigen. Aber ich möchte Dir doch sagen, daß es mir leid tut, Dir gegenüber damals nicht mit offenen Karten gespielt zu haben.

Da der SPIEGEL ja nur ein paar Sätze abdruckt (und, was dem Datenschutzgesetz widerspricht, dabei auch die Namen der Betroffenen entschlüsselt), möchte ich Dir anbieten, wenn Du willst, den *ganzen* Bericht zu lesen. Ich selbst habe ja die Akte, aus der die Presse zitiert, zu großen Teilen nicht gekannt, aber Gerd hat sie jetzt (ebenfalls von der Presse), und Du könntest Dich an ihn wenden, daß er Dir diesen Bericht zeigt.

Ich grüße Dich
Deine Christa Wolf

Leserbrief von Walter Kaufmann an den SPIEGEL

Das Werk der Christa Wolf zeugt von einer sittlichen Reife gegen die jene Zeilen aus einer MfS-Akte der späten 50er Jahre nicht ins Gewicht fallen.

Man sollte die ›Margarete‹ von einst nicht gegen die heutige Christa Wolf ausspielen.

Walter Kaufmann

Die schwierige Sicht auf unsere Vergangenheit

Reaktionen auf Christa Wolfs „Auskunft"

Die deutsche Schriftstellerin Christa Wolf fand bei der Einsicht ihrer Stasi-Akten nicht nur 42 Bände mit Dossiers über sie und ihren Mann Gerhard Wolf als „Operativer Vorgang", sondern hatte auch festgestellt, daß sie selbst von 1959 bis 1962 als „Gesellschaftlicher Informant" und „Inoffizieller Mitarbeiter" des MfS geführt wurde. In den Akten fand sich außerdem ein von ihr verfaßter und mit dem Decknamen „Margarete" unterzeichneter Bericht. Darüber schrieb Christa Wolf in der vergangenen Woche in ihrem Artikel „Eine Auskunft" in der Berliner Zeitung und äußerte sich in einem Kurzinterview.

„Jagdszenen um Christa Wolf", wie sie die „Frankfurter Rundschau" kommen sah, finden in den meisten Reaktionen der verschiedenen Medien nicht statt. Am Freitag war im Kommentar der „Frankfurter Allgemeinen Zeitung", deren Mitarbeiter Einsicht in die Akten genommen hatten, zu lesen: „Christa Wolf hat in ihren Berichten niemanden belastet und fast durchweg nur Freundliches über aufrechte Genossen und talentierte Kollegen berichtet. Alles andere verliert sich in Unbestimmtheit und ist von großer Allgemeinheit."

„Der Spiegel" entschied sich dagegen für eine breite Darstellung und Erörterung der Aktenlage. Das Magazin berichtet, welche Aussagen von Christa Wolf nach Treffs aufgeschrieben wurden, zitiert auch, daß die Stasi-Leute ihr bedauernd eine „Zurückhaltung und überbetonte Vorsicht" attestierten.

Die renommierte Schriftstellerin, die in der DDR jahrelang wegen ihrer kritischen Haltung observiert wurde, wehrt sich dagegen, daß man nun ihr Leben auf diese drei Jahre 1959 bis 1962 reduziert. „Christa Wolf ist nun auch IM. Ich habe gewußt, daß dies die Schlagzeilen sein werden", sagt sie in einem Interview für das ZDF-Magazin „Kennzeichen D", das heute abend ausgestrahlt wird. Sie setzt sich dort mit einer verschobenen Sicht auf die DDR-Vergangenheit auseinander. Christa Wolf bekräftigt, von den IM-Unterlagen selbst nur ein paar Blätter für kurze Zeit gesehen zu haben, weil es den Mitarbeitern der Gauck-Behörde eigentlich nicht erlaubt war, ihr diese zu zeigen.

In dem Gespräch, das Dietmar Schumann für „Kennzeichen D" mit Christa Wolf führte, verweist sie darauf, daß ihr Verhältnis zur DDR Ende der 50er, Anfang der 60er Jahre ein anderes war als in der Zeit danach. Sie nimmt noch einmal Bezug auf den Streit, der auf ihre Erzählung „Was bleibt" folgte, verbindet diesen mit der Beurteilung von DDR-Intellektuellen in den Medien überhaupt: „Ich wäre nie auf die Idee gekommen, daß ich mich dafür rechtfertigen muß, daß ich in der DDR geblieben bin, und dort auf meine Weise widerstanden habe." Christa Wolf, die sich derzeit in den USA aufhält, zeigt in dem Gespräch, daß sie sich nicht in die Ecke drängen lassen will: „Ich bin weder zerknirscht noch voller Schuldgefühle, sondern ich weiß wirklich, was ich in der DDR gemacht habe." **eb**

In: Berliner Zeitung, 26. 1. 93

Was bleibt – Nachdenken über Christa W.

Man schrieb das Jahr 1964. In den Kleinmachnower Kammerspielen wurde der Film „Der geteilte Himmel“ gezeigt – in Anwesenheit des „Schöpferkollektivs“. Regisseur Konrad Wolf, Hauptdarstellerin Renate Blume und die Verfasserin der Romanvorlage, Christa Wolf. Im Auditorium auch ein Grüppchen Oberschüler. Einer davon hatte eine etwas eigenwillige Biographie – er stammmte aus der Bundesrepublik, sein Vater war dort Professor und legte Wert darauf, daß sein Sohn in der DDR das Abitur ablegte. So kam es, daß A. eine gewisse Narrenfreiheit genoß, die er gelegentlich genüßlich auskostete. Er durfte beispielsweise Fragen stellen, die bei jedem anderen üble Folgen gezeitigt hätten. So auch bei dieser Filmvorführung mit anschließender Diskussion. Welche Fragen er im einzelnen stellte, weiß ich nicht mehr, doch müssen sie für Christa Wolf so interessant gewesen sein, daß sie A. nach der Veranstaltung anbot, sie doch einmal zu besuchen, sie würde sich gern in anderem Umfeld darüber unterhalten, er könne auch ein paar Schulfreunde mitbringen.

Aus dem Besuch bei Christa Wolf wurde etwas Regelmäßiges, das wir – dem damaligen Trend folgend – „Literaturzirkel“ nannten. Jeder von uns Teilnehmern hatte seine heimlichen literarischen Arbeiten und erhoffte sich vom Urteil der bekannten Autorin Anerkennung und Ermutigung. Zumindest letzteres erhielt er auch, doch wichtiger als die Beurteilung war schon bald das Gespräch, der Gedankenaustausch, eine Beschäftigung mit Literatur, die über den meist als öde empfundenen Schul-Lehrstoff weit hinausging. Gerhard Wolf beteiligte sich daran und führte uns in Bereiche der Literatur ein, die nicht nur im Schulunterricht verpönt waren: russische Lyrik der Vor- und Nachrevolutionszeit, Jessenin, Bunin, Pasternak, Babel, deutsche Expressionisten wie Benn und der frühe Becher, über Dürrenmatt, Frisch und Grass wurde gesprochen, angelegentlich las Christa Wolf auch Teile des gerade entstehenden „Nachdenken über Christa T.“ und teilte uns Überlegungen mit, die sich später in den „Kindheitsmustern“ wiederfanden.

Aus den Gesprächen mit Christa Wolf nahm ich mit, was für viele den ungeheuren Reiz ihrer Literatur ausmachte: dieses bis an die Schmerzgrenze und nicht selten darüber hinausgehende Sich-selbst-Infragestellen, das fernab von Eitelkeit und Exhibitionsmus ist, sondern zutiefst dialektisch. Dieses Denken lehnt die schnellen Antworten, die einfachen Lösungen ab – zumindest so lange, wie es nicht bis zur Wurzel des Widerspruchs vorgedrungen ist. Und wenn es in einem oft quälenden Prozeß eine Antwort gefunden hat, meldet es fast im gleichen Atemzug schon wieder Zweifel an.

Wie sehr muß Christa Wolf, gerade sie, die Laxheit treffen, mit der heute mancher meint, über vierzig Jahre DDR urteilen, über eine ganze Generation hinwegschreiten zu können. In West – weil er es nicht besser weiß, in Ost – um nur rasch eigenen Opportunismus zu verdrängen. Christa Wolf hat es sich nicht selbst schwer gemacht – sie kann nicht anders. Gerade in diesen Tagen denke ich voller Dankbarkeit an sie, die uns ihre Art zu denken mitteilte, uns Schülern im Gespräch und ihren Millionen Lesern.

Achim Wahrenberg

In: Märkische Allgemeine Zeitung, 27. 1. 93

Literatur und Staatssicherheit

Von Frank Schirrmacher

Beklemmend mutet die gegenwärtige Debatte um Stasi-Kontakte von Schriftstellern und Künstlern an. Eine geisterhafte Jahrmarktstimmung beherrscht die Szene. Enttarnungen, Urteile und Verdächtigungen werden von Ausrufern wie Attraktionen angepriesen. Dies alles, so schrieb eine große Zeitung in aller Offenheit, sei „ein Spiel“: „Da wollen wir mitspielen.“ Und in der Tat, dies alles wirkt wie ein schlechtes Spiel.

Neuerdings hat die Debatte im kulturellen Milieu des vereinigten Landes eine kaum noch zu überbietende Brisanz erhalten. Denn mit Heiner Müller und Christa Wolf sind jetzt die beiden berühmtesten Schriftsteller der ehemaligen DDR ins Visier geraten.

Im Fall des Dramatikers Heiner Müller scheint es Indizien zu geben; aber niemand ist sicher, ob es sich wirklich um Indizien handelt. Bislang sind in den Akten keine Einträge aufgetaucht, die Heiner Müller belasteten. Doch das spärliche Material (drei Karteikarten und eine Abrechnung) hat manchem genügt, aus den angeblichen Indizien einen Beweis und aus dem Beweis ein Urteil zu konstruieren.

Ob der Dichter vielleicht „ein Schwein“ sei, fragte eine Zeitung rhetorisch, und sie gab zu verstehen, daß man ebendas für durchaus wahrscheinlich halte. Schon dieser neue Ton zeigt an, daß es hier nicht um jene „Aufarbeitung“ geht, die bei der Gründung der Gauck-Behörde einmal gemeint war.

Was immer man über die politischen Provokationen Heiner Müllers denken mag: Gewiß ist, daß er zu den großen Schriftstellern unserer Zeit gehört. Ohne Zweifel wird er immer als eine große Gestalt der deutschen Literatur unserer Epoche gelten. Das rechtfertigt nichts. Es gibt aber dem gegenwärtigen Schauspiel, in dem ohne Beweise zur Verurteilung geschritten wird, lächerliche Züge.

Bei Christa Wolf ist die Lage viel klarer. Die Schriftstellerin hat vor dreiunddreißig Jahren als Informantin der Staatssicherheit gearbeitet; die Akte mit den entsprechenden Berichten liegt vor. Das Dossier scheint aber kaum von Gewicht zu sein. Am Ende reduziert es sich darauf, daß die Schriftstellerin über mögliche Eheprobleme von Kollegen höchst allgemein berichtete. Sowohl bei Christa Wolf als auch bei Heiner Müller liegen aber auch „operative Vorgänge“ vor. Beide wurden also von der Staatssicherheit bespitzelt und als „feindliche Elemente“ betrachtet. Allein die erhaltenen Akten über die Bespitzelung des Ehepaars Wolf umfassen zweiundvierzig Bände. Wer sie nicht kennt, kann ein abschließendes Urteil nicht fällen.

Warum aber dann die Aufregung? Warum kommen die marktschreierischen Anklagen und Anschuldigungen gerade aus jenem Milieu, das noch vor kurzem die Repräsentanten der DDR-Kultur als Helden feierte? Es fällt nicht schwer, in alldem Spuren einer Ersatzhandlung auszumachen, die Kompensation für eigene Irrtümer – und bei manchen der unbarmherzigen Ankläger auch eine kuriose Form des Selbsthasses. Denn wer nun immerfort von der Stasi redet, kann von der SED schweigen, die ihr Auftraggeber war. Wer sich ständig über neue Entdeckungen und Enthüllungen empört, macht vergessen, daß er sich in der Vergangenheit über die viel ernsteren und offensichtlichen

Zustände der alten DDR nie erregte. Wer heute mit gespielter Ungläubigkeit die Biographien der DDR-Schriftsteller mit Hilfe von Karteikarten ins Zwielicht zieht, betreibt eine Form der Aufarbeitung, die ihn selber verschont.

Denn wer konnte jemals ernsthaft daran zweifeln, daß Schriftsteller wie Christa Wolf und Heiner Müller an bestimmten Punkten ihrer Biographie bereit waren, viel für ihre Partei, für die SED, zu tun? Sie haben ihrem Staat stets öffentlich Loyalität bekundet. Christa Wolf etwa hat bei Ansprachen unter dem Beifall jener westdeutschen Intelligenz, die heute die Anklage formuliert, unverblümt die DDR als den besseren deutschen Staat hingestellt. Sie war Kandidatin des Zentralkomitees der SED und hat daraus nie ein Hehl gemacht. Das war jedermann bekannt – auch den Juroren des Geschwister-Scholl-Preises, den sie 1987 in München erhielt und den man ihr absurderweise jetzt aberkennen will. Heiner Müller hat auf Westreisen immer wieder erklärt, daß er „mit jedem rede". Damals hatte das für die Kulturschickeria den verführerischen Geschmack des Verruchten. Jetzt, da Müller dies wiederholt, aber die DDR nicht mehr existiert, spielt man den Entsetzten.

Die gegenwärtige Sucht der literarischen Öffentlichkeit nach Geheimnissen und konspirativen Verwicklungen ist der Versuch, vom Offensichtlichen abzulenken. Denn es war kein Geheimnis, wofür die DDR und die SED standen. Man braucht keine Geheimdossiers, um festzustellen, wie sich einige berühmte Schriftsteller der DDR etwa zum Einmarsch des Warschauer Pakts in die Tschechoslowakei äußerten. Das aber will ein Teil der deutschen Öffentlichkeit bis heute nicht zur Kenntnis nehmen. Statt dessen erregt man sich darüber, daß Schriftsteller über die Eheprobleme ihrer Kollegen berichteten.

Wer aussagelose Karteikarten und Akten bei Schriftstellern zu Sensationen stilisiert, versucht der viel wichtigeren politischen und ästhetischen Auseinandersetzung auszuweichen. Sie nämlich würde in vielen Fällen auch einen Teil der tonangebenden westdeutschen Szene in ein fragwürdiges Licht setzen. Die vorschnelle Verurteilung von Schriftstellern jedenfalls, sie wäre das Fatalste, was jetzt passieren kann.

In: Frankfurter Allgemeine Zeitung, 28. 1. 93

DAS INTERVIEW: Christa Wolf

Kassandra blickt zurück

In Deutschland wird ihre dreißig Jahre alte Akte öffentlich gemacht. In Kalifornien erinnert sich Christa Wolf an die junge Frau von damals.

Auch Christa Wolf. Also alle. Wer nicht ging, hatte teil an der DDR, und mancher, der ging, wird damit nicht fertig. Irgendwann bald müßte man über alle reden und über alles.

Aber der Osten schweigt, bis der Westen die Akte zieht. Der Osten? Es gibt ihn so nicht. Gibt nur einzelne. Menschen, die nicht mehr die von früher sind. Die sich schämen. Die es nicht verwerflich finden können, die DDR gewollt zu haben. Die ihr Leben zwischen Moral und Machthörigkeit, Idealen und Weghören, Heimat und Haß nicht entmischen können, schon gar nicht unter Rechtfertigungsdruck aus dem Westen.

Den Westen? Es gibt ihn nicht so. Aber liegt es nur an der Konkurrenz der großen Blätter, daß spätgeborene Journalisten die Deutschen in dumpfe Ostmenschen (die »kollektiver, ideologischer Verklärung« anhängen) und demokratische Westmenschen (mit »individuellem moralischem Rechtsempfinden«) einteilen? Mit leichter Hand urteilen sie und bekennen dabei zynisch: Ihr Tun sei »hilflos, eitel und schlecht«, aber sie wollen mitspielen.

Während seine Jungredakteure das Selbstmitleid und die moralische Verkalkung der Ost-Intellektuellen geißeln, lamentiert der Ressortleiter desselben Blattes: Die Unmoral triumphiere im Westen auf allen Ebenen, vom Minister bis zum Taxifahrer. Es werde nicht einmal gelogen, nicht mal geheuchelt. Gerechte gebe es nicht mehr. Staatsmann oder Schwein, der Abstand werde klein. Das sei zwar fad, aber immer noch ungefährlicher als zuviel Moral.

Was bleibt, außer unerfahrenem Moralismus, blinder Rechtfertigung, staatstragender Resignation? Man muß erzählen. Alles erzählen. Ich habe nie mit der Stasi geredet, aber auch nie jemandem geholfen, sagt ein Kollege von Christa Wolf dieser Tage. Moral ist kein Ja-Nein-Spiel. Es gibt nur einen Weg ins Freie: Geschichten erzählen. Geschichten vom Bleiben und vom Widerspruch, vom Gehen und vom Verrat. Geschichten vom Anfang und von dem, was davor lag. Geschichten zwischen Schwarz und Weiß, Kassandra und IM. Mehr als zwischen Aktendeckel paßt. *Gff.*

Unser Thema diese Woche:
Christa Wolf sprach in Santa Monica mit Fritz-Jochen Kopka. S. 4/5
Klaus Schlesinger über seine Spitzel S. 20
Max Thomas Mehr über Heucheln in Ost und West S.2

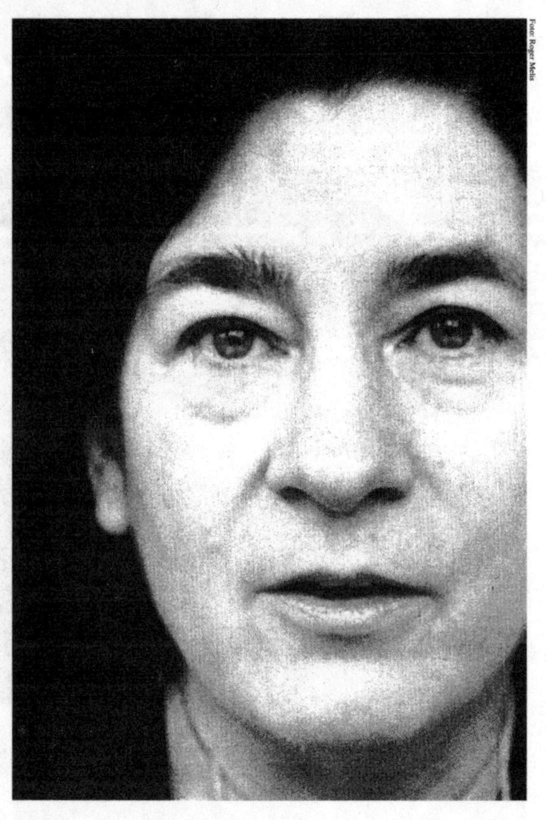

Foto: Roger Melis

In: Wochenpost, 28.1.93

Foto: Sylvia Chybiak

Margarete in Santa Monica

Wie fremd kann die Vergangenheit sein? Fritz-Jochen Kopka sprach in Kalifornien mit Christa Wolf

Das Halbdunkel des Flughafengebäudes in Los Angeles entläßt mich nach Amerika. Die Sonne knallt auf den Wintermantel. Der Taxidriver findet das Embassy Hotel nicht. aber nach den Regeln der Gauck-Behörde nicht sehen. Teile von ihr habe ich (in Berlin, nicht in Santa Monica) in der Hand gehabt und durchgeblättert. Ich besitze bis heute keine Kopie, aber Zeitungsredaktionen haben sie und zitie- gegenüber war ich nicht auf den IM-Vorgang gefaßt. Natürlich begann ich nun, in meiner Erinnerung zu forschen und fand trotz aller Bemühung nur das Bild von zwei Herren, die mich aufsuchten, und mit denen ich mich mehr-

Die Gretchen-Frage

Als Decknamen für ihre Tätigkeit bei der Staatssicherheit wählte Christa Wolf »Margarete«. Es ist ihr zweiter Vorname.

Die Aufrichtige

»Die Feststellung, die ›Gesellschaft‹ habe in der oder jener Zeit die oder jene Fehler gemacht, ist mir literarisch relativ wenig interessant. Mich interessiert: Was habe ich in der oder jener Zeit gewußt, geahnt, gedacht, getan und unterlassen. Was davon habe ich, haben wir, ›vergessen‹. Was hat uns von uns selber, unseren früheren Hoffnungen und Vorstellungen entfernt und was taugt, in ein zukünftiges Zusammenleben von Menschen mitgenommen zu werden: Dies ist die eigentliche Frage. Da schulden wir, besonders wir Literaten, den Jüngeren Aufrichtigkeit.«
Christa Wolf in der »Wochenpost« Nr. 6/1984

Die Mutlose

»Mut und Charakterfestigkeit gehören nicht zu den hervorstechenden Tugenden der geschätzten Autorin Christa Wolf… Mit der einen Hand beanstandet sie gewisse Maßnahmen der SED-Kulturpolitik, mit der anderen beteuert sie ihre Treue und Zuverlässigkeit. Zugleich läßt sie gern durchblicken, sie sei gar nicht so linientreu, wie sie sich gibt, sie müsse nur manches, was ihr mißfällt, hinnehmen, um Schlimmeres verhüten zu können.«
Marcel Reich-Ranicki

Foto: Dieter Andree

»Die junge Frau von damals«.

Ich habe die Hausnummer vergessen, unverzeihlich angesichts der endlosen Straßen in Santa Monica. »Don't worry«, sagt der Fahrer, und nach einer Telefonrecherche packt er's.

Alles ist hier anders. Ich weiß nicht, wie ich damit zurechtkommen soll. »Das geht ganz schnell«, sagt die Frau, die als prominenteste Autorin in der DDR und bekannteste Schriftstellerin Deutschlands gilt. Die »Bunte« hat gerade entdeckt, daß Christa Wolf, 63, nach Los Angeles umgezogen ist und dort Kunstgeschichte studiert, die »New York Times« redet von selbstgewähltem Exil. Die Wirklichkeit ist weniger komisch. Die Autorin ist auf Einladung des Getty-Centers für ein dreiviertel Jahr Scholar an diesem perfekt eingerichteten Institut in Santa Monica, sie erhält ein Stipendium. Ein neues Buch ist in Angriff genommen.

> **»Ich habe eine Schranke durchbrochen, die mir noch vor Wochen unüberwindlich schien.«**

Jetzt hat Christa Wolf die Arbeit unterbrochen, wie es schon einige Male in ihrem Leben geschehen ist. Deutschland hat sie eingeholt.

Palmen, Pazifischer Ozean, Sonnenuntergänge in leuchtenden Farben. Kann man hier über das deutsche Problem Stasi-Aufarbeitung reden? Wir versuchen es.

*

Wochenpost: *Die IM-Akte, von der Sie, Christa Wolf, vorige Woche berichtet haben, stammt aus einer Zeit, in der Sie den »Geteilten Himmel« noch nicht geschrieben hatten. Es gab die Mauer noch nicht.*

Christa Wolf: Aber es gab ideologischen Dogmatismus und Verbohrtheit, von denen auch ich keineswegs frei war. Die Akte, auf die Sie sich beziehen, wurde im März 1959 eröffnet und im Oktober 1962 geschlossen. Bis zum Mai vorigen Jahres, als ich meine Stasi-Akten einsehen konnte, wußte ich nichts von ihrer Existenz. Mein Mann und ich fanden bei der Gauck-Behörde zweiundvierzig Akten vor, die, nur für die Zeit von 1968 bis 1980, für uns als »Operativer Vorgang Doppelzüngler« angelegt waren. Im Vorlauf zu diesem Operativen Vorgang fand ich einen sogenannten Auskunftsbericht, aus dem zu meinem Erschrecken hervorging, daß es einen IM-Vorgang über mich gegeben haben mußte. Diese eigentliche IM-Akte durfte ich ren. Ich kenne bisher nur zusammenfassende Berichte über jenen Vorgang, die in die sogenannte Opferakte – ein Wort, das ich nie akzeptieren würde – eingegangen sind.

Wochenpost: *Was stört Sie an dem Wort?*

Christa Wolf: Ich akzeptiere es jedenfalls nicht für mich, weil ich nicht finde, daß ich ein Opfer bin. Ich habe mich zu aktiv gefühlt. Ich sah mich in der Rolle derer, die schreibt, die etwas tut, die sich auf unterschiedliche Weise mit den Widersprüchen ihrer Gesellschaft auseinandersetzt, sich behauptet. Ich wurde bedrängt, observiert, aber nicht verfolgt. Ich bin kein Opfer.

Wochenpost: *Ich versuche, mich in Ihre Lage zu versetzen. Man erfährt etwas über die eigene Vergangenheit, das einen völlig überrascht.*

Christa Wolf: Ich war mir sicher, daß es über mich keinen Hinweis auf irgendeine Verbindung mit der Stasi geben könnte.

Wochenpost: *Wer kann sich da heute so sicher sein.*

Christa Wolf: Für die Zeit nach 1962 konnte ich es. Als das Stasi-Syndrom sich gerade in der Kulturszene immer mehr ausbreitete, als es anfing, viele Gespräche zu beherrschen, übrigens oft in burschikos-scherzhafter Form (eine Art Angstabwehr), haben mein Mann und ich uns auf eine Strategie festgelegt: Niemand von dieser Behörde kommt, unter welchem Vorwand oder welcher Drohung auch immer, über unsere Schwelle. Versuche, aus einem von uns Informationen zu ziehen, wollten wir unterbinden, indem wir uns bei dem höchsten für Kultur zuständigen Stasi-Offizier in der Normannenstraße darüber beschweren würden. Genau diese Taktik haben wir übrigens zweien unserer Kollegen geraten, die unter Druck gesetzt waren, und sie hatten damit Erfolg. Ich will sagen: Aus meinem eindeutigen Abwehr-Verhalten dieser Behörde gegenüber erinnerte ich mich an ein Gefühl von Bedrohung, obwohl diese Herren freundlich waren. Nicht erinnere ich mich daran, daß ich einen Decknamen hatte, nicht daran, daß ich einen handschriftlichen Bericht abgefaßt habe, und ich wußte auch nichts mehr über den Inhalt unserer Gespräche. Ein klassischer Vorgang von Verdrängung, der mir zu denken gibt. Ich war und bin der Meinung, daß man die komplexe Wahrheit über einen Menschen nicht aus Stasi-Akten erfahren kann. Ich muß nun selbst erleben, daß Zitate aus einem solchen Dokument mein Verhalten in einem gewissen Zeitraum charakterisieren sollen und daß auch ich mit Zitaten aus dem mir bisher nur begrenzt zugänglichen Material arbeiten muß. In einer zusammenfassenden Beurteilung eines zuständigen Stasi-Mitarbeiters über jenen Vorgang fand ich in meiner »Opfer«akte folgende Sätze: »Über die inoffizielle Mitarbeiterin ist bekannt, daß sie die gestellten Aufgaben zwar erfüllte, daß aber ihre Berichte nur informatorischen Charakter trugen. An operativem Material oder Vorgängen arbeitete sie nicht.« Gut zu wissen, aber diese Sätze streifen nur die Oberfläche der Entwicklung, die ich immer als das Hauptmerkmal gerade meiner Hallenser Zeit gesehen habe: eine zunehmende Auflösung der Identifizierung mit Leitbildern, wachsende Kritikfähigkeit und Wahrnehmung der Widersprüche in meiner Umgebung. Es kam zu ersten Auseinandersetzungen mit mir in Parteigremien, zu erstem öffentlichem Tadel an meiner Haltung, zum Beispiel zum XXII. Parteitag der KPdSU. Ich schrieb in jenen Jahren am »Geteilten Himmel«. Diese Bewegung zum Schreiben hin, das das Zentrum meines Lebens wurde – in anderer Weise als die mir nächsten Menschen –, hat den Loslösungsprozeß von Ideologiedogmen und der mit ihnen verknüpften Praxis unumkehrbar gemacht. Ich kann und will nicht die Motive der Stasi ergründen. Aber was, frage ich mich, als die Einsicht, daß ich für sie nicht mehr brauchbar sein würde, sollte sie dazu veranlaßt haben, meine Akte zu schließen?

> **»Die Reste des ohnehin schwach entwickelten Selbstbewußtseins der Ostdeutschen werden geradezu systematisch zerstört…«**

Ziemlich bald danach begann dann die, zunächst sporadische, Observation. Mein »nicht parteimäßiges Verhalten« auf dem 11.

Plenum des ZK Ende 1965 wird registriert, man kann verfolgen, wie der Argwohn sich verschärft, und 1968 hält man den Zeitpunkt für gekommen, den »Operativen Vorgang« gegen meinen Mann und mich zu eröffnen, der dann, über die Jahre hin, die schönsten Blüten treiben sollte.

Wochenpost: *Ihre Verbindung zur Stasi liegt dreiunddreißig Jahre zurück, zum anderen haben Sie Dinge gesagt, mit denen kein Geheimdienst der Welt etwas hätte anfangen können. Warum ist es eigentlich so schwer, über einen solchen Vorgang freiwillig, von sich aus zu sprechen?*

Christa Wolf: Die Schamschwelle ist sehr hoch, man möchte sich den Schritt über diese Schwelle gerne ersparen. Ich mußte, um mir mein Verhalten erklären zu können, mich noch einmal jener Person aussetzen, die ich damals war: ideologiegläubig, eine brave Genossin, von der eigenen Vergangenheit her mit einem tiefen Minderwertigkeitsgefühl behaftet gegenüber denen, die durch *ihre* Vergangenheit legitimiert, im historischen Recht zu sein schienen. Diese Besinnung war anstrengend, da ich zu der jungen Frau von damals kaum noch eine Brücke in mir fand, aber ihre in dieser Akte auf mich gekommene Hinterlassenschaft annehmen mußte. Eben diese Person ist es, auf die mich der »Spiegel« festnageln möchte. Ich habe eine Zeit gebraucht, um mich aus dem Bannkreis dieser Episode in meinem Leben wieder herauszufinden und mir darüber klarzuwerden, welchen geringen Stellenwert sie in Wirklichkeit, gemessen an den dreißig folgenden Jahren, hat.

Dann konnte ich mich natürlich nicht darüber täuschen, welche Wirkung meine Offenlegung dieses Vorgangs in der in einer Stasi-Hysterie befangenen Öffentlichkeit haben würde. Die Aufarbeitung unserer Vergangenheit war – und ten. Da aber in der Öffentlichkeit alles, was mit der Stasi zusammenhängt, dämonisiert worden ist, hat sich der perverse Aktenberg unterderhand zu einer Art negativen Gral gemausert, zu dem man pilgert, um die Wahrheit, um Urteil oder Absolution zu erfahren. Besseres hätte der Stasi nachträglich ja wirklich nicht passieren können: Banale, engstirnige Aktenverwalter und Informationsfetischisten werden mit ihrer fatalen Hinterlassenschaft zu Kronzeugen und bekommen noch einmal, in manchen Fällen jetzt erst recht, die Macht, über Schicksale von Menschen mit zu befinden.

»Ich fühle mich freier, jetzt auch über andere Themen zu sprechen. Warum ich in der DDR geblieben bin, zum Beispiel.«

Wochenpost: *Dies sind Erscheinungsbilder. Sie erklären noch nicht, warum das so ist.*

Christa Wolf: Erstens enthebt die Dämonisierung eines Phänomens diejenigen, die mit ihm Umgang haben, der Pflicht, es zu analysieren. Außerdem, vielleicht noch wichtiger: Die Fremdheit zwischen ehemaligen DDR-verlassen mußten, äußern Ekel vor ihren ehemaligen Mitbürgern, auch eine willkommene Aussage. Differenzierungen werden immer schwieriger. Die Reste des ohnehin schwach entwickelten Selbstbewußtseins der Ostdeutschen werden geradezu systematisch zerstört, und dann wundert man sich über infantile Reaktionen, die das Urteil der anderen Seite wieder zu bestätigen scheinen. Immer weniger wird möglich, was wir so dringend nötig hätten: ein ehrliches, schonungsloses, aber in einer Atmosphäre der Empathie geführtes Gespräch über unsere persönliche Geschichte in den letzten Jahrzehnten. Der gute deutsche Hang zur Rechthaberei, zur Gründlichkeit bei der Abrechnung mit dem »Gegner«, die bigotte Forderung nach der Erfüllung eines abstrakten rigorosen Moralkodex (immer an den jeweils anderen gerichtet), Selbstmitleid und die Mystifizierung klarer gesellschaftlicher Gegebenheiten besorgen den Rest. Die gewalttätigen Jugendlichen auf unseren Straßen leben aus, was wir Erwachsenen ihnen in Politik und Medien, in der »geistigen Sphäre«, anbieten.

Wochenpost: *Ihr Schritt in die Öffentlichkeit hat eine Welle von Reaktionen ausgelöst. Ich frage mich, wie Sie damit zurechtkommen.*

Christa Wolf: Das frage ich mich auch, und ich weiß es jetzt noch nicht. Wie dieser »Prozeß« nach außen hin für mich ausgehen wird, ist offen, und ich will nicht verhehlen, daß ich unter einer starken inneren Spannung stehe. Doch glaube ich mich nicht darin zu irren, daß dieser Schritt mir selbst einen neuen Freiraum eröffnet hat, eine größere Offenheit gegenüber anderen Menschen, sogar eine Auflösung von

Die Generation in der Mangel

»Vielleicht wird es nicht noch einmal eine Generation geben, die so ›in die Mangel genommen‹ wird, wie es mit der unseren geschah: Von der beinah vernichtenden Erfahrung, Objekt der Geschichte zu sein, zu dem oft angestrengten und überanstrengenden Versuch, auch des literarischen, der Subjektwerdung.«
Christa Wolf in der »Wochenpost« Nr. 6/1984.

ist – weitgehend auf die Jagd nach IMs, besonders nach prominenten, reduziert, und ich mußte bei dem herrschenden gesellschaftlichen Klima darauf gefaßt sein, auf diese zwei Buchstaben festgelegt, moralisch vernichtet und aus dem öffentlichen Leben ausgegrenzt zu werden. Vor acht Monaten konnte ich mich nicht dazu überwinden, diese Folgen auf mich zu nehmen und schwieg. Nicht einmal mit meinen Töchtern konnte ich darüber sprechen. Ich wußte aber, daß ich dieses Schweigen einmal würde brechen müssen. Als jetzt der Wirbel um Heiner Müller begann, habe ich mich dazu entschlossen und diesen Entschluß in diesen letzten, sehr schwierigen Tagen niemals bereut. Die Befreiung, die ich empfinde, läßt mich allen möglichen Konsequenzen, die auf mich zukommen können, gelassener entgegensehen.

Wochenpost: *Haben Sie auch gehofft, einen Beitrag leisten zu können, die Sicht auf die Vergangenheit von der Stasi-Ebene auf eine unvoreingenommene Betrachtungsweise zu lenken?*

Christa Wolf: Ich habe mir eingeredet, daß ich das ein bißchen hoffte. In Wirklichkeit konnte ich nicht daran glauben.

Wochenpost: *Wie erklären Sie sich diesen Stasi-Furor, der die meisten Medien beherrscht?*

Christa Wolf: Ich muß, glaube ich, zuerst sagen, daß nach meiner Ansicht Menschen, die observiert wurden oder Schlimmeres, das Recht haben sollten, sich darüber zu informieren. Manchmal setze ich inzwischen ein Fragezeichen hinter diesen Satz, aber das kann ich jetzt nicht ausführlich begründen. Ich jedenfalls habe dies Recht ja auch in Anspruch genommen und denke mit Beklemmung an die Wochen in dem Lesesaal auf dem ehemaligen Stasi-Gelände. Ich habe aber keinen Augenblick gedacht, dieser Aktenberg mit seiner teils traurigen und bedrückenden, teils auch einfach dilettantischen, banalen, lächerlichen und nutzlosen Anhäufung von Informationen würde eine »Wahrheit« über mich oder irgend jemanden enthalten. Die Fremdheit zwischen den Bürgern und ehemaligen Bürgern der Bundesrepublik erweist sich als abgrundtief. Der Prozeß der Vereinigung läuft nicht gerade glänzend. Es besteht ein massives Interesse daran, die Verantwortung dafür *allein* der zusammengebrochenen DDR und ihren noch verbliebenen Bewohnern zuzuschreiben. Da vermischt sich dann, glaube ich, Unkenntnis der Lebensbedingungen in der DDR mit diesem Interesse und greift nach den wirksamsten Vereinfachungen. In unkundigen Westdeutschen kann sich so die Meinung verfestigen: Das waren ja alles Stasi-Spitzel – ein Satz, der das eigene Unbehagen an Fehlentwicklungen der Vereinigung beschwichtigt. Autoren, die die DDR verlassen haben oder Feindbildern. Ich fühle mich freier, jetzt auch über andere Themen zu sprechen, über denen eine Vorverurteilung liegt. Warum ich in der DDR geblieben bin, zum Beispiel. Wie unser Leben in den letzten zehn Jahren hier wirklich gewesen ist. Was ich an diesem Land geliebt habe (gewiß nicht an denen, die es zugrunde regierten). Ich habe eine Schranke durchbrochen, die mir noch vor Wochen unüberwindlich schien, und dabei habe ich einiges über mich und die Gesellschaft, in der ich jetzt lebe, erfahren.

Foto: Jacques Penon

Wochenpost: *In der DDR wurden Sie von vielen Leuten als moralische Instanz angesehen. Hat Sie das belastet?*

Christa Wolf: Es hat mich unglaublich belastet. Manchmal habe ich gedacht, wenn eine gute Fee vorbeikäme, und ich hätte drei Wünsche frei – oder nur einen! – dann hätte ich gewünscht, noch einmal unbekannt sein zu dürfen. Die Ansprüche an mich kamen so massiv, daß ich in einem ständigen Schuldgefühl lebte, weil ich nicht allen gerecht werden konnte. Andererseits war mir bewußt, daß die Bedingungen, unter denen viele DDR-Bürger lebten, das Bedürfnis nach Anteilnahme wecken mußten.

Wochenpost: *Sind Sie den Anspruch, moralische Autorität zu sein, nun losgeworden?*

Christa Wolf: Sicherlich. Diese IM-Geschichte bedrückt mich sehr, und ich bin mir bewußt, daß meine Auseinandersetzung damit erst begonnen hat. Natürlich ist mir die Enttäuschung, die Menschen jetzt empfinden werden, nicht gleichgültig. Andererseits sage ich mir: Jetzt wissen die Leute auch meine Schwächen, die Punkte, wo ich verführbar war und meine Integrität nicht wahren konnte. Wenn sie sich damit auseinandersetzen wollen, kann vielleicht eine andere Art von menschlicher Beziehung entstehen, von gleich zu gleich, wo niemand sich unterlegen fühlen muß. Die Lust zur Demontage einer Figur, die man vorher selbst aufgebaut hat, rührt ja oft gerade aus Neid und Mißgunst, die aus einem Unterlegenheitsgefühl entstehen.

Die Wartende

»Sie gehört zu den Menschen, die stets warten, was die anderen sagen, ihre Meinung dann wohldosiert und klug abwartend zum Ausdruck bringen. Sie kam zum Verlag »Neues Leben« als Cheflektor, wo sie sich nicht bewähren konnte – wahrscheinlich weil auf einer solchen Stelle viel Initiative verlangt wird und man auch stets ein gewisses Risiko auf sich nehmen muß. Vor allem das letztere scheut sie stets, sie wird sich stets bemühen, sich auf das Urteil bekannter Genossen stützen zu können.
Der IM »Hannes« über Christa Wolf, zitiert in »Der Spiegel« Nr. 4/93

Eines Tages

»Nur keine Angst. In jener anderen Sprache, die ich im Ohr, noch nicht auf der Zunge habe, werde ich eines Tages auch darüber reden. Heute, das wußte ich, wäre es noch zu früh. Aber würde ich spüren, wenn es an der Zeit ist?«
Aus Christa Wolfs Erzählung »Was bleibt«

Auch du, Käthe?

»Ich will auf die Liste! Setzt mich auf die Liste, wo ich 1976 stand! Ich will nicht ausgestoßen sein, zwischen denen, deren Bücher jetzt in den Köpfen der Menschen verbrannt werden sollen! Ich will dableiben!
Setzt mich auf die Liste!«
Die Schauspielerin Käthe Reichel in einem Rundschreiben an die Presse

In: Wochenpost, 28. 1. 93

Bemerkungen zu Heiner Müller und Christa Wolf

Von der Beschädigung der Literatur durch ihre Urheber

Von Fritz J. Raddatz

Ein Künstler ohne Lebenssittlichkeit ist nicht möglich; der Werkinstinkt selbst ist ihr Ausdruck, ist „Tüchtigkeit", ist Sozialität, und zeitige er das lebensabgewandteste Werk.

Thomas Mann

Nicht nur wir schulden Autoren vom Range Heiner Müllers und Christa Wolfs Ernsthaftigkeit – sie schulden sie auch uns, ihren Lesern. Lesen heißt vertrauen: der (Ver-)Führung ins Wunderland fremder Phantasien, in die Verkrümmungen, Erhöhungen und Erniedrigungen – auch Niedrigkeiten – eines anderen Ichs. Das unterscheidet Literatur von Trivialliteratur.

Die Tatsachen sind einfach. Heiner Müller – lange, öfter und noch jüngst – und Christa Wolf – weit zurückliegend und kurz – haben mit Abgesandten der Stasi Unterhaltungen gepflogen. Die Ursachen sind kompliziert. Sie sollten ergründet werden. Mit beleidigtem Schweigen oder pappbanalen Statements à la „Ich stehe für Gespräche in der deutschen Öffentlichkeit bis auf weiteres nicht zur Verfügung" ist niemandem gedient. Am allerwenigsten einem Schriftsteller, dessen Existenz basiert auf dem Wort.

Es geht nicht um Hetze und nicht um karteikartenwedelnde Jagd. Kein ernsthafter Mensch – und niemand in der *ZEIT* – hat Heiner Müller oder Christa Wolf „Spitzel" genannt, sie auch nur solcher Dienste verdächtigt. Aber meine – und die ist betäubend – Enttäuschung bleibt. Im Unterschied zu manchen meiner Kollegen schätze ich das Werk von Christa Wolf hoch – ob „Nachdenken über Christa T.", „Kindheitsmuster" oder „Kassandra": das waren und sind bedeutende Texte der zeitgenössischen Literatur, Sonden in Traurigkeit und Verzagen. Wie kann man das ausbieten – also: sich ausstülpen – und zugleich mit den Schergen auf dem Sofa sitzen? Heiner Müllers Arbeit – ob „Philoktet" oder „Hamletmaschine" – ist bohrende Parabel von Macht und Verrat, Lüge und Erniedrigung. Wie kann man das ausbreiten – also: sich häuten – und zugleich dickfellig mit den Häschern plaudern? Mir scheint, beide haben nicht nur ihrer Biographie geschadet; sie haben ihr Werk beschädigt. Sie haben uns verraten: nicht im Sinne von „angezeigt", sondern in einem viel tieferen Sinne, etwa des Entsetzens von Kurt Tucholsky, als er 1934 über Hamsun – „... Sie wissen, daß man dann ja im Grunde sich selbst nachtrauert" – an den Freund Walter Hasenclever schrieb: „Die ganze Liebe, die ich in diesen Mann seit zwanzig Jahren gelegt habe, ist fort. Das Werk besteht, natürlich. Aber ich habe seine Bilder von den Wänden genommen, ich mag ihn nicht mehr sehen, und seine Bücher kann ich nun für lange Zeit nicht mehr lesen."

Es geht also um etwas anderes; und es ist nicht hybrid (und nicht Attitüde des Denunziations-Zentralorgans *Neues Deutschland*), da Rechenschaft zu erwarten: Es geht um das tiefste Wesen von Literatur. Das ist ja nicht wahr, daß Kunst nichts zu tun habe mit Gesittung. Derlei Proklamationen sind nett, weil frech und geeignet für schicke Zigarren-Interviews. Ernst sind sie nicht. Im Inneren eines jeden Kunstwerks, auch des wüstesten Mörder- und Schmutzstücks – von Shakespeare bis Genet –, ist ein Stück Unschuld, ein Gran Reinheit geborgen. Das Kunstwerk, das dieses zittrige Splitterchen Wahrheit nicht enthält – ist keines; eine hübsche Laubsäge-Arbeit, mag sein, ein Illuminationswunderchen, vielleicht: ohne Humanum keine Kunst. Die Rede ist nicht von Anstandsregeln. Auch die fickende Nonne kann ein großes Gedicht schreiben. Und die vielen Mimikry der Weltliteratur – Drogen, Süchte, Laster, Verbrechen gar – waren immer nur die Mäander des Minotauros: auf der Suche nach eben diesem unversehrten Kern. Hubert Fichtes Schleiertänze zur selbstaufgelegten Musik „Huch, ich bin die große Verruchte" waren die Maske, hinter der er hervorblickte auf seiner Suche nach Barmherzigkeit – für Stricher, Ledermänner oder die Verrunzelten des Lebens; das waren nicht Lügen, sondern Kostüme. Die Lüge zerfrißt das Herz. Wenn aber Thomas Manns Satz gilt, „Schreiben, das heißt sein Herz waschen", dann kann man mit dem Herzkrebs der Unaufrichtigkeit nicht schreiben. Mogeln darf man im Abituraufsatz, nicht in der Literatur.

Proust mit den Dreyfuß-Fälschern bei Austern im „Ritz" oder Sartre mit den Menjou-Elégants der Sûreté beim Pernod im „Deux Magots": ist das denkbar? Selbst Brecht, wahrlich ein Charakterliliputaner, der die Freundin Carola Neher verrecken ließ und das Verschwinden des Freundes Tretjakow duldete, können wir uns schwerlich vorstellen im Tête-à-tête mit dem NKWD; noch Uwe Johnson, Pfeife rauchend, mit dem Stasi-Pack.

Wie geht das also, lieber Heiner Müller: Während Ihr Freund Thomas Brasch eingesperrt wird wegen seines Protests gegen den Einmarsch der Warschauer-Pakt-Truppen in Prag – schwatzen Sie mit seinen Beschließern? Wie ging denn das, geschätzte Christa Wolf: Nachdem Georg Lukács verschleppt, Nagy ermordet und Walter Janka eingekerkert wurden, schreiben Sie – nun nekkisch „Faszikel“ getaufte – Zettelchen an die Firma, signieren mit „Margarete“ und wollen den Namen vergessen haben, als könne, wer je Celans „Todesfuge“ gelesen, den Namen Margarete vergessen? Warum, um alles in der Welt, taten Sie das? Man setzt sich doch nicht mit Geheimdienst-Satrapen an einen Tisch? Man macht doch keine Kumpanei mit Lumpen? Die machten ihren miesen Job – aber mußten Sie denn mitspielen? Und dürfen Sie sich wundern, wenn auch Gutmeinende sich – Sie – das entgeistert fragen?

Christa Wolf hat sich am Wochenende in einem Fernsehinterview nicht nur hilflos, sondern auch bedenklich geäußert. Sie sei eben damals ideologiegläubig der Parole von der Unterwanderung des sozialistischen Staates aufgesessen. Ein schwaches Argument für eine damals immerhin dreißigjährige Literaturkritikerin, um deswegen über literarische Gespräche ihrer Kollegen zu berichten, und ein gezinktes auch: Denn ausgerechnet in den Jahren um 1959 fand ja keine „Unterwanderung“ in der DDR statt, sondern eine veritable Debatte; sie war genährt durch Reform-Ideen in Polen und Ungarn. Entweder datiert Christa Wolf ihre eigene intellektuelle Biographie falsch – oder sie hatte damals ihre Ohren verschlossen, ihre Augen verbunden und ihr Hirn ausgeschaltet. Wer mit dreißig Jahren noch Leszek Kolakowski für einen CIA-Agenten, Czeslaw Milosz für einen Saboteur oder Ernst Blochs Freund Alfred Kantorowicz für ein Renegaten-Würstchen hielt, dessen Seele und Gewissen arbeiteten unter Niveau.

Das ist eine bedenkliche Weißwäscher-Haltung; vermessen gar. Christa Wolf vergleicht allen Ernstes ihren momentanen komfortablen Getty-Stipendiums-Aufenthalt in Kalifornien mit dem Schicksal der deutschen Emigranten. Die haben wir verjagt, ihres Landes wie ihres Vermögens beraubt, und wären sie „uns“ in die Hände gefallen, hätten wir sie ermordet – den Brecht wie den Eisler wie den Feuchtwanger, auch Thomas Mann. Wenn Christa Wolf in diesem Gespräch eingangs um „sachlichere Form“ der Auseinandersetzung bittet – diese Bitte geht zurück nach Santa Monica: Der Vergleich mit vom Tode Bedrohten, knapp dem Gas der Barbaren Entronnenen steht ihr nicht zu. Das ist eine entweder historisch törichte oder moralisch infame Klitterung. Eine Anmaßung allemal. Hier wird niemand bedroht, gejagt, beraubt und vernichtet. Fragen wird man wohl noch dürfen.

Denn zweierlei stimmt nicht: Man „mußte“ nicht; und die Stasi war kein „Material“. Ihnen beiden – weil Sie den Mann kennen – brauche ich nicht, Pars pro toto, die Geschichte eines der begabtesten Wissenschaftler der DDR zu erzählen, der sich seine Karriere total und sein Leben fast versaute, weil er mit diesen Unterlingen *nicht* sprach; aber für Ihre Leser sei sie aufgeschrieben. Wenn man dem inneren Geigerzähler des eigenen Anstands folgte, sagte man „Nein, ich stehe nicht zur Verfügung“ – und wurde keineswegs verhaftet. Allerdings: Man konnte nichts werden. Wenn man – wie dieser gemeinsame Freund, der nicht einmal promovieren durfte – Glück hatte, fand man Unterschlupf in einer minderen Tätigkeit. „Charakter ist nur Eigensinn...“? Nun ja, das ist ein flottes Trinkliedchen. Aber man konnte ihn auch leben. Wie man – wie Sie beide – sich zur selben Zeit (zu der verhaftet, gefoltert, geschlagen, auf Jahre eingesperrt wurde) mit diesen Verbrechern geruhsam unterhalten konnte: Es muß erlaubt sein, um Auflösung dieses Rätsels zu bitten. Das ist wahrlich kein Pappritz-Gesetz „Das tut man nicht“. Es ist dies auch nicht die Jieper-Frage eines fährtenwitternden Journalisten – es ist eine Frage Ihres Selbstrespekts. Übrigens auch der Verantwortung Ihrer Arbeit gegenüber, die Sie mit solcher Treulosigkeit versehrt haben. In jenem Brief fährt Tucholsky fort: „Der Herr Hamsun wird es ja wohl überleben, daß ich ihn nicht mehr mag – sicherlich. Ich brauche aber einem alten Svedenborgianer wie Ihnen nicht zu sagen, daß es bei einem Unglück immer und

Nun faselt Heiner Müller sich diese These vom „Material“ zurecht. Alles sei ihm Material gewesen, die gesamte DDR, auch die Stasi; und der Schriftsteller habe geradezu die Pflicht, Nähe zu diesem Material nicht zu scheuen. Mit diesem Papperlapapp hat Müller schon seine Autobiographie verdorben, die er, eigener Zensor, um genau die entscheidenden Passagen amputiert hat. Es ist moralischer Stuß und ästhetisch ungebildet. Man kann nicht Holz und Tischler zugleich sein. Merkt Müller nicht – *hat* dieser kühl-intelligente Mann nicht gemerkt –, daß *er* zum Material wurde? Die Vorstellung, er habe den ach so intelligenten Häschern Unterricht erteilt in Literatur, in Staatskunde, in Ökonomie womöglich – wahrlich eine der komischsten aller denkbaren Heiner-Müller-Szenen. Wem möchte er die Regie „Heiner Müller interpretiert den Ledermänteln Lautréamont“ plausibel machen? Der Applaus wäre wohl dünn.

Als ästhetische Theorie ist diese These reiner Unsinn. „Ich muß kein Spiegelei in der Pfanne sein, um ein Spiegelei in der Pfanne zu beschreiben“, sagte schon Flaubert, auch kein ganz schlechter Autor. Nach Müllers Rezept hätte Brecht in die SA eintreten müssen, um „Furcht und Elend des Dritten Reiches“ schreiben zu können. Es unterscheidet ja gerade den Schriftsteller

vom Recherchenjournalisten, daß er nicht mit Rostocker Skinheads beim Hitler-Gruß säuft – und dennoch psychische Strukturen dieser kleinen Bier-Barbaren ausloten und darstellen kann. Dostojewski hat meines Wissens nicht so furchtbar viele Menschen mit dem Beil erschlagen, um seine währende Szene zu schreiben. Mal abgesehen davon, daß Heiner Müller wie Christa Wolf auch *Opfer* ihrer Herren Besucher wurden – mit Schächern redet man nicht. Bei Gefahr, sich gemein zu machen. Das Wort hat einen schaurig-schönen Doppelsinn.

Wo, fragt man mich in erregten Diskussionen, lag der Unterschied in Gesprächen mit „normalen" Staatsfunktionären und solchen – übrigens allen Freunden, gar dem Lebenspartner verheimlichten – Kontakten? Den kann man wohl plausibel machen. Die Unterhaltung des Intendanten Felsenstein mit einem Kulturbonzen (der hieß damals Girnus); die Debatte des Professors Bloch mit irgendeinem Staatssekretär (der hieß damals Abusch); das Gespräch des Lyrikers Erich Arendt mit einem Kulturminister (der hieß damals Becher) – waren, selbst wenn unter vier Augen geführt, gleichsam öffentlichkeits*mögliche* Dispute. Sie brauchten kein Licht zu scheuen, sie wurden nicht in Drittwohnungen geführt, sie wurden – falls schriftlich fixiert – nicht mit „Lisbeth" unterschrieben. Sie wären – oder sind, im Falle Fühmanns – publizierbar. Das Klandestine ist das Klebrige. Es ist nicht nur niedrig, es ist auch klein. Seit Jahrzehnten mit dem Air des Zynisch-Unbeteiligten über allen Stühlen – und nun mitschwätzerisch auf dem verpupten Sesselchen eines Unterleutnants? Wir kennen ja die gar nicht einmal so lustige Anekdote, derzufolge Gustaf Gründgens während der Probe zu seiner ersten Inszenierung mit Fritz Kortner zu dem sagte: „Herr Kortner, wenn ich Ihnen jetzt sage, bitte treten Sie lieber von links auf – dann ist das keine antisemitische Bemerkung." Was – ich stelle mir vor, Heiner Müller probt den „Fiesco" – will er einem Schauspieler antworten, der den Lomellin spielen soll und nach dem Satz „Bis sich die ganze Masse des Aufruhrs einem Parteigänger zuwirft, der ehrgeizig genug ist, in der Verwüstung zu ernten" seinem Regisseur zuriefe „Sie kennen sich da ja aus, Herr Müller"?

Scham ist ein heikel Ding. Sie ist nicht zu verordnen. Obwohl man schon gerne wissen möchte, wie man sich fühlt, wenn einem jetzt „na, auch ertappt"-zwinkernd der kleine Zuträger Hermann Kant auf die Schulter klopft. Vielleicht läßt sich das noch wie Zigarrenasche vom Revers blasen.

Nicht so leicht die Verwunderung: Ihr habt euch doch zu Aufbau-Helfern eines Verfolgungssystems gemacht – dem die eigenen Kollegen, ob Fuchs oder Loest, zum Opfer fielen; einem Walter Kempowski haben eure Wirte acht Jahre seines Lebens gestohlen. Das berät man bei Kaffee und Kuchen? Dieses ganze gigantische Gangstersyndikat der Mielke & Co. konnte ja nur funktionieren, weil allzu viele den weiland tapferen Satz der Brigitte Bardot *„Moi, je ne marche pas"* nicht sagten. Dieser Brutalo-Apparat, der schnüffelte und photographierte, horchte, abhorchte, einsperrte, folterte; der Zigtausende ins psychische Elend stieß und Tausende ins physische – wohl wahr: sich gegen Sie beide schließlich auch wandte –, der lief reibungslos nur, wenn man sich ihm nicht sperrte. Einem Leutnant Paroch weist man die Tür – oder er kommt als Oberleutnant wieder. Auch das ist Dialektik: Auf schreckliche Weise hat Christa Wolf ihre eigenen Überwacher und Denunzianten gezeugt.

Dies alles sei eine Kampagne, die letzten Reste der DDR-Kultur platt zu walzen, Schriftstellern ihre Würde zu nehmen, die einen Sozialismus ver-

Äußerungen Christa Wolfs in der Fernsehsendung „Kulturreport" vom 24. Januar

Mir macht dieser ganze Vorgang sehr zu schaffen, und zwar aus folgendem Grund: Hier in Los Angeles bin ich sehr stark konfrontiert mit der Hinterlassenschaft der deutschen Emigranten, meistens jüdischer, aber eben auch, wie Brecht, kommunistischer Emigranten aus der Nazizeit, die eine große kulturelle Hinterlassenschaft haben, was Häuser betrifft, die von Richard Neutra, einem Österreicher, oder eben das wunderbare Haus von Feuchtwanger, und so vieles in Bibliotheken. Sehr viele Spuren haben die hinterlassen in dieser Stadt. Dies alles fehlt in Deutschland. Die Deutschen haben damals geglaubt, sie könnten darauf verzichten. Jetzt glaubt man in Deutschland, man könnte auf die Kultur verzichten, die es in der DDR gegeben hat. Damals hat sich Deutschland der linken, der jüdischen Kultur entledigt, dieser ungeheuren, großen, menschlichen Kultur, die da war. Wir wissen, wohin das geführt hat. Wessen sich Deutschland jetzt entledigen zu können glaubt und daß es unter anderem Heiner Müller und mich in ein solches Licht rückt, daß wir nur noch kriminalisiert werden. Das scheint mir nicht dazu beizutragen, den Widerstand gegen den Rechtsradikalismus, der meiner Ansicht nach die ganze Kultur beherrschen müßte, wirklich aufbauen zu können und eine Front zu haben von Leuten, die dagegen vorgehen. Sondern es wird einer nach dem anderen aus dieser Front herausgebrochen, mundtot gemacht. Einer, der nur noch als IM durch die Medien läuft, der kann sich nicht mehr äußern.

suchten – so oder ähnlich lese ich lasche Repliken. Trockeneisnebel von der Provinzbühne statt die Wahrheit des großen Theaters. Da ich nicht weiß, wem die ins Gesicht geblasen werden sollen, hier zum Schluß eine persönliche Anmerkung (derlei verbot mein langjähriger Chefredakteur; deswegen also): Mir ist dieses Rollback-Verfahren fremd, ich habe mich daran mit keiner Silbe beteiligt. Ich zolle noch heute meinen Respekt integren Kommunisten, von denen ich gelernt habe, deren Weltsicht ich bald für irrig hielt, von deren Weg ich mich trennte und die mein Leben bis heute beeinflußt haben; das Alphabet hindurch von A wie Erich Arendt, B wie Ernst Busch und C wie Walter Czollek – so viele Namen wie Buchstaben. Ich habe ihnen zu danken. Keiner von ihnen je war ein *shake-hands man* der Henker. Deswegen erlaube ich mir, die Gebote des Zeitungsschreibens zu durchbrechen und Sie, Christa Wolf und Heiner Müller, zu bitten: keine Mogelpackungen und Placebos mehr. Halten Sie der Würde Ihres Werkes die Treue. Erklären Sie. Nehmen Sie mir und Ihren Lesern die Traurigkeit.

In: DIE ZEIT, 28. 1. 93

Zum Schweigen gebracht
Offener Brief von Hans-Jürgen Fischbeck an Fritz J. Raddatz

Sehr geehrter Herr Raddatz,
es gibt auch publizistische Gewalt. Unter Gewalt verstehe ich, was Leben schädigt. Wo das Gespräch erdrückt, das Gegenüber mundtot gemacht wird, geschieht Gewalt. In Ihren »Bemerkungen zu Heiner Müller und Christa Wolf« in der ZEIT vom 29. 01. 93 haben Sie, so meine ich, solche Gewalt verübt. Da ich Heiner Müller zu wenig und persönlich gar nicht kenne, kann ich mich nur zu Christa Wolf äußern.

Zu Beginn meines Briefes sehe ich mich als Ostdeutscher zu der eigentlich erniedrigenden, fast schon rituellen Versicherung veranlaßt, schon immer gegen das SED-Regime gewesen zu sein und mit der »Firma« nichts zu tun gehabt zu haben, um überhaupt gehört zu werden und nicht in falschen, vernichtenden Verdacht zu geraten.

Sie haben recht, wenn Sie schreiben, Kunst habe mit Gesittung zu tun, im Inneren jedes Kunstwerks wohne ein Stück Unschuld und ein Kunstwerk, welches nicht ein »zittriges Splitterchen Wahrheit« enthielte, sei keines. Sie haben recht, wenn Sie schreiben, lesen heiße vertrauen. Gerade dies habe ich bei Christa Wolf immer gespürt. Das Vertrauen, das sie in mir durch ihre Bücher geweckt hat, fand ich in der persönlichen Begegnung bestätigt. Ich fand es auch bestätigt in ihrem Interview aus Los Angeles, das sie hiflos nennen, weil eine Wehrlose sich zu wehren versucht. Sie rügen an diesem Interview, daß sich Christa Wolf darin an die Emigration jüdischer und kommunistischer Intellektueller vor 60 Jahren aus Deutschland erinnert fühlt. Sie nennen das einen bedenklichen und vermessenen Vergleich und beachten nicht, daß im Deutschen vergleichen und gleichsetzen wohl zu unterscheiden sind. Erst der Vergleich zeigt auch die Unterschiede. Christa Wolf zu unterstellen, diese nicht zu sehen, ist unfair. Ich sehe durchaus Vergleichbares. Wieder geht es um die Elimination einer Kultur, einer Kultur, die uns Ostdeutschen eminent wichtig war und stärkender Teil unseres angefochtenen Selbstbewußtseins ist, das uns offenbar systematisch genommen werden soll. Zwar geht es nicht um physische Verfolgung, der jene Emigranten nach Kalifornien entrinnen konnten, sondern um eine unentrinnbare pseudomoralische Liquidation. Wieder werden Menschen zum Schweigen gebracht und in die innere oder gar äußere Emigration getrieben, Menschen, deren Stimme im Deutschland 1993 unverzichtbar ist. Natürlich gehört in diesen Vergleich auch die Ausweisungs-, Ausbürgerungs- und Ausgrenzungs-Praxis der SED, der sich Christa Wolf unter erheblichen Risiken widersetzt hat. Dieser ungleich umfangreichere und erheblichere Teil der Stasi-Akten des Ehepaares Wolf über den Operativen Vorgang »Doppelzüngler« wird – das prophezeie ich – für die westdeutsche Inquisition unerheblich sein.

Eine Attacke wie die Ihre macht wehrlos, weil die Verurteilung schon feststeht. Sie warten mit zwei ehrabschneiderischen Alternativen auf, die der Angegriffenen nur die Wahl lassen, entweder ihre »eigene Biographie falsch zu datieren« oder ihr »Gehirn ausgeschaltet« zu haben und entweder »historisch töricht« oder »moralisch infam« zu sein. Der Wessi weiß es besser! Stammt die in Ihrem Artikel enthaltene Unterstellung, Christa Wolf habe Kolakowski für einen CIA-Agenten gehalten, von Ihnen oder von einem Stasi-Offizier?

Obwohl ich dank christlicher Erziehung stets ganz anders dachte, kann ich nachvollziehen, daß Menschen, herkommend vom marxistischen Denken, wissend um die stalinistische Perversion, glaubten, daß der Staatssozialismus eine notwendige Übergangsphase zu einem wirklichen, demokratischen Sozialismus ist. Auch Robert Havemann dachte in jener Zeit so. Ich kann nachvollziehen, daß solche Menschen nach dem XX. Parteitag der KPdSU trotz Ungarn Hoffnung auf Reformfähigkeit des von der eigenen Partei getragenen Staates geschöpft haben, eines Staates, der andererseits mit allen Mitteln von westlicher Seite bekämpft wurde. Obwohl ganz anderer Meinung – ich wiederhole das –, kann ich auch nachvollziehen, daß solche Menschen damals noch glaubten, daß dieser Staat mit den gleichen Mitteln geschützt werden müsse, mit denen er angegriffen wird, wenn er denn wirklich der historisch notwendige

Durchgang zum Menschheitsprojekt einer gerechteren Gesellschaftsordnung ist. Die Fälle stalinistischer Verfolgung jener Zeit, die sie nennen, konnten von Hoffenden sehr wohl als zu überwindender Überrest der stalinistischen Vergangenheit angesehen werden. Daß das Projekt der SED, die Bevölkerung von der Richtigkeit ihrer Ideologie und ihrer Politik zu überzeugen, nicht gelingen würde und die SED-Führung ihre Macht daher auf Dauer vor allem gegen die eigene Bevölkerung mit den Mitteln des MfS würde schützen müssen, war damals noch nicht erwiesen.

Viele Menschen der ehemaligen DDR wurden zu gelegentlichen Gesprächen von den Herren der Staatsmacht besucht. Man konnte sich verweigern, da haben Sie völlig recht. Aber warum sollte eigentlich ein (damals noch) überzeugtes Mitglied dieser Partei und ein (damals noch) loyaler Bürger dieses Staates von vornherein Nein sagen? Es steht Ihnen nicht zu, an dieser Stelle die Linie zwischen Gut und Böse zu ziehen. Wer gibt Ihnen das Recht, mit dem Wissen von heute und verzerrten Maßstäben, die einer Lebenswirklichkeit, die Sie nicht kennen, nicht gerecht werden, über ein Verhalten, das 30 Jahre zurückliegt, mit westdeutscher Medienmacht zu Gericht zu sitzen?

Christa Wolf ist mit der ihr eigenen Redlichkeit und Wahrhaftigkeit sicher bereit, ihr damaliges Verhalten nachvollziehbar zu erklären. In einer durch Artikel wie Ihren geprägten westdeutsch-pharisäischen Medien-Inquisition aber ist dies nicht möglich. Da bleibt nur noch Schweigen, nicht ein beleidigtes, sondern ein vergewaltigtes.

In Ihrem Artikel gelingt Ihnen die Wortschöpfung »Unterlinge«. Offenbar meinen Sie damit die hauptamtlichen Mitarbeiter der Stasi. Davon gab es 85 000. Oder meinen Sie die inoffiziellen (IM) gleich mit? Dann wären da einige hunderttausende »Unterlinge« in der ehemaligen DDR. Mich braucht niemand darüber zu belehren, daß das MfS ein Organ struktureller Kriminalität war und daß in ihm pseudolegale Verbrechen und solche, die nicht einmal das waren, begangen worden sind. Auch diejenigen, die Sie »Unterlinge« nennen, sind Menschen, denen Menschenwürde zukommt. Man kann und muß mit ihnen reden, jedenfalls heute. Ich weiß, daß Sie eine inhaltliche Nähe zu dem entsprechenden Wort aus der Sprache des Dritten Reiches nicht beabsichtigt haben. Dennoch sollten Sie dieses Wort zurückziehen. Es ist kein gutes Wort. Sollte es sich einbürgern, könnte es sein, daß es die Befindlichkeit von noch viel mehr Menschen verbalisiert, die sich heute als Deutsche zweiter Klasse fühlen. Es könnte sein, daß, wo »Unterlinge« sind, auch »Oberlinge« erkannt werden. Das wäre fatal und würde die deutsche Spaltung weiter vertiefen.

Die Ostberliner Gemeinde, aus der ich komme, hat einen Gesprächskreis gebildet, in dem Christen, alte SED-Genossen und auch Menschen, die Sie »Unterlinge« nennen, miteinander sprechen. Jenseits von Beschuldigung und Rechtfertigung geschieht dort in durchaus auch harten Gesprächen Suche nach Wahrheit im gegenseitigen Verstehen. Ganz unpathetisch geschieht Vergebung einfach durch gegenseitige Annahme als Partner im Gespräch. Dort geschieht, was Inquisition verdirbt.

Christa Wolf hat zu einem Gesprächskreis eingeladen, der seit 1991 in loser Folge in der Ostberliner Akademie der Künste, als es diese noch gab, zusammenkam. Leute aus Kunst und Wissenschaft in Ostberlin und Gesprächspartner aus dem Westen sprachen über Fragen der gespaltenen Vergangenheit und der gemeinsamen Zukunft. Einige Male war ich dabei. In diesem Kreis war ein wahrhaftiges Gespräch möglich. Es hätte auch öffentlich geführt werden können. In diesem oder einem ähnlichen Kreis, dessen bin ich sicher, wäre Christa Wolf bereit, über jene Zeit vor und nach dem Bau der Mauer zu sprechen.

Die deutsche Spaltung wird verschärft, wenn Menschen, mit denen sich viele Ostdeutsche identifizieren, verunglimpft und zum Schweigen gebracht werden. Daran haben Sie sich beteiligt.

Mit dennoch freundlichen Grüßen
Dr. Hans-Jürgen Fischbeck
Mülheim, 03. 02. 1993

Hans-Jürgen Fischbeck, geb. 1938, Studienleiter an der Ev. Akademie in Mülheim/Ruhr, studierte Physik, arbeitete von 1961 bis 1991 am Zentralinstitut für Elektrophysik in Ostberlin, wirkte in der Bürgerrechtsbewegung der DDR mit. Fischbeck gehörte zu den Mitinitiatoren der Bürgerrechtsgruppe »Demokratie jetzt«, u. a. mit Konrad Weiß und Wolfgang Ullmann.

Christa Wolf an Hans-Jürgen Fischbeck

Santa Monica, d. 11. 2. 93

Lieber Herr Fischbeck,
mein Mann hat mir Ihren Offenen Brief an Herrn Raddatz herübergefaxt, ich möchte Ihnen dafür danken, ob der nun veröffentlicht wird oder nicht.

Sie können sich denken, daß ich schwierige Wochen durchlebe, ich glaube, manches in meinem Leben wird sich ändern, von innen her und von außen. Ich werde nicht mehr »öffentlich« sein können, aber ich glaube, die Deutschen kommen da ganz gut ohne mich aus. Statt dessen denke ich intensiv über meine Vergangenheit nach und will versuchen, näher an die Zeit heranzukommen, aus der diese Akte stammt. Ja, Sie haben recht, ich bin bereit, darüber mit Menschen zu reden, die auch bereit sind, sich darauf einzulassen, ohne sich zum Tribunal aufzuspielen – dann verkriecht sich nämlich die Wahrheit.

Ich habe heute im »Sonntag« gelesen, daß auch Walter Jens mir vorwirft, ich würde mein Schicksal mit dem der Emigranten aus Nazi-Deutschland vergleichen. Dieser Vorwurf trifft mich, weil ich gerade jetzt, wo man mich aus der Literatur überhaupt rauswerfen will, einer solchen Anmaßung sehr fern bin. Was ich sagen wollte, haben Sie anscheinend richtig verstanden: Ich werde mir gerade hier noch einmal besonders deutlich bewußt, was die deutsche Kultur sich selber angetan hat, als sie in der Hitlerzeit die linke und jüdische Kultur vernichten oder ausgrenzen ließ, und ich wollte davor warnen, das jetzt mit der DDR-Kultur zu tun, ich dachte nämlich vermessenerweise immer noch, sie könnte auch in dem größeren Deutschland etwas beizutragen haben. Doch nun sinkt meine Hoffnung, wir werden mit in den Strudel gerissen.

Aber das ist schon ein anderes Kapitel. Im Juli bin ich wieder in Berlin, ich hoffe, Sie sind auch manchmal dort, wir könnten vielleicht mal miteinander reden.

Ich grüße Sie herzlich und dankbar,
Ihre Christa Wolf

Hans-Jürgen Fischbeck an Christa Wolf

Mülheim a.d. Ruhr, 23. März 1993

Liebe Frau Wolf,
ich danke Ihnen sehr für Ihren Brief vom 11. Februar. Mit meinem offenen Brief habe ich leider kaum etwas ausrichten können. Die ZEIT hat ihn offenbar ignoriert. Von Herrn Raddatz habe ich keine Antwort bekommen. Der FREITAG wollte ihn bringen, hätte ihn aber zu sehr kürzen müssen. Dann war die (journalistische) Aktualität leider vorbei. Einen sehr freundlichen und zustimmenden Brief erhielt ich von Marlies Menge, die aber wohl nichts für das Erscheinen tun konnte.

Sie schreiben, daß Sie nicht mehr »öffentlich« sein können und daß man Sie aus der Literatur rauswerfen wolle. Letzteres kann nur für den gegenwärtigen Augenblick gelingen mit Hilfe der kommerziell verseuchten sog. Öffentlichkeit. Ich frage mich, ob es nicht vielleicht wieder gelingen könnte, eine eigene, um Wahrhaftigkeit bemühte Öffentlichkeit entstehen zu lassen. Ich frage mich auch, ob und wie es nicht vielleicht doch möglich wäre, eine von Ansätzen einer eigenen Ökonomie getragenen Sub-Gesellschaft derer wachsen zu lassen, die von der westlichen Leistungs-, Konsum- und Herrschaftsgesellschaft marginalisiert werden: Arbeitslose, Vorruheständler, SozialhilfeempfängerInnen, Ausländer, Unangepaßte . . .

Die Krisenzeichen mehren sich mit dem Ausgang der französischen Wahlen. Manche dieser Zeichen zeigen Parallelen mit der Dämmerung des Staatssozialismus: Die Segregation einer zunehmend korrupten politischen Klasse, für die Machterhalt oder -gewinn das einzige Ziel ist, von der Bevölkerung, die Errichtung einer neuen Mauer zur Abschottung gegen Osten . . .

Es ist schwer zu sagen, wie tief die Krise wird oder ob ein neuer weltwirtschaftlicher Wachstumsschub noch einmal eine relative Stabilisierung der Wohlstandsgesellschaften mit den alten Mitteln ermöglicht. In Krisen sind jedoch Wandlungen möglich, und es ist notwendig, darüber nachzudenken. Als vielleicht möglichen Anstoß in diese Richtung lege ich Ihnen ein kurzes Konzeptpapier bei.

Ich würde mich sehr freuen, nach Ihrer Rückkehr mal wieder mit Ihnen ins Gespräch zu kommen. In Berlin bin ich oft genug.
Mit herzlichen Grüßen der Anteilnahme

Ihr

Hans-Jürgen Fischbeck

Paul Kanut Schäfer an Fritz Raddatz

Berlin, den 2. Febr. 1993

Lieber Fritz J. Raddatz,
es ist unfair, an den Tatsachen vorbei Christa Wolf zu fragen, wie sie »Nachdenken über Christa T.«, »Kindheitsmuster«, »Kassandra« habe schreiben und zugleich mit den Schergen auf dem Sofa habe sitzen können. Eben das konnte sie nicht. Sollte Ihre Phantasie nicht fähig sein, sich Christa Wolf, statt auf dem Sofa, eher von unerwiderten Idealen, von Angst und Scham erfüllt auf der Stuhlkante auszumalen und sich tiefe Zusammenhänge vorzustellen zwischen dem raschen Ende dieser Kontakte und dem Beginn der Arbeit am eigentlichen Werk? Sie, Fritz J. Raddatz gehen tagtäglich um mit den unendlichen Möglichkeiten schicksalhafter Verstrickung, die in den Literaturen der Welt aufgeschrieben sind. So wissen Sie auch, wie die Erklärung, um die Sie Christa Wolf bitten, allein zu bekommen ist: aus dem Werk. Darum fällt Ihnen, möchte ich glauben, nach der ersten Betäubung sicher bald wieder ein, welches hohe Maß an Lebenssittlichkeit die Bücher Christa Wolfs ausdrücken.

Mit freundlichem Gruß
Paul Kanut Schäfer

Paul Kanut-Schäfer, Schriftsteller, Erzählungen, Romane, Filmszenarien, u. a. *Jadup und Boel* und *Die Besteigung des Chimborazo* (Regie: Rainer Simon), dazu das gleichnamige Buch (Köln 1990). Der Autor lebt in Berlin.

Müller & Wolf

Von Günther Rühle

Als das Wunder der deutschen Vereinigung über uns hereinbrach, wurde der Gewinn der neuen Freiheit begleitet von einem folgenreichen Kampf. Es war der um das Vernichten oder Bewahren der Akten der Staatssicherheit. Die Frage von damals ist noch nicht aufgehoben. Jeder „Fall", der aus den Archiven aufsteigt, setzt die Nachrichten- und Verdachtsmaschine neu in Gang, und längst ist die Kontroverse, die doch vor allem die Staatsbürger der ehemaligen DDR betrifft, eine Sache spekulierender und moralisierender westdeutscher Medien geworden – so als hätte der Westen den Osten aufzuarbeiten. Drei Jahre sind inzwischen ins Land gegangen. Wagten wir den Zeitvergleich mit einem ähnlichen Unternehmen ideologischer Reinigung, wären wir heute im Jahre 1948.

Damals wurde, was sich Entnazifizierung nannte, von den Besatzungsmächten beendet. Der originale deutsche Rigorismus von jetzt hält länger. Der fortdauernde Menschenmißbrauch wird nicht den Werbern, den Angstmachern und Staatsaufsehern angerechnet, sondern denen, die sich einfangen ließen und gewiß, wie viele Beispiele zeigen, dürftige und unnütze Informationen geliefert haben. Manche aus gutem Glauben an die Sache des neuen Staatsaufbaus, andere aus Angst, andere aus Opportunismus, vielleicht auch aus Neid. Das Schnüffelsystem, totaler organisiert als im Nazistaat, aber doch weniger gefährlich, frönte seiner Pflichterfüllung durch ein Übersoll an Horcherei. Wie zum Beispiel der Schriftsteller Gert Ledig, der in den fünfziger Jahren mit zwei kräftigen Kriegsbüchern zu Stalingrad und dem Bombenkrieg kurze Zeit von sich reden machte, die DDR gefährdet haben soll, war damals eine so lächerliche Frage wie heute. Die Schriftstellerin Christa Wolf – seinerzeit noch im Aufbruch ihrer Jugend mit deutschem Staatsstolz auf die junge Republik ausgestattet – dazu aktenkundig zu vernehmen, war eine nur anscheinend sinnvolle Betriebsamkeit. Was aus ihren Akten zutage trat, geht weder über Stammtischgeschwätz noch über die Notizen hinaus, die heute in manchen Personalakten ebenso sorgfältig geführt werden. Immerhin aber bekamen so vernommene und „behandelte" Schriftsteller einen tieferen Einblick ins System als dessen Mitläufer. Heiner Müller brachte das auf den Begriff: Es war mein Material als Schriftsteller.

Die neueste Kampagne verbindet sich mit seinem Namen und dem von Christa Wolf. Die Belege, daß sie Denunziation betrieben, wirklich Schicksal gespielt und Biographien zerbrochen hätten, sind schmal und schal. Die Stasi gehört auch zu Müllers Spielmaterial und war immer mehr Gegenstand für die Ausbildung seines Zynismus als Instrument seiner helfenden Betriebsamkeit. Daß der Staat ihn schließlich nach soviel belegbaren Scherereien mit dem Staatspreis dekorierte, muß ihm wie eine Huldigung der Ausweglosen erschienen sein, die seinem gegen sie errungenen Weltruhm hinterherliefen.

Kein Schriftsteller der DDR hat wie er seinem Staat seine dunkle Biographie geschrieben. Vom Anfang bis ans Ende. Die Figuren kräftig und schlimm, die Konflikte deutlich und sozialistisch, der Verlust das „Auftrags" sichtbar, das verkommene Ufer erkennbar und der Staat benannt als das, was er war: eine Geburt der Panzer. Was er schrieb, kam aus dem Innern der Geschichte, die – wenn auch auf dem Boden der DDR geschehen – doch auch Teil der gemeinsamen Geschichte war. Und es war Arbeit an der deutschen Sprache, die der sozialistischen Sprachverhunzung Blöcke in den Weg warf. Warum wuchs Müller denn so vom Unbekannten ins Bekannte? Doch, weil er die Grenzen der Duldsamkeit des DDR-Staates überschritt; weil er Mitläuferschaft nicht zum Antrieb seines Schreibens machte; weil er den Optimismus, den Brecht dem Regime noch zuführte, auf radikale Weise brach und der Bruch sein Thema wurde.

Und Christa Wolf? Sie wurde zu einer Schriftstellerin, die man wahrnahm, als sie ihre Augen auf den geteilten Himmel richtete, als sie über Christa T., Kindheitsmuster und Störfälle nachzudenken begann, als sie aus dem Dienst an der sozialistischen Idee in die Distanz ging, kassandrisch Blindheiten und Irrtümer erkennend. Ihr Weg als Schriftstellerin war der der deutschen Innerlichkeit, nach DDR-sozialistischer Art. Ihr wuchs, wie Müller, in Ost und West ein Publikum zu, das die Bedeutung ihrer schriftstellerischen Arbeit wahrnahm: daß nämlich ihre Literatur die Mauer übersprang, weil sie Nachricht gab aus dem schwer zu betretenden anderen Land, weil sie das getrennte Land miteinander verband. Wir erinnern uns an den langdauernden Streit, ob es noch eine deutsche Literatur gäbe oder schon zwei. Uns war es immer eine, weil das Gemeinsame die Sprache, die noch immer wirkende Geschichte und das beiderseitige Leiden an der politischen Situation war. Diese verbindende Funktion der Literatur hergestellt zu haben, ist eine politische Leistung, die zählt. Sie gilt auch für Stefan Heym, Volker Braun, Günter de Bruyn oder Christoph Hein. Sie gilt selbst für Hermann Kant, dessen „Aula" doch einmal Lektüre in westdeutschen Schulen war. Aber Heiner Müller und Christa Wolf wurden und sie blieben die Exponenten solcher Funktion.

Ihr Bild heute mit der Stasi-Fratze zu übermalen, heißt, sie einbringen in den laufenden Versuch, Kunst und Kultur der DDR, die nicht nur eine Stasi-Kultur war, nach bekanntem Beispiel aus der deutschen Geschichte herauszuoperieren. Die Dissidenten – auch ehemalige Sympathisanten des sozialistisch-antifaschistischen Aufbaus, von Günter Kunert über Wolf Biermann bis zu Reiner Kunze – haben wir leicht ins westdeutsche Bewußtsein integriert, weil sie dessen Position zu bestätigen schienen. Daß die Wunden ihrer Austreibung noch immer bluten, haben sie mit manchen ihrer neueren Beiträge zu erkennen gegeben. Alte Gefechte führend, stärken sie Fronten, die jetzt zu überwinden sind.

In: Tagesspiegel, 31. 1. 93

Das meiste nicht gesehen

(Nr. 4/1993, Autoren: Stasi-Opfer im Stasi-Dienst – die Schriftstellerin Christa Wolf)

Weder bin ich im Besitz einer Kopie meiner Stasi-Akte, noch habe ich sie als Ganzes in der Gauck-Behörde einsehen können. Nachdem ich in einem „Auskunftsbericht", der meine aus 42 Bänden bestehende „Opferakte" öffnet, darauf gestoßen war, daß aus dem Jahr 1959 ein IM-Vorgang über mich vorliegen müsse, habe ich einmal Teile davon für kurze Zeit in die Hand bekommen: Die Regeln der Gauck-Behörde erlaubten mir nicht, davon Kopien zu machen. Ich konnte also nicht aus dieser Akte zitieren. Die meisten der Berichte, aus denen der SPIEGEL zitiert, habe ich nicht gesehen, kann mich also nicht zu ihnen äußern. Daß dieses Aktenstück in der vorigen Woche von der Gauck-Behörde der Presse freigegeben wurde, hat man mir nicht mitgeteilt. Angesichts der Relation, in der diese über 30 Jahre alte Episode, mit der ich mich sehr wohl auseinandersetze, zu meinem späteren Leben, meiner Arbeit und meiner politischen Entwicklung steht, hat mich die einseitige und demagogische Berichterstattung des SPIEGEL, welche das Gewicht der Tatsachen umkehrt, in Erstaunen versetzt.

Christa Wolf

z. Zt. Santa Monica (USA) CHRISTA WOLF

In: Der Spiegel, 1. 2. 93

Statement von Christa Wolf an den SPIEGEL

24.1.93

Der Text, der in der letzten Ausgabe des SPIEGEL über eine meiner Stasi-Akten veröffentlicht wurde, suggeriert, ich hätte meinen Artikel für die »Berliner Zeitung« am 19. 1. in Kenntnis dieser Akte geschrieben und stützt auf diese Voraussetzung einen Teil seiner Anwürfe gegen mich. Dazu erkläre ich: Weder bin ich im Besitz einer Kopie dieser Akte, noch habe ich sie als Ganzes in der Gauck-Behörde einsehen können. Nachdem ich in einem »Auskunftsbericht«, der meine aus 42 Bänden bestehende sogenannte »Opferakte« eröffnete, darauf gestoßen war, daß aus dem Jahr 1959 ein IM-Vorgang gegen mich vorliegen müsse, habe ich Teile davon für kurze Zeit in die Hand bekommen: Die Regeln der Gauck-Behörde erlaubten mir nicht, davon Kopien zu erhalten. Ich konnte also nicht aus dieser Akte zitieren. Die meisten der Berichte, aus denen der SPIEGEL zitiert, habe ich nicht gesehen, kann mich also nicht zu ihnen äußern. Daß dieses Aktenstück in der vorigen Woche von der Gauck-Behörde der Presse freigegeben werden würde, hat man mir nicht mitgeteilt.

Angesichts der Relation, in der diese über dreißig Jahre alte Episode, mit der ich mich sehr wohl auseinandersetze, zu meinem späteren Leben, meiner Arbeit und meiner politischen Entwicklung steht, hat mich die einseitige und demagogische Berichterstattung des SPIEGEL darüber, welche das Gewicht der Tatsachen verkehrt, in Erstaunen versetzt.

Christa Wolf

Christa Wolf an Volker Hage

Santa Monica, 7. 2. 93

Sehr geehrter Herr Hage,
erinnern Sie sich, daß Sie mir zugesagt hatten, mein Statement würde im SPIEGEL ungekürzt und nicht als Leserbrief, sondern eben gesondert, als Statement, erscheinen? Nun, Sie haben diese Zusage nicht einhalten können, es wurden keine unwesentlichen, sondern genau *die* Sätze am Anfang gestrichen, in denen ich den Anlaß für meine Erwiderung, nämlich die Voraussetzung benenne, auf die der SPIEGEL in seinem Artikel einen Teil der Anwürfe gegen mich aufbaut. Sie können nicht behaupten, daß Platzmangel der Grund dafür gewesen sein kann, denn Sie waren ja hier, um ein viel längeres Interview mit mir zu machen, für das Platz in Ihrer Zeitschrift gewesen wäre. Noch heute wundere ich mich übrigens, daß Sie oder irgend jemand hat denken können, ich würde nach diesem Artikel – der ja keineswegs seiner Pflicht genügte, eine »Nachricht« zu verbreiten, wie Sie ihn interpretieren wollten – zu einem Gespräch bereit sein können.

Mir ist klar, daß drei gestrichene Sätze für einen Journalisten keine Angelegenheit sind, über die man nur ein Wort verliert; für mich sind sie es, daher schrieb ich Ihnen darüber.

Hochachtungsvoll
Christa Wolf

P.S. Da auch die kurze Stellungnahme von Walter Kaufmann nicht abgedruckt wird – sind Sie wirklich immer noch davon überzeugt, daß DER SPIEGEL gar kein Interesse daran hatte, ein verzerrtes Bild von mir zu zeichnen? C. W.

Volker Hage an Christa Wolf

Hamburg, 5. März 1993

Sehr geehrte, liebe Frau Wolf,
Ihren Brief, für den ich danke, erhielt ich erst jetzt via Dänemark. Sonst hätte ich mich schon eher bei Ihnen gemeldet. Erlauben Sie mir ein paar Anmerkungen:

1. Meine Vorstellung, Ihren kurzen Kommentar im redaktionellen Teil unterzubringen, ließ sich in der Tat nicht realisieren. Das wäre nur im Zusammenhang mit einem Artikel von mir denkbar gewesen. Dafür war im folgenden Heft kein Platz, und wir wollten Ihre Antwort nicht warten lassen. Mir hat das Argument eingeleuchtet, daß die Leserbriefseiten zu den am häufigsten gelesenen gehören – und daß Ihr Text vom Ton her kein eigenständiger Beitrag war (und ja auch nicht sein wollte).

2. Die Kürzung am Anfang Ihres Textes wurde im letzten Augenblick nötig (soweit ich weiß, hat Sie sogar die Dokumentation wegen einer strittigen Stelle zuvor noch eigens angerufen). Gewiß ist es mißlich, den Beitrag eines Schriftstellers zu kürzen; aber da herrschen dann doch die Gesetze des Zeitungsmachens. Im übrigen denke ich auch, daß das, was Ihnen wichtig war, in der eingekürzten Fassung deutlich wurde.

3. Was die Frage angeht, warum für ein großes Gespräch Platz gewesen wäre, so hat auch das mit der Praxis der redaktionellen Arbeit zu tun: So ein Beitrag hätte einfach andere Artikel verdrängt und absoluten Vorrang gehabt. Nicht nur weil ich die weite Reise gemacht habe: auch heute noch finde ich es schade, daß Sie die Gelegenheit zu einer solchen Darstellung nicht genutzt haben. Das Interview mit Gaus hat mir gut gefallen – ob mir so etwas gelungen wäre, kann ich natürlich nicht sagen; derlei hatte mir jedenfalls vorgeschwebt.

4. Leserbriefe werden selten in der folgenden Nummer gedruckt (Ausnahme siehe oben): Daher sind zum »Fall Christa Wolf« noch keine erschienen. Eine Auswahl, so wurde mir zugesichert, ist in der nächsten Nummer eingeplant, darunter dann auch der Brief Walter Kaufmanns.

Es würde mich freuen, wenn wir uns trotz aller gehabten Mißhelligkeiten unter anderen Umständen einmal wieder begegnen sollten.

Mit freundlichen Grüßen
Volker Hage

DIESE WOCHE

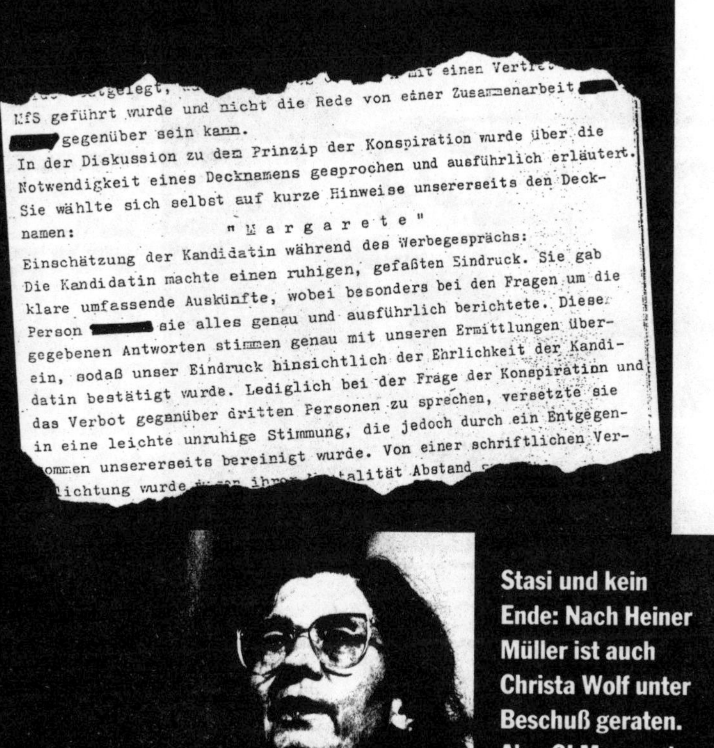

...gelegt, ... mit einen Vertr...
MfS geführt wurde und nicht die Rede von einer Zusammenarbeit ▬
▬ gegenüber sein kann.
In der Diskussion zu dem Prinzip der Konspiration wurde über die
Notwendigkeit eines Decknamens gesprochen und ausführlich erläutert.
Sie wählte sich selbst auf kurze Hinweise unsererseits den Decknamen: „M a r g a r e t e"
Einschätzung der Kandidatin während des Werbegesprächs:
Die Kandidatin machte einen ruhigen, gefaßten Eindruck. Sie gab
klare umfassende Auskünfte, wobei besonders bei den Fragen um die
Person ▬ sie alles genau und ausführlich berichtete. Diese
gegebenen Antworten stimmen genau mit unseren Ermittlungen überein, sodaß unser Eindruck hinsichtlich der Ehrlichkeit der Kandidatin bestätigt wurde. Lediglich bei der Frage der Konspiration und
das Verbot gegenüber dritten Personen zu sprechen, versetzte sie
in eine leichte unruhige Stimmung, die jedoch durch ein Entgegenkommen unsererseits bereinigt wurde. Von einer schriftlichen Verpflichtung wurde ... ihrer ...talität Abstand ...

Stasi und kein Ende: Nach Heiner Müller ist auch Christa Wolf unter Beschuß geraten. Als »GI Margarete« informierte sie das MfS

DIESE WOCHE

Von Dichtern und Heuchlern

Christa Wolf und Heiner Müller waren Galionsfiguren der DDR-Literatur. Eine frühe GI-Akte der Autorin und Stasi-Karteikarten des Dramatikers lösten eine Diskussion aus, in der es weniger um Schuld als um Diffamierung geht

FOTO: MARGIT BROICH

»Wer den Schwarzen Peter hat, ist von der Stasi.« Heiner Müller beim Kartenspiel mit Freunden in der Kneipe

Ich wollte Sie für die Lesung schminken«, sagt der Garderobier zu Heiner Müller. Der sitzt mit seinen Intendantenkollegen Peter Palitzsch und Matthias Langhoff bei Wasser und Bratkartoffeln in der Kantine des Theaters am Schiffbauerdamm und fragt: »Warum?« – »Weil Sie so blaß aussehen.« – »Ich sehe grün aus«, sagt Müller. Und so fühle er sich auch. Und das müsse man ja nicht wegschminken.

Nein, Heiner Müller versteckt sich nicht. Er schaut »Pericles« aus der Loge an mit Anna auf dem Schoß. Anna ist sein Töchterchen. Drei Monate alt. Schläft und brüllt. Und versteht schon viel von Kunst, sagt Müller. Und liest auf der Bühne Kafka. Liest: »In den Jahrtausenden wurde sein Verrat vergessen« aus »Prometheus«, dem Sterblichen, der heimlich, still und leise den Göttern das Feuer stahl, um es den Menschen zu bringen.

Heimlich, laut und listig hatte Dieter Schulze etwas in die Welt gesetzt, das auch Funken schlug. Ein Gerücht. Per Fax. Heiner Müller habe unter dem Decknamen »Heiner« für die Staatssicherheit gearbeitet.

Wer ist Dieter Schulze? Dieter Schulze ist ein junger Mann, der Gedichte schreibt. Und Prosa. Veröffentlicht sind ein paar Verse.

Warum denunzieren Sie Heiner Müller? frage ich ihn in seiner Wohnung in Ost-Berlin, wo er am modernsten Computer arbeitet. Ein Geschenk von Heiner Müller. Müller, sage ich, hat Ihnen doch geholfen. Wie Christa Wolf. Beide haben Geld gegeben für Miete und Manuskripte, Sie hatten doch keine Einkünfte in der DDR. Für die Staatssicherheit waren Sie ein Asozialer. »Wenn Heiner Müller mir geholfen hätte«, sagt Schulze, »stünde das doch wohl in seiner Biographie.«

Das ist es also, sage ich. Sie sind ja ein enttäuschter Liebhaber.

Schulze kichert. »Ich glaube nicht«, sagt er.

Wie alt sind Sie eigentlich?

»Ich glaube 34. Oder 35.«

Wieso glauben Sie?

»Ich werde nicht so oft danach gefragt.«

Heiner Müller hat den Text über Schulze, diesen Pendler zwischen Geist und Wahn, in seinen Erinnerungen »Krieg ohne Schlacht« gestrichen. Darin hieß es: »Einen hielt ich für sehr begabt . . . Dieter Schulze. Er war ein Heimkind mit allen kriminellen Begleiterscheinungen . . . Es waren immer sehr schöne Mädchen, die er in fürchterlichster Weise zusammengeschlagen hatte.«

Vom Autor Franz Fühmann, schreibt Müller, verbrannte Schulze schon mal

Manuskripte in der Badewanne. Er leerte Fühmanns Westkonto, zu dem Schulze Zugang hatte, als er im Westen lebte. Im Osten hatte er »eine Frau halbtotgeschlagen ... und die Alternative für Schulze war Zuchthaus oder Weggehen«.

Und nun behaupten Sie, Heiner Müller tauche als IM »Heiner« in Ihren Akten auf. Was hat er denn über Sie geschrieben?

»Sag' ich nicht«, sagt Schulze.

Sie denunzieren und haben keine Beweise, sage ich. Übrigens sollen Sie einmal Müllers Tür eingetreten haben, als Sie wieder Geld brauchten.

»Ach«, sagt Schulze, »da gibt es viel dollere Geschichten.«

So ist das. Ein Gerücht ist wie eine Hydra. Kaum hat Herakles einen Kopf des Ungeheuers abgeschlagen, wachsen zwei neue nach. Und nun ist der Müller zugewuchert.

Daß die »Zeit« so leichtfertig mit Mutmaßungen umgeht, ist neu. Daß sie trotzig weitermacht und schreibt, inzwischen wisse keiner mehr, worum es in diesem Spektakel noch gehe, und das Feuilleton spiele »Stasi und Gendarm ... Da wollen wir mitspielen« – das ist schändlich. Recht hat da Frank Schirrmacher in der »FAZ«, wenn er schreibt, natürlich wisse man, worum es gehe, »um einen Menschen und dessen öffentliche Beschädigung«.

FOTO: STEFAN MOSES

Christa Wolf und ihr Mann Gerhard. Er sei bei allen Gesprächen, die seine Frau in Halle mit der Staatssicherheit führte, dabeigewesen: »Da war nichts von Konspiration«

Dieter Schulze ist ein Pendler zwischen Geist und Wahn. Heiner Müller hielt den jungen Dichter mit Geld über Wasser. Jetzt denunzierte der ihn

Bis heute sind von Heiner Müller nur Karteikarten aufgetaucht, nach denen er als IM geführt worden sein soll. Dazu gibt es keine Akte. Aber es sind zwei »Opferakten« gefunden worden. Das heißt: Müller wurde denunziert. Eine Denunziation von ihm ist nicht aktenkundig. Und mit welchem Autor hat der Dramatiker nicht geraucht, geredet und getrunken? Die meisten haben längst in ihre Akte gesehen. Bisher hat niemand aufgeheult.

In die Mutmaßungen über Heiner Müller platzt der Fall Christa Wolf. Sie hat von 1959 bis '62 als »GI« – wie es damals noch hieß, »Geheimer Informant« – für die Stasi gearbeitet. Sie soll ihren Decknamen selbst gewählt haben. Es ist ihr zweiter Vorname: »Margarete«.

Einen Tag bevor die »FAZ« aus ihrer Akte zitiert, gibt die berühmteste Autorin der DDR der »Berliner Zeitung« eine »Auskunft«, verfaßt im fernen Santa Monica, wo sie seit einem halben Jahr an einem neuen Buch schreibt. Die Vorgänge um Heiner Müller, so schreibt Christa Wolf, seien der letzte Anstoß gewesen, das zu sagen, worüber sie schon seit Monaten nachdenke.

Von einer »GI«-Akte, sagt mir Gerhard Wolf, haben seine Frau und er im Mai 1992 durch Zufall erfahren. In ihrer 42bändigen Opfer-

DIESE WOCHE

akte mit dem Decknamen »Doppelzüngler« stießen sie auf den Vornamen »Margarete«. Und zwar im Zusammenhang mit der – wie es in den Akten hieß – »verfestigten negativen Haltung« Christa Wolfs der DDR gegenüber. Was in den zwei kleinen Mappen steht, erfahren sie jetzt aus der Presse.

Damals aber wollte Christa Wolf nichts sagen. Sie war noch immer getroffen vom heftigen Streit, den ihre 1979 geschriebene und 1990 veröffentlichte Erzählung »Was bleibt« ausgelöst hatte.

Von Ängsten und Bespitzelungen war in ihrem Buch die Rede. Und die Hüter der Feuilletons sagten: Zu spät. Und spotteten am wohltemperierten Arbeitsplatz über eine Autorin, die sich als Opfer aufspiele. Was sie ja, wie wir nun sehen, tatsächlich war. 42 Bände »Operativer Vorgang«. Von 1968 bis 1980. Das heißt: Verschärfte Bespitzelung. Die restlichen Akten sind verschwunden.

Nach dem Literaturstreit aber, nach der schrecklich aufgeheizten Schuld-und-Sühne-Debatte, war Christa Wolf verstummt. Seit zwei Jahren heißt es: Zutritt nicht erwünscht. »Stellen Sie sich vor«, sagt Gerhard Wolf, »meine Frau hätte es damals gesagt. Welch' ein Hohngelächter hätte das gegeben. Und die Opferakte? Die hätte niemanden interessiert.«

Christa Wolf wird am 24. März 1959 geworben. Die Anwerber berichten: »Die Kandidatin machte einen ruhigen, gefaßten Eindruck. Sie gab klare, umfassende Auskünfte.«

Nur die Frage der Konspiration und der absoluten Verschwiegenheit Dritten gegenüber »versetzte sie in eine leichte unruhige Stimmung«. Und so nehmen die Herren der Stasi denn »wegen ihrer Mentalität« Abstand »von einer schriftlichen Verpflichtung«.

Christa Wolf ist damals 30 Jahre und bereit, zu reden. In Berlin noch in konspirativen Wohnungen. »In Halle«, sagt Gerhard Wolf, »war das alles offiziell.« Er selbst sei bei den Gesprächen anwesend gewesen. »Nichts von Konspiration«, sagt er.

Und Christa Wolf? Ist eine überzeugte Kommunistin. Wohl auch eine Staatsgläubige. Auch wohl eine ehrgeizige junge Frau, die ihre literarische Karriere nicht an Behörden zerschellt sehen möchte. Und sie redet viel und sagt wenig. Diffamiert niemanden. Entschuldigt sich bei Verspätung. Übergibt auch »eine Anzahl von Materialien«. Sogar ein Brief ist dabei. Den müsse der GI »beim nächsten Treff zurückerhalten«. Sie schätzt Talente ein, beschreibt Kollegen. Bei einem, der 1956 während des Ungarn-Aufstands eine »schwankende Haltung« gezeigt, sei vielleicht das »Bohemeleben« schuld.

Aber sonst . . . sie müsse sagen . . . und es gäbe gute Anzeichen . . . Das nervt die Herren der Stasi bald. Sie bemängeln ihre »überbetonte Vorsicht«, ihre »Zurückhaltung«, mal ein bißchen mehr auszuplaudern. Sie bringt nichts, womit man zupacken könnte. Und so schließt denn die Staatssicherheit Christa Wolfs Akte nach ihrem Umzug von Halle nach Potsdam am 29. November '62 ab. ». . . . an einer Übernahme der IM nicht interessiert.«

An all das kann Christa Wolf sich nicht erinnern. In einem Interview mit der »Wochenpost« sagt sie jetzt: »Ich erinnere mich an ein Gefühl der Bedrohung, obwohl diese Herren freundlich waren.« Sie erinnert sich nicht an ihren Decknamen, an keine Berichte, auch nicht an den Inhalt ihrer Gespräche. »Ein klassischer Vorgang von Verdrängung, der mir zu denken gibt.«

Ich befrage Walter Janka. Frage diesen unverführbaren alten Herrn. Diesen einst von Thomas Mann und Lion Feuchtwanger hochgerühmten Leiter des Aufbau-Verlags, der 1957 von Intellektuellen verraten und von Menschenschindern nach Bautzen geschleppt wurde. Frage, wie das war mit Intellektuellen und Stasi. Und Walter Janka hebt an wie ein Trompeter von Jericho:

Also Heiner Müller! So ein Dramatiker! Respekt. Aber zu sagen, man hätte mit den Stasi-Leuten reden können, weil die klüger waren als die Dummen im ZK. Also das sei Zynismus. Und dafür müßte Heiner Müller eins auf die Schnauze haben. Streichen Sie Schnauze, sagt Janka.

Und Christa Wolf? Die große Dichterin? Die er so verehre. Er findet es schon sehr seltsam, daß sie so lange überlegen mußte, das zu veröffentlichen. Fast ein Jahr. Christa Wolf: »Ich konnte mich nicht überwinden und schwieg. Nicht einmal mit meinen Töchtern konnte ich darüber sprechen.«

Aber warum überhaupt Gespräche? Man mußte ja nicht, sagt Janka. Es sei denn, man war erpreßbar. Sonst nicht. Und er kann es beweisen.

Er gibt mir einen Brief, den er gerade aus der Gauck-Behörde bekommen. Geschrieben im Dezember 1955. Von Janka. Er beschwert sich darin beim Minister für Staatssicherheit, Wollweber, daß zwei Stasi-Leute seine Frau aufgesucht hätten, um sie zu werben. Unter strengster Geheimhaltung sollte sie über Einwohner und Genossen in Kleinmachnow – wo Jankas wohnten – berichten. Für ihre Bedenken hätten die zwei Mitarbeiter kein Verständnis gezeigt. Im Gegenteil. Sie hätten gedroht, sie notfalls vorzuladen. Und in sechs Wochen würden sie seine Frau wieder besuchen. Er, Janka, bitte den Genossen Minister, »anzuweisen, daß weitere Besuche dieser Art zu unterbleiben haben«.

Diesen Brief bringt Janka persönlich in die Normannenstraße. Jeder weitere Versuch einer Werbung blieb danach aus.

Warum also Gespräche? »Ich kann doch nun wirklich reden, mit wem ich will«, sagt Heiner Müller zu mir. »Ich hätte auch gern mit Hitler und mit Stalin geredet. Die waren nur schon tot.« Und wem sei er überhaupt Rechenschaft schuldig.

In einer Szene, die Heiner Müller ebenfalls in seinen Memoiren gestrichen hat, beschreibt er, wie in einer merkwürdigen Nacht der Autor Thomas Brasch plötzlich auf einen »sehr angenehmen Bekloppten« losgeht. Und der wirft dem Brasch Spaghetti ins Gesicht. Und Müller legt schon seine Brille weg. Und Scheiben gehen zu Bruch. Und der Hintergrund war, daß Brasch glaubte, der Bekloppte sei ein Spitzel.

Er selbst, so schreibt Müller, schlägt dann vor, Karten auszuteilen. »Und wer den Schwarzen Peter hat, der ist für heute Stasi.«

BIRGIT LAHANN

In: Stern, 28. 1. 93

Der Waschzwang ist da, also muß gewaschen werden

Gespräch mit Christoph Hein über Christa Wolf und die Wirkung von Stasiakten

FREITAG: *Sie haben vor einem Jahr in einem Interview gesagt, daß Sie sich zum Thema Stasi nicht mehr äußern wollen. Ist das noch immer so?*

CHRISTOPH HEIN: Das habe ich Ihnen vor drei Tagen auch gesagt. Aber Sie haben ja darauf bestanden.

In Ihrem Roman »Der Tangospieler« erwehrt sich der Held Dallow zweier Stasispitzel. Die beiden, Müller und Schulze, scheinen eher lästig als gefährlich zu sein. Man mußte in der DDR nicht mit der Stasi reden. Sind Sie überrascht, erschreckt von dem, was Christa Wolf und Heiner Müller, in sehr unterschiedlicher Weise, über sich bekannt haben?

Ja, natürlich. Was mich nicht erstaunt hat, ist, daß wir Wahrheiten immer nur unrein erhalten. Aber dieses Wissen, daß Wahrheit immer unrein ist, ist etwas älter. Davon ist die Aufarbeitung, oder sagen wir besser Besichtigung der Vergangenheit der DDR nicht ausgenommen. Wenn man den nötigen Humor aufbringt, kann man sagen, daß wir eine spannende Sitatuion erleben: eine ganze Bevölkerung ist, aufgrund der Krake Stasi, zu einer Besichtigung des vorherigen Lebens gezwungen. Das passiert sehr selten. Eigentlich war so etwas erst für das Jüngste Gericht vorgesehen. Wir erleben derzeit eine Vorprobe dessen. Wir sollten uns die Überprüfung durch die Gauck-Behörde mit ins Grab geben lassen. Beim Jüngsten Gericht könnte sie nützlich sein.

Was bei Christa Wolf und auch Heiner Müller auffällt ist, auch wenn man nicht zu Stasihysterie neigt, ein Mangel an Souveränität. Woher rührt diese Verunsicherung?

Woher soll eine solche Souveränität kommen? Man war früher nicht bereit, das Ausmaß der Stasi wahrzunehmen, beziehungsweise aus den Wahrnehmungen die entsprechenden Konsequenzen zu ziehen. Solche Ausblendungen gab und gibt es in vielen Gesellschaften, nicht nur in der DDR. Die Vorstellung, daß Heiner Müller als IM gearbeitet hat, halte ich allerdings für lächerlich.

Der »Spiegel« hat Christa Wolf Feigheit vorgeworfen. Mir scheint das ein Urteil zu sein, daß die Phantasien, die Angst auslösen kann, ignoriert. Angst war übrigens auch in der DDR nie eine Kategorie, die geduldet war.

Das ist richtig. Man kann bestimmt gerechter über eine solche Angst sprechen, wenn man eine solche Situation überstanden und trotzdem nein gesagt hat.

Kann jemand, der diese Erfahrung gemacht und sich verweigert hat, auch toleranter sein?

Ich denke schon. Vielleicht kann es

radikale Aufarbeitung, von der so viel die Rede ist und in der ja Hoffnung auf Katharsis mitschwingt, nicht geben. Sondern nur das Bewußtsein, daß man der Geschichte verhaftet ist und bleibt. Bereinigung – das scheint mir eine verständliche, aber unsinnige Hoffnung zu sein. Von dieser Hoffnung in der eigenen Biographie findet sich im ostdeutschen Alltag hingegen wenig. 1991 hat sich zum Beispiel in Leipzig der »Bund der Heimatvertriebenen« gegründet. Zur Wahl des Vorstandes kam es allerdings nicht, weil, wie sich herausstellte, alle designierten Vorstandsmitglieder früher in der SED waren. Diese Geschichte ist typisch. Und sie ist das Pendant zu dem Umgang mit Christa Wolf. Der Waschzwang ist da, also muß gewaschen werden. Notfalls aber reichen Ersatzhandlungen, Ersatzpersonen.

Ein Grund, der zu den vielen Unsäglichkeiten der DDR führte, hatte mit dem Faschismus zu tun, mit der Schuld der Jahre 1933 bis 1945. Ich fürchte nun, daß aus dem verständlichen Grund etwas für die Zeit 1945 bis 1989 wiedergutzumachen, wiederum Schuld entsteht. Das wird auch ein wenig durch die Hilfe befördert, die uns aus Westdeutschland zuteil wird – insbesondere durch die Medien – die von diesen Dingen ganz unbehelligt sind und um so fröhlicher das Schwert schwingen können.

Der »Spiegel« hat ein lesenswertes Heft mit der Opferakte von Wolfgang Templin herausgegeben, der in den 70er Jahren als IM geführt wurde, später sehr vehement rebellierte. In diesem Sonderheft wird die IM-Akte kaum erwähnt. Gleichzeitig erscheint im »Spiegel« ein Text über Christa Wolf, in dem fast nur von »IM Margarete« die Rede ist, aber kaum von den 40 Bänden Observation. Ist das nicht ein erstaunlicher, um nicht zu sagen doppelzüngiger Umgang mit Vergangenheit?

Ihr Erstaunen erstaunt mich. Es gibt natürlich ein Interesse an Demontage. Der Kalte Krieg ist ja noch nicht allzulange beendet. Der Westen hat, ziemlich unfreiwillig und am Ende ohne eigenes Zutun, gewonnen, weil der Osten zusammenbrach. Und nun findet eine kalte Siegesfeier statt. Natürlich freut es manche, daß nun auch Christa Wolf, die nicht nur für die Ostdeutschen von Bedeutung ist, angegriffen werden kann. Die Sache liegt zwar 30 Jahre zurück, aber das ist ein Vorfall, der die Figur Christa Wolf beschädigt.

Trotzdem verwundern diese doppelten Bewertungskriterien: daß bei Wolfgang Templin die IM-Tätigkeit als Vorstufe zu überzeugter Gegnerschaft, bei Christa Wolf hingegen als Beweis für Feigheit gewertet wird. Dabei liegt der Fall durchaus ähnlich: beide haben sich aus einer schlimmen Zwangslage befreit. Darum nochmals die Frage: Woher stammt die Unfähigkeit, diesen Akt der Befreiung gleichwertig zu betrachten?

Diese Art sensationellen Umgangs mit Vergangenheit paßt in das, was man Zeitgeist nennt. Neulich ist zum Beispiel die Berliner Carl-Diem Oberschule in Heinrich-Böll Schule umbenannt worden. Das ist gewiß begrüßenswert, die Begründung aber war erstaunlich: Die Schule habe wenig mit Sport zu tun. Kein Wort davon, daß Carl Diem ein hoher Nazifunktionär war. Das ist so, als würde man sich von Adolf Hitler verabschieden, weil er ein schlechter Maler war. Ein anderes Beispiel: Vor ein paar Tagen habe ich in einer Zeitung ein Gespräch zwischen H.M. Broder und H.M. Enzensberger gelesen, zwei Leute, die in Deutschland durchaus den Zeitgeist repräsentieren können. Ausländerfeindlichkeit, hieß es dort, ist ein Problem der neuen Länder. So wird Ausländerfeindlichkeit gedeutet nicht als ein deutsches Problem, sondern als alleiniges Ergebnis der mißlichen DDR-Geschichte, die nun vorüber ist. Und wo wir bei der deutschen Teilung an Ursachen wie Faschismus, Auschwitz und zweiter Weltkrieg denken, resümiert der Zeitgeist schlicht: Die Bewohner der DDR sind nicht minderwertig, sie haben nur Pech gehabt. Große Sätze einer fröhlichen Geschichtsbetrachtung. Die DDR wurde in dem genannten Gespräch mit der Nazizeit verglichen, mit der interessanten Begründung, daß man an der DDR-Grenze unangenehme Begegnungen mit Zöllnern hatte. In diese Art von Zeitgeistgefasel, in der auch eine Versöhnung mit dem Nazismus stattfindet, paßt die Nachricht, daß Christa Wolf vor dreißig Jahren nicht die Kraft hatte, zwei Stasileute hinauszuwerfen.

Wäre es zuviel verlangt, von Bürgerrechtlern zu erwarten, daß sie Christa Wolf gegen solche Instrumentalisierung in Schutz nehmen?

Vielleicht. Sehen Sie, Personengeschichte erhellt, gerade wenn man es biographisch betrachtet. Ein Kommilitone von Christa Wolf, der eine völlig andere Entwicklung nahm, war Uwe Johnson. Für ihn war die DDR nie der Staat, den Christa Wolf in ihm sah. Mir ging es ähnlich wie Johnson. Ich komme aus einem Pfarrhaushalt, so waren mir schon von Geburt an bestimmte Dinge verstellt. Die Oberschule und anderes war mir versagt. Eine gewisse oppositionelle Entfernung, weniger mein Verdienst, sondern eher meiner Herkunft geschuldet, war von Beginn an vorhanden. Hätte meine Wiege anderswo gestanden, wäre ich vielleicht Stalinist geworden. Man sollte, wenn man andere Biographien anschaut, die eigene nicht aus dem Blick verlieren, nicht die Prägungen übersehen, die nicht eigenes Verdienst sind, aber auch kaum eigene Schuld.

Sie haben in ihren Büchern und Stücken, nicht nur im »Tangospieler« und den »Rittern der Tafelrunde«, immer wieder das Ende der DDR beschrieben. Heute wird die DDR vom Ende her beschrieben.

Ich bin froh, daß ich den »Tangospieler« schon vor dem Untergang der DDR geschrieben haben. Unter anderem wegen der Genauigkeit, die so möglich war. Wenn der Drache tot ist, wächst die Neigung, bestimmte Teile von ihm aufzublähen, zum Beispiel, um eigene Feigheiten verständlich zu machen. Die Geschichte vom Ende her zu erklären, führt zu dem, was wir zur Zeit im Fall Christa Wolf erleben: alles scheint sich darauf zu fokussieren, daß sie vor dreißig Jahren die Dinge falsch gesehen hat und eine gläubige DDR-Bürgerin war. Dabei wird ausgeblendet, daß es in ihrer Biographie viel radikalere Brüche gab als beispielsweise in meiner. Wolf Biermann, der eine ähnliche Geschichte wie Christa Wolf hat, schrieb, daß sein Stasianwerber damals nur das falsche Wort, ein falsches Signal benutzte. Sonst wäre er bereit gewesen, auch als ein IM, die DDR vor ihren »Feinden« zu schützen. Für mich, durch meine Herkunft, ganz undenkbar.

Wozu dient die Dämonisierung der DDR-Vergangenheit? Um die Jetztzeit zu schönen?

Nein, nicht direkt. Aber die Tatsache, daß die DDR ein Staat war, der Arbeit und Wohnung garantierte, wird, glaube ich, zunehmend wichtiger. Ökonomisch war das, wie wir wissen, ein Ritt über den Bodensee.

Der wirtschaftliche Zusammenbruch war früher oder später unabwendbar, auch weil die sozialen Leistungen so hoch waren.

Sie meinen, daß die DDR-Nostalgie zunehmen wird?

Ja. Das ist gerade auf dem Land zu bemerken, etwa in Mecklenburg-Vorpommern, wo es die höchste Arbeitslosenrate gibt. Dort finden sie ein Bewußtsein, das Heiner Müller mit den Worten umschrieb: Jetzt habe ich mein Westauto und meine Satellitenschüssel, jetzt kann Honecker wiederkommen.

Die Erinnerung an diesen Staat, der die kostbaren Menschenrechte Wohnung und Arbeit zu garantieren schien, ist für das vereinigte Deutschland eine große Schwierigkeit. Die Dämonisierung der DDR ist allerdings eine wenig taugliche Antwort darauf.

Dabei ist es falsch, das Debakel der Vereinigung Westdeutschland anzulasten. Daß die Mauer ohne jede Vorbereitung fiel, haben wir Herrn Krenz zu verdanken, der glaubte, damit dauerhaft seinen Posten zu retten. Diese Art von Mauerabbau überfordert für lange Zeit beide Seiten.

So, wie Sie die Vereinigung gerade skizziert haben, gleicht sie weniger planvollem Vorgehen als einem Verhängnis, in dem sich die Absichten der Handelnden in ihr Gegenteil verkehrt haben.

Jemand handelt mit einer bestimmten Absicht, aber es ist noch ein anderer Ball im Spiel, der das Ziel verändert. Die Geschichte liebt solche ironischen Wendungen. Ich bewundere diese Bewegungen der Geschichte. Als Chronist lebe ich davon.

Das Gespräch führten
Detlev Lücke und Stefan Reinecke

In: Freitag, 29. 1. 93

Die Helden des Rückzugs

Schluß mit der Stasi-Debatte?

Es läßt sich nicht länger verheimlichen, aber Betriebsangehörige des westdeutschen Feuilletons gehören nun einmal zu den Menschen, mit denen das Schicksal nach Belieben improvisiert. Im besten Fall gewährt es als Gnadenakt die Balance zwischen Phlegma und Übereilung.

So steht man in der Zeit, und niemand kann sagen, daß diese der *Zeit* in letzter Zeit besonders günstig gesonnen war. Denn manchmal kann man zum absolut falschen Zeitpunkt das absolut Richtige sagen, wie die Warnung der *Zeit* vor linkem Alarmismus bei rechter Gewalt: pünktlich, wenige Tage vor den Toten von Mölln. Als der Gesellschaftskrieg in die gute Stube zurückkehrte, ersparte sich die *Zeit* die Diagnose und wechselte den Bolzplatz.

Sie lud zum Greifspiel Stasi und Gendarm, bekannt aus Funk und Fernsehen. Hasch mich oder du bist es. *Spiegel-TV* hatte Heiner Müller als angeblichen Spitzel enttarnt und dem *Zeit*-Feuilleton in die offenen Fangarme getrieben. Später meldete sich freiwillig Christa Wolf als Stimme aus dem freien Amerika, und auch ihr wurde gerne mitgespielt.

Keinen lebendigen Dramatiker hat die Zeit so liebevoll erdrückt wie Heiner Müller, von keinem war sie so eingenommen wie von dem Uneinnehmbaren aus dem Osten, und keinen hat sie dann mit der Wut des getäuschten Liebhabers so verfolgt wie das alte Objekt der Verehrung. War Heiner Müller Titus Andronicus, vulgo: ein „Schwein"?

Natürlich, aber niemand konnte beweisen, was (bislang) nicht zu beweisen war. Die Wahrheit war eine Akte, aber sie war dünn wie die Käseschrippen auf dem Alexanderplatz. Auch ließ die kompensatorische Häme der Redaktion nicht die Akte, sondern nur die Peinlichkeit wachsen. Die Wahrheit, die sich versteckt hielt, war ein Spielverderber. Dann, als die Selbstbeschädigung der Schadensermittler unübersehbar wurde, sah die *Zeit* eine zunehmende Abnahme des Dramatikers: „Der Dichter schrumpft." Weil inzwischen alle zu Heiner Müller alles gesagt haben, nur dieser selber nicht, hat Ulrich Greiner, Feuilletonchef der *Zeit*, gestern das Herabsetzungsspiel Stasi und Gendarm für beendet erklärt, obwohl das „Schwein" noch gar nicht erlegt, sondern nur angeschossen war. Abpfiff wegen Unzuträglichkeit, Entschuldigung: keine.

Selbstverständlich ist Greiners Einsicht, daß nicht alles auf der Welt ein Neckspiel ist, nicht einmal im *Zeit*-Feuilleton, der Musterfall nachholender Integrität, was zu loben hier nicht unterbleiben soll. Aber das Spiel, das keines war, sondern eine Jagd mit der Schrotflinte, hat vor allem die *Zeit* betrieben. Und nun ist die Frage, ob die Akten nur deshalb geschlossen werden sollen, weil sie zur Enttäuschung der Rechercheure nichts von dem Verrat verraten haben, den Heiner Müller vielleicht nur an sich selber begangen hat.

Dann würde der Skandal in dem Augenblick beginnen, wo er beendet werden soll. Denn wer nun verlangt, was die Bonner Abwickler im Sinne des gesellschaftlichen Betriebsfriedens immer gefordert haben, nämlich die DDR-Vergangenheit zu versiegeln, der schützt nolens volens die Täter.

Hermann Kants Zustimmung zum Schweigeaufruf dürfte Greiner gewiß sein; die Opfer, deren Leben durch die Maßnahmepläne der Staatssicherheit zersetzt wurde, werden sich bedanken: Erich Loest, Reiner Kunze, Jürgen Fuchs, Hans-Joachim Schädlich, Walter Janka, Dieter Borkowski et al. Denn ihre Akten sind, wie porös auch immer, das Gedächtnis des Unrechts. Stasi-Texte dokumentieren die Fremdschreibung und Zerstörung von Biographien, die Infrastruktur von Ausschaltung und Überwachung, die Kollaboration von Geist und Macht.

Aber nicht die Akten sind das Problem, sondern der Modus ihrer öffentlichen, massenmedialen Aufarbeitung: Wer in der Stasi-Debatte nur personalisiert, der entbindet den Trotz und die Aggressionen jener, auf deren Selbstaufklärung die Öffentlichkeit angewiesen ist.

Nichts darf unter den „Teppich der bundesrepublikanischen Siegergeschichte gekehrt werden", aber Einblicke in Biographien, so hat Jürgen Habermas in der *Zeit* zu bedenken gegeben, sind nur „insoweit öffentlich relevant, wie diese uns über ein repräsentatives Versagen aufklären oder über Mechanismen der Unterdrückung belehren kann. In der Öffentlichkeit kann es nur um die strukturellen Aspekte eines geschichtlichen Kontextes gehen, in dem die moralischen Maßstäbe für politisch folgenreiches Verhalten zerstört worden sind."

Das wiedervereinigte Gemeinwesen, das erst noch eines werden soll, muß sich über die Last der Vergangenheit „politisch mentalitätsbildend" ins Bild setzen. Die Testamente, die die Staatssicherheit anderen geschrieben hat, auch den Schriftstellern, gehören zum Material dieser Selbstverständigung. Das Recht, einen Schlußstrich zu ziehen, steht im übrigen weder Tätern noch Beteiligten zu, sondern allein den Opfern des DDR-Regimes. ass

In: Frankfurter Rundschau, 5. 2. 93

■ Das deutsche Feuilleton und Christa Wolf

Der Zeitgeist ist Anarchist

Drei Peitschenhiebe übern Ozean: „Halten Sie der Würde Ihres Werkes die Treue. Erklären Sie. Nehmen Sie mir und Ihren Lesern die Traurigkeit" – so F.J. Raddatz in der *Zeit*. Nehmen wir einmal an, fernab im Süden von Santa Monica sei dieser Notschrei gehört worden: Was könnte Christa Wolf eigentlich tun – die spitzen Knie der konzentrierten Moral des westdeutschen Feuilletons auf der Brust, den Dorn im Herzen –, um dem traurigen Hamburger Freund die Traurigkeit zu nehmen? Die Antwort heißt: nichts, gar nichts. Die Maßlosigkeit dieser bescheidenen Anfrage ist nicht zu befriedigen. Es ist ein Spiel ohne Grenzen. „Es ist Mord", pflegte Ingeborg Bachmann in solchen Fällen zu sagen.

Wir werden umlernen müssen: Bisher galt bei aufgeklärten Menschen der katholische Beichtstuhl als Inbegriff subtiler Herrschaftsansprüche und notorischer Intoleranz; jetzt hat er eine moderne Konkurrenz bekommen, die ihn als Waisenknabe der Inquisition ausweist. Jenes mittelalterliche Bußinstitut wahrte die Intimität einer Kirche im Dämmerlicht, verpflichtete zur Anonymität zwischen zweien, die einander nicht beim Namen nennen und denen kein weiteres Ohr zuhören durfte. Es stand unter dem Schutz der Schweigepflicht und in der Tradition uralter Riten. Es eröffnete das Angebot einer symbolischen Entlastungshandlung und endete mit einer Lossprechung: Das .Leben war wieder frei.

Die neuen Beichtregeln der modernen Zeiten sind nicht so zimperlich, sie sind barbarisch. Sie kennen keine Form mehr, keinen Ausweg und kein Ende. Heute darf jeder jugendliche Heißsporn den Beichtvater mimen, den „Abschnittsbevollmächtigten für nachholende Moral" (Max Thomas Mehr). Mit den Akten als Lügendetektor in der Hand gelten keine Grenzen des Verstehens mehr, bei einschlägig bekannten Personen auch nicht so ein Firlefanz wie der Schutz der Privatheit. Unsere Dichter sind volkseigen. Mit Elan wird der Wahrheit eine Bresche geschlagen, daß es nur so dröhnt. Die Generalverdächtige darf die Akte ihrer frühen Jahre – trotz jahrzehntelanger späterer eigener Observation – nicht einsehen, zu der sie mit großem Pathos aufgefordert wird, Satisfaktion zu geben.

Antje Vollmer
Foto: Andreas Schoelzel

Es ist dieser Gestus, der beunruhigt: Jederzeit können wir zuschlagen, wenn wir nur wollen. Dieser Hang, keine der Öffentlichkeit abgewandte Seite, kein Geheimnis zu ertragen, macht die Atmosphäre selbst totalitär. Wer sich selbst nie in Gefahr begibt, weiß doch, wie schön andere darin umkommen.

Genau genommen geht es nicht um Wahrheit, sondern um Dichtung. Wie es die Dichter mit dem Guten, Edlen und Schönen so halten, hat den unbegabteren Teil der Menschheit, also auch die Kritiker, schon immer heftig beschäftigt. Da Künstler nun einmal die Magie besitzen, etwas zu bewegen, sollen sie auch etwas zum Guten bewegen, zuallererst einmal sich selbst. Der Wunsch liegt nahe – und doch gehört er zu den maßlosen Ansprüchen, mit denen Menschen sich überfordern. Die Wahrheit der Kunstwerke liegt nicht in der moralischen Identität ihrer Schöpfer, sondern in ihrer Kunst, Wirklichkeit zu verdichten. Ein Werk, das zu seiner Vervollkommnung das Leben des Autors als Ergänzung braucht, scheint nur halb gelungen. Wie angenehm hingegen, wenn ein Künstler hinter sein Werk zurücktritt und nicht mitgeliebt werden muß! Solche wohltuende Distanz eröffnet einen zivileren Zugang zum Olymp der Musen – und schont zugleich die Künstler.

Die Distanzlosigkeit aber, diese klebrige Haß-Liebe, lädt die neue Debatte um die DDR-Literatur hochneurotisch auf. Gut zu beobachten an dem zweierlei Maß des *FAZ*-Feuilletons: Während Heiner Müller, der Zyniker, fast zärtlich auf dem ästhetischn Hausaltar dekoriert wird und seinen Platz zwischen Kafka, Brecht und Seneca findet, landet Christa Wolf, die Lieblingsfeindin in Erbfolge von Reich-Ranicki bis Schirrmacher, in der sentimentalen Kitschvitrine zwischen Leni Riefenstahl und Hedwig Courths-Mahler. Genau genommen ist es nicht ihr Werk, was dort landet, sondern die Person; aber da der Jagdinstinkt auf diese Person, Christa Wolf, so groß ist, werden für den Augenblick beide beschädigt, die Frau und ihr Werk. Warum aber gerade sie?

Es liegt nicht an den Akten, es liegt an der Blickrichtung dessen, der die Akten liest. Das Verblüffende ist, daß mit demselben Aktenmaterial mühelos eine ganz andere Medieninszenierung zum Thema „Leben und Werk der Christa W." denkbar gewesen wäre. Man hätte beispielsweise über die gezielte Diffamierung, sie habe ihre Unterschrift unter den Protest gegen die Ausbürgerung Wolf Biermanns zurückgezogen, reden können und über die Bereitschaft Reich-Ranickis, dies zu glauben. Auch die Frage, warum gerade das brave Kind Christa Wolf das ideale Medium war, in dem der lange Weg von der ideologischen Loyalität bis zur Aufkündigung des Gehorsams sich vollzog, wäre Stoff für Recherchen und Romane. Nicht zuletzt wäre darüber zu reden, woher bei soviel realexistierender Schwäche der Person die Tapferkeit trotz alledem kommt. Es scheint, als ob allein Christa Wolf sich fragt, „wie viele Moralen ich eigentlich in meinem Leben schon in mich aufgenommen, zum Teil ‚verinnerlicht' habe, warum es jeweils so lange dauerte und so konfliktreich war, mich von ihnen zu trennen...", während Heiner Müller sich ganz wacker nach dem brechtianischen Motto durchschlägt: „Gern log ich / für den guten Zweck. / Aber der Zweck, / das Schwein, / hat mich verraten." (A. Astel) Warum wird er damit durchkommen und sie nicht?

Es ist keine Frage der historischen Gerechtigkeit, es ist eine des Zeitgeistes. Der Zeitgeist ist Anarchist: Heiner Müller paßt in die neue deutsche Kulturszene und ihre zynischen Vorlieben, Christa Wolf nicht. Es geht um einen Tapetenwechsel im deutschen Feuilleton. Christa Wolf war das Herzstück der untergegangenen Kulturnation DDR, so wie Heinrich Böll und Günter Grass das Herzstück von deren siamesischem Zwilling, der Kulturnation BRD, waren. Beiden gemeinsam war, daß in ganz seltenen Glücksmomenten ihrer größten Wirksamkeit der Ort ihrer Kunst mit dem Raum der Politik übereinstimmte: Wolf auf dem Alexanderplatz, Böll in Mutlangen, Grass hinter Willy Brandt vor dem Mahnmal des Warschauer Ghettos.

Ob es noch einmal solche Orte der neuen deutschen Kulturszene geben und ob sie überhaupt noch ein Herz haben wird? Wir werden ja sehen. Christa Wolf braucht sich nicht zu beunruhigen – die neuen Herzstücke werden immer noch nach dem alten Maßstab gemessen werden: an ihren Werken.

Antje Vollmer

Ex-MdB der Grünen; lebt und arbeitet derzeit als Publizistin in Bielefeld; seit Februar feste Autorin der taz

In: taz, 6. 2. 93

Christa Wolf an Antje Vollmer

Santa Monica, 7. 2. 93

Liebe Antje Vollmer,
mein Mann hat mir Ihren Artikel aus der taz rübergefaxt, der hat mich sehr gefreut, das will ich Ihnen doch schreiben. In den letzten Wochen bin ich manchmal wie mit einem Radarstrahl über die Gesichter naher und fernerer Menschen gestrichen und habe mich gefragt, was der, was die jetzt wohl denken mag. Von Ihnen weiß ich es nun. Manches ist sehr nahe an dem, was ich auch gedacht und gefühlt habe, aber jetzt nicht aussprechen darf; zum Beispiel habe ich auch einen Vernichtungswillen hinter den diversen Kampagnen gespürt, und ich habe mit einem Vernichtungsgefühl darauf reagiert, und nur meine Leute – im engen und weiteren Sinn – und mein fester Vorsatz, mich nicht noch nach über dreißig Jahren von der Stasi in unheiliger Allianz mit dem Jagdeifer der Journalisten und mit deutscher Aktengläubigkeit unterkriegen zu lassen, haben mich gehalten. Nur mit Schaudern kann ich daran denken, wie ich es hätte überstehen sollen, wenn nicht nur meine und meines Mannes »Opfer«-Akten der letzten neun Jahre, sondern auch die 43 Bände vernichtet worden wären, die zum Glück im Archiv lagen; zweifellos hätte

man dann diese frühe IM-Akte aufgestöbert, von deren Existenz ich nichts wußte, und das wäre ja dann nicht nur mein moralischer, wohl auch mein physischer Tod gewesen, da Bücher und Leben einer Autorin nichts gelten im Vergleich mit diesen unseligen Akten.

Zu Heiner Müller will ich doch sagen, ich glaube, der wird genauso wenig »damit durchkommen« wie ich, und er ist genauso verletzt, sein Zynismus ist dafür nur der Beweis, und eigentlich paßt wohl auch er nicht in die neue deutsche Kulturszene, denn er hat wirklich gelitten und leidet, während die jungen Feuilletonisten ihren Zynismus gratis kriegen.

Die alte Bundesrepublik durchlebt, glaube ich, eine heftige allergische Reaktion auf das Transplantat »Fünf neue Bundesländer«, das ihr da über Nacht eingepflanzt wurde, und sie braucht dringender denn je Personen, auf die sie etwas von den Konvulsionen in ihrem eigenen Innenleben ableiten kann. (. . .)

Sie können sich denken, daß ich mittendrin viel dafür gegeben hätte, wenn diese Akte nicht existiert hätte; inzwischen kommt es mir so vor, als habe die Erschütterung, zu der sie mir verholfen hat, mir auch wieder mehr innere Freiheit verschafft, die es mir vielleicht möglich machen wird, mich noch einmal rücksichtslos gegen mich selbst mit jener frühen Phase meiner Biografie auseinanderzusetzen.

Im Juli komme ich zurück nach Berlin, vielleicht können wir uns dann sehen?

Bis dahin grüße ich Sie aus einer Ferne, die mir jetzt ganz gut tut,
Ihre Christa Wolf

Antje Vollmer an Christa Wolf

Bielefeld, den 3. Mai 1993

Liebe Christa Wolf,
über Ihren Brief habe ich mich so gefreut! Es ist ja etwas Merkwürdiges in der Verständigung zwischen uns beiden. Seit langem mache ich mir Sorgen um Sie und weiß gar nicht genau warum. So hatte ich in der Zeit, als ich den TAZ-Artikel geschrieben habe, das Gefühl, Sie wären wirklich bedroht. So war er denn halb ein Brief an Sie und halb an die Öffentlichkeit ohne Gnade – beides läßt sich an der Tonlage noch ablesen . . . Dabei wußte ich gar nicht, ob und wie Sie diese Flaschenpost erreicht.

Und daß dann Ihre Antwort zurück über den Ozean länger brauchte als in früheren Jahrhunderten die Schiffspost, ist doch auch ein schönes Beispiel für die neuen Arten der Entfernungen unter den Menschen. Dabei hatte ich schon einmal etwas an und über Sie geschrieben, einen kleinen Text, der in der DDR-Zeitschrift ›construktiv‹ erschien. Er handelte von den männlichen Vereinigungen, ihren Kunstprodukten und dem Verschwinden der Ladies und der Boleros. Es ist ja auch kein Zufall, daß Bärbel Bohley und Sie bei manchen Beschleunigungen nicht mitkommen – allerdings auch manche Männer nicht, es ist mehr eine Seins- als eine Geschlechterfrage. Den Text lege ich bei.

(. . .)

Wenn Sie nun zurückfahren, werden Sie noch die letzten Eindrücke neuer ›Mediensiege‹ mitnehmen. Die Besitznehmer des Öffentlichen sind seit 1989 außer Rand und Band. Früher sagten wir: wenn man die Bild-Zeitung anhebt, fließt Blut raus. Heute kullern Köpfe aus dem Spiegel, wenn man ihn in die Hand nimmt, und auch die seriösen Blätter jagen mit. Es ist wie ein Fieber und mir scheint, es sind früher durch die großen politischen Blöcke Gewalten gebändigt worden, die jetzt frei flottieren, wie vergrabene Minen aus dem letzten Krieg. Wir werden darüber: wie bändigt man diese freigesetzte innergesellschaftliche Gewaltbereitschaft ernsthaft nachdenken müssen. Aber vorerst wissen das wohl nur die so genau, die einmal Adressat einer solchen Kampagne waren. Auch ein Thema für unser weiteres Gespräch.

Natürlich können Sie meinen Text mit veröffentlichen, was immer Sie davon gebrauchen können. Ihnen herzliche Grüße, genießen Sie die Ferne und kommen Sie trotzdem zurück!

Ihre Antje Vollmer

„Wir müssen uns dem Schicksal stellen"

SPIEGEL-Redakteur Volker Hage über den Fall Christa Wolf

Autorin Wolf in Santa Monica: „Mit offenem Visier vor die Leser treten"

Santa Monica, Kalifornien, im Januar 1993. Die deutsche Schriftstellerin Christa Wolf ist Gast des Getty Centers. Am Tage arbeitet sie in einem kleinen Bürozimmer am Wilshire Boulevard. Sechster Stock: gedämpftes Licht auf den Fluren, samtweiche Teppiche. Im Erdgeschoß befindet sich eine große Schalterhalle der „First Federal Bank". Anonymer, streng abgeschirmter Entstehungsort einer längeren Prosa-Arbeit. Das Thema? Die Autorin schweigt.

Die Pension, in der Christa Wolf wohnt, liegt nur ein paar Straßen entfernt. Hohe Palmen stehen vor den Fenstern. Ein kurzes Gespräch: Sie ist aufgebracht über den SPIEGEL-Bericht „Die ängstliche Margarete" (4/1993), in dem nach ihrer Meinung zuviel von ihrer Tätigkeit als „Inoffizieller Mitarbeiter" (IM), zuwenig von der an ihr praktizierten Stasi-Überwachung die Rede ist. Kalter Gegenwind aus Deutschland, so glaubt sie.

Wenn es jetzt zu einer „pauschalen Verdammung" kommen sollte, werde sie vielleicht gar nicht nach Berlin zurückkehren, sagt sie zum Abschied. In Amerika verstehe ohnehin niemand, was in Deutschland vor sich gehe. Aber sie habe, so fügt sie noch hinzu, eben doch starke Bindungen an das Land.

Rückblende: Ost-Berlin, im Juni 1990. Der Literaturstreit um Christa Wolfs Erzählung „Was bleibt", die Geschichte der Bespitzelung einer Dichterin durch die Stasi, ist gerade über das kurz vor der Vereinigung stehende Land hereingebrochen. Ein Gespräch nach einer Podiumsdiskussion: „Was wissen Sie, wie ich mich jetzt fühle!" Christa Wolf spricht schon von drohender Demontage: Im Westen wolle man auch das Letzte niedermachen, was von der DDR noch geblieben sei.

Und weiter zurück, in den November 1977, im Flugzeug von Graz nach Frankfurt. Christa Wolf ist in Österreich bei einem Symposium über „Frauensprache" aufgetreten, umschwärmt vom Publikum. Nun reist sie mit ihrem Mann Gerhard nach Ost-Berlin zurück. Während des gesamten Fluges diskutiert das Paar erregt darüber, wie es den DDR-Behörden gegenüber zu vertreten und zu begründen sei, daß man nicht, wie geplant, über Wien, sondern über die Bundesrepublik einreise. Christa Wolf vor allem ist ängstlich, fürchtet die Konsequenzen, ihr Mann Gerhard beruhigt sie immer wieder. Glanz und Elend vergangener Zeiten.

Am Anfang ihres Romans „Kindheitsmuster" (1976) hat Christa Wolf erklärt: „Das Vergangene ist nicht tot; es ist nicht einmal vergangen. Wir trennen es von uns ab und stellen uns fremd."

Es ist schwer, in diesen Tagen fast unmöglich, hinter den Büchern der Christa Wolf nicht sie als Person zu sehen. Sie selbst hat behauptet, zwingend für jede moderne Prosa sei es, daß der Leser „durch die Fiktion, durch die Täuschung hindurch die Stimme des Autors hört und sein Gesicht sieht".

Nun ist das Vergangene also wieder da, wenn auch überliefert in Geheimdienst-Dossiers, gefiltert durch die Sprachmühlen der Stasi-Bediensteten. Das Fazit bleibt: Christa Wolf ist nicht nur (spätestens seit 1968) überwacht worden, sie hat auch (in weitaus geringerem Umfang und in grauer Vorzeit, von 1959 bis 1962) für die Stasi gearbeitet. Man kann fortan – auch sie selbst – nicht mehr das eine ohne das andere betrachten.

Wenn sie sich 1990 an ihre Aktivitäten für die Stasi noch erinnert hätte, soviel immerhin räumt sie heute ein, wäre „Was bleibt" in der vorliegenden Form nicht veröffentlicht worden.

Was haben wir uns damals über die kleine Erzählung „Was bleibt" gestritten! Daß Christa Wolf glaubte, mit dieser autobiographisch durchwebten Darstellung einer Überwachung – wie gesagt: die Dichterin als Opfer der Stasi – kommentarlos auf den Markt treten zu können, war offenbar ein Fehler: Viele Kritiker hielten ihr vor, daß sie allzulange eine treue Anhängerin des DDR-Regimes gewesen sei.

Sie ist gewarnt gewesen. Ohne ein begleitendes und erklärendes Interview, mit wem und wo immer, werde es Mißverständnisse geben, so riet ich ihr vor Erscheinen des Buches. Aber die mit DDR-Nationalpreisen ausgezeichnete und somit für die Kritik verwundbare Autorin wollte nicht. Dabei hatte sich Christa Wolf schon drei Jahre vorher – im „Störfall", der Tschernobyl-Erzählung – das Motto mit auf den Weg gegeben: „Nicht zuviel – zuwenig haben wir gesagt, und das Wenige zu zaghaft und zu spät."

Christa Wolf hat sich nicht nur als Person, sondern auch als Erzählerin – bisweilen wird das ununterscheidbar – bevorzugt in einem Schwebebereich zwischen Entblößung und Verbergung, zwischen Vorstoß und Rückzug aufge-

KULTUR

halten. Immerhin war sie – oder ihr Alter ego – im „Kindheitsmuster" noch der Auffassung: „Alles kann und soll nicht gesagt werden, darüber muß Klarheit herrschen."

Der Literaturwissenschaftler Hans Mayer brachte dieses Buch seinerzeit (SPIEGEL 16/1977) auf die verblüffende Formel: „Christa Wolf schreibt im Grunde über den Mut eines Schriftstellers beim Verschweigen der Wahrheit."

Christa Wolf war sich des Problems ihrer Erinnerungsfähigkeit offenbar früh bewußt. Sie ließ das „Kindheitsmuster" mit Fragen ausklingen:

> Hat das Gedächtnis seine Schuldigkeit getan? Oder hat es sich dazu hergegeben, durch Irreführung zu beweisen, daß es unmöglich ist, der Todsünde dieser Zeit zu entgehen, die da heißt: sich nicht kennenlernen wollen?

Warum damals dieses Tremolo? Warum dieser dramatische Unterton? Und: Welche Wahrheit wurde denn da nicht erinnert, also verschwiegen?

Etwa zur selben Zeit formulierte die Autorin, in einem Aufsatz über Max Frisch, dieses sie sichtlich bedrängende Problem noch einmal anders:

> Die Abneigung gegen das Erfinden zum Zwecke der Selbst-Schonung kann wachsen bis auf den Punkt, da sie unüberwindlich wird und die Selbstachtung davon abhängt, daß man mit offenem Visier vor die Leser tritt.

Und so ähnlich noch häufig bis hin zur Erzählung „Was bleibt", in der es heißt:

> Eine Geschichte des schlechten Gewissens, dachte ich, wäre einzubeziehen in das Nachdenken über die Grenzen des Sagbaren.

Was jeden verblüffen wird, der diese Zitate heute wieder liest: Keines spielt auf eine *bestimmte* Wahrheit an, es sei denn, man deutet diese Passagen psychologisch als Wiederkehr des Verdrängten.

Christa Wolf behauptet, sie habe an ihre Mitarbeit bei der Stasi keinerlei Erinnerung gehabt, bis sie im Mai 1992 bei der Durchsicht ihrer Tausende von Seiten umfassenden „Opferakten" auf einen entsprechenden Hinweis gestoßen sei. „Ein klassischer Vorgang von Verdrängung, der mir zu denken gibt", wie sie nun einräumt.

Bereits vor drei Jahren hatte sie geäußert: „Das Komische bei mir ist, daß ich alles vergesse." Doch der Leser steht um so ratloser vor einem literarischen Werk, das mit dem Leben der Autorin stark verquickt ist.

Schon um dieses Werkes willen wird Christa Wolf versuchen müssen, so nah wie möglich an ihre eigene Geschichte heranzukommen, gerade an jene Stellen, die schmerzen.

Wenn die Erwartungen, die das Vertrauen in ihre Prosakunst weckt, sich nur einigermaßen erfüllen, so kann es sein, daß Christa Wolf ihrem Werk noch einen wesentlichen Teil anfügen wird, vielleicht sogar den besten.

Christa Wolf ist nun einmal nicht allein Schriftstellerin und Privatperson, sie ist auch öffentliche Figur. Das Interesse des Publikums an ihrem Lebenslauf kann ihr niemand ersparen. Sie hat – als Autorin – auch ihren Nutzen daraus gezogen. Niemand liest gern Stasi-Akten, und schön wäre es gewesen, es hätte nie die Notwendigkeit zu einer Stasi-Debatte gegeben.

Es ist also nicht Sensationsgier oder Voyeurismus, was zu Nachforschungen Anlaß gibt, sondern das Interesse an einem wesentlichen Mosaikstein im Leben dieser bedeutenden Autorin, und nicht nur das: auch in der Literaturgeschichte und der deutschen Geschichte überhaupt.

Daß Christa Wolf ein Objekt von Stasi-Beobachtungen gewesen ist, haben nicht einmal die schärfsten Gegner ihrer Stasi-Erzählung „Was bleibt" jemals angezweifelt. Und daß die Observation, wie sich später herausstellte, ein so absonderliches Ausmaß annehmen konnte, überrascht nach dem, was über jenes Ministerium inzwischen bekannt geworden ist, auch nicht mehr.

Die Überraschung – und also die Nachricht – aber ist: Christa Wolf hat vor langer Zeit selbst mitgetan und nie davon gesprochen. Sie mag Amnesie geltend machen, vom Tisch wischen läßt sich die Angelegenheit nicht.

In ihrer recht kargen „Auskunft" in der *Berliner Zeitung* hat sie erklärt, es widerstrebe ihr, sich ihre kritische Haltung „gegenüber den Fehlentwicklungen in der DDR" von der Stasi bezeugen zu lassen. Deshalb habe sie nicht vorgehabt, aus ihrem 42 Bände umfassenden „Operativen Vorgang" (der Stasi gegen sie und ihren Mann seit 1968) zu zitieren. Gab es ein bißchen Scheu auch deswegen, weil die Tatsache eigener IM-Mittäterschaft den unbefangenen Blick unmöglich macht?

Eine Symbolfigur für das Schicksal, in zwei deutschen Diktaturen gelebt zu haben, eine Symbolfigur der DDR war sie schon vorher, nun – nach Aufdekkung ihrer IM-Tätigkeit – ist Christa Wolfs Existenz gewissermaßen ganz und gar symbolisch geworden, so wie es Thomas Mann einst in ganz anderem Zusammenhang an sich selbst wahrgenommen hat: „Will es denn das Schicksal, daß unsere Existenz symbolisch wird, so haben wir uns diesem Schicksal zu stellen."

Der Dichter lebte im Exil nur ein paar Autominuten von dem Ort entfernt, wo Christa Wolf heute wohnt und arbeitet. Da liegt die Versuchung zum Vergleich nahe. Christa Wolf hat ihr nicht widerstanden und einen fatalen Bogen gezogen zwischen der DDR-Kultur, auf die man, wie sie glaubt, jetzt in Deutschland verzichten wolle, und der Kultur jener Emigranten, die einst vor den Nazis flüchten mußten und sich im Raum Los Angeles niederließen.

Anders als Christa Wolf waren Schriftsteller wie Brecht, Feuchtwanger oder Thomas Mann damals an Leib und Leben bedroht. Daß der Verfasser der „Buddenbrooks" nach dem Krieg noch vier Jahre lang zögerte, bevor er wieder deutschen Boden betrat, hing mit dieser Erfahrung zusammen. Der Dichter, der inzwischen amerikanischer Staatsbürger geworden war, reiste 1949 nach Deutschland und sagte in seiner Goethe-Rede den Satz: „Nun also, ich stelle mich, der Freundschaft, dem Haß."

Das und nichts anderes ist auch Christa Wolf zu raten. Wenn ihr denn zu raten ist.

In: Der Spiegel, 8. 2. 93

Eine Statue fällt, ein Mensch bleibt

Zur Diskussion um Christa Wolf / Von Friedrich Schorlemmer

»Unsere Dichter sind volkseigen.

Mit Elan wird der Wahrheit eine Bresche geschlagen, daß es nur so dröhnt.
Die Generalverdächtige darf die Akte ihrer frühen Jahre – trotz jahrzehntelanger späterer eigener Observation – nicht einsehen,
zu der sie mit großer Geste aufgefordert wird, Satisfaktion zu geben. Es ist dieser Gestus, der beunruhigt: Jederzeit können wir zuschlagen,
wenn wir nur wollen.

Genau genommen
geht es nicht um Wahrheit, sondern um Dichtung. Wie es die Dichter mit dem Guten, Edlen und Schönen so halten, hat den unbegabteren Teil der Menschheit, also auch die Kritiker, schon immer heftig beschäftigt. Da Künstler nun einmal die Magie besitzen, etwas zu bewegen, sollen sie auch etwas zum Guten bewegen, zuallererst einmal sich selbst.

Die Distanzlosigkeit
aber, diese klebrige Haß-Liebe, lädt die neue Debatte um die DDR-Literatur hochneurotisch auf. Gut zu beobachten an dem

Christa Wolf & Margarete & die Wolf-Christa, Popularitätsknick, Glaubwürdigkeitsverlust, Identitätswechsel? Die Aufrichtige plötzlich als Zwielichtige, die Mutige als Ängstliche, die Offene als Verschweigende? Ein Steinchen reichte aus, herausgebrochen aus einer Heiligenstatue, um sie zu Fall zu bringen. Wollte sie je eine Säulenheilige sein, eine Heldin für den Applaus einer vorbildsüchtigen Öffentlichkeit? Mancher von uns Ostdeutschen hat buchstäblich von Buch zu Buch gelebt. Nicht westliche Formdebatten dominierten, sondern östliche Existenzfragen. Ihre Bücher waren Selbstverständigungsversuch in einer Kollektivgesellschaft, Bewältigungsversuch des nicht Bewältigbaren. »Prosa kann die Grenzen unseres Wissens über uns selbst weiter hinausschieben. Sie hält die Erinnerung an eine Zukunft in uns wach, von der wir uns bei Strafe unseres Untergangs nicht lossagen dürfen. Sie unterstützt das Subjektwerden des Menschen. Sie ist revolutionär und realistisch. Sie verführt und ermutigt zum Unmöglichen.«

Mit dieser Schriftstellerin waren wir auf der Suche nach der unmöglichen Freiheit mitten in einem Land,

rendes gewagt. Den schmalen Weg der Vernunft sucht sie, tastend, beschwört ihn. Sie befördert den Entschluß, endlich mündig zu werden und baut tödliche Vereinfachungen ab. Zugeständnisse machen, aber sich nicht anpassen – so wie Christa T. lieber scheitert, als sich

erinnert und hilft erinnern. »Die Wahrheit über sich selbst nicht wissen zu wollen, behauptet der Pole Brandys, sei der zeitgenössische Zustand der Sünde; solche Aussagen, die genausoviel über ihren Autor wie über ihren Gegenstand verraten, sind nicht überprüfbar, auch nicht widerlegbar. Sie leuchten dir ein; was nicht bedeutet, jene ›Erlösung durch Selbstbewußtsein‹, die er anstrebt, müsse gelingen, und man werde sich der Demaskierung durch die Wirklichkeit gewachsen zeigen.« Sich der Demaskierung gewachsen zeigen… Der »Störfall« wird die angsthastige Auseinandersetzung mit den Nach-Tschernobyl-Tabus. Ihr gelingt es, das ganz Aktuelle mit dem ganz Grundsätzlichen zu verbinden. Immer wieder geht es ihr um Erinnerung als Ferment von Zukunft. Die klugen Kritiker nennen ihre einfachen Fragen pathetisch: »Erinnerung prägt unser Sehnsuchtsbild von der Zukunft – aber ist sie denn real, diese Zukunftserinnerung? Werden die fünf oder sechs Milliarden Lebewesen, die um das mysteriöse Jahr 2000 herum aller Wahrscheinlichkeit nach die Menschheit repräsentieren werden, Lebensformen finden können, auf die das altmodische Wort ›brüderlich‹ paßt?«

Foto: Rudi Meisel/Visum

zweierlei Maß des FAZ-Feuilletons: Während Heiner Müller, der Zyniker, fast zärtlich auf dem ästhetischen Hausaltar dekoriert wird..., landet Christa Wolf... in der sentimentalen Kitschecke. Genaugenommen ist es nicht ihr Werk, was dort landet, sondern die Person.

Es liegt nicht an den Akten. Es liegt an der Blickrichtung dessen, der sie liest.«
Antje Vollmer in der »taz«

in dem man stets auf Beton stieß. Das Tun bedenken, aber dann auch etwas tun! Auf der Suche nach Utopia, »Kein Ort. Nirgends«, läßt sie fragen, fragt sie selbst: »Merken wir nicht, wie die Taten derer, die das Handeln an sich reißen, immer unbedenklicher werden? Wie die Poesie der Tatenlosen den Zwecken der Handelnden immer mehr entspricht? Müssen wir, die wir uns in keine praktische Tätigkeit schicken können, nicht fürchten, zum weibischen Geschlecht der Lamentierenden zu werden, unfähig zu dem kleinsten Zugeständnis, das die alltäglichen Geschäfte einem jeden abverlangen ...« Tätig werden und dabei wir selber bleiben! In ihren Essays wie in der Prosa werden Ohnmacht und Scheitern beklagt, aber auch Widerständiges geweckt, Orientie-einzupassen. Die »Kindheitsmuster« werden zum Schlüsselbuch auf der Grenze zwischen den Generationen. Sie sagt, daß sie den Abstand brauchte, ehe sie schreiben, ehe sie sich erinnern konnte. So heißt es 1976: »In die Erinnerung drängt sich die Gegenwart ein, und der heutige Tag ist schon der letzte Tag der Vergangenheit. So würden wir uns unaufhaltsam fremd werden ohne unser Gedächtnis an das, was wir getan haben, an das, was uns zugestoßen ist. Ohne unser Gedächtnis uns selbst.« Sie stellt sich ihrer Kindheit im Umfeld des von einer großen Mehrheit bejahten Faschismus und räumt auf mit der Mär von den vielen Antifaschisten. Sie zeigt, wie ihr Weg in die sozialistische Gesellschaft gerade ein Versuch von Wiedergutmachung war. Sie

»Kassandra« samt den Vorlesungen dazu sind in der DDR von Auflage zu Auflage Bückware. Sie wird nolens volens zur Sprecherin der Friedens- und Emanzipationsbewegung und weiß doch: »Gegen eine Zeit, die Helden braucht, richten wir nichts aus, das wußtest du so gut wie ich.« Dennoch hat sie verstärkt das Gefühl, gebraucht zu werden. Sie will »die blinden Flecke« verkleinern, sie will aufhellen, Machtmechanismen aufdecken. Ein Interview in der »Wochenpost«, 1984, wird zur Sensation und bringt die Redakteurinnen in Bedrängnis. Die Frisch-, die Bachmann-, die Büchnerpreisrede und am Schluß dann die Hildesheimrede wirken prägend. Immer wieder spricht sie aus, was uns unsagbar scheint, aber von vielen gedacht wird. Sie wird

DEUTSCHLAND ◆ DEBATTE 7

zur Vordenkerin, zur Sprachgeberin, zur Orientierungsperson. Vor allem: *sie* bleibt und fragt nicht nur, *was* bleibt. Die Semesterprogramme der Studentengemeinden, Akademietagungen und Gesprächskreise überall im Land nehmen das, was sie aufs Papier bringt, in ihre Diskussionen, suchen und finden Weiterführendes. Sie aber scheut Öffentlichkeit, mehr noch den lauten Applaus. Vom Podium des 4. November tritt sie ab und bekommt eine Herzattacke. Ein Jahr später, am 4. November 1990, will sie nicht auf die Bühne, wird gebettelt, ja gedrängt, soll reden. Die meist jungen Leute im »Haus der Jungen Talente« wollen sie sehen, weil sie sich von ihr verstanden und vertreten fühlen. Sie tritt schließlich auf die Bühne, spricht sich frei und findet das treffende Wort.

Und nun kommt die Enthüllung einer kurzzeitigen Willfährigkeit gegenüber dem gefürchteten, allmächtigen Geheimnisapparat. Das liegt 30 Jahre zurück. »Enttarnt« erscheint sie, entthront ist sie, Verwirrung und Enttäuschung kommt auf. Warum machen oder brauchen wir immer wieder solche Illusion von Untadeligkeit, um dann enttäuscht zu sein? (Längst kamen ganz andere Symbolfiguren ins Zwielicht, Prunskiene, Walesa ..., selbst Havel blieb nicht verschont.)

Auch mir hat das einen Stich versetzt, als ich ein Schriftstück mit »Margarete« unterschrieben sah, als ich hörte, daß sie das vergessen hatte und engagierten sich, redeten, handelten, wirkten fortan anders. Es geht nicht um irgendeine Gegendenunziation, auch nicht um Rechtfertigung. Zu verschweigen ist nicht das Erschrockensein darüber, wie Vergessen funktioniert hat bei einer Frau, die soviel und so vielen erinnern hilft. Was Verdrängung ist, das wußten wir längst aus der gängigen Psychologie. Daß sie da in einem – von vielen verehrten – Autor öffentlich wird, das schmerzt. Aber ernüchtert diese Erkenntnis nicht gerade dazu, aus einem Idol wieder einen Menschen werden zu lassen? Und leben wir nicht selbst von gelungenen Verdrängungen, weil wir vieles (an uns) gar nicht anders aushalten würden? Wenn ich dies frage, dann ist das für mich mehr und anderes als eine fromme Floskel. Wir leben und wachsen – oder wir zerbrechen an unseren Widersprüchen. Wer charakterlich so verpackt und geprägt war wie Christa Wolf, mußte »damals« viel verdrängen, um noch an »das Bessere« des Sozialismus glauben zu können. Sie hat dann aber sich und durch ihr Schreiben viele von uns von Verblendungen freigemacht. Doch wieviel Zeit braucht Erinnerung, um sich der ganzen Wirklichkeit zu stellen, wieviel (nötiges) Vergessen zwischendrin, um dann in geläuterte Erinnerung einzugehen?

»Christa Wolf« – das ist in den letzten dreißig Jahren für uns Ostdeutsche weit mehr und ganz anderes als ein Name in den Kritiken der Feuilletons dieser auch den Geist vermark-

Foto: Lotti Ortner

Berlin, 4. November 1989.

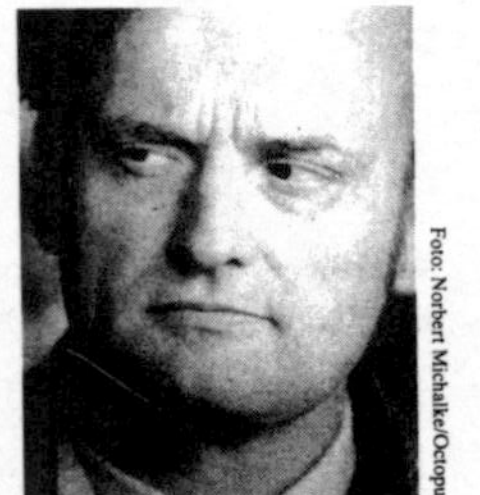

Foto: Norbert Michalke/Octopus

Unser Autor
Friedrich Schorlemmer

Westblick auf Piepeiche
»Vom Westen her gesehen, aus westlicher Sicht werden Menschen drüben nicht ohne weiteres als Menschen wahrgenommen. Damit sie als solche erkannt werden, müssen sie besondere Eigenschaften besitzen. Sie müssen Tante Anna und Vetter Otto, die Großmutter und das Schwesterkind sein, oder auch der Studienkollege von damals, der Kriegskamerad aus Rußland. Eine andere Möglichkeit für die Deutschen in der DDR, den Westdeutschen konkret als Menschen zu erscheinen, ist eine spektakuläre

fuhr, daß sie sich dazu je bereitgefunden hatte. Und ich weiß doch auch noch, wie das damals war. ohne je ein »Überzeugter« gewesen zu sein. In meiner Schule war ich der einzige ohne Blauhemd, vielfach ausgegrenzt wegen meiner Herkunft, begegnete ich durchaus einer großen Mehrheit von Überzeugungstätern der sozialistischen Umgestaltung. Doch jetzt erst weiß ich, können wir alle wissen, was das für ein perfides System war, das solcher Methoden bedurfte, dumpf-brutal und diabolisch-subtil. Die Rechtfertigung bezogen alle staatlichen Maßnahmen aus dem großen Ziel, aus den Kämpfen und Widersprüchen der Zeit, aus der Prinzipienfestigkeit und der Parteilichkeit der Wahrheit. Wer daran glaubte, der machte beinahe alles mit. Unter dem Diktat der Machtfrage, der Wachsamkeit gegenüber dem Feind und dem Vertrauen in die Weisheit der Partei lebten die Leute »mit Bewußtsein«. Wer zusätzlich eine zum Schuldbewußtsein tendierende Gewissenhaftigkeit hatte wie die Redakteurin Christa Wolf, der war benutzbar, wenn man einen Aufhänger fand und an das Parteibewußtsein appellierte. Sie war schon dreißig, als sie sich dazu hergab, insgesamt nichtssagende Berichte zu schreiben, aber immerhin: Sie schrieb Berichte für diese Herren. Indes: Es sind schon dreißig Jahre, in denen sie einen Bruch vollzog mit einem ideologischen Machtapparat, der eine große Idee pervertierte, an die sie weiter glauben, für die sie weiter wirken wollte: daß Menschen miteinander menschlicher und gerechter umgehen, daß sie Subjekte werden. Mit dem Gewissen einer längst Gewandelten erlebte sie an sich selbst nun das, was man in den Psychologielehrbüchern nachlesen kann: Verdrängung. Die Aufregung und die Aufmerksamkeit in der deutschen Medienlandschaft hat etwas Bigottes. Die Relationen kommen durcheinander. Der große Havemann war im kalten Krieg einer der intellektuellen kalten Krieger, ehe er 1964 zur Besinnung kam. Wer von denen, die nach '76 scharenweise weggegangen sind, war nicht »überzeugt« und »organisiert« gewesen? Wie viele große Intellektuelle sind gar glühende Stalinisten gewesen? Marcel Reich-Ranicki, wie viele andere sind einst schwerwiegenden Irrtümern aufgesessen? Sie sind aber nie mit hohem publizistischem Aufwand demontiert worden. Denn sie wandelten sich, entenden Gesellschaft. »Margarete«, das ist der Stempel, den ein Spitzelsystem auch auf sie drückte. »Die Wolf, Christa«, ist die Frau, die unser beschattetes Dasein mit uns geteilt hat, die nicht aufgab und die dieses Land nicht aufgab. Sie blieb. Sie rieb sich. Sie wagte. Sie half. Sie wurde eine Stütze. Der Schatten, der auf sie gefallen ist, ist nicht harmlos, aber die Relationen dürfen nicht verlorengehen. Sie hat sich zusammen mit Gerhard Wolf und anderen aus solcher Umklammerung und aus solchem Denken befreit. Sie hat mit ihrer Sprachbegabung anderen Menschen zu sprechen geholfen und sie freier gemacht. Wir werden sie weiter brauchen, da es jetzt nicht mehr nur um den geteilten Himmel geht, sondern um einen Himmel, der zu zerreißen droht, und um eine Erde, die zum Schlund wird. Das »Nachdenken über Christa T.« (aus dem hoffnungszerrütteten Jahr 1968) wird ein Nachdenken über uns selbst.

»Allmählich aber lagert sich die Täuschung über die Gewißheit, und wir alle tun unser Bestes, die Täuschung in ihr und in uns zu nähren. Und das würden wir wieder tun, wenn Täuschung ein anderes Wort für Hoffnung ist. Merkwürdigerweise müssen wir nicht glauben, was wir wissen.«

In: Wochenpost, 11. 2. 93

Flucht, im Heißluftballon etwa… Und so gut wie keine Aussicht, von der Bundesrepublik und Berlin (West) aus ganz selbstverständlich, ohne Nachdenken als gewöhnliche Menschen mit ihren ordinären Vorzügen und Mängeln angesehen zu werden, haben, beliebig aufgezählt, Fabrikarbeiter aus Magdeburg, Handwerksmeister aus Thüringen und Genossenschaftsbauern von Piepeiche.«
Günter Gaus im Jahre 1987

Christa Wolf an Friedrich Schorlemmer

Santa Monica, d. 11. 2. 93

Lieber Friedrich Schorlemmer,
ich denke über Ihren Artikel in der »Wochenpost« nach, auch darüber, was mich daran schmerzt und irritiert. Es schmerzt wahrscheinlich die Enttäuschung, die Sie indirekt sehr deutlich ausdrücken, aber da mir jetzt jede Berührung weh tut, auch die gut gemeinte, muß ich das einfach aushalten.

Sie sind enttäuscht, weil auch Sie gerne eine untadelige Person in mir gesehen hätten. Wissen Sie, mir geht es eigenartig. Sie können sich wohl denken, daß ich anfangs, bis vor kurzem noch, viel darum gegeben hätte, wenn es diese unselige Akte und vor allem mein Verhalten, das sie erst möglich machte, in meinem Leben nicht geben würde. Ich wollte ja auch ganz gerne wenigstens in dieser Hinsicht untadelig sein und war so fest davon überzeugt, daß ich es auch war, daß ich das auf jeden Eid genommen hätte. Inzwischen habe ich ein paar Wochen hinter mir, die zu den härtesten in meinem Leben gehören, und wenn jetzt irgendeine Himmelsmacht mir anbieten würde, das alles, einschließlich des Anlasses – die Akte – ungeschehen zu machen, ich könnte es nicht mehr annehmen. Ich mache mir, glaube ich, keine Illusionen über die Tragweite, die das alles für mich hat; aber ich kann mir auch keine andere Konstellation erfinden, die mich noch einmal so von Grund auf erschüttern und dadurch zwingen würde, im wahren Sinn des Wortes in mich zu gehen, die es mir ermöglicht hätte, soviel über mich und meine Beziehungen zu Menschen zu erfahren, und soviel über die Reaktion anderer Menschen – einschließlich der Journalisten – auf mich. Billiger konnte ich das anscheinend nicht haben.

Ich will nicht im einzelnen erzählen, was ich bis jetzt herausgefunden habe; wenn ich mich frage, was waren denn das für Werte, die ich als Kind verinnerlicht habe, stoße ich immer wieder auf eine protestantische Moral, Fleiß, Ehrlichkeit, (»Gott sieht alles!«), Bescheidenheit, und eine etwas karge Art von Güte: ein unglaublich starkes Über-Ich wurde mir da, freudianisch gesprochen, eingepflanzt, und ich glaube schon, daß es diese Werte waren, die ich für normal, human hielt – inzwischen ohne Gott –, die mich mit davor bewahrt haben, auf Dauer in die Der-Zweck-heiligt-die-Mittel-Moral zu verfallen. Aber ich habe inzwischen auch gefunden, das Sünden – oder, weltlich gesprochen, Schuldbewußtsein, das mit ihnen verknüpft ist (oder wird), steht den wirklichen Einsichten über uns selbst und unsere Mitmenschen eher im Wege, und mir kommt es heute menschlicher und auch weiterführend vor, wenn man sich ruhig ansehen kann, so wie man ist, und daran nicht verzweifelt, nichts Unmögliches von sich fordert, sondern sich annimmt, den Schmerz nicht vermeidet, der damit verbunden ist, nicht ausweicht, eben einfach für sich selbst ganz da ist. So kann ich mir auch jetzt keine Erleichterung von den Attacken verschaffen, indem ich Zerknirschung und Schuldbewußtsein ausstelle – das würde man ja noch honorieren –, das ist alles weggeschmolzen, es geht viel tiefer und ist viel »schlimmer«, oder »besser«, es ist auf einer Ebene, wo »gut« und »schlimm« keine Gegensätze sind.

Mir kam es in Ihrem Artikel so vor, als würden auch Sie ein weiteres, wenn nicht gar ein besonders schlimmes Vergehen darin sehen, daß ich die belastenden Teile dieses damaligen Vorgangs vergessen habe. Das aber kann man nicht beeinflussen, es ist weder Schuld, zu vergessen, noch Verdienst, nicht zu vergessen. Und – nun werde ich Sie vielleicht vor den Kopf stoßen – ich bin dankbar dafür, daß ich vergessen hatte, anscheinend schon sehr früh. Wie hätte ich all die Jahre mit diesem Wissen leben und schreiben sollen, wem mich offenbaren können. Also. Der liebe Gott hat's schon ganz gut gefügt – auch damit, daß er Sie zu meinem Freund gemacht hat. Ich bin Ihnen dankbar für Ihren Artikel und wünsche mir, daß wir noch über manches miteinander reden, auch über Erinnern und Vergessen.

Ihre Christa Wolf

Friedrich Schorlemmer, geb. 1944 in Wittenberge/Altmark, Pfarrer, Politiker und Publizist. Schorlemmer war aktiv in der Bürgerrechtsbewegung der DDR, zuletzt mit Rainer Eppelmann im »Demokratischen Aufbruch«. Danach SPD-Mitglied; er verzichtete jedoch auf eine politische Laufbahn. Schorlemmer ist Studienleiter an der Ev. Akademie Sachsen-Anhalt und äußert sich in Interviews und Beiträgen immer wieder zu den Problemen im deutschen Einigungsprozeß.

Friedrich Schorlemmer an Christa Wolf

Wittenberg, d. 9. 3. 93

Liebe Christa Wolf,
ich danke Ihnen für Ihren Brief vom 11. 2. (. . .)

Mein Gewissen hatte mich getrieben, zu schreiben, obwohl ich wußte, daß alles in allen Richtungen falsch werden könnte, und daß das Bemühen, nach allen Seiten das Richtige zu sagen, scheitern müßte.

Ich hatte den Eindruck, daß die Debatte völlig aus dem Ruder zu gehen drohte und wir Ostdeutschen stumm zusahen, was an uns vollzogen wurde, indem man *Sie* so vorführte. (. . .)

Ich habe mit vielen Menschen zu tun gehabt, die sich das Ganze nicht erklären konnten und für die etwas aus ihrem »Himmel« rausgebrochen war. Auch für diese Enttäuschten wollte ich ein wenig Dolmetscher sein. (. . .)

Es waren für mich vor allem zwei Dinge: Ich wollte deutlich machen, daß es unangemessen ist, aus einem Menschen ein Idol machen zu wollen, statt ihn so zu nehmen wie er ist, damit wir uns auch selber nehmen können, wie wir sind – mit »Schatten«. Das meint die reformatorische Rede vom »Leben aus Gnade«, die Luther so fröhlich gemacht hatte, nachdem ihn sein Schuldbewußtsein so niedergedrückt hatte. Ich könnte es auch sehr viel biblischer ausdrücken, aber ich habe es bewußt mit dem Begriff von C. G. Jung ausgedrückt. Und ich wollte zweitens klarmachen, daß wir alle mehr oder weniger mit unseren Verdrängungen leben und an ihnen nur das erkennbar wird, was man in der Psychologie Verdrängung nennt. Trotzdem stellt man sich natürlich auch bei einer gelungenen Verdrängung die moralische Frage.

Ich war sehr froh, daß und wie Christoph Hein sich geäußert hat und ebenso entsetzt über das, was Erich Loest im Zusammenhang mit dem Scholl-Preis zum besten gegeben hatte. Den Aufsatz von Raddatz in der ZEIT hatte ich extra nicht gelesen. Ich hatte nur davon gehört, und er lag auf meinem Schreibtisch. Ich glaube, das hätte mich vollständig blockiert, und ich bin froh, daß ich diesen Aufsatz erst danach las. Das ist ja noch viel schlimmer als alles andere.

Nun hat sich am letzten Sonntag gnädigerweise Joachim Gauck geäußert, und Günter de Bruyn und Ihnen sein Placet gegeben. Es ist schon schlimm, wenn ein Mensch so eine Macht hat, den Daumen zu heben oder zu senken. Er meint es wohl ehrlich, aber dennoch ist es eine

Gönnergeste, die drei Wochen zu spät kam. Dieses System von gestern hat unseren ganzen Gesellschaftskörper tief infiziert. Ich bekomme das zu spüren an einigen Reaktionen von Leuten, die mich für einen Weißwäscher halten und mich beschimpfen, weil ich Sie »verteidige«, wie viele andere auch. Nachträgliche Opfer wenden sich an mich und ich kann nicht helfen. (. . .)

Liebe Christa Wolf, bitte, versuchen Sie, sich ganz und gar vor jeder Verbitterung zu bewahren. In dem Gespräch mit Günter Gaus haben Sie ein Beispiel geben können für »Erklären ohne Rechtfertigen«. Dies hat sehr wohl getan, obwohl ich manche Art zu fragen für Grenzüberschreitungen hielt.

(. . .)

Wenn Sie wieder in Deutschland sind – obwohl Sie sich das sicher gegenwärtig nicht so gut vorstellen können mögen –, möchte ich Sie natürlich an das Versprechen erinnern, zu uns nach Wittenberg zu kommen. In unserer Reihe LEBENSWEGE haben wir gerade einen sehr bewegenden und schönen Abend mit Werner Heiduczek gehabt und die nächste wird Hilde Domin sein.

Heute ist in Berlin das Fest für Walter Jens und heute kam die Nachricht, daß Sie aus der Akademie der Künste Ost und West ausgetreten sind. Ich will immer noch nicht begreifen, daß es soweit kommen mußte . . .

In Verbundenheit grüßt Sie
Friedrich Schorlemmer

Günter Gaus

Die Durchquerung der DDR-Wüste rückwärts

Jetzt soll die Debatte zu Ende sein. Die Herren der Geschichte, Westdeutschlands zwei führende Feuilletonisten, haben, verschleiert der eine, unverhohlen der andere, der Bevölkerung geraten, von nun an zurückhaltender zu sein oder es überhaupt genug sein zu lassen mit den Urteilssprüchen aus Stasi-Akten. Schon wieder eine Wende also in Deutschland. Sie bahnte sich an, als Schirrmacher den Daumen nicht nach unten kehrte über den Müller und also auch die Wolf nicht gänzlich ausschloß vom Nießnutz aus seinem Differenzierungsvermögen. Das junge Talent konnte sein Wendemanöver, das nicht sein erstes war und sein letztes nicht gewesen sein wird, sogar auf der Titelseite seines Frankfurter Blattes vollführen, wo sonst die Erwachsenen die Geschäfte der Welt begutachten.

Da mußte auch Greiner das Steuer herumwerfen. Andernfalls drohte das Feuilleton der »Zeit« in ein unbehagliches Abseits zu geraten: dahin, wo die Minderheiten ihr Leben fristen. Diese Feststellung wird besser ein wenig erläutert; vor allem den Ostdeutschen unter uns, die der Schulung für das Erkennen feiner Unterschiede noch weithin ermangeln. Also: Natürlich sind die Feuilletonisten und ihre Konsumenten aufs ganze Volk gesehen immer eine Minderheit; freilich von der Sorte, deren Sorgen andere Minderheiten gerne hätten. Aber diese Kulturbagage als die ganze Welt genommen (wofür sie sich gern nimmt), verhält sie sich mehrheitlich untereinander wie der ganz gewöhnliche Pöbel: Wehe dem, den sie zu ihrer Minderheit schlägt.

Der Kulturteil der »Zeit« hat in der Regel bei wichtigen, folgenschweren Fragen die Mehrheitsposition, die stets von der Frankfurter Allgemeinen Zeitung vorgegeben wird, nie verfehlt. Gewiß, Unterschiede bei Rezensionen und anderem Kleinviehzeug der Kultur hat es oft gegeben und dabei wird es auch bleiben. Der Pluralismus garantiert auch die Freiheit des verschiedenen Geschmacks. Sogar Abweichungen von der Linie der FAZ in der moralisch-publizistischen Verwertung von Akten der Stasi sind dann und wann vorgekommen. Aber seit das Ganze angefangen hat, im Sommer 1990, als die Vereinigung zu Sieg und Niederlage geriet, hat im Grundsätzlichen die Kultur der »Zeit« sich ans Feuilleton der FAZ gehalten. Greiner ging Schirrmacher bei Fuß, als das erste Jagdtreiben gegen die sogenannte Staatsdichterin der DDR eröffnet wurde.

Dieser gelegentlich kaschierte, auch manchen Redakteuren wohl unbewußte, aber im gemeinsamen Gefühl, die überlegene Moral unter den Deutschen zu besitzen, nie zweifelhafte Einklang der beiden Kulturherrschaften – dieser Einklang war jedoch in den letzten drei Wochen gefährdet. Publizistische Eigensinnigkeiten auf seiten der »Zeit« schienen der FAZ einen Vorsprung beim Hören des Graswachsens und einer schnellen Anpassung ans Gehörte zu sichern. Es gab einen gewissen Überdruß unter dem Publikum. So kam es zu Telefonaten zwischen Gauck und Schirrmacher und den Wolfs: Es läßt sich schlußfolgern, daß der Behördenleiter nicht ohne Milde war, der Redakteur nicht ohne Geduld.

Der »Zeit« aber blieb der bevorstehende Wetterumschwung zunächst verborgen. Iris Radisch drängte ins Spiel und hatte dabei nicht weniger gegen Müller in der Hand als in anderen Fällen allemal zum feuilletonistischen Schuldspruch genügt hatte – nun sollte es, gemäß der FAZ, zu wenig sein. Anstatt sich gewarnt zu fühlen, ließ das Hamburger Organ auch Fritz Raddatz noch, bildlich gesprochen, über mehr als eine Seite, Müller und Wolf im Auge, aufbrüllen vor wütigem Schmerz und seufzen vor traurigem Verlangen. Die »Zeit« mit Volldampf auf dem Kurs von gestern.

Aber von einer Ausgabe zur anderen brachte Greiner dann seinen Kulturteil wieder auf die – endgültige, vorläufige? – Frankfurter Linie: Schluß der Stasi-Debatte. Dabei mag es ihm eine angenehme, nützliche Nebenwirkung gewesen sein, daß nun Frau Radisch, die nach häufigem Hörensagen auf Greiners Posten strebt, mit ihrem Müller-Artikel als wenig umsichtig und wetterfühlig erscheint. Und was ist mit dem treuherzigen Raddatz? Ach, Raddatz: den haben sie öfter schon in die Minderheit geschickt.

Wovon ist bisher die Rede gewesen? Vor allem Ostdeutsche könnten sich mit der Antwort schwertun. Oberhalb der Fernsehunterhaltung und von Ansprachen des Bundeskanzlers existieren die Deutschen in West und Ost mehrheitlich noch immer intellektuell getrennt voneinander. So erschließt sich denn auch der gebildeten Leserin, dem gebildeten Leser im Osten nicht ohne weiteres die herrschende Öffentlichkeit des Landes, zu dem sie gerechnet werden. Gerechnet. Schirrmacher, Greiner? Feuilleton der FAZ, der »Zeit«? Da hat für viele im Osten der Westen einen weißen Fleck: nichts Näheres bekannt. Und selbst bei Ostdeutschen mit einiger Ahnung geht manches über die Köpfe hinweg oder bleibt unter dem Horizont ihres Begreifens oder fällt zwischen die Standpunkte ihres Interessiertseins. Das ist ganz unabhängig von Intelligenz. Es hat seinen Grund darin, daß mit der Wende der westliche Teil des Landes neuerlich die Alleinvertretung des Ganzen übernommen hat: Ein Anspruch wurde wiederbelebt, der einst vom Westen her zum Kalten Krieg gehörte. Zu welchem Krieg gehört er heute?

Wenn man sich fragt, wovon bisher die Rede war: aufgehellt wurde hier ein Teil der Innenansicht jener Außenansicht, die geltend macht, es gehe um Gewissensfragen, um moralische Schuld und opportunistische Verstrikkung im Stasi-Staat. Enthüllt werden sollte anhand von Akten, so sollte die Außenansicht glaubhaft machen, als der Aktenmarkt etabliert wurde, ein »Auschwitz der Seele«. Selbst ohne einen Blick auf die Innenansicht weiß man: Schamloser kann ein Vergleich nicht sein.

Vergangenheitsbewältigung, wie es genannt wird. Die Durchquerung der DDR-Wüste rückwärts. Es schwindelt einem beim Zusehen. An den Fingern einer Hand ist nicht mehr aufzuzählen, von wie vielen verschiedenen Motiven die Spurensucher, Vermesser und Nachrichter, bewußt wie unbewußt, sich antreiben lassen. Gemeinsam ist so gut wie allen nur, daß ihnen der angebliche Zweck ihres Tuns – zu analysieren, was gewesen ist – längst ein Mittel zur Selbstbefriedigung geworden ist. Pfauenräder werden geschlagen; biographische Höhepunkte, die von der Zeit abgetragen worden sind, sollen aus den Akten eine ewig andauernde Bedeutung erlangen; schwach begabte Literaten zehren von ihrer einstigen, seinerzeit aktenkundig gewordenen politischen Auffälligkeit; Medienmärkte werden bedient; der Journalismus wird zum Weltgericht, Strafkammer DDR.

Merke: Die Tragödie der vergangenen vierzig Jahre war, zum Glück, ganz so grausam nicht, wie sie heute gern beschrieben wird. Aber das ihr nachfolgendes Rüpelspiel hat komische Züge, die nicht zu übertreffen sind.

Schon regt sich Dankbarkeit da und dort, weil Schirrmachers Leitartikel und Greiners Appell auf Schluß der Debatte einige Vernunft aufweisen. Wie bitte? Es gab Vernünftige genug, unverdächtige, die wegen der Gefahr, die Chancen einer Besinnung zu vertun – gewarnt haben, als die Feuilletonchefs und ihre Trabanten die Meßlatte eines irrealen moralischen Rigorismus an jedes Knie legten, das nicht zuzeiten durch die Mauer oder durch die Elbe in den Westen gekommen war. Damals wurden die Stimmführer des Chors der Kulturredakteure (und auch der Chor selber) vielen aus der DDR, über die sie das vae victis anstimmten, immer ähnlicher. Kein Gedanke daran, weder im Text, noch zwischen den Zeilen, daß Staaten unter allen Systemen mittels der Menschen zu hysterischen Monstern werden können – wenn nicht strukturell gesicherte Machtkontrollen dem entgegenwirken. Im Gegenteil: Während angeblich die Stasi-Problematik aus den Akten ins Bewußtsein gehoben werden sollte und in Wahrheit nur nach den Regeln der Willkür über Menschen der Stab gebrochen wurde, sind gleichzeitig rechtliche Kontrollmechanismen gegenüber dem Staat (etwa im Asylrecht) unter allgemeinem Beifall vermindert worden. Niemand in der tonangebenden Öffentlichkeit im Deutschland nach der Wende hat in der DDR ein mögliches Menetekel an der eigenen Wand erkennen wollen, sondern hat in ihr nur einen Anlaß zur Selbstgerechtigkeit gesehen. Nichts als die Wiederaufstellung des Prangers haben uns die Stasi-Akten gebracht.

Keine Dankbarkeit. Noch nicht einmal Erleichterung, bevor ich nicht weiß, ob die neue Linie durchgehalten wird. Im übrigen baue ich auf die düstere Zukunft, in der die schnell wachsende Spannung zwischen Arm und Reich in Deutschland die Ost-West-Problematik in der guten alten Zeit unwichtig machen wird. Da werden dann den Feuilletons, die unsere Gesellschaft stabilisieren helfen, ganz andere Themen zur Pflicht: Demut und Bescheidenheit, Innerlichkeit als Tranquilizer.

In: Freitag, 12. 2. 93

Günter Gaus, geb. 1929 in Braunschweig, Journalist, Diplomat und Buchautor; Gaus war nach einer journalistischen Karriere beim Nachrichtenmagazin »Der Spiegel« Ständiger Vertreter der Bundesrepublik in Ostberlin. Seit der Wende und dem Ende der DDR hat er in zahlreichen Veröffentlichungen den deutschen Einigungsprozeß kritisch kommentiert. Gaus gehörte zu den prominentesten Anhängern eines vorsichtigen Annäherungskurses, um der Bevölkerung der DDR die Chance einer Anpassung an die bundesdeutschen Verhältnisse zu geben.

Mitarbeiter und Mitspieler

In dem Stück um „Heiner" und „Margarete" fehlt der faustische Regisseur. Ein Rückblick auf die Stasi-Debatte von KARL MARKUS MICHEL

Unsere Spitzelforschung ist Spitze, die macht uns so leicht keiner nach. Das verdanken wir dem schier unerschöpflichen Material, unserer Spitzelmasse. So dürfen wir ständig mit neuen Entdeckungen rechnen, mit Durchbrüchen zur Wahrheit über das zärtlich „Stasi" genannte Pandämonium. Daß Dämonisierung und Entdämonisierung dabei Hand in Hand gehen, mag vielleicht verwirren, folgt aber aus der Logik der Forschung.

Nehmen wir einen vergleichbaren Fall, auf den wir gelassener zurückblicken können: die Teufelsforschung. Sie blühte vor gut 400 Jahren, als man sich in protestantischen Ländern aus den Fängen des Satans befreite, indem man das Böse verinnerlichte; mit Luther gesagt: „Das böse Gewissen zündet das höllische Feuer an." Auch damals waren es, naturgemäß, vornehmlich die Theologen, die den Vater der Lügen ins Visier nahmen, und siehe da: seine Zahl war Legion. Einer jener Gottesmänner rechnete und kam auf 2,666 Billionen Teufel – für jeden lebenden Sünder etliche tausend. So las man es schaudernd in Sigmund Feyerabends enzyklopädischem „Theatrum Diabolorum" (1569), und indem man es las, war der Bann schon gebrochen.

In unserem Fall gilt der Exorzismus nicht dem ganzen Reich des Bösen, sondern nur einem kleinen Fleck mit 100 000 Teufeln und ihren 200 000 Helfershelfern, und unter diesen letzteren, den IM, sind es allein die Poeten, auf die das Licht des Feuilletons fällt. Warum? Weil sie als das Gewissen der Nation gelten? Oder weil sie so gut als Sündenböcke der Nation taugen? Das ist noch nicht heraus, da wird noch geforscht. Jedenfalls haben wir wieder ein ordentliches Theatrum, ein fast tägliches Spektakel. Es nennt sich bald „Dichter und Richter", bald „Stasi und Gendarm", auch „Krieg der Köpfe" und so fort. „Da wollen wir mitspielen" („Die Zeit" 22.1.93).

Nichts da. Schon zwei Wochen später wird in derselben Zeitung dekretiert: „Schluß mit der Stasi-Debatte". Von überall her erfahren wir plötzlich, die Debatte sei „beklemmend", das Schauspiel bekomme „lächerliche Züge", die Show solle abgesetzt werden. Man nennt auch Gründe, aber nicht den wahren, nämlich: mit „Heiner" und „Margarete" ist der Höhepunkt der Show erreicht; was jetzt noch kommt, kann nur ein Abfall sein, da wollen wir nicht mitspielen. Schade. Denn es könnte ja eine ganz unerwartete Steigerung eintreten, ein Salto ins Phantastische - wenn sich das Interesse statt den Zuträgern (und ihrer Schuld) dem Apparat (und seinem Fiasko) zuwenden würde.

Heiner Müller sagte zur Rechtfertigung seiner fleißigen Stasi-Kontakte: „Mich hat natürlich auch dieses Wahnsystem interessiert... Wie funktionieren solche Gehirne und solche Apparate?" Damit stellt sich die entscheidende Frage jeder Stasi-Forschung: War dieses Riesengehirn bei Sinnen oder nicht? Müller behauptete in anderen Erklärungen, in den letzten Jahren der SED-Herrschaft habe man nur noch mit Stasi-Offizieren „vernünftig reden" können, er habe sie zu beraten und zu beeinflussen gesucht. Das beteuern auch andere stasiöse Intellektuelle, alle wollen den Offizieren ins Gewissen geredet haben (und wurden dabei „abgeschöpft"). Was also waren diese Herren: wahnsinnig oder vernünftig? Oder borniert?

Wir müssen, um dieses Problem zu lösen, wiederum auf den Teufelscode zurückgreifen, der seit dem Mittelalter unsere Wahrnehmung des Bösen steuert. Dem zufolge ist der Satan allwissend, gleich Gott, aber mit einem Abstrich: er ermangelt der Providenz. Deshalb ist er dumm. Er weiß alles und begreift nichts, nicht einmal seinen baldigen Ruin. Armer Teufel. Gleichwohl ist er auch gescheit, er ist – was noch Jean Paul und Heinrich Heine wußten - ein Logiker, mit dem sich trefflich disputieren läßt. Aber das tut man nicht, sagen die Frommen. Das verstößt gegen den Ehrenkodex, sagen die Früh-Dissidenten. Das ist Verrat, sagen die DDR-Oppositionellen, für die sich alles Schlechte des realen Sozialismus in der Stasi verkörpert, weshalb sie weiterträumen können von ihrem wahren Sozialismus. Vor allem aber gilt: Man schließt keinen Pakt mit dem Teufel, mit der Stasi. Ob Heiner oder Margarete oder wer es sei: Alle schwören, sie hätten keine Verpflichtungserklärung unterschrieben, schon gar nicht (faustisch) mit ihrem Blut. Sie haben auch kein Geld genommen. Und sie haben niemandem geschadet. Das ist der Punkt, an dem es sich letzlich entscheidet: „gerichtet - gerettet". Doch wer soll das ermessen, wer soll hier Richter sein?

Bevor wir darauf eingehen, noch ein letzter wichtiger Aspekt der Stasi-Drift: Es gab nicht nur die Verlockung, das Verbotene zu tun, es gab auch die Neigung, sich betreuen zu lassen, vor allem bei jüngeren Menschen, die, wenn sie gestrauchelt waren wie Sascha Anderson und Reiner Schedlinski, die Stasi als „eine Art Fürsorgeeinrichtung" erlebten, ja als eine „Urfamilie" neben der sekundären der Freunde. So hatten es die Führungsoffiziere gern. Sie setzten auf „vertrauensvolle Zusammenarbeit" und prüften immer wieder die „Ehrlichkeit" der Mitarbeiter. In dieser Hinsicht schnitt Christa Wolf gut ab. Auch Sascha Anderson, der sonst immer log, scheint bei der Stasi ehrlich gewesen zu sein (indes man Müller gerne glaubt, daß er sie manchmal belog).

Diese Intimbeziehung zwischen

Führungsoffizier und IM ist uns nicht so fremd, wie es scheint; sie entspricht der Beziehung zwischen Therapeut und Patient, wie sie seit den siebziger Jahren im Westen so begehrt war: als die wahre Beziehung, die sich alltäglicher Entfremdung enthob. Nur in der Therapie gab es „Authentizität" (im Osten hieß das „Konspiration"), man „ließ es raus" und brauchte nicht zu fürchten, daß jene, über die man dabei sprach, jemals von diesem Verrat erführen. So wenig wie drüben ein IM. Wenn aber heute die Dossiers der Therapeuten den Betroffenen geöffnet würden – nein, das wollen wir uns lieber nicht ausmalen.

Hier rühren wir an den Nerv des Problems, der in der Stasi-Debatte nur selten zuckte. Viel war da die Rede von Moral, aber an den erörterten Fällen mußte jede Kasuistik scheitern. Nicht, weil „Ostmensch und Westmensch keine gemeinsame Sprache sprechen", wie behauptet wurde, sondern weil, quer zur Geografie, die Vorraussetzungen des Sprechens differieren. Christa Wolf zum Beispiel: Sie wehrt sich gegen die „bigotte Forderung nach Erfüllung eines abstrakten rigorosen Moralkodex" – als hätte nicht das West-Feuilleton gerade ihr Gewissensschwellungen vorgeworfen. Und als müßte sie, die einstige brave „Margarete", nicht „Heiner, mir graut's vor dir" rufen, wenn sie Müllers zynische Stasi-Kontakte bedenkt. Sie pocht auf die „komplexe Realität" der Lebensläufe in der DDR – mit Recht. „Wahrheit und Wirklichkeit sind zwei Dinge", das sagt auch Heiner Müller. Iris Radisch greift das auf und stellt es auf den Kopf: „Ostdeutsche Wahrheit und westdeutsche Wirklichkeit, kollektive, ideologische Verklärung und individuelles, moralisches Rechtsempfinden lassen sich nicht vereinbaren" („Die Zeit" 22.1.93) – als wäre nicht die Wahrheitsforderung (außer bei der Stasi) eine westdeutsche Spezialität, die weniger auf individuelle Leistung als auf kollektive Stimmung zielt: Wahrheit soll konsensfähig sein. Das verträgt sich vorzüglich mit der postmodernen Beliebigkeit, die unter den IM-Poeten am ehesten Anderson vertritt; ihm fehlt nur die Chuzpe zum Bekenntnis, die man an Müller so schätzt und bei Wolf um so mehr vermißt, als sie durch ihr selbstsucherisches Wesen manche Erwartung weckte.

Dies alles war in der Stasi-Debatte nur unterschwellig präsent. Dafür zeigte sie deutlich, wo die Grenzen der literarischen Öffentlichkeit liegen. Da beugten sich viele gescheite Leute über das Gewissen von petzenden Poeten, so wie andere sich über Katrins Urin oder Erichs Leber beugten, aber das wirkte ganz beliebig, fast selbstsüchtig - es fehlte der institutionelle Rahmen, in dem sich Moral inszenieren ließe, etwa so, wie sie in den TV-Shows „Ich bekenne" und „Verzeih mir" inszeniert wird. Da tritt der Sünder mutig ans Licht, zeigt sein wundes Herz, und das Publikum rast. Das Medium ist der Richter; es läßt gern Gnade walten.

FOTO: S. SAUER / LICHTBLICK

KARL MARKUS MICHEL, *Jahrgang 1929, ist Herausgeber des „Kursbuch". Zuletzt erschien von ihm „Gesichter - Physiognomische Streifzüge". Er lebt in Berlin.*

In: Die Woche, 18. 2. 93

Wer die Unschuld verlor...

...und wer nicht. Schriftsteller im Visier der Stasi / Von Wolfgang Schreyer

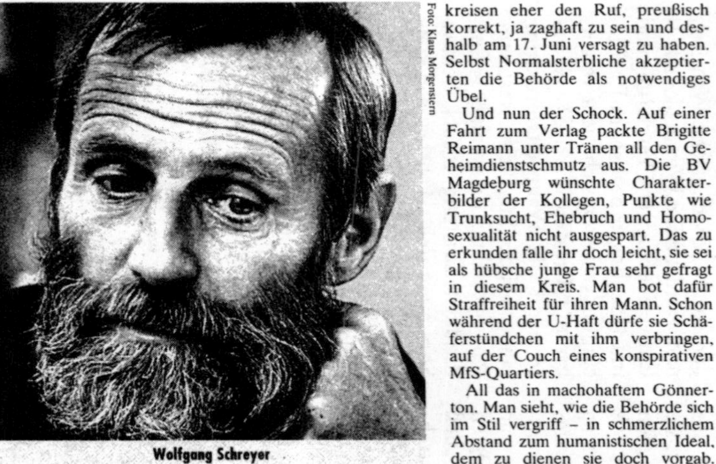

Foto: Klaus Morgenstern

Wolfgang Schreyer

In der Kolumne zur Stasi-Verstrickung Christa Wolfs (»Wochenpost« 5/93) heißt es, man müsse nun alles erzählen. Das sei der »Weg ins Freie: Geschichten erzählen vom Bleiben und Widerstand... «

Doch die Schriftsteller schweigen, überlassen das Thema wenigen Stars: den Hauptbetroffenen von gestern. Vielleicht, weil diese mit ihrem Bekanntheitsgrad dem Fußvolk eins voraushaben – die frühere Kenntnis ihrer MfS-Akte, falls vorhanden. Meine liegt in Gaucks Außenstelle Magdeburg, seit einem Jahr warte ich auf Einblick.

So bleibt mir jetzt nur die Erinnerung, ergänzt durch Vermerke in den MfS-Dossiers von Freunden. Schweigen nämlich führt westlich der Elbe zu dem Irrtum, man sei beschämt, und das in der DDR Gedruckte sei eher wertlos, weil die Autoren zwischen Staatszensur und Spitzelei auch beim besten Willen nichts Gescheites hätten schaffen können.

Das ist, als glaubte man nach den bekannten Fällen, die Rechtsanwälte, Nervenärzte, Pfarrer oder Lehrer hätten insgesamt mehr dem Staat als den Menschen gedient. Jede sinnvolle Berufsausübung stärkt immer auch das herrschende System. Haben Schriftsteller, die im Lande blieben, sich über die Ambivalenz allen Tuns hinaus nun doch befleckt?

Zumindest mußten sie das nicht. Zugunsten ernsthafter Texte ließ die Zensur Freiräume, schließlich immer mehr. Es galt bloß, sie zu nutzen und möglichst auszudehnen – mühsam, aber lohnend. Und nach meinem Eindruck hielt die Mehrzahl der Schreiber, Ausnahmen bestätigen die Regel, durchaus Distanz zur Geheimpolizei.

Leicht war's oft nicht, natürlich ist kreisen eher den Ruf, preußisch korrekt, ja zaghaft zu sein und deshalb am 17. Juni versagt zu haben. Selbst Normalsterbliche akzeptierten die Behörde als notwendiges Übel.

Und nun der Schock. Auf einer Fahrt zum Verlag packte Brigitte Reimann unter Tränen all den Geheimdienstschmutz aus. Die BV Magdeburg wünschte Charakterbilder der Kollegen, Punkte wie Trunksucht, Ehebruch und Homosexualität nicht ausgespart. Das zu erkunden falle ihr doch leicht, sie sei als hübsche junge Frau sehr gefragt in diesem Kreis. Man bot dafür Straffreiheit für ihren Mann. Schon während der U-Haft dürfe sie Schäferstündchen mit ihm verbringen, auf der Couch eines konspirativen MfS-Quartiers.

All das in machohaftem Gönnerton. Man sieht, wie die Behörde sich im Stil vergriff – in schmerzlichem Abstand zum humanistischen Ideal, dem zu dienen sie doch vorgab. Verzweifelt erwog Brigitte Reimann, der Bedrückung zu entfliehen und ihrem Bruder in den Westen zu folgen. Meine Frau nahm sie in die Arme und redete ihr das aus.

In den 60er Jahren freundeten sich die Autorinnen Wolf und Reimann an. Ihr Briefwechsel, der jetzt erscheint, mag zeigen, ob Christa Wolf auch von daher Impulse zu ihrer großen Wandlung empfing. In einer Art des Eintretens füreinander, die es inzwischen kaum noch gibt, hat sie sich um die krebskranke Freundin bemüht. Ihr etwa eine leichte, flache Schreibmaschine aus dem Westen besorgt, auf der Brigitte Reimann ihr letztes Werk im Liegen fast noch vollenden konnte.

Die Behörde, die da ganz ungewollt Erkenntnisprozesse in Gang

Unser Autor

■ *Wolfgang Schreyer, geboren am 20. 11. 1927 in Magdeburg. Im zweiten Weltkrieg Luftwaffenhelfer und Soldat. Drogist, seit 1952 freischaffender Schriftsteller. »Großgarage Südwest«, Kriminalroman, 1952. »Unternehmen Thunderstorm«, 1954, Roman über den Warschauer Aufstand von 1944. »Tempel des Satans«, 1960, Roman und dreiteiliger Fernsehfilm. »Schreyers Bücher und Funkarbeiten, in denen er meist zeitgeschichtliche Vorgänge behandelt, vereinen Dokumentarisches mit Elementen der Abenteuerliteratur; Sachkenntnis und Authentizität verbinden sich dabei mit Phantasie und spannender Darstellung aktueller Themen.«*
Meyers Taschenlexikon, Leipzig 1974

Die Person, die ich war

■ *»Die Schamschwelle ist sehr hoch, man möchte sich den Schritt über diese Schwelle gern ersparen. Ich mußte, um mir mein Verhalten erklären zu können, mich noch einmal jener Person aussetzen, die ich damals war: ideologiegläubig, eine*

brave Genossin, von der eigenen Vergangenheit her mit einem tiefen Minderwertigkeitsgefühl behaftet gegenüber denen, die durch ihre Vergangenheit legitimiert, im historischen Recht zu sein schienen.«
Christa Wolf,
»Wochenpost« 5/93

Das tut man nicht

■ *»Armer Teufel. Gleichwohl ist er auch gescheit, er ist – was noch Jean Paul und Heinrich Heine wußten – ein Logiker, mit dem sich trefflich disputieren läßt. Aber das tut man nicht, sagen die Frommen. Das verstößt gegen den Ehrenkodex, sagen die Früh-Dissidenten. Das ist Verrat, sagen die DDR-Oppositionellen, für die sich alles Schlechte des realen Sozialismus in der Stasi verkörpert, weshalb sie weiterträumen können von ihrem wahren Sozialismus.«*
Karl Markus Michel

■ *Dieser Tage erscheint: Brigitte Reimann/Christa Wolf »Sei gegrüßt und lebe«. Eine Freundschaft in Briefen 1964 – 1973. Herausgegeben von Angela Drescher. 220 Seiten, 29,80 DM.*

In: Wochenpost, 11. 3. 93

die Stasi eingedrungen, hat auch hier Karrieren gefördert. Gefährdet waren zunächst die Schwachbegabten und ziemlich Ehrgeizigen – wie überall, wer hoch hinaus will, ist korrumpierbar; in jedem System. Wem der Sinn nach Preisen, Westreisen und Luxus stand, der verlor leicht seine Unschuld.

Vor vierzig Jahren ging ich selbst zum MfS. Ich hatte einen Kriminalroman geschrieben, den ersten der DDR, und suchte nach dem nächsten Spannungsstoff. Damals war die Firma für mich ein stinknormaler Geheimdienst, wie ihn jedes Land hat. Der Pressesprecher des noch jungen Ministeriums hieß Oberst Borrmann. Er empfing mich, den Parteilosen, herablassend und drückte mir Agitationsbroschüren in die Hand. Auf derlei ließ sich verzichten; es blieb bei dem einen Besuch in der Magdalenenstraße.

Anfang '58 zwang die Bezirksverwaltung Magdeburg eine junge Frau, deren Mann wegen eines Trunkenheitsdelikts einsaß – Boykotthetze in Tateinheit mit Widerstand –, zu heimlicher Mitarbeit. Sie hieß Brigitte Reimann, hatte schon ein Buch geschrieben und wurde mit ihrem Roman »Franziska Linkerhand« nach ihrem Tod sehr bekannt. Unfähig zu spitzeln, offenbarte sie sich dem

Brigitte Reimann

örtlichen Schriftstellerverband. Wir protestierten in Berlin. Nach peinlichem Gezerre und üblen Verhören wurde Frau Reimann die ihr abgepreßte Verpflichtung los.

Im Beisein lokaler Parteigrößen und der Berliner Verbandssekretäre kam Magdeburgs Stasichef, Oberst Reinhold Knoppe, trotz böser Drohungen gegen Brigitte Reimann und mich nicht zum Zuge, im Dezember '58. Aber die Magdeburger Ereignisse, wie der lästige Vorgang im Berliner DSV hieß, hatten die Verbandsleitung doch arg genervt.

So wohl erklärt es sich, daß der Kollegin Christa Wolf, ab März '59 verdeckt tätig auf der Linie »Abwehr im DSV«, bei ihrem ersten Gespräch mit den Führungsoffizieren gleich mein Name einfiel. Laut »Spiegel« 4/93 wetterte sie gegen Schriftsteller, die »nicht auf dem Boden der Kulturpolitik von Partei und Regierung stehen … wie Wolfgang Schreyer und andere«.

Nun, das war dem MfS kaum neu. Seit '54 hatte ich mehrfach die Zensurpraxis der DDR (nichts anderes!) als verfassungswidrig, ja, als schädlich attackiert und war öffentlich gerüffelt worden. Und in der Zeitschrift NDL wachte Christa Wolf über das zarte Pflänzchen unserer Literatur – stets bereit, Fehlentwicklungen zu geißeln.

Ihre Rezensionen waren ebenso brillant wie gnadenlos. Und jetzt liest man, sie wurden durch Auskünfte an die Stasi ergänzt: Mitteilungen privater Art und Urteile, die in ihrer Gründlichkeit oft genug indiskret oder – wie im Falle Walter Kaufmanns – schlicht hochnäsig gewesen sind.

Zweierlei läßt sich entlastend sagen. Erstens, viele Genossen waren damals fest überzeugt, um der guten Sache willen auch mal auf so Elementares wie Takt, Anständigkeit und persönliche Integrität verzichten zu müssen.

Und zweitens, die Stasi der frühen Jahre erschien noch als weithin unbefleckt. Von dem finsteren sowjetischen Vorbild unterschied sie sehr vieles. Trotz einigem, was in der Bedrängnis des 53er Aufstands bei ihr passiert sein mochte, hatte sie in Partei-

setzte, legte ein Jahr nach dem Mauerbau plötzlich Wert auf meine Dienste. In Begleitung eines sympathischen Offiziers der HV Aufklärung erschien ein linkischer Mann der BV Magdeburg.

Sein Ministerium schätze Autoren, sagte er, zumal Rechercheure wie mich. Da nämlich berührten sich unsere Metiers, auch sollten Geist und Macht zusammenstehen, wie von Walter Ulbricht jüngst betont. Bei

Fotos: ADN/Zentralbild (2)

Christa Wolf

Sorgen und Nöten, Ärger mit Verlegern und Knappheit von Papier könne das MfS sehr hilfreich sein.

Ich stimmte ihm zu und gab all das auf der nächsten DSV-Versammlung wörtlich wieder. Amüsiertes Schweigen. Einer trug das natürlich hin. Die Firma fühlte sich gefoppt, sie trat nie wieder an mich heran. Und mir ist nicht mehr passiert, als daß es künftig keinen Fernsehauftritt und keinen Literaturpreis mehr gab.

Zugegeben, etwas Unabhängigkeit war nötig, wollte man das MfS brüskieren. Es mußte jeder probieren, wie weit man gehen kann. Das muß man auch heute noch. Denn Anpassung und Widerstand, unser Kurs zwischen diesen Polen, das bleibt ein Lebensproblem. Es hat sich mit dem Untergang des Realsozialismus keineswegs erledigt.

Der Geschwister-Scholl-Preis »Störfall« in München

»Es ist beschämend, wie man mit
solchen schöpferischen Menschen
wie Christa Wolf, deren wir ja nicht
viele haben, umgeht . . .«

Inge Aicher-Scholl

Zu den peinlichsten Reaktionen auf die »Selbst-Auskunft« von Christa Wolf zu ihrem IM-Vorgang gehörte der Vorstoß der bayerischen CSU im Münchner Stadtrat, der Schriftstellerin den Geschwister-Scholl-Preis abzuerkennen. Diese Auszeichnung war ihr im Jahre 1987 für ihr Buch »Störfall« *von der Stadt und dem Verband Bayerischer Verlage und Buchhandlungen gemeinsam verliehen worden.*

Kaum war die CSU-Initiative publik, stieß sie auf Kritik und Ablehnung. Die »Süddeutsche Zeitung« bemerkte in einer Glosse: »Das Werk der Schriftstellerin Christa Wolf . . ., das auch und vielleicht zuerst ihr ganzes Leben ist, dementiert andere, beklagenswerte Lebensentscheidungen der Christa Wolf in einigen Abschnitten ihres Lebens.« (SZ 26. 1. 93)

Der Verband Bayerischer Verlage und Buchhandlungen bezog ebenfalls eine klare Position, und zwar gegen die CSU. Was noch wichtiger war: Inge Aicher-Scholl, die älteste Schwester von Hans und Sophie Scholl, stellte sich eindeutig auf die Seite der Schriftstellerin: »Es ist beschämend, wie man mit solchen schöpferischen Menschen wie Christa Wolf, deren wir ja nicht viele haben, umgeht . . .«, schrieb Inge Aicher-Scholl.

Als die CSU sich weder im Stadtrat noch in der Öffentlichkeit durchsetzen konnte, wandte sich ihr Fraktionsvorsitzender Gerhard Bletschacher direkt an Christa Wolf: ». . . habe ich mich entschlossen, Sie zu bitten, auf den Preis zu verzichten . . .« Das Anmaßende dieser Bitte konnte die Schriftstellerin leicht zurückweisen: »Falls Sie mit dem Ansinnen an mich, den Preis zurückzugeben, die Geldsumme meinen . . ., so kann ich Sie beruhigen: Seit Jahren habe ich das Geld, das an Preise geknüpft war – ob in Ost oder West – niemals für mich verwendet . . .«

Der Vorsitzende Bayerischer Verlage und Buchhandlungen e.V., Erwin Schumacher, an den Oberbürgermeister Georg Kronawitter

München, 23. Januar 1993

Sehr geehrter Herr Oberbürgermeister,
aus der SZ erfuhren wir von der CSU-Initiative im Ältestenrat, Christa Wolf den Geschwister-Scholl-Preis abzuerkennen. Herr Hummel berichtete mir von dem Vorschlag, die Jury dazu zu befragen. Wir sind mit ihm der Meinung, daß keine Veranlassung für eine Revision der Juryentscheidung besteht. Unser Verband wird sich jedenfalls sehr entschieden einer Aberkennung des Geschwister-Scholl-Preises widersetzen.

Der Geschwister-Scholl-Preis ist einer der wenigen Literatur-Preise, die für ein einzelnes Buch vergeben werden. Im Fall von Christa Wolf für den »Störfall«, in dem die Bevormundung durch den Staat zum Ausdruck kommt und die Freiheit der Information eingefordert wird. Daß dies auf sehr private Weise geschieht, macht die kritische Haltung nur um so eindringlicher.

Daß Christa Wolf als 30jährige in den Jahren 1959 bis 1962 als GI tätig war, ist erwiesen, ebenso, daß sie später jahrzehntelang von der Stasi observiert wurde (siehe FAZ vom 22. Januar 1993).

Die Entwicklung von der Systemtreue zur Systemkritik ist auch in ihren Büchern zu erkennen.

Und wer kann sich anmaßen, über einen Menschen den Stab zu brechen, der nicht selbst das sozialistische System erlebt hat?

Die Jury dazu um eine Stellungnahme zu bitten, halte ich für äußerst fragwürdig. Wir würden sie damit zu einem Tribunal machen, das über Schuld oder Unschuld einer bedeutenden Autorin urteilen soll, die in die Netze der Stasi geraten ist. Ich meine, vor dieser Rolle sollten wir sie verschonen. Außerdem hat sich die Zusammensetzung bis auf zwei Mitglieder völlig geändert. Man kann einer neuen Jury auch nicht zumuten, über die Vorgänger zu befinden.

Ich hoffe, der Ältestenrat kann sich unserer Meinung anschließen und wäre froh, wenn sich die beiden Stifter, die Stadt München und der Verband, darin einig sind, daß der Preis seinerzeit zu Recht für ein systemkritisches Buch vergeben wurde.

Mit freundlichen Grüßen
Verband Bayerischer Verlage und Buchhandlungen e.V.
Erwin Schumacher, Vorsitzender (nach Diktat verreist)

CSU an Kronawitter:

Christa Wolf unverzüglich Scholl-Preis aberkennen

Der Schriftstellerin Christa Wolf soll unverzüglich der Geschwister-Scholl-Preis aberkannt werden. Dies forderte gestern die Rathaus-CSU in einem Brief an Oberbürgermeister Georg Kronawitter. Fraktionschef Gerhard Bletschacher will sich nicht mehr an die Vereinbarung des Ältestenrats des Stadtrats vom vergangenen Freitag halten: Nachdem die Stasi-Vergangenheit von Frau Wolf bekanntgeworden war, sollte erst einmal die Preis-Jury eine Stellungnahme dazu abgeben, ob sie die Auszeichnung aus dem Jahr 1987 für ihr Buch „Störfall" behalten darf oder nicht.

Enthüllungen in der neuesten Ausgabe des Nachrichtenmagazins *Der Spiegel* hätten nun gezeigt, daß die Schriftstellerin enger in die Bespitzelungen der Stasi verstrickt gewesen sei, als sie selber zugegeben habe. Bletschacher: „Auch wenn die Bücher der achtziger Jahre eine andere Tendenz haben, so sind die erbrachten Beweise so nachhaltig, daß nun sofort Konsequenzen gezogen werden müssen." Christa Wolf habe den moralischen Anspruch verwirkt, als Geschwister-Scholl-Preisträgerin zu firmieren.

Wie aus dem Oberbürgermeister-Büro zu erfahren ist, will man zunächst den *Spiegel*-Bericht auswerten. Die Jury-Mitglieder sollten ihn ebenfalls in ihre Stellungnahme einbeziehen. Man rechnet damit, daß die Äußerungen für die nächste Sitzung des Ältestenrats in etwa drei bis vier Wochen vorliegen werden. dü.

Irrtümer

Zum Streit um Christa Wolf

Daß der Philister wohl vielleicht in der Sache recht habe, nicht jedoch in den Gründen, ist ein Aperçu, das vortrefflich intellektuelles Überlegenheitsgefühl bestätigt. Es ist eine schöne Welt, in der das so ist. Aber in Wahrheit ist die Welt nicht schön. In Wahrheit gilt auch für die Dumpfmeister aller Provenienzen der Satz, daß sie oft mit ihren Gründen recht haben, aber nicht in der Sache.

Die jetzt in München erhobene Forderung der CSU, die Stadt möge der Schriftstellerin Christa Wolf den „Geschwister-Scholl-Preis" wieder aberkennen – den sie 1987 für ihr Buch „Störfall" erhielt –, weil sie Anfang der sechziger Jahre Spitzeldienste für die Stasi leistete, kann dies nur belegen. Es ist ja schon makaber. Die Geschwister Scholl waren vom Hausmeister der Münchner Universität denunziert worden. Eine Denunziantin im Dienste einer anderen Diktatur soll in der Ehrenliste der Preisträger verbleiben, deren Wirken aus Anlaß eines Buches bescheinigt wird, daß dieses den Geist mutigen Widerstands gegen das Unrecht in besonderer Weise bezeuge?

Es spricht da einiges gegen Christa Wolf. Die Begründung der CSU-Stadtratsfraktion klingt nicht nur plausibel, sie ist es. Aber hat sie deshalb schon in der Sache recht? Das Buch „Störfall", für das Christa Wolf ausgezeichnet wurde, ist ein Vierteljahrhundert von ihrer IM-Tätigkeit entfernt. Das literarische Werk dieser Frau im Ganzen – lassen wir einmal eine ästhetische Würdigung beiseite – wird niemand als Entsprechung zu ihrer zeitweiligen Spitzeltätigkeit lesen können. Es wurde und wird verstanden als ein Versuch, in einem Denken Halt zu finden, das der Welt der Spitzel und ihrer Auftraggeber diametral entgegengesetzt ist. Wie die andere große Schriftstellerin der DDR, wie Anna Seghers hat offenbar auch Christa Wolf zu Zeiten mit unterschiedlicher Intensität geglaubt, Humanität sei am ehesten durch den Sozialismus zu retten, sogar oder gerade, wenn der als sozialistischer Staat auftritt.

Das Werk der Schriftstellerin Christa Wolf – aus dieser Perspektive betrachtet –, das Werk, das auch und vielleicht zuerst ihr ganzes Leben ist, dementiert andere, beklagenswerte Lebensentscheidungen der Christa Wolf in einigen Abschnitten ihres Lebens. Dieses Ganze ihres Lebens ist die Sache, über die nachzudenken ist. Details taugen für Denunzianten und für die Gründe der Philister. J. B.

In: Süddeutsche Zeitung, 26. 1. 93

Christa Wolf und der Scholl-Preis '87

Diskussion wegen »Störfall« abgelehnt

Der Verband Bayerischer Verlage und Buchhandlungen und das Münchner Kulturreferat haben übereinstimmend die von der Münchner Rathaus-CSU verfolgte Initiative, der Schriftstellerin Christa Wolf wegen ihrer vor mehr als 30 Jahren stattgefundenen Stasi-Zuträgertätigkeit den ihr im Jahr 1987 für das Buch »Störfall« zugesprochenen Geschwister-Scholl-Preis abzuerkennen, abgelehnt.

»Wir sind der Meinung, daß keine Veranlassung für eine Revision der Juryentscheidung besteht. Unser Verband wird sich jedenfalls sehr entschieden einer Aberkennung des Geschwister-Scholl-Preises widersetzen«, hat der LV-Vorsitzende Erwin Schumacher erklärt. Der Kulturreferent der bayerischen Landeshauptstadt, Siegfried Hummel, hat sich dieser Beurteilung angeschlossen und wird, wie vom Referat offiziell mitgeteilt worden ist, dem Stadtrat die Empfehlung geben, die Sache nicht weiter zu verfolgen.

Von der CSU-Stadtratsfraktion war gefordert worden, der Schriftstellerin Wolf den 1987 von der Stadt München und dem Landesverband verliehenen Preis unverzüglich wieder abzuerkennen. Die damalige Jury sollte dazu eine Stellungnahme abgeben.

Der Geschwister-Scholl-Preis wird alljährlich nicht für eine Person oder für ein Gesamtwerk vergeben, sondern für ein einzelnes Buch. Christa Wolf erhielt den Preis für ihr Buch »Störfall. Nachrichten eines Tages«, das sich auf das Atomreaktorunglück von Tschernobyl bezog. Die Autorin habe, so der Text der Verleihungsurkunde, zu einer »Darstellung der Sprachlosigkeit angesichts des Schreckens« gefunden und den »Ablauf des bequemen Denkens, des Verdrängens der Gefahr der ökologischen Katastrophe« entscheidend gestört.

Der Preis sei »seinerzeit zu Recht für ein systemkritisches Buch vergeben« worden, hat der Landesverband festgestellt. Die Jury jetzt zu einer Stellungnahme zu bitten, sei äußerst fragwürdig. »Wir würden sie damit zu einem Tribunal machen, das über Schuld oder Unschuld einer bedeutenden Autorin urteilen soll«, heißt es in einem Schreiben des LV an den Münchner Oberbürgermeister Georg Kronawitter. Zugleich wird die Frage gestellt: »Und wer kann sich anmaßen, über einen Menschen den Stab zu brechen, der nicht selbst das sozialistische System erlebt hat?« »Ich hoffe«, schließt Schumachers Schreiben, »der Ältestenrat kann sich unserer Meinung anschließen und wäre froh, wenn sich die beiden Stifter, die Stadt München und der Verband, darin einig sind, daß der Preis seinerzeit zu Recht für ein systemkritisches Buch vergeben wurde.«

Christa Wolf mit Georg Kronawitter, 1987

In: Börsenblatt für den Dt. Buchhandel, 29. 1. 93

Rose Backes, Geschäftsführerin des Verbandes Bayerischer Verlage und Buchhandlungen e.V., an Christa Wolf

München, den 29. 1. 1993

Sehr geehrte Frau Wolf,
in den letzten Tagen bewegen Pressemeldungen über Sie und Ihre Vergangenheit die Öffentlichkeit. Einige Interviews hatten Sie ja auch schon vor Ort durchzustehen.

Ausgelöst wurde die betrübliche Diskussion durch einige Stimmen in der Münchner CSU, Ihnen aufgrund dieser Meldungen den Geschwister-Scholl-Preis für den »Störfall« abzuerkennen.

Diese Diskussion wird ohne unser Einverständnis geführt. Der Vorstand unseres Verbandes ist entschieden gegen eine Aberkennung. Auch zahlreiche Mitglieder haben uns in den letzten Tagen in unserer Ansicht bestärkt.

Gerne erhalten Sie daher anbei zu Ihrer Information einen Brief, den unser derzeitiger Vorsitzender, Herr Erwin Schumacher, in dieser Sache an den Oberbürgermeister der Stadt München gesandt hat. Der Kulturreferent, Siegfried Hummel, hat uns telefonisch erklärt, daß sie sich beide hinter die Ansicht des Verbandes stellen.

Darüber wollten wir Sie informieren und Ihnen Kraft wünschen, die Auseinandersetzungen weiter gut und sachlich durchzustehen.

Mit allen guten Wünschen
Ihr Verband Bayerischer Verlage
und Buchhandlungen e.V.
Rose Backes
Geschäftsführung

Störfall Scholl-Preis

Christa Wolf gehört zu den Autoren, deren literarisches Unterfutter fast ausschließlich die deutsche Teilung war. Mit der Wiedervereinigung ist auch Christa Wolf literarisch gesehen untergegangen, und es ist kaum zu erwarten, daß sie wieder auftaucht. 1987 aber hat sie den Geschwister-Scholl-Preis bekommen, einen nicht schlecht dotierten (20 000 Mark) und renommierten Literaturpreis, den die Stadt München und der bayerische Buchhändler- und Verlegerverband gemeinsam verleihen und finanzieren. Die Auswahl trifft eine Jury. Der Jury von 1987 gehörte ich an. Ich habe in der entscheidenden Sitzung für Christa Wolf gestimmt, denn der Preis hat einer Arbeit gegolten, deren literarisches Unterfutter Christa Wolf ausnahmsweise nicht der deutschen Teilung verdankte, sondern einem Ereignis, das so aktuell ist wie eh und je: Tschernobyl und überhaupt die Lebensbedrohung durch die ausschweifende Technik. Hier muß angemerkt werden, daß der Geschwister-Scholl-Preis satzungsgemäß nicht dem Lebenswerk eines Autors, sondern ausdrücklich *einem* Buch gilt.

ANSCHLAG

Jetzt kann man freilich einen Autor nicht von seinem Buch trennen. (Wenngleich ich das in meiner Laudatio damals versucht habe; ich habe zum Mißvergnügen von Frau Wolf bemängelt, daß sie das Wort Tschernobyl und daß sich dieser Ort in der – inzwischen verdunsteten – Sowjetunion befindet, verschwiegen hat. Inzwischen ist „Störfall" das Buch einer Autorin, die angeblich – geklärt ist noch wenig – eine Zeit lang der „Stasi" zugetragen, unter anderem meinen Freund und Kollegen Manfred Bieler, denunziert habe. Frau Wolf war mir nie sympathisch. Sie hat selbst noch 1987 in einem Gespräch mit mir „im Marxismus durchaus eine Perspektive" gesehen: welche, freilich, hat sie nicht verraten. Ich habe ihr damals schon außer bedingter Regimetreue Stasidienste zugetraut. Jeder, der so frei in den Westen reisen konnte wie Frau Wolf, hatte irgendwann Stasi-Kontakte. Trotzdem ist es dumm, den Vorschlag zu machen, Christa Wolf den Geschwister-Scholl-Preis abzuerkennen. Erstens ist noch gar nicht alles klar, ihre „Schuld" noch nicht erwiesen. Zweitens erhebt sich die Frage: Wie soll das juristisch gehen? Soll Christa Wolf die 20 000 Mark zurückzahlen? Kann die Stadt einseitig einen einmal verliehenen Preis zurücknehmen, ohne den Buchhändler- und Verlegerverband zu fragen, der sich von dem Vorschlag inzwischen distanziert hat? Und drittens: Nur faschistische und diktatorische Systeme versuchen, die Zeit umzudrehen und unliebsame Ereignisse zurechtzubiegen. Aber das hilft alles nichts. Die Zeit, die vergangen ist, ist aus Eisen. Abgesehen davon aber ist „Störfall" – Stasi hin, Stasi her – ein gutes und auch heute noch notwendiges Buch und jeden Lobes wert. Man muß ja auch den Tristan genießen können, wenn man weiß, daß Richard Wagner den fiesesten Charakter hatte. Wollen die dort im Stadtrat aus dem Schnee vom vergangenen Jahr noch einen Schneemann bauen? Wenn schon so ein Vorschlag gemacht wird, müßte er noch weitergehen: der Geschwister-Scholl-Preis wurde Christa Wolf nie verliehen. Die Jurysitzung, die Feier, die Reden, das Festessen, haben nie stattgefunden. Den Geschwister-Scholl-Preis hat Franz Josef Strauß für sein 1987 erschienenes Buch „Auftrag für die Zukunft" bekommen. Oder Franz Beckenbauer für sein bedeutendes Werk „Meine Gegner, meine Freunde – Stationen einer Karriere".

HERBERT ROSENDORFER

Der Autor ist Schriftsteller und Richter. Er hielt bei der Geschwister-Scholl-Preisverleihung an Christa Wolf die Laudatio.

In: Süddeutsche Zeitung, 30./31. 1. 93

Inge Aicher-Scholl an Christa Wolf

Rotis, 2. 2. 93

Liebe Christa,
als ich gestern in der ZEIT die »Bemerkungen zu Heiner Müller und Christa Wolf« las, packte mich eine heiße Wut.

Dann empfand ich aufs neue die Traurigkeit, daß Otl nicht mehr da ist. Er hätte sich sofort nach einer solchen Lektüre hingesetzt und eine klare, eindeutige Leserzuschrift geschrieben, eine Fähigkeit, die mir fehlt. Vorweg muß ich sagen, daß es mich tief trifft, wenn man die DDR dem Nazi-System gegenüberstellt, sozusagen als etwas Gleichartiges. Das ist ein Unfug, der mich in Zorn bringt. Von solchen Analogien geht dieses trübe Licht aus, das der Wiedervereinigung anhängt. Ich habe immer die Frage gestellt, wenn es auf dieses Thema kam, ob in der DDR überhaupt ein Todesurteil gefällt wurde.

Im übrigen konnte ich in dem ganzen Gerede über Deine angebliche Stasi-Mitwirkung nicht einen einzigen konkreten Hinweis entdecken. Das Ganze ist eine Herabsetzung Deiner Person, in einer üblen Sprache, strotzend von Moral und Edelmut. Ich habe mir dann Dein Bändchen »Ansprachen« aus dem Regal geholt und Deine Dankrede für den Geschwister-Scholl-Literaturpreis, die uns damals so stark beeindruckte, noch einmal gelesen. Aufs neue war ich tief beeindruckt von der Aufrichtigkeit, mit der Du darin zu Deiner politischen Haltung stehst, sie definierst – und das in einer noblen, wohltuenden Sprache. Nebenbei fand ich es wunderbar, wie Du meinen Bruder Hans als Begleiter Deiner Rede an die Hand genommen hast. (In der Regel ist immer Sophie erwähnt.)

Es ist beschämend, wie man mit solchen schöpferischen Menschen wie Christa Wolf, deren wir ja nicht viele haben, umgeht, zumal in dieser neonazistischen Situation, gegen die wir unsere besten Kräfte aufbauen sollten (im doppelten Wortsinn).

Jetzt in diesen Tagen ist mein Buch »Sippenhaft« erschienen. Ich konnte inzwischen mit Gerhard telefonieren und werde es ihm schicken. Er wird dafür sorgen, daß Du es durch jemand, der Dich besucht, bald in die Hände bekommst.

Alles Liebe Deine Inge

Christa Wolf an Inge Aicher-Scholl

Santa Monica, d. 16. 2. 93

Liebe Inge,
gestern kam Dein Brief, ich bin sehr froh darüber und will Dir gleich antworten. Ich habe ein paar ziemlich schwierige Wochen hinter mir, ich denke, Du wirst inzwischen von Gerd meine beiden Artikel, den einen für die Berliner Zeitung und das Interview für die Wochenpost, bekommen haben und über den Sachverhalt Bescheid wissen. Ich habe tatsächlich im Mai vorigen Jahres, als ich über unseren Stasi-Akten saß, entdecken müssen, daß über mich in den Jahren 1959–62 ein IM-Vorgang geführt wurde – wie das alles abgelaufen ist, habe ich beschrieben. Seit drei Tagen bin ich nun selbst endlich im Besitz dieser Akte. Sie besteht aus 137 Blättern, davon sind 50 Spitzel- und andere Berichte über mich, 32 fehlen, da sie ausschließlich andere Personen betreffen, und nur 15 Seiten sind »Treffberichte« – das heißt, aus ihnen geht hervor, daß ich mich dreimal in Berlin mit zwei Herren, und viermal in Halle mit einem Herrn von der Staatssicherheit getroffen habe (dieser letztere hat, wie ich überzeugt bin, mit falschen Karten sowohl uns gegenüber als auch gegenüber seiner Behörde gespielt, um Erfolgsmeldungen abliefern zu können). Ein Teil der Presse, an die diese Akte auf Antrag ging, ohne daß ich etwas davon wußte oder selbst die Akte einsehen oder bekommen konnte, hat diesen Tatbestand so hochgepuscht wie möglich, aber das hatte ich erwartet, es war einer der Gründe, warum ich acht Monate gewartet habe, ehe ich selbst damit an die Öffentlichkeit ging.

Ich selbst bin, von allem abgesehen, was andere dazu sagen mögen, schockiert über diesen Teil meiner Vergangenheit, von dem ich das meiste verdrängt hatte, und bin in einer Phase intensiver Selbstbefragung. Ich möchte versuchen, noch einmal an diese Zeit heranzukommen und an diese Person, die ich war und die mir ganz fremd ist, diese Einsicht hat mich erschüttert. Vielleicht habe ich einen solchen Schock gebraucht, um den Schmerz, der mit dieser Selbstbefragung verbunden ist, nicht mehr zu scheuen.

Ich glaube, für mich hat sich einiges geändert. Ich wäre sehr froh, wenn unsere Beziehung sich nicht ändern würde, sie ist mir, das wirst Du wissen, unglaublich wichtig.

Ich zögere, Dir noch etwas zu der Diskussion zu sagen, mir den Geschwister-Scholl-Preis wieder abzuerkennen. Du wirst Dich erinnern, wie schwer es mir damals gefallen ist, ihn anzunehmen, weil ich mich dem Anspruch, der in diesen Namen steckt, nicht gewachsen fühlte, dann kamen die Pressestimmen dagegen, ausgehend von der Behauptung von Marcel Reich-Ranicki, ich hätte meine Unterschrift unter den Protest gegen die Biermann-Ausbürgerung insgeheim zurückgezogen; nun habe ich in den Stasi-Akten gefunden, daß dieses Gerücht von der Stasi ausgestreut und von einigen meiner Freunde geglaubt wurde; dieses Gerücht hat mir viel Kummer gemacht. – Wie auch immer, und wie die Diskussion um die Aberkennung des Preises ausgehen mag – es sollte unsere Beziehung nicht beschädigen, darum bitte ich Dich.

Liebe Inge, ich hoffe, es geht Dir nicht allzu schlecht, ich hoffe, Du kannst die große Arbeit, die auf Dir liegt, bewältigen. Ich bin sehr gespannt auf das Buch »Sippenhaft«, und ich danke Dir nochmal, daß Du mir geschrieben hast.

Sehr herzlich
Deine Christa

Inge Aicher-Scholl an Christa Wolf

Rotis, 3. März 1993

Liebe Christa,
vor mir liegt Dein lieber Brief vom 16. 2. 93 aus Santa Monica. Bitte mach' Dir nicht die geringsten Gedanken wegen des Geschwister-Scholl-Literatur-Preises. Derartigen Unsinn hat ein Typ von der bayerischen CSU verbreitet. Franz Müller, der Vorsitzende der Weiße Rose-Stiftung in München, hat dieses Gerücht unverzüglich abgewehrt und versprach mir auch, Dir ein Briefchen zu schreiben. Im übrigen geht das ausschließlich die Jury an, die voll auf Deiner Seite steht.

Vor einigen Tagen war ich eingeladen, in der Seidel-Villa, München, aus dem von mir herausgegebenen Buch »Sippenhaft« vorzulesen. Ich habe diese Gelegenheit benützt, eingangs – vor einem übervollen Saal – einige Bemerkungen zu äußern, die mir wichtig waren. Ich lege Dir eine Abschrift davon bei.

Mit herzlichem Gruß
Deine Inge

Kürzlich erhielt ich einen Brief von einem Lehrer einer Geschwister-Scholl-Schule in Luxemburg. Er teilte mir mit, daß 97 junge Luxemburger 1944 erschossen wurden, weil sie sich weigerten, in der deutschen Wehrmacht zu dienen. Diese Grausamkeit des NS-Regimes hat mich aufs neue erschüttert.

Schließlich ist es mir noch ein Anliegen, mich vor Christa Wolf zu stellen. Ich kann in dem ganzen Gerede über die angebliche Stasi-Mitwirkung nicht einen einzigen konkreten Hinweis entdecken. Der Geschwister-Scholl-Literatur-Preis, den sie erhielt, ist unantastbar. Ihre Dankrede ist von einer tief beeindruckenden Aufrichtigkeit. Sie steht zu ihrer politischen Haltung und definiert sie eindeutig. Wir können es uns nicht leisten, mit solchen schöpferischen Menschen derart umzugehen, zumal in dieser neunazistischen Situation, gegen die wir unsere besten Kräfte aufbauen sollten (im doppelten Wortsinn).
München, Seidel-Villa, 25. 2. 1993

Inge Aicher-Scholl, geb. 1917, ist die älteste Schwester von Sophie und Hans Scholl, die 1943 als Mitglieder einer Münchener Widerstandsgruppe hingerichtet wurden. Sie schrieb 1952 das Buch »Die Weiße Rose«, das seitdem immer wieder neu aufgelegt worden ist. Ihr Mann Otl Aicher hatte wichtige gedankliche Anstöße zu den späteren Aktionen der »Weißen Rose« gegeben. Mit Otl Aicher betrieb Inge Scholl nach dem Krieg die Gründung der Hochschule für Gestaltung in Ulm. Aicher starb 1991 an den Folgen eines Unfalls. Inge Aicher-Scholl hat sich seit den siebziger Jahren intensiv in der Friedensbewegung engagiert.

„Kein Buch des Widerstands"

Erich Loest mischt sich in den Streit um den Scholl-Preis ein

Mit seinem Vorschlag, die Stadt solle Christa Wolf offiziell darum bitten, den Geschwister-Scholl-Preis nicht mehr in der Aufzählung ihrer Preise und Auszeichnungen zu erwähnen, traf der ehemalige DDR-Autor Erich Loest ins Schwarze. „Ein bestechender Vorschlag", fand CSU-Fraktionsvorsitzender Gerhard Bletschacher, der Erich Loest nach München eingeladen hatte, „damit wir uns des Rats eines Zeitzeugen versichern können" in der Frage, ob die Stadt der Autorin den 1987 für ihr Buch „Störfall" verliehenen Preis wieder aberkennen solle. Das hatte Bletschacher gefordert, nachdem bekanntgeworden war, daß die Schriftstellerin als „IM Margarete" zeitweise für die Stasi gearbeitet hatte. Heute mittag entscheidet der Ältestenrat des Stadtrats über den CSU-Antrag. Der Verband der Buchhändler, der den Preis gemeinsam mit der Stadt vergibt, hat sich bereits gegen die Aberkennung ausgesprochen.

Loest, der als Autor in der DDR verfolgt wurde und sieben Jahre in Bautzen inhaftiert war, bescheinigte seiner Kollegin Wolf, eine „unwürdige Rolle" in der gegenwärtigen Stasi-Diskussion zu spielen. Auch wenn ihre Tätigkeit als Stasi-Spitzel mehr als 30 Jahre zurückliege, sei das keineswegs als Jugendsünde zu beurteilen. In der Zeit danach sei Wolf vom DDR-Regime teilweise „gefördert, aber auch argwöhnisch beobachtet" worden. Das von vielen Lesern in sie gesetzte Vertrauen habe sie mit ihrem Buch „Was bleibt" gründlich enttäuscht: „Da hat sie sich an die Seite der Verfolgten geschmuggelt."

Die Verleihung des Scholl-Preises an Christa Wolf für ihr Buch „Störfall" sei von vornherein eine Fehlentscheidung gewesen, so Loest. Nach den Statuten werde die Auszeichnung für ein literarisches Werk verliehen, das Widerstand im Sinne der Geschwister Scholl darstelle. „‚Störfall' ist kein Buch des Widerstands, höchstens eines des Widerspruchs." Erklärlich sei die Verleihung durch den damaligen Zeitgeist: „Da hat man ja auch Milliardenkredite für die DDR eingefädelt und Honecker als Staatsgast empfangen."

„Hätte Christa Wolf einen Literaturpreis erhalten, hätte ich kein Wort gesagt", meinte Gerhard Bletschacher, „aber einen Preis, der für Widerstand verliehen wird, hat sie nicht verdient." Auf keinen Fall wolle er sich anmaßen, so Bletschacher, die damalige Preisverleihung aus literarischen Gründen zu kritisieren. Das dürfte ihm auch schwerfallen: Wie der CSU-Chef zugab, hat er „Störfall" nie gelesen.

FRANZ KOTTEDER

In: Süddeutsche Zeitung, 12. 2. 93

Karin Friedrich an Christa Wolf

Gauting, 22. 2. 1993

Verehrte Christa Wolf,
Ihre Adresse habe ich von Inge Aicher-Scholl. Wie viele andere aus dem Kreis der »Weißen Rose« und aus meinem weiteren Freundeskreis verurteile ich vehement die Angriffe gegen Sie, ebenso das fatale, nun wohl doch abgeschmetterte Ansinnen, Ihnen den »Geschwister-Scholl-Preis« abzuerkennen, und versichere Sie meiner Sympathie.

Ich habe fast alle Ihre Bücher gelesen und – als Journalistin bei der »Süddeutschen Zeitung« (bis Mai '92) – »Kindheitsmuster« und »Voraussetzungen einer Erzählung: Kassandra« besonders bewundert. Ihre stets mutige und literarisch großartige Auseinandersetzung mit dem Jetzt.

Zufällig habe ich gerade (siehe oben ». . . Kassandra«) den von mir unterstrichenen Satz auf S. 84 aufgeschlagen: »Die Einsicht, daß unser aller physische Existenz von den Verschiebungen im Wahndenken sehr kleiner Gruppen von Menschen abhängt, also vom Zufall, hebt natürlich die klassische Ästhetik endgültig aus den Angeln«.

Hoffen wir, daß das »Wahndenken« in vielerlei Beziehung nicht weiter um sich greift, daß Sie sich möglichst wenig davon irritieren lassen! Und wir hier wollen – müssen dafür kämpfen, daß es nicht eines Tages wirklich heißt: »Hitler hat uns eingeholt«.

Mit herzlichen Grüßen!
Karin Friedrich

P.S. In München gehöre ich jetzt zur Stiftung »Weiße Rose«, habe aber damals in Berlin nur ihre Flugblätter weiterverbreitet. Direkt gehörte ich in der Nazizeit zur Berliner Widerstandsgruppe »Onkel Emil« (Ruth Andreas-Friedrich »Der Schattenmann«), die Kontakte zum »Kreisauer Kreis« hatte.

Christa Wolf an Karin Friedrich

Santa Monica, 2. 3. 93

Liebe Karin Friedrich,

Ihr Brief ist sehr wichtig für mich, ich danke Ihnen. In den letzten Wochen hatte ich Tag und Nacht damit zu tun, mich einerseits mit dem Horrorbild auseinanderzusetzen, das durch die Presse über mich verbreitet wurde; ich wußte, wenn ich dieses Bild in mich hineinlasse, bin ich verloren. Andererseits mußte und muß ich mich natürlich mit jener Person aus der Zeit, aus der die unselige Akte stammt, auseinandersetzen, muß die schreckliche Fremdheit überwinden, die ich zu ihr empfinde, und lernen, auch zu diesem Menschen, der ich einmal war, »ich« zu sagen. Es ist unheimlich schwer, unglaublich schmerzhaft – dagegen verblaßten manchmal die Angriffe von außen.

Aber die Auseinandersetzung um den Geschwister-Scholl-Preis tat natürlich weh, und ich war sehr froh, als Inge Aicher-Scholl mir schrieb, und daß Sie mir jetzt schreiben. Gerade bei diesem Preis hatte ich ja damals die allergrößten Hemmungen und wollte ihn zuerst nicht annehmen – also irgend etwas in mir gibt denen schon recht, die sagen, ich hätte ihn nicht verdient, nur weiß ich wiederum nicht, ob die, die das sagen, ein Recht dazu haben. Wichtiger als die Zu- oder Aberkennung des Preises ist mir die Beziehung zu den Menschen, die das Erbe der Scholls lebendig halten.

Das Buch »Der Schattenmann« von Ruth Andreas-Friedrich habe ich mit großer Bewunderung gelesen.

Was aber das »Wahndenken« betrifft – ich bin manchmal doch ein bißchen mutlos. Natürlich muß jeder seins dagegen tun, aber Geschriebenes bewirkt da wohl nicht allzu viel. Ich habe mir nach dem Krieg nicht vorstellen können, daß ich noch einmal an deutschen Häuserwänden Hakenkreuze sehen würde.

Aber das ist ein weites Feld. Ich möchte Ihnen nochmals danken und Sie herzlich grüßen

Ihre

Christa Wolf

Gerhard Bletschacher, Fraktionsvorsitzender der CSU im Stadtrat der Landeshauptstadt München, an Christa Wolf

München, 2. 3. 1993

Sehr geehrte Frau Wolf,
im Jahre 1987 haben Sie für Ihr Werk »Störfall« den Geschwister-Scholl-Preis der Landeshauptstadt München erhalten.

Aufgrund der umfangreichen Berichterstattung über Ihre Verbindungen zum Staatssicherheitsdienst in den fünfziger Jahren hat die CSU-Stadtratsfraktion den Antrag gestellt, Ihnen diese Auszeichnung abzuerkennen.

Die Begründung hierfür ist die Idee und die Geisteshaltung, die mit den Geschwistern Scholl und ihrem Wirkungskreis verbunden ist.

Der einzigartige Widerstand gegen den Nazi-Terror stellt eine besondere Verpflichtung für die Verleihung dieses Preises dar. Ihre Zusammenarbeit mit dem Unterdrückungssystem des Staatssicherheitsdienstes widerspricht nach unserer Auffassung dieser Grundidee des Preises.

Ich darf ausdrücklich darauf hinweisen, daß wir großen Respekt vor Ihrem gesamten literarischen Werk haben.

Es geht hier ausschließlich um die Beziehung zwischen der Vergangenheit der Preisträgerin und der Zielsetzung des Geschwister-Scholl-Preises.

Im Verlauf der Diskussion, in die wir auch Ihren Kollegen Erich Loest hinzugezogen und mit ihm diskutiert haben, habe ich mich entschlossen, Sie zu bitten, auf den Preis zu verzichten und die Auszeichnung bei den erhaltenen Preisverleihungen künftig nicht mehr mit zu nennen.

Bitte treten Sie aus den geschilderten Gründen im Interesse des Geistes des Widerstandes gegen die Unfreiheit diesem Gedanken näher!

Mit freundlichen Grüßen
Gerhard Bletschacher, Stadtrat
Fraktionsvorsitzender

Christa Wolf an den Fraktionsvorsitzenden der CSU im Stadtrat der Landeshauptstadt München, Gerhard Bletschacher

Santa Monica, d. 12. März 1993

Sehr geehrter Herr Bletschacher,
erfreut nehme ich den »großen Respekt« zur Kenntnis, den sie meinem »gesamten literarischen Werk« erweisen. Ich halte es für angezeigt, Sie darauf hinzuweisen, daß die »umfangreiche Berichterstattung« über meine »Verbindung zum Staatssicherheitsdienst in den fünfziger Jahren« im umgekehrten Verhältnis zu dem wirklichen Umfang dieser »Verbindung« stand und daß das allerdings sehr umfangreiche Aktenmaterial, das meines Mannes und meine Überwachung durch diese Behörde seit 1969 bezeugt, der von Ihnen konsultierten Presse kaum der Erwähnung wert schien.

Sie können nicht wissen, daß ich den Geschwister-Scholl-Preis damals erst nach langem Zögern und nach einem Briefwechsel mit der Jury angenommen habe, die ihn mir zuerkannte und zu dieser Entscheidung bis heute steht. Es ist Ihnen sicher entfallen, daß die öffentlichen Gegenstimmen gegen diese Preisverleihung auf dem Gerücht basierte, ich hätte meine Unterschrift unter den Protest gegen die Ausbürgerung Wolf Biermanns aus der DDR insgeheim zurückgezogen. Wie ich inzwischen weiß und auch öffentlich gemacht habe, wurde dieses Gerücht gezielt von der Stasi ausgestreut; es zeigt Wirkung bis heute. Kein Zwischenträger oder Skribent, der mich damals verleumdete, hat sich bis jetzt bei mir entschuldigt.

Maßgebend für mein Verhalten sind Inge Aicher-Scholl und frühere Mitglieder der Jury, die alle einen Standpunkt vertreten, der dem Ihrer Fraktion entgegengesetzt ist.

Falls Sie mit dem Ansinnen an mich, den Preis zurückzugeben, die Geldsumme meinen, die mit diesem Preis verbunden war, so kann ich Sie beruhigen: Seit Jahren habe ich das Geld, das an Preise geknüpft war – ob in Ost oder West – niemals für mich verwendet. Im Fall des Geschwister-Scholl-Preises ging das Geld an eine junge Chilenin, die von der Soldateska der rechten Pinochet-Diktatur mit Benzin übergossen und angezündet worden war: Ich habe ihr die Summe als Beitrag für ihre hohen Krankenhauskosten zur Verfügung gestellt.

Ich hoffe, Ihrem Informationsbedarf entgegengekommen zu sein und verbleibe hochachtungsvoll Christa Wolf

Akademieaustritt
Mißverständnisse und gutgemeinte Appelle

»Kommt denn niemand auf die Idee, daß eine Frau mit diesem vereinzelnden, vereinsamenden Beruf und in diesem Alter einfach ihre Ruhe haben möchte, weil sie vielleicht noch etwas schreiben will?«
Elfriede Jelinek

Die Trennung von der Berliner Akademie der Künste geschah schnell und, wie Christa Wolf versichert, ohne Bitterkeit und Trauer. Zunächst hatte die Schriftstellerin den Austritt in einem vertraulichen Brief lediglich angeboten, nachdem in der Öffentlichkeit die Frage gestellt worden war, ob Akademiemitglieder ihre »Stasi-Verstrickungen« nicht früher hätten offenlegen müssen. Der Konflikt verschärfte sich, als in der Presse die Behauptung auftauchte, Christa Wolf vergleiche ihr Schicksal mit dem von Emigranten, die vor dem NS-Terror des Dritten Reichs in die USA geflüchtet seien. Durch die Kurzfassung eines Interviews war ein solches Mißverständnis entstanden. Obwohl Christa Wolf verzweifelt versuchte, es aus der Welt zu schaffen, die falsche Interpretation blieb und wurde als weitere Munition gegen die Dichterin eingesetzt.

Auch Professor Walter Jens, Präsident der Berliner Akademie, der unter großen Schwierigkeiten die Zusammenführung der beiden Akademien von Berlin-Ost und Berlin-West betreibt, sah sich veranlaßt, den gar nicht so gemeinten Vergleich zurückzuweisen. Als Jens sich in einem Interview mit der Berliner Wochenzeitung »Freitag« entsprechend äußerte, versuchte Christa Wolf, ihn zu erreichen. Es gelang nicht. Als dann in Teilen der Presse wieder Hinweise auf die angebliche Stasiverseuchung der Ost-Akademie erschienen, sah Christa Wolf nur noch die Möglichkeit, aus beiden Berliner Akademien auszutreten und begründete ihren Schritt in einem Brief an Walter Jens.

Vergeblich versuchte Akademiepräsident Walter Jens, die Schriftstellerin von dem Austritt abzuhalten. Sein Brief vom 27. 2. 1993 – »Bleiben

Sie standhaft . . . bitte, keine Resignation« – erreichte Christa Wolf durch ein postalisches Versehen erst Mitte April, viel zu spät also, um die Trennung von beiden Akademien noch zu verhindern.

Christa Wolf an Walter Jens

Santa Monica, d. 30. 1. 93

Lieber Walter Jens,
da mich Nachrichten hier oft mit Verzögerung erreichen, habe ich heute erst aus einer Meldung der »Berliner Zeitung« erfahren, daß Sie im Zusammenhang mit den »jüngsten Stasi-Vorwürfen« gegen Müller und mich für »Behutsamkeit, Nachsicht und auch Erbarmen« plädieren. Das ist eine noble Haltung.

Mir ist aber natürlich klar, daß man weder aus Nachsicht in die Akademie gewählt wurde noch aus Erbarmen als Mitglied in ihr verbleiben kann. Durch das unselige Zusammenwirken verschiedener Interessen – Gauck-Behörde, Medien, Stasi-Hysterie der Öffentlichkeit – ist mein Fall in einer Weise verzerrt worden, daß ich keine Hoffnung habe, die wirklichen Relationen in der Öffentlichkeit richtigstellen zu können. Ich muß Ihnen wohl nicht sagen, wie mich die Existenz dieser IM-Akte erschreckt hat und wie sehr ich es bedaure, daß es sie gibt. Trotzdem kann ich einfach nicht die moralische Verurteilung annehmen, die eine kurze, lange zurückliegende Phase meines Lebens nun zu dem einzigen Kriterium macht, nach dem ich beurteilt werde.

Doch ich verstehe natürlich, daß meine Mitgliedschaft in der Berliner Akademie der Künste – gerade nach dem so ungemein schwierigen Vereinigungsprozeß mit der Ost-Akademie, der hinter ihr liegt – unter den heutigen politischen Bedingungen in Deutschland für sie zu einer Belastung werden kann. Ich biete Ihnen daher ernsthaft und ohne Vorbehalte meinen Austritt an. Es ist keine Überreaktion, kein Gramm Selbstmitleid ist dabei, gerade die letzten zwei Wochen haben mich davon frei gemacht. Und, das gebe ich zu, ich würde auch nicht in einem Gremium bleiben können, das mich aus Mitleid behält. Diese Verlegenheit wollen wir, glaube ich, beiden Seiten ersparen.

Anfügen will ich noch, daß ich der Akademie dankbar bin, daß sie mich damals gerade zu einem Zeitpunkt gewählt hat, als ich diesen Rückhalt in der DDR gut gebrauchen konnte und er meinen Handlungsspielraum erweitert hat; daß ich dankbar bin für Freundschaft und

Kameradschaftlichkeit, für Anregungen, die ich erfahren habe, und dafür, daß sie mir ein Forum eröffnet hat zu einer Zeit, als ich zu Hause keines mehr hatte. Ich denke aber, daß ich in meiner jetzigen Situation der Akademie nicht mehr nützlich sein kann.

Bitte, lieber Walter Jens, nehmen Sie diesen Brief so ernst, wie er gemeint ist, und glauben Sie mir, daß ich keine Spur von Bitterkeit empfinde, nicht einmal Trauer. Nur einen dringlichen Wunsch nach Offenheit und Klarheit.

Ich grüße Sie herzlich, Ihre Christa Wolf

Gespräch mit Walter Jens über die Rolle der Stasi-Akten

Christa Wolf bekümmert mich

Walter Jens, Schriftsteller und Essayist, Historiker und Rhetoriker, Präsident der nunmehr dem Äußeren nach aus Ost- und West-Mitgliedern vereinigten Akademie der Künste, hielt zum Abschluß des Wintersemesters des »Studiums Universale« an der Leipziger Universität einen Vortrag. Jens sprach über die sagenhafteste aller griechischen Sagengestalten – Odysseus.
Danach befragte Michael Hametner Walter Jens.

FREITAG: *Warum haben Sie einen scheinbar entfernt liegenden Gegenstand – Odysseus – zum Thema Ihres Vortrags gewählt?*

WALTER JENS: Weil er die interessanteste Figur der europäischen Sagengeschichte ist. Interessant wegen seiner Zwiespältigkeit: Er ist Pazifist und ein weiser Bürger, er ist ein frommer Mensch und der wahre Schurke, er ist Funktionär und Schreibtisch-Täter. Er ist eigentlich ein Archetyp für die Zwiegesichtigkeit der Intelligenz.

Dann war Ihr Sprechen über Odysseus zugleich auch ein Versuch, als Präsident der Akademie der Künste indirekt über Christa Wolf und Heiner Müller zu sprechen? Gewissermaßen den Stasi-Anwürfen – um im Bild Ihrer Odysseus-Sicht zu bleiben – mit Verstehen zu begegnen?

Der Vortrag ist schon lange fertig; als wir darüber noch gar nicht Bescheid wußten. Aber selbstverständlich – Intelligenz so oder so zu interpretieren, das läßt sich auf aktuelle Fälle durchaus anwenden.

Die Aktenanwürfe gegen Müller sind leichtfertig und läppisch. Daß ein Mann wie Müller, der bereits Hunderttausende in West-Mark besaß, sich für 59,60 Mark bestechen ließ, das ist absurd. Wir kennen ihn. Er hat bestimmt zu einigen Leuten, unter denen auch Stasi-Offiziere gewesen sein mögen, gesagt: Freunde, ich erzähle Anekdoten, aber die Zeche zahlt ihr. Bitte schön, mehr sehe ich da nicht.

Und Christa Wolf?

Christa Wolf bekümmert mich. Nicht, weil sie wie viele andere im Glauben – den ich sehr gut verstehe – diesem Staat zu nützen, gehandelt hat, sondern weil sie nicht gesagt hat: Freunde, ich hatte damals etwas gemacht, was mir im Lichte der Erfahrung heute problematisch zu sein scheint. Wenn sie in *Was bleibt* sagt, ich bin verfolgt worden, müßte sie, denke ich, auch sagen: Es gab eine Zeit, wo ich auf der anderen Seite stand. Was sie die 30 Jahre danach gemacht und geschrieben hat, wiegen das hundertfach auf.

Ich will nicht Rot gleich Braun setzen, aber ich denke manchmal: Stauffenberg, hätte er den Krieg überlebt, hätte sicherlich gesagt: Ich habe die Bombe geworfen, aber: Ich war auch einmal SA-Mann, der in Nürnberg begeistert dem Führer huldigte. Man muß immer beides sehen. Mehr noch erschrocken hat mich Christa Wolfs Äußerung – wenn sie denn stimmt –, die auf einen Vergleich mit der Situation von Emigranten hindeutet. Diejenigen, die dort elend krepiert sind, die Selbstmord begangen haben, von Hunger zermürbt und entwürdigt, die hatten doch wohl ein etwas anderes Los als Christa Wolf. Diesen Vergleich finde ich in keiner Weise stichhaltig. Zwischen der Situation von Walter Benjamin oder von Christa Wolf liegen Welten.

Die Wahrheiten oder Halbwahrheiten, die da gegenwärtig in den deutschen Feuilletons ausgebreitet und mit Lust kommentiert werden, sind wenig geeignet, deutsche Intellektuelle Ost und West zu befördern. Es schien ja so, als wäre etwas Ruhe in die Akademiedebatte eingezogen. Jetzt dürften die Grabenkämpfe weitergehen.

Ich glaube nicht. Der Ton ist – abgesehen von den törichten Anwürfen der *Zeit* – schon vorsichtiger geworden. Man erkennt nun eher die schwierige Situation, in der sich die Intellektuellen in der DDR befanden.

Ärgerlich scheint mir die Besserwisserei von vielen sogenannten Dissidenten, die zum Teil sehr, sehr lange Genossen waren, viele Preise bekamen, hochgeschätzt waren und mit allen Privilegien ausreisen konnten. Davon konnten Millionen anderer DDR-Bürger nur träumen. Ich glaube, nicht nur die Dagebliebenen, sondern auch jene, die in den Westen gingen, sollten Erinnerungsarbeit treiben. Heute scheint es ja so, daß, wer ein Jahr vor dem Mauerfall ausreiste, sich als Held fühlen darf, wer aber dablieb, wird heute als Sympathhisant dargestellt. Und viele, zum Beispiel Ärzte und Pfarrer – konnten und sollten nicht weggehen. Ich kenne sehr viele – etwa meinen verstorbenen Freund Rainer Bohley oder Friedrich Schorlemmer – die, weiß Gott, mutig waren.

Sie sind als Akademiepräsident an einer Annäherung der Intellektuellen Ost- und Westdeutschlands interessiert. Wollen Sie diese Annäherung nach Kenntnis der Stasiakten oder ohne Akteneinsicht?

Ich möchte alles kennen und dann sagen – Freunde, es ist auch eine Pflicht, barmherzig zu sein. Man soll nicht alles unter den Teppich kehren, sondern wissen: So war es. Und nun versuche ich, mich in eure Lage zu versetzen. Ein Beispiel: Mein Freund Rainer Bohley erzählte mir einmal, daß zu ihm ein Konfirmand kam, der in einem Lehrlingsheim wohnte. Der SED-Heimleiter forderte von ihm: Nimm den Bibelspruch über deinem Bett ab! Bohley wußte nicht, was er raten sollte. Hätte er ihm gesagt, er solle den Bibelspruch über dem Bett hängen lassen, hätte er ihm möglicherweise seine ganze Laufbahn verdorben. Hätte er gesagt: Nimm den Bibelspruch ab, hätte der Konfirmand womöglich gesagt: Da habe ich ja einen sauberen Zeugen Jesu Christi vor mir.

Nur wenn man sieht, wie sich die Menschen so jeden Tag, jede Stunde, über Jahre hinweg, auseinandergesetzt haben, gewinnt man ein konkretes Bild. Erst wenn man sich in diese Situation wirklich hineinversetzt hat, kann man abwägend sagen: Dieses kann ich verstehen, und das, liebe Schwestern und Brüder, war ganz und gar nicht nötig, das war Übersollerfüllung.

In: Freitag, 12. 2. 93

Christa Wolf an Walter Jens

Santa Monica, den 4. 3. 93

Lieber Walter Jens,
da in der Öffentlichkeit eine Diskussion auch um meine Mitgliedschaft in der Akademie aufgekommen ist, halte ich es jetzt für geboten, meinen Austritt aus beiden Berliner Akademien, den ich Ihnen schon am 30. Januar angeboten hatte, nun öffentlich zu erklären. Den entsprechenden Text, den ich der Presse übergebe, schicke ich Ihnen mit.

Vielleicht hilft meine Entscheidung Ihnen bei der Zusammenführung der beiden Akademien. Es ist schade, daß wir nicht mehr miteinander gesprochen haben. Sie hatten wahrscheinlich Gründe, mir auf meinen Brief vom Januar nicht zu antworten. Ich lese nun in der Presse, ich hätte meine »Stasi-Verstrickungen« auf den früheren »Vereinigungs-Plenartagungen« offen zur Diskussion stellen sollen. Ich selbst habe jetzt endlich seit zwei Wochen die betreffende Akte und biete Ihnen an, sie jederzeit bei Gerhard einzusehen. Ihr Kern sind 20 Seiten, Berichte von Stasi-Leuten über sieben Treffen mit mir. Ich habe keine Scheu, jederzeit und mit jedem offen darüber zu sprechen. Ich kann nur wiederholen, daß ich selbst erst seit Mai 92 von der Existenz dieser Akte weiß, und danach gab es keine Akademiesitzung mehr. Warum ich erst acht Monate später damit an die Öffentlichkeit gegangen bin, habe ich in mehreren Artikeln und Interviews zu erklären versucht.

Ein Wort noch zu dem, was Sie in Ihrem Interview im FREITAG über mich sagen. Mich hat es getroffen, daß Sie annehmen konnten, ich würde mich oder das, was ich erlebe, mit dem Schicksal der Emigranten aus der NS-Zeit vergleichen. Ich habe inzwischen dieses Mißverständnis mehrmals öffentlich auszuräumen versucht – eine solche Anmaßung kommt mir nicht in den Sinn, und ich habe mich gewundert, wieso Sie Walter Benjamin heranziehen, wo ich doch gerade von den Emigranten hier in Kalifornien gesprochen habe. Ich hätte mich gefreut, wenn Sie mich einfach selber gefragt hätten, was ich denn wirklich meine.

Es bleibt mir noch, Sie freundlich zu grüßen und Ihnen und der Akademie alles Gute zu wünschen,

Ihre
Christa Wolf

„Schreibtischhenkern" zum Opfer gefallen?

■ Heftige Reaktionen auf Christa Wolfs Austritt aus den Akademien der Künste

Berlin (dpa) – Christa Wolfs Austritt aus den beiden Berliner Akademien der Künste Ost und West hat Bestürzung und Betroffenheit ausgelöst. Christa Wolf, Anfang der 60er Jahre kurze Zeit IM für die Stasi, später selbst lange Jahre bespitzelt und überwacht, hatte ihren Schritt so begründet: „Um die Debatte, die sich in meinem Fall auf mehr als 30 Jahre zurückliegende Ereignisse bezieht, für mich zu beenden, erkläre ich meinen Austritt aus beiden Berliner Akademien der Künste." Berlins Kultursenator Roloff-Momin forderte die Präsidenten der West- und Ost-Akademie, Walter Jens und Heiner Müller, auf, „alles zu versuchen", die Autorin davon zu überzeugen, daß die gegen sie erhobenen Vorwürfe „nicht hinreichend für einen Austritt sind".

Jens bezeichnete den Austritt als „entsetzlich und traurig", äußerte aber seinen persönlichen Respekt vor der „sehr noblen Argumentation" der Autorin. Er könne es verstehen, wenn sie „sowohl des Kesseltreibens als auch des ‚Gestern hosianna und heute kreuzigt ihn' müde ist". Er werde auch versuchen, sie zu überreden, ihren Entschluß zu überdenken. In einem persönlichen Schreiben an Jens schrieb Christa Wolf nach seinen Angaben unter Hinweis auf ihre Zuwahl in die West-Akademie 1982, sie sei der Akademie dankbar, „daß sie mich damals zu einem Zeitpunkt gewählt hat, als ich diesen Rückhalt in der DDR gebraucht habe und was meinen Handlungsspielraum erweiterte". Sie denke aber, daß sie in der jetzigen Situation der Akademie „nicht mehr nützlich" sein könne. Jens sprach sich im Zusammenhang mit den Stasi-Vorwürfen für eine „gemeinsame Offenlegung" in der Akademie in Ost und West aus. „Mein Grundsatz bleibt: Nur derjenige, der einem anderen geschadet hat, kann nicht Mitglied unserer neuen Akademie sein, einerlei, ob er in Ost oder West lebt."

Der Bündnis-90-Bundestagsabgeordnete Konrad Weiß erklärte, durch den Schritt Christa Wolfs würden die Akademien noch mehr veröden. Die „Kampagne" gegen die Autorin sei böswillig und töricht vereinfachend. Offenbar sei es für die „Schreibtischhenker des deutschen Feuilletons" nicht nachvollziehbar, daß Menschen sich verändern und Schuld und Versagen eingestehen können. Die Autoren Volker Braun, Christoph Hein und Stephan Hermlin, wie Christa Wolf Mitglieder im sogenannten 20er-Gremium der Ostberliner Akademie, zeigten sich überrascht. Das Gremium wird vermutlich morgen zusammen mit Präsident Heiner Müller über die Situation beraten. Christoph Hein sagte: „Für mich läuft das alles unter Komik zur Zeit."

Kommentar Seite 10

In: taz, 8. 3. 93

■ Christa Wolf verläßt beide Berliner Akademien der Künste

Sich selbst im Weg

Aus dem kalifornischen Santa Monica hat Christa Wolf mitgeteilt, sie trete aus beiden Berliner Akademien der Künste aus. Sie wolle, so schrieb sie dem West-Akademiepräsidenten Walter Jens, „im Zusammenhang der Vereinigung der Akademien keine Belastung sein". Zumindest hinsichtlich dieser Befürchtung bräuchte sich Christa Wolf keine Sorgen zu machen. Die Westberliner Akademie hat sich mit ihrem „Huckepack"-Verfahren der Vereinigung selbst eine so drückende Last aufgeladen, daß Christa Wolfs künftige Mitgliedschaft für sie selbst belastender wäre als für das Gremium, das sie jetzt verläßt.

Dennoch ist ihr Entschluß falsch. Christa Wolf wird die öffentliche Debatte um ihre Stasi-Kontakte in den späten fünfziger Jahren nicht „für sich beenden" können. Gerade diejenigen, für die ihre schriftstellerische Existenz und ihr Wirken als moralische Person in der DDR zusammengehörten, werden einen solchen Rückzug nicht hinnehmen.

Paradox oder, um es mit Christoph Hein zu sagen, komisch an der durch den Rücktritt geschaffenen Situation ist, daß Christa Wolf einen Fortgang der Debatte weder künstlerisch noch moralisch, noch politisch zu fürchten hätte. Ihre Gespräche mit den Stasi-Beauftragten, soweit sie in Zitaten vorliegen, enthalten nichts Denunziatorisches, dafür aber eine ganze Portion dieses fürsorglichen Gehabes, mit dem damals in der DDR Kollegen traktiert wurden, die noch nicht „soweit waren", denen es noch an „Bewußtheit" mangelte. Als es ernst wurde, auf dem Kulturplenum des ZK der SED 1965, stand Christa Wolf auf der richtigen Seite, der der Gemaßregelten.

Daß die Dichterin in fataler Weise der DDR-Machtelite zur antifaschistischen Legitimation verhalf, daß sie mit der Obrigkeit nicht brach, die demokratische Opposition nicht unterstützte, das alles wiegt schwer, kann aber nicht mit den drei Jahren ihrer Stasi-Verbindung in Zusammenhang gebracht werden. So etwas zu behaupten bleibt Dummköpfen wie den *Spiegel*-Rechercheuren vorbehalten, deren Ignoranz gegenüber der DDR-Wirklichkeit nur noch von ihrem Unvermögen übertroffen wird, sich in eine junge Kommunistin der fünfziger Jahre hineinzuversetzen, die, von Schuldgefühlen gequält, um die Anerkennung durch die „alten Genossen" ringt.

All dies könnte Christa Wolf erklären, tut es aber nicht. Sie ist gekränkt, beleidigt, sieht sich in einer Reihe mit den Verfolgten des Naziregimes, die in den dreißiger Jahren in Santa Monica Zuflucht fanden. Sie selbst und ihre ideologischen Lebenslügen sind es, die sie daran hindern, sich denen zu stellen, die sie hassen und die sie lieben. **Christian Semler**

In: taz, 8. 3. 93

Das Recht zu schweigen

betr.: „‚Schreibtischhenkern' zum Opfer gefallen" (Heftige Reaktionen auf Christa Wolfs Austritt aus den Akademien der Künste), „Sich selbst im Weg" (Kommentar von Christian Semler), taz vom 8.3.93

Da schauen wir Westlerhelden, Sieger der Geschichte, in den Spiegel: endlich allein! Auch wir sind öfter einmal der Macht begegnet, und sie war schön und elegant wie Gabriele Henkel. Sie hat nicht billige Kunstlederjacken getragen und sich in Hinterzimmern mit abscheulichen Tapeten in kaltem Zigarettenrauch herumgedrückt.

Christa Wolf muß sich äußern? Sie muß sagen, warum sie aus den beiden Akademien für Musterkinder ausgetreten ist? Es hat jemand, es haben vielleicht wir alle ein Anrecht darauf, daß sie sich äußert? Vielleicht ein kleiner Schauprozeß gefällig? Wir haben ja noch keinen gehabt, und wir wollen doch immer etwas haben, was wir noch nicht gehabt haben. Vielleicht gefällt es uns ja. Es ist ja wie im Fernsehen, weil es so lebendig ist! Und wie lustig ist es doch, in Menschenfleisch ein bißchen herumzuwühlen. Sich hineinbohren kann auch ganz nett sein.

Kommt denn niemand auf die Idee, daß eine Frau mit diesem vereinzelnden, vereinsamenden Beruf und in diesem Alter einfach ihre Ruhe haben möchte, weil sie vielleicht noch etwas schreiben will? Wir haben doch auch immer unsere Ruhe gehabt.

Die Opfer haben jedes Recht, zu sprechen (oder auch: nicht zu sprechen). Und wir müssen ihnen zuhören, obwohl wir natürlich lieber den schönen, jungen und gut mit Fön frisierten Menschen zuhören, vor deren Berührung wir uns jederzeit mit dem Plastikschutz eines TV-Schirms bewahren können.

Christa Wolf aber hat das Recht zu schweigen. **Elfriede Jelinek, Wien/Österreich**

In: taz, 12. 3. 93

Zur Person: Christa Wolf im Gespräch mit Günter Gaus

»Wir sind ein Geburtsjahrgang,
1929, aber Osten und Westen,
das macht einen Unterschied ...«

Günter Gaus

Einer Anreise um den halben Globus bedarf es normalerweise nicht, wenn Günter Gaus seine Fernsehgespräche »Zur Person« aufzeichnet. Diese Interviews werden fast immer in der Bundesrepublik geführt. Um jedoch Christa Wolf vor die Kamera zu bekommen, mußte Gaus Ende Februar 1993 nach Santa Monica in Kalifornien reisen, wo die Schriftstellerin einen mehrmonatigen Studienaufenthalt absolvierte. Im Gepäck hatte der Publizist die Akte zum IM-Vorgang »Margarete«, die Christa Wolf damit erstmals selbst studieren konnte, nachdem andere sie schon Wochen zuvor gelesen hatten.

Beim Gespräch selbst fiel Gaus nicht sofort mit der Tür ins Haus, also mit dem Stasi-Thema. Vielmehr rekapitulierte er mit seinen Fragen zunächst biographische Stationen und Entwicklungen. Erst dann fragte Gaus präzis und nachhakend zum eigentlichen Gegenstand.

Über eine Stunde lang zielte die Kamera fast ausschließlich auf Christa Wolf, die ehrlich, ungeheuer souverän und mit großer Ruhe antwortete. Zum Zeitpunkt des Interviews hatte sie das Schlimmste überstanden. Erleichtert stellte sie fest, »daß ich jetzt ganz offen mit jedermann darüber (die Akte, H. V.) sprechen kann«.

In der langen Unterredung fielen auch Sätze, die andeuten, was hinter ihr lag: »Ich glaube, mehr weh tun kann nun nichts mehr. Ich muß den Schmerz jetzt nicht mehr vermeiden.« An anderer Stelle wehrte sich die Schriftstellerin gegen die Gefahr, daß jetzt die Stasi mit Hilfe westdeutscher Aktenträger ihre Biographie diktiere: »Das ist eine der obszönen Folgen dieser Aktenbeschreibung in der Presse, daß man die Stasi-Charakterisierung, die Sprache der Stasi übernimmt und sie auf mich heute anwendet.«

Der Text des Interviews ist im folgenden als Faksimile der im Mai dieses Jahres in der »ndl« wiedergegebenen Fassung abgedruckt.

Auf mir bestehen

Christa Wolf im Gespräch mit Günter Gaus

Günter Gaus: In Ihrem Buch „Nachdenken über Christa T." schreiben Sie, Frau Wolf, über die junge Christa T., eine Kommunistin, die an Krebs stirbt, aber vorher schon an der gesellschaftlichen Realität zerbricht, ich zitiere: „Wenn sie ihren Namen aufrufen hörte, dann stand sie auf und ging hin und tat, was von ihr erwartet wurde." Haben Sie damit damals auch sich selber beschrieben?

Christa Wolf: Mein erster Impuls ist, jetzt einfach zu sagen: Ja. Schluß der Beantwortung. Aber ich glaube, da würde ich die Frage zu leicht nehmen. Zunächst etwas, was mich an der Frage beschäftigt. Sie sagen, sie sei an Krebs gestorben, aber an der gesellschaftlichen Realität zerbrochen. Das ist es eben, was ich bestreite; das habe ich damals schon bestritten. Viele Kritiken gingen auf diesen Punkt ein ...

Gaus: In der DDR und außerhalb der DDR?

Wolf: In der DDR und in Westdeutschland, dort positiv: aha, hier stirbt jemand an der gesellschaftlichen Realität; und in der DDR war das ja der Hauptpunkt, daß das Buch drei Jahre nicht erscheinen konnte. Ich habe damals – und zwar nicht aus taktischen Gründen, sondern weil ich wirklich ein anderes Verständnis habe von Scheitern, von Zerbrechen –, ich hab damals gesagt, diese Frau hat ihr Leben voll gelebt, sie ist nicht gescheitert, sie hat unglaublich viele Konflikte gehabt. Aber Ihre Frage, ob ich mich damit selbst beschrieben habe: Ja. Ja, wenn Sie das Zitat weiterführen. Zufällig weiß ich, wie's weitergeht, nämlich ungefähr so: Sie hörte ihren Namen aufrufen und fragte sich, ist es nur mein *Name*, oder bin ich damit selbst gemeint; soll ich hier nur meine Hülle zurücklassen und wird mein Name nur gezählt zu den – ich weiß nicht – Tausenden anderen? – Diese Selbstzweifel mit eingerechnet, sage ich: Ja, es ist auch eine Beschreibung meiner Situation damals.

Gaus: Das Zitat geht aber noch weiter, das weiß ich nun wieder.

Wolf: Ja? Nämlich?

Gaus: Das geht dann noch dahin weiter, daß dies – aufzustehen und zu sagen, hier bin ich, und ich tue, was verlangt wird, obwohl sie sich fragte, bin wirklich ich gemeint – von Christa T. getan wurde in einer Zeit, als viele sich schon davonstahlen.

Wolf: Das stimmt, ja.

Gaus: Nun frag ich noch mal: Ist das eine Selbstbeschreibung?

Wolf: Ja, ganz besonders mit diesem Satz dazu, denn mit dem „Davonstehlen" ist ja nicht nur das körperliche Weggehen gemeint, sondern das innere Abschalten ...

Gaus: ... Dasitzen und nicht mehr wirklich Aufstehen ...

Wolf: ... und Zynischsein.

Gaus: Was ist gut an Christa T.s Bereitschaft, zu tun, was erwartet wird? Was ist schlecht daran?

Wolf: Ja – „gut" und „schlecht" – das sind wieder solche Begriffe ... Gut würde ich heute noch finden, etwas zu tun, was von einem, von mir erwartet wird, wenn ich selber es auch von mir erwarte, wenn ich mich dazu bringen kann, es zu erwarten. Das ist ein weites Feld. Da kann man sich sehr irren.

Gaus: Haben Sie sich geirrt?

Wolf: Ja.

Gaus: Was ist schlecht daran?

Wolf: Schlecht daran ist eben genau das Gegenteil: Wenn ich mich oder wenn jemand sich dazu bringt, nur zu tun, was erwartet wird, und aufhört, sich zu befragen, was er von sich selbst erwartet.

Gaus: Was hat Sie, Frau Wolf, zu einer solchen Bindung an eine Sache, an die des Sozialismus, auch an den Sozialismus, wie er als real existierend definiert wurde in der DDR, was hat Sie zu einer solchen Bindung an eine solche Sache, zu der man aufgerufen wurde, veranlaßt und befähigt, auch über innere Widerstände hinweg?

Wolf: Da müßte ich jetzt die Geschichte dieser Bindung erzählen.

Gaus: Bitte.

Wolf: O nein, das dauert zu lange. Aber ich fang mal mit dem Anfang an; was hat mich am Anfang dazu veranlaßt? 1945 war ich sehr weit davon entfernt, mich an etwas zu binden, was mit Sozialismus zu tun hat, ich wußte ja auch nichts davon. Allerdings war die Nachkriegszeit für mich ein Schock, als ich erfuhr und für wahr halten mußte, was *wir* damals getan hatten, wir Deutschen. Da war ich monate-, jahrelang in einer tiefen Verzweiflung und wußte nicht, wie damit weiterleben. Ich hatte dann eine kurze, sehr intensive Phase eines Versuchs mit dem

Christentum. Das ging nicht, und ich bin dann, damals noch auf der Oberschule – ich war etwas älter als meine Mitschüler ...

Gaus: In Mecklenburg?

Wolf: Nein, in Thüringen, ich habe in Thüringen mein Abitur gemacht.

Gaus: Das Kriegsende hat Sie in Mecklenburg erreicht, und dann sind Sie nach Thüringen gegangen.

Wolf: Ja, weil mein Vater dort Arbeit hatte. – Dort bin ich zum ersten Mal mit marxistischen Schriften in Verbindung gekommen. Und das hat mich überzeugt, das war etwas, was mir einleuchtete. Das war eigentlich der erste Schritt. Und vor allen Dingen war es etwas – dann, als ich in die Partei eintrat –, von dem ich jahrelang fest überzeugt war, das war genau das Gegenteil von dem, was im faschistischen Deutschland geschehen war. Und ich *wollte* genau das Gegenteil. Ich wollte auf keinen Fall mehr etwas, was dem Vergangenen ähnlich sein könnte. Ich glaube, das ist in meiner Generation häufig so gewesen. Das war der Ursprung dieser Bindung; das war auch der Grund, warum wir so lange an ihr festhielten – eigentlich nicht gegen innere Widerstände; ich sah auch später noch keine Alternative dazu. Und dann kam etwas anderes hinzu, was unsere Generation, meine ...

Gaus: Wir sind ein Geburtsjahrgang, 1929, aber Osten und Westen, das macht einen Unterschied ...

Wolf: ... einen großen Unterschied, ja; was meine Generation so spät hat erwachsen werden lassen. Wir erlebten nämlich damals, Anfang der fünfziger Jahre, als ich nach meinem Studium im Schriftstellerverband arbeitete, Genossen, die aus dem KZ kamen, aus den Zuchthäusern, aus der Emigration, beeindruckende Menschen – ich glaube auch heute noch, daß sie zu den interessantesten Leuten gehörten, die einem damals in Deutschland hätten begegnen können –, und das war eine Bindung, die zum großen Teil auch auf schlechtem Gewissen beruhte.

Gaus: Gut. Heute, nach allem, was Sie dazuerfahren haben, sagen Sie: Ich bin immer noch froh über dieses Engagement – unabhängig von seinem Inhalt –, denn ohne dieses Engagement wäre ich nicht ich selber geworden?

Wolf: Na ja, ich wäre nicht ich selber geworden, das ist so schon wahr. Ich denke darüber sehr viel nach, aber ich bin noch nie auf den Punkt gekommen, daß ich mir ein anderes Leben für mich hätte erfinden können. Ob froh ...

Gaus: Bis auf den heutigen Tag?

Wolf: Ja. Ob froh oder nicht froh, das ist für mich gar nicht mehr die Frage, das ist jetzt alles in einer viel tieferen Schicht. Wissen Sie, es war ja doch alles sehr zufällig. Wir sind als Flüchtlinge von Landsberg/Warthe, heute Gorzów, über die Oder gekommen, sind in Mecklenburg hängengeblieben, weil von der anderen Seite die Amerikaner kamen und die Russen von Osten, wir waren also dazwischen, und dann sind wir von den Russen besetzt worden, der Teil, in dem ich wohnte. Wir wollten natürlich ungeheuer eilig über die Elbe, wir wollten ja eigentlich zu den Amerikanern; es ging um zwei Tage, dann wären wir über der Elbe gewesen – mein Leben wäre ein völlig anderes geworden. Und so ist es eben dieses geworden. So waren die deutschen Schicksale.

Gaus: Ich komme auf die zentrale Thematik Ihres Lebens, so wie ich sie verstehe, zurück. Aber zunächst noch einmal zur Person, die junge Christa Wolf. Wir sind, ich habe es erwähnt, vom selben Geburtsjahrgang 1929. Sie haben schon davon gesprochen, was die Zäsur von 1945 für Sie bedeutete. Ich frage einmal nach etwas anderem: Haben Sie wie ich eine Erinnerungssüße in sich an diesen berückend schönen Sommer 1945 in Deutschland, als man, wenn Flugzeuge über einen hinwegflogen, nicht mehr in den Keller mußte? Haben Sie dieses ganz starke Friedensgefühl auch gehabt?

Wolf: Das Friedensgefühl – ja. Ich habe das Ende des Krieges unter sehr großer Gefährdung erlebt, auf dem Treck immer von Tieffliegern angegriffen, und daß nie wieder ein Tiefflieger auf uns runterstoßen würde, war mir am 8. Mai schon sehr recht. Aber einen berückend schönen Sommer habe ich nicht erlebt. Wir waren sehr zusammengedrängt auf irgendwelchen Bauernhöfen, in irgendwelchen Scheunen oder auf Dachböden, und da hatte ich eher ein Gefühl von großer Schwere und Bedrückung in diesem Sommer.

Gaus: Wann haben Sie dieses Gefühl der Schwere und Bedrückung verloren und wodurch?

Wolf: Ich glaube, ich habe es wenige Jahre später verloren, als wir dann ...

Gaus: Jahre ist eine lange Zeit.

Wolf: Ja, Jahre hat es schon gedauert. – Wir sind 1947 dann nach Thüringen gezogen, dort habe ich die Oberschule beendet, und da kam ich mit vielen Jüngeren zusammen – alle in meiner Klasse waren jünger, nur wenige waren Flüchtlinge –, und da merkte ich auf einmal: Es gibt auch so etwas wie ein leichtes Leben. Ich kannte das gar nicht, ich hatte keine Jugend. Da habe ich mit diesen zwei, drei Jahre jüngeren Mädchen manchmal wieder so etwas wie Leichtigkeit empfunden.

Gaus: Haben Sie seinerzeit in dieser Zäsur von 1945 und in den folgenden Jahren gedacht, der Sturz der Menschen in Not, Elend, Furcht, Verbrechen sei mit dem Faschismus und diesem Krieg so tief gewesen, daß wir Menschen nun zur gründlichen Besinnung, zur endgültigen Abkehr gelangen würden? Haben Sie darauf gebaut?

Wolf: 1945 noch nicht, aber, ich würde sagen, 48, 49, als ich selbst voll begriffen hatte, was damals geschehen war, und als ich die Gefährdung sah, die darin liegt, daß so etwas wieder geschehen könnte. Ich hab's nicht für möglich gehalten, ich hab wirklich gedacht, daß das zu einer ganz tiefen und gründlichen Einkehr führen würde.

Gaus: Wenigstens über unsere Lebenszeit hinaus, mindestens?

Wolf: O ja, o ja, das habe ich natürlich gedacht. Ich habe doch nie für möglich gehalten, daß ich an einer deutschen Häuserwand noch mal ein Hakenkreuz sehen würde. Wenn mir das damals einer gesagt hätte, ich weiß nicht, was ich gemacht hätte.

Gaus: Wir wissen nun, daß die Hoffnung vieler aus unserer Generation, die sie an 1945 knüpften, trügerisch, selbstbetrügerisch gewesen ist. Unabhängig vom Inhalt Ihrer und meiner, unserer damaligen Hoffnung – allgemein gefragt: Was bedeutet Ihnen die Einsicht, daß man keine Erfahrungen weiterreichen kann, daß die Nachwachsenden das Recht auf ihre eigenen Fehler beanspruchen, bis hin zu neuen grausamen Katastrophen?

Wolf: Als diese Einsicht mir zum ersten Mal dämmerte, das ist Jahre her, hat sie mich furchtbar mitgenommen; ich war nicht nur bedrückt, es hat mich in Verzweiflung gestürzt. Das hat sich etwas geändert. Ich meine schon, da gibt es vielleicht einiges zu lernen von unserer Generation, aber nicht in dem Sinne, es nachzumachen, sondern daraus zu lernen, was man nicht unbedingt machen sollte.

Gaus: Das wär' ja schon was!

Wolf: Ja, es wär' schon was, aber im Moment scheint es eher so zu sein, daß auch das abgewehrt wird. Ich bin jetzt soweit, daß ich das irgendwie akzeptiere, weil ich sehe, die Jüngeren machen wirklich ihre eigenen Erfahrungen. Ich glaube, dümmer als wir, als ich sind sie nicht.

Gaus: Sie haben keine Angst, daß sie nicht Ihnen, sondern sich selber etwas zufügen, was Sie den Menschen gern ersparen würden?

Wolf: Doch, die Angst habe ich.

Gaus: Das macht Sie nicht rasend, daß Sie nichts mitteilen können, nichts weitergeben können?

Wolf: Nicht mehr. Es hat mich rasend gemacht. Aber ...

Gaus: Daß es Sie nicht mehr rasend macht, ist das ein Schritt eher in Resignation oder in Weisheit? Oder ist das dasselbe?

Wolf: Nein, es ist sicher nicht dasselbe. Ja, in diesem Punkt bin ich resigniert.

Gaus: Ohne Bitterkeit?

Wolf: Ja.

Gaus: Haben Sie in jüngeren Jahren daran gezweifelt, ob Sie es sich erlauben dürften, traurig und unglücklich zu sein?

Wolf: Ja, ich glaube ... Darf ich Sie was fragen? Nein, das gehört sich wohl nicht ...

Gaus: Eigentlich frage ich hier, aber fragen Sie mal.

Wolf: Wie kommen Sie auf die Frage?

Gaus: Das kann ich nicht sagen. Das will ich nicht sagen.

Wolf: Gut, akzeptiert. Sie haben recht – was in der Frage als Meinung liegt. Erstens: Meine Kindheit lief in einer gespaltenen Erziehung. Das eine war die Hitler-Jugend mit dem Versuch, Härte zu erzeugen in den Kindern. Das andere war die protestantische Erziehung zu Hause, die auch nicht gerade überströmend gefühlvoll war. Und dann später, in den Anfängen der Partei, natürlich auch: Man hat eigentlich glücklich zu sein, man ist verpflichtet, glücklich zu sein, da wir nun mal das Paradies auf Erden demnächst ...

Gaus: Nach dem Studium Christa Wolfs habe ich genau dies gedacht, und das hat mich zu der Frage gebracht.

Wolf: Ja, das ist mir schon klar. – Da wir das Paradies nun vielleicht doch noch zu unseren Lebzeiten erreichen und errichten werden, warum soll man dann nicht verdammt noch mal jetzt schon glücklich sein! Allerdings, wenn man liebt, wenn man Kinder hat, dann wird das alles anders, dann wird man weicher, und dann wird man auch unglücklich.

Gaus: Wir berühren jetzt wieder das Thema, bei dem wir schon einmal waren, als wir über Christa T. sprachen, das Thema nämlich, daß Sie sich aus guten Gründen, für Sie guten, zwingenden Gründen, oft genötigt haben, gegen Ihre Natur zu existieren. Hat Sie das verkürzt im Natürlich-Sein?

Wolf: Wenn es dabei geblieben wäre, hätte es mich sicherlich verkürzt und eingeschränkt. Aber es ist ja nicht dabei geblieben. Es stimmt, daß ich – ich weiß nicht, bis zu welchem Jahr – Krisen eher weggedrängt und versucht habe, sie rational zu lösen. Aber dann kam ein absoluter Ausbruch, ein Durchbruch von Traurigkeit, eben mit diesem Buch, mit „Christa T.". Meine ersten drei Bücher könnten Sie wie Stadien dieses Durchbruchs verstehen: „Moskauer Novelle", da lief noch alles nach der Konvention; „Geteilter Himmel", das war ein Zusammenbruch dieses Mädchens, aber immerhin, sie mußte durchkommen; Christa T. kommt nicht durch ...

Gaus: Aber sie zerbricht nicht.

Wolf: Sie zerbricht nicht, aber sie kommt auch nicht durch, da ist sehr, sehr viel Traurigkeit in dem Buch.

Gaus: Ja, das kann man sagen. Es ist ein großes Buch, wenn ich das sagen darf.

Wolf: Es ist jedenfalls ein trauriges Buch. Ich habe das damals immer ein bißchen abgestritten, aber es ist sehr traurig.

Gaus: Aber nun noch einmal: Sie sagen, Christa T. scheitert nicht, Scheitern ist was anderes. Was ist Scheitern?

Wolf: Scheitern ist, wenn man keine Krisen hat, sondern hart und stracks durch etwas durchgeht, was man nicht selber ist, neben sich her geht.

Gaus: Ohne Krisen?

Wolf: Mit oder ohne Krisen, jedenfalls neben sich her geht, bis zu seinem Lebensende. Man kann ungeheuer Erfolg dabei haben, man kann, ich weiß nicht, Ministerpräsident oder sonstwas werden, kann allerdings kein Schriftsteller sein. Das wäre Scheitern für mich.

Gaus: Was mußte mit Christa Wolf geschehen, die das, wie sie meinte, Neue, Große für das menschliche Zusammenleben wollte, was mußte ihr widerfahren, bis sie das Buch über Christa T. schrieb, über diese junge Frau, die, wie Sie sagen, nicht zerbrochen ist, aber die doch existieren mußte zwischen der Bereitschaft, an der großen Sache mitzuwirken, und dem Bedürfnis auf Selbstverwirklichung aus Eigenem? Was mußte geschehen, bevor Sie sie erdichteten, diese Christa T., Ihre Stiefschwester im Geiste? War das eine Ersatzhandlung von Christa Wolf? Ersatz für ein reales Leben?

Wolf: Ganz im Gegenteil: Das war die Handlung, und das war das Leben, endlich.

Gaus: Aber was mußte Ihnen widerfahren?

Wolf: Sie sagen – in Ihrer Frage –: die ich auf das Neue, Große aus war. Ich war eigentlich nicht so sehr auf das Neue, Große aus, sondern ich hatte mir aus dem Marxismus und auch aus der sozialistischen Literatur und allem, was ich ja nun im Studium kennengelernt hatte, das für mich herausgenommen, was ich wirklich wollte und von dem ich glaubte, daß diese Gesellschaft und diese Idee es erreichen würden: die Selbstverwirklichung des Menschen. Und als ich verstand, daß genau das nicht geschah – und das passierte auf folgende Weise: Sie sagten vorhin schon, ich war Kandidatin des ZK, und 1965 war ein Plenum, das berüchtigte 11. Plenum, das zu einem Kulturplenum, das heißt zu einer Abstrafung von Künstlern, besonders Filmleuten und Literaten, aber auch Malern, umfunktioniert wurde, und ich saß dort dabei und habe dann gesprochen, also *dagegen*gesprochen ...

Gaus: Und zwar sehr couragiert ...

Wolf: Aber es mußte passieren, daß ich so von innen her sehen konnte, wie der Mechanismus funktioniert. Und da wurde mir klar: Das geht nicht. Das geht nicht in die richtige Richtung. Als ich dort rauskam – ich weiß noch ganz genau, was ich dachte, als ich die Treppe runterging: die Hände weggeschlagen. Ich hab darüber auch geschrieben. Das war mein Gefühl damals. Da habe ich mich nicht in das Buch hineingerettet, sondern habe begriffen, daß das meine Art ist, sich damit auseinanderzusetzen. Das Buch hat mich gerettet, trotzdem.

Gaus: Dann wird die Frage zwingend, auf die wir ohnehin noch mehrmals gekommen wären: Warum sind Sie dann bei der Fahne geblieben?

Wolf: Bei welcher Fahne?

Gaus: Bei dieser Fahne DDR, bei dieser Alternative, von der Sie meinten, sie sei die richtige Antwort auf das, was vor 45 gewesen ist – das meine ich mit der Fahne.

Wolf: Ja, darüber muß ich natürlich *schreiben* ...

Gaus: Sie sind am Schreiben?

Wolf: Ich denk darüber pausenlos nach, seit drei Jahren, pausenlos, wirklich, Tag und Nacht. Ich glaube, man muß Geschichte hineinbringen in diese Frage. Denn mein Bei-der-Fahne-Bleiben, wie Sie es nennen, wurde natürlich von denen, die die Fahne zu halten glaubten, sehr bald als ein absolutes Abtrünnigsein gesehen. Ich konnte dableiben – ich

»Sie werden alles abdrehen«
Auszug aus dem Diskussionsbeitrag von Christa Wolf auf dem 11. Plenum des ZK der SED 1965

Ich habe den Eindruck, daß durch diese Tagung, die berechtigte Kritik an Erscheinungen übt, die wirklich falsch gelaufen sind, die Gefahr besteht, nicht offensiver zu werden – was wir wirklich müßten –, sondern bestimmte Errungenschaften, die durch die Bitterfelder Konferenz und auf ihrer Grundlage geschaffen wurden – in Literatur und Ästhetik –, wenn nicht zurückzunehmen, so doch zu stoppen. Und ich möchte euch vor dieser Gefahr warnen, die ich in vielen Institutionen sehe.

Genossen, die gleichen Leute, die alle diese Erscheinungen gekannt haben, ganz anders als jeder von uns, der nur Einzelheiten sieht, die die Tendenzen gesehen haben, die sie entweder haben laufenlassen oder gefördert haben bzw. zu denen sie eine Politik des Mal-so-mal-so-Sprechens getrieben haben – ich spreche von der Kulturabteilung des ZK –, sind nicht dazu gekommen, uns ein einziges Mal einzuladen, ein einziges Mal mit uns darüber zu sprechen, uns auszurüsten für Diskussionen und uns Einzelheiten an den Kopf zu werfen. Diese Leute werden sich jetzt um 180° umdrehen. Sie werden alles abdrehen. Sie werden nicht nur jeden nackten Hals im Fernsehen zudecken, sie werden auch jede kritische Äußerung an irgendeinem Staats- oder Parteifunktionär als parteischädigend ansehen. Sie tun es schon. So ist die Sache. Es ist nicht richtig, von diesen negativen Erscheinungen in unserer Kulturpolitik auszugehen, eine Defensive zu entfachen, die Schriftsteller in eine Defensive zu drängen, so daß sie immer nur beteuern können: Genossen, wir sind nicht parteifeindlich. – . . .

Es ist so, daß ich glaube, daß diese Institution, die ich schon mehrmals genannt habe, auch in folgenden Punkten jetzt wieder sehr zaghaft sein wird. Jeder hat das oft gesagt, auf der Bitterfelder Konferenz, es steht in den Zeitungen usw., daß Kunst nicht möglich ist ohne Wagnis, das heißt, daß die Kunst auch Fragen aufwirft und aufwerfen muß, die neu sind, die der Künstler zu sehen glaubt, auch solche, für die er noch nicht die Lösung sieht. Was für Fragen meine ich? Nicht in engem Sinne naturalistische wirtschaftliche Probleme, sondern es geht darum: Als ich aus Westdeutschland zurückkam, beschäftigte mich tief das Problem des Menschentyps, der sich sowohl in beiden deutschen Staaten als auch bei uns in der DDR in bestimmten Schichten der Bevölkerung unter der Jugend, in bestimmten Berufen usw. ganz differenziert entwickelt. Das ist eine typische Literaturfrage. Wir haben dabei sehr wenig Hilfe, weil unsere Soziologie und Psychologie uns wenig zur Verallgemeinerung gibt. Wir müssen sie auf diesem Gebiet studieren und experimentieren, und es wird nach wie vor passieren – es wird auch mir passieren oder schon passiert sein –, daß man etwas verallgemeinert, was nicht verallgemeinernswert ist. Das kann sein. Dazu möchte ich aber sagen, daß die Kunst sowieso von Sonderfällen ausgeht und daß Kunst nach wie vor nicht darauf verzichten kann, subjektiv zu sein, das heißt, die Handschrift, die Sprache, die Gedankenwelt des Künstlers zu verstehen.

Aus: *Kahlschlag. Das 11. Plenum des ZK der SED 1965*. Berlin: Aufbau-Verlag 1991, S. 340, 343 meine jetzt nicht nur in der DDR, sondern bei dieser Fahne –, weil ich so viele Leute um mich herum hatte, die die gleiche Entwicklung nahmen, und wir eine Zeitlang noch dachten, *wir* sind es eigentlich, die das Land hier auf die richtige Bahn bringen werden. Denn es waren nicht nur Autoren, damals waren auch noch Wirtschaftsleute dabei und Intellektuelle aus anderen Berufen, und als ich damals, 63 oder vorher noch, in Halle gewohnt und in der Waggonfabrik mit einer Brigade gearbeitet habe, da habe ich dasselbe bei Arbeitern gesehen. Es gab eine breite Bewegung in der DDR, die das wollte, was ich dachte, was man wollen soll, und da wollte ich mich nicht hinausbegeben, auch wenn ich von 1965 an wußte: Mit dem Apparat habe ich nichts zu tun.

Gaus: Sie haben, als Sie im vergangenen Jahr Ihre Stasi-Akten gelesen haben – über 40 Bände darüber, wie Sie überwacht wurden –, zu Ihrer eigenen Überraschung festgestellt – Sie sagen, Sie müßten es wohl verdrängt haben –, daß Sie von 1959 bis 1962, also vor über dreißig Jahren, Inoffizielle Mitarbeiterin der Stasi gewesen sind. Sie haben mit Stasi-Funktionären Gespräche geführt, haben berichtet, über Kollegen aus Ihrem Arbeitsumkreis als Literatin und Kulturredakteurin, teils in Ost-Berlin, teils in Halle. Warum haben Sie sich damals auf solche Mitarbeit eingelassen?

Wolf: Ich muß, glaube ich, noch etwas genauer werden, was diese Akte und die Akten überhaupt betrifft. Ich kenne diese Akte selbst erst zwei Tage, Sie haben sie mir mitgebracht. Alle anderen, die sie benutzt haben, haben sie vor mir gehabt; ich habe sie jetzt für mich analysiert. Es ist wahr, es war ein Schock für mich, in meinen sogenannten „Opferakten“ einen Hinweis zu finden, daß es auch einen IM-Vorgang von mir gibt. Mir standen buchstäblich die Haare zu Berge; ich hätte geschworen, das könne es bei mir nicht geben, und das muß ich wohl erklären. 1959 hat es in Berlin – das wußte ich, das hatte ich nicht vergessen – dreimal Begegnungen gegeben mit zwei Herren, die mich befragt haben über Dinge, die ich im einzelnen nicht mehr weiß, die aber im Zusammenhang standen mit meiner Arbeit in der Redaktion der „Neuen Deutschen Literatur“ und im Schriftstellerverband. Was ich nicht mehr wußte: daß ich einen Decknamen hatte, daß ich selbst einen Bericht geschrieben habe. Das heißt, ich hatte sehr wirksam verdrängt, daß es sich um einen Vorgang handelte, der zu einer IM-Akte führen konnte.

Und danach, in Halle, gibt es vier Berichte über Begegnungen mit einem Herrn, an den ich mich durchaus erinnere, der aber sowohl mit uns als auch mit seiner Behörde ein falsches Spiel gespielt haben muß: Er schreibt in seinen Berichten nicht, daß mein Mann immer dabei war, tut so, als setze er die halb konspirativen Treffen seiner Berliner Kollegen mit mir alleine fort, worüber er wiederum mich im unklaren ließ; die Treffen fanden in unserer Wohnung statt, er berichtet nur, übrigens sehr kurz, was ihm paßt, nicht, was wir ihm Kritisches sagen, woran wir uns zufällig erinnern: zum Beispiel über die Zensur.

Ich habe in der Akte von 137 Seiten zwanzig Seiten mit solchen Treffberichten gefunden – alles andere sind Recherchen, Berichte, Lebensläufe über mich und von mir und bürokratischer Kram innerhalb der Behörde. – Ich muß das einfach hier sagen, weil die Zeitungsberichte den Eindruck erweckten, es gebe da eine Akte, in der auf 130 Seiten über Stasi-Mitarbeit von mir berichtet werden konnte.

Gaus: Bevor ich auf meine Grundfrage in diesem Zusammenhang zurückkomme: So, wie Sie eben den Inhalt der Akte beschrieben haben: Wollen Sie etwas sagen zum Umgang mit Stasi-Akten, nachdem soviel über Sie und Ihre Stasi-Akte gesagt worden ist?

Wolf: Ich bin jetzt natürlich in keiner guten Position, um etwas Kritisches dazu zu sagen, das ist mir schon bewußt. Aber ich habe den Eindruck, man muß da etwas ändern. In meinem Fall war es so: Es gibt die 42 Bände sogenannter „Opferakten" – ein Ausdruck, den ich für mich nicht in Anspruch nehme –, die reichen bis 1980; die Akten der letzten neun Jahre sind fast vollständig vernichtet, das heißt, sonst hätten wir vielleicht 80 Bände Akten da gehabt. Seit 1969 wurden wir intensiv observiert.

Gaus: Sie und Ihr Mann?

Wolf: Ja, Gerhard und ich. Und dann gibt es diesen einen IM-Vorgang von vor über dreißig Jahren, der so aussieht, wie ich ihn eben beschrieben habe. Die Presse hat laut Gesetz die Möglichkeit, Einsicht in IM-Vorgänge bei Leuten zu beantragen, bei denen ein Verdacht auf IM-Tätigkeit besteht. Ein Journalist hat mir gesagt, sie hätten Hinweise bekommen, daß auch bei mir ein solcher IM-Vorgang vorliegen könnte.

Gaus: Die können doch eigentlich nur aus der Gauck-Behörde kommen.

Wolf: Das weiß ich nicht. – Der IM-Vorgang wird dann also herausgegeben, in meinem Fall zu dem gleichen Zeitpunkt, da ich meinen Artikel in der „Berliner Zeitung" hatte ...

Gaus: ... wo Sie selber darüber berichten, was Sie entdeckt haben bei der Lektüre Ihrer Akten.

Wolf: Wo ich darüber berichtet habe, weil ich sah, was mit Heiner Müller passierte, und dachte, jetzt müsse ich auch reden. Das kann natürlich ein Zufall sein, daß die Akte im gleichen Moment an verschiedene Redaktionen gegeben wurden – übrigens nicht an den „Spiegel", der hat sie nicht von der Gauck-Behörde, jedenfalls nicht offiziell. – Also: Ich finde, man sollte darüber nachdenken, ob es vertretbar ist, eine solche Akte kommentarlos der Presse zu übergeben, ohne daß der oder die Betreffende davon etwas erfährt – der nun, wie in meinem Falle, so viele Akten der anderen Art hat, von denen wiederum die Presse nichts weiß – und ohne daß er diese IM-Akte selber kennen darf. Das gehörte zu den Regeln der Gauck-Behörde, die mir die Frau, die unsere Akten bearbeitete, erläuterte. Ich habe zuerst nicht deutlich darüber sprechen wollen, daß mir diese Kollegin meine IM-Akte für kurze Zeit gezeigt hat, eigentlich durfte sie es nicht. Vor kurzem habe ich erfahren, diese Frau ist gestorben, darum rede ich jetzt darüber.

Gaus: Sie durfte es nicht, weil das sozusagen eine Täterakte Christa Wolf war – Deckname „Margarete" –, und Sie haben zwar Ihre Opferakte sehen können ...

Wolf: ... Deckname „Doppelzüngler" ...

Gaus: ... aber die Täterakte nicht.

Wolf: Ja, die durfte ich eigentlich nicht sehen. Ich war sehr beunruhigt, bat die Kollegin darum, sie mir doch zu zeigen, sie sagte: Aber da ist doch nichts!, hat sie mir dann aber, wie gesagt, kurz gezeigt. Die Berichte aus Halle waren da noch nicht darin, und ich konnte mich auf diese Akte nicht beziehen, was mir ja dann, vom „Spiegel" zum Beispiel, sehr vorgeworfen wurde. Ich konnte nur zitieren, was darüber in meinen „Opferakten" stand und was ich mir kopieren lassen konnte. Erst drei Wochen nach den Journalisten habe ich diese IM-Akte aufgrund eines Antrags bei der Gauck-Behörde selbst bekommen.

Auf diese Weise kann man einen Menschen kaputtmachen; ich weiß, was ich sage. Wenn ich jetzt überall, auch im Ausland, so weit „Zeit" und „Spiegel" reichen, auf die zwei Buchstaben „IM" verkürzt als „Stasimitarbeiter" gelte – was ich ja vorhergesehen hatte –, ich kann nur wiederholen: Man kann Menschen auf diese Weise kaputtmachen. Und man sollte es sich überlegen, ob dieser Ausschnitt der Arbeit der Gauck-Behörde weiter so gehandhabt werden kann; ob das Gesetz in diesem Punkt geändert werden muß, ob es anders gehandhabt werden muß. Ich weiß es nicht. Aber man muß darüber nachdenken.

Gaus: Ich komme auf die Grundfrage zurück. Warum haben Sie sich seinerzeit auf eine solche Mitarbeit eingelassen?

Wolf: Die Frage kann ich schwer beantworten, weil ich ja keine „Mitarbeit" im Gedächtnis hatte, aber damals muß es so gewesen sein. Was ich erinnere – bei mir ist es so, daß ich mich sehr oft an Gefühle erinnere, die die realen Vorgänge begleiten, nicht immer an die dazugehörigen Vorgänge –: Ich hatte in Berlin, bei diesen drei Treffen, ein tiefes Unbehagen. – Ich spreche immer nur von Berlin, das in Halle war etwas anderes. – Ich habe mich offenbar aus zwei Gründen darauf eingelassen: Erstens fühlte ich mich in der Klemme und wußte nicht, wie ich da rauskommen sollte. Und: Ich hatte noch nicht die Überzeugung, daß ich das unbedingt ablehnen müßte, weil die Staatssicherheit für mich noch nicht das Gesicht hatte wie schon kurze Zeit danach, wo bei mir überhaupt nichts mehr zu machen gewesen wäre. Ich habe die Kontakte – ich glaube, das kann man der Akte entnehmen – auf ein Minimum reduziert, aber immerhin: Ja, ich habe mich mit denen eingelassen. Ich versuche jetzt intensiv, den Gründen dafür nachzugehen. Es bleibt mir nichts anderes übrig, als diese ganze Zeit noch einmal heraufzuholen, denn ich kann das alles nur aus der Zeit heraus verstehen. Was mir auch zu denken gibt: Der Höhe- oder Tiefpunkt meiner Bindung, genauer: meiner Abhängigkeit – das ist das richtige Wort – von der Partei und von der Ideologie war eigentlich schon überwunden, gerade in Halle fing eine andere Entwicklung bei mir an, da kamen die ersten größeren Kritiken an mir, das hing mit meiner Einstellung zum XXII. Parteitag der KPdSU zusammen.

Gaus: Das heißt, der Entstalinisierung.

Wolf: Ja. Das war ja die Fortsetzung des XX. Parteitages, der natürlich einen tiefen Schock bei mir ausgelöst hatte. Am XXII. Parteitag waren für mich die divergierenden Standpunkte von Scholochow und Twardowski sehr interessant: Twardowski, der „Nowy Mir" leitete, wo auch Solshenizyn zuerst gedruckt wurde. In der Parteiversammlung vertrat ich dessen Standpunkt, und das wurde kritisch vermerkt. – Ich will damit nur sagen, ich war damals in der Phase, in der ich anfing, kritisch zu denken. Ich muß weiter darüber nachdenken, wie das alles zusammenhing; was mich dazu brachte, den Stasi-Leuten nicht einfach nur „nein" zu sagen.

Gaus: Sie haben von dem Unbehagen gesprochen, das Sie bei der ganzen Sache gehabt haben, eine Gefühlserinnerung, wie Sie sich über Gefühle zu erinnern pflegen. Ich habe die Akte bei der Vorbereitung auf dieses Interview gelesen und hatte in der Tat den Eindruck, daß Sie beispielsweise alles, was ins Konspirative hinein hätte führen sollen, zu vermeiden versucht haben. In diesem Zusammenhang – aber bitte allgemein verstanden – gefragt: Sind Sie, nicht aus Mangel an Courage, die Sie bei anderen Gelegenheiten durchaus bewiesen haben, sondern aus Naturell, konfliktscheu, und trachteten Sie oder trachten Sie immer noch nach Harmonisierung um fast jeden Preis? War das ein Grund, warum Sie sich nicht entzogen haben?

Wolf: Gestatten Sie, daß ich jetzt mal aus der Haut fahre.

Gaus: Bitte.

Wolf: Und zwar sehr. Genau das passiert nämlich jetzt: Was in dieser Stasi-Akte steht; wie ich dort durch IMs und durch Stasileute charakterisiert werde – das geht jetzt als meine gültige Charakteristik durch alle Zeitungen (da könnte ich aus den „Opferakten" ein paar gegensätzliche Charakteristiken beisteuern ...). Da steht also: „intellektuelle Ängstlichkeit", das macht nun Schlagzeilen. Wenn man das im Zusammenhang liest, kann man das auch so deuten, daß da jemand versucht hat, sich zurückzuhalten, sich aus der Sache herauszuziehen, sich nicht weiter hineinzubegeben. Das ist eine der obszönen Folgen dieser Aktenbeschreibung in der Presse, daß man die Stasi-Charakterisierung, die Sprache der Stasi übernimmt und sie auf mich heute anwendet. Es ist etwas Unglaubliches. Ich weiß, daß Sie das nicht getan haben, aber ich habe hier deshalb so heftig reagiert, weil ich diese Methode fassungslos verfolgt habe.

Aber auf Ihre Frage nach der Konfliktscheu will ich doch näher eingehen, will darüber nachdenken. Bei mir war es so: Ich habe immer dann Konflikte gescheut oder es nicht darauf ankommen lassen, wenn ich mir nicht so ganz sicher war, ob ich recht hatte. Das will ich nicht unbedingt auf diesen Punkt beziehen – Sie fragten allgemeiner. Ich bin kleinbürgerlicher Herkunft, wie es so schön hieß, in der Partei hieß es immer: Aber bitte den Klassenstandpunkt einnehmen. Da war ich oft unsicher, dachte in den fünfziger Jahren oft: Ja, haben sie nicht eigentlich recht? Ich hatte versucht, dieses Wertesystem zu verinnerlichen und mich von dem anderen Wertesystem in mir abzustoßen. Das ist ein größeres Thema, kann hier nur gestreift werden. Aber genau das – mein innerer

Konflikt – hat dazu geführt, daß ich den äußeren Konflikt zunächst oft vermieden habe. Als mir mehr und mehr klar wurde: Ich will nicht, was sie wollen, und sie haben nicht recht, oder zumindest: auch ich habe recht, jedenfalls für mich – da hatte ich dann keine Angst mehr vor der Auseinandersetzung. Oder ich hatte Angst, und ich habe sie überwunden, wie zum Beispiel beim 11. Plenum und bei vielen anderen Gelegenheiten, die nicht so spektakulär waren und nicht in der Presse standen. – Also, über Konfliktscheu werde ich weiter nachdenken, aber ich kann sagen, wenn ich mich zurückhielt, hing das mit Zweifeln zusammen, ob ich das, was ich dachte und fühlte, wirklich vertreten könnte, ob ich damit nicht schadete – das war ja damals ein wichtiger Gesichtspunkt für mich.

Gaus: Auf die Gegenwart gemünzt: Selbstvorwürfe können ja auch billig sein. Sie haben nach meinem Verständnis jetzt keinen erhoben, sondern Sie haben über sich selber nachgedacht. Selbstvorwürfe können auch billig sein – wenn sie Ihnen nun so sehr abverlangt werden von der herrschenden Öffentlichkeit, riskieren Sie dann immer noch den Widerspruch, zu sagen – und Sie haben das eben eigentlich schon getan: Es war so kompliziert, was vorging – es kam übrigens niemand zu Schaden, was einen Selbstvorwurf zwingend machen würde –, es war Kalter Krieg, es ging nach meinem Verständnis um eine gute Sache; also würden blanke einschichtige Vorwürfe und Selbstvorwürfe der damaligen Verstrickung nicht gerecht. Riskieren Sie, den Geßlerhut, den die tonangebende Öffentlichkeit errichtet hat, nicht zu grüßen? Sagen Sie: Ich verweigere den Selbstvorwurf, den mir die herrschende Öffentlichkeit abverlangt?

Wolf: Mir ist natürlich völlig klar, daß ich meine Lage in einer bestimmten Öffentlichkeit erleichtern könnte, wenn ich mich zerknirscht zeigen und Schuldgefühle ausstellen würde. Die hab ich aber nicht. Es ist viel schlimmer – oder besser, je nachdem. Als mir klar wurde, daß es diese Akte gibt, und als ich sie kurz gesehen hatte und sie jetzt nun wirklich lesen konnte, ging etwas ganz anderes in mir vor. Ein fremder Mensch tritt mir da gegenüber. Das bin nicht ich. Und das muß man erst mal verarbeiten. Da ist wirklich schwerer, als einfach zu sagen: Ja, es tut mir leid, ich bedaure das. Ich habe keine Schuldgefühle. Die Schuldgefühle sind weggeschmolzen. Schuldgefühle sind oft etwas, was man vor die tieferen Einsichten schiebt, und ich bemühe mich jetzt um die tieferen Einsichten. Wer war ich eigentlich damals? Es ist ein schreckliches Entfremdungsgefühl, was mich überkommt, wenn ich das lese. Ich frag mich natürlich auch: Was hat mich da wieder herausgebracht, denn diese Abhängigkeit ... Ich war gefährdet. Wenn ich diese Sprache lese, die die Stasi-Leute anwenden, mit der sie mich charakterisieren, aber auch Dinge, die ich gesagt haben soll, zitieren – das ist Stasi-Prosa, sagt Müller –, ja, aber ich weiß doch auch: So haben wir damals gesprochen; ich muß einfach versuchen, noch mal in diesen Schacht runterzusteigen, und mir das angucken, mich selbst angucken und im einzelnen fragen, wie ist es dahin gekommen, auch, wie ich davon wieder weggekommen bin.

Gaus: Ihrem Buch „Nachdenken über Christa T.", öfter erwähnt in diesem Interview, haben Sie eine Frage von Johannes R. Becher vorangestellt. Die Frage lautet: „Was ist das: dieses Zu-sich-selber-Kommen des Menschen?" Sie haben angefangen, hier diese Frage zu beantworten. Ich frage noch nach: Was ist es also, Frau Wolf, dieses Zu-sich-selber-Kommen? Und wie weit sind Sie schon zu sich selber gekommen?

Wolf: Das kann ich, glaube ich, nicht beantworten, das letzte zumindest nicht, und es ist auch schwer zu definieren. Ich sage, wie es bei mir gegangen ist.

Gaus: Ja, nur darum geht's. Zur Person Christa Wolf.

Wolf: Bei mir ist es so gewesen, daß es immer über Krisen ging, über zum Teil existentielle Krisen. Zum Beispiel nach diesem 11. Plenum 1965 war ich sehr lange in einer tiefen Depression, in einem klinischen Sinn. Das war eine solche Kraftanstrengung, sich dort hinzustellen, daß danach einfach eine Art Einbruch kam. Das hat lange gedauert. Und dann hab ich mich hingesetzt und „Nachdenken über Christa T." geschrieben und habe mich herausgearbeitet, sowohl aus der Depression als auch aus den Selbstzweifeln. Und so ist es jedesmal wieder gewesen. Ich bin immer durch Krisen durch, indem ich erkannt hatte: das will ich auf keinen Fall, und dadurch auch erkannte, was ich wirklich will, zum Beispiel 1976 nach der Biermann-Sache, bei der es dann wirklich darum ging, unter Druck zu einer Sache zu stehen. Danach habe ich Bücher geschrieben und Dinge gemacht, die ich sonst nicht hätte machen können. Das sind bei mir deutliche Etappen. Mein Leben verläuft nicht gleichmäßig. Es gibt ganz klare Brüche, bei denen ich sagen kann: „davor" und „danach". Und jedesmal „danach" war ich ein Stückchen weiter bei mir und habe das auch, glaube ich, in meinen Büchern zeigen können. So ist es auch jetzt. Ich bin natürlich auch jetzt in einer Krise, und ich habe den Eindruck, daß sie mir dazu verhilft, mehr Freiheit zu gewinnen. Erstens bin ich natürlich erleichtert ...

Gaus: Worüber erleichtert?

Wolf: Daß ich das nicht mehr verhehle, diesen Punkt, der mich natürlich bedrückt hat, diese Akte, daß ich jetzt ganz offen mit jedermann darüber sprechen kann. – Und zweitens habe ich das Gefühl einer größeren Freiheit, weil ich mich jetzt einfach fragen mußte: Will ich mich auf die Demagogie einlassen? Will ich dieses Bild, das die Öffentlichkeit jetzt von mir vermittelt bekommt, in mich reinlassen? Ich wußte: Dann bin ich verloren. Oder kann ich, fragte ich mich, indem ich meine ganze Lebensgeschichte zu Hilfe nehme, alles, was ich geschrieben, alles was ich getan habe – kann ich auf mir bestehen und von da aus weitergehen?

Gaus: Haben Sie eine ungefähre Vorstellung, wie die Christa Wolf der nächsten Etappe beschaffen sein könnte?

Wolf: Ja, eine Wunschvorstellung ...

Gaus: Wie sieht die aus?

Wolf: Hautlos, sehr empfindlich.

Gaus: Das kann kein Wunsch sein.

Wolf: Nein, aber das ist nun mal so. Offen, sehr offen, anderen Leuten gegenüber toleranter und auch bescheidener. Auf irgendein hohes Roß werde ich mich bestimmt nicht setzen. Aber härter gegen mich werde ich sein, rücksichtsloser. Ich glaube, mehr weh tun kann nun nichts mehr. Ich muß den Schmerz jetzt nicht mehr vermeiden. Ich hab bemerkt, daß ich in der letzten Zeit nicht besonders gut schreiben konnte, und mir ist jetzt klar, warum. Ich habe diesen Schmerz vermeiden wollen. Und jetzt geht's wieder.

Gaus: Sie schreiben?

Wolf: Ja. – Ich kann den Schmerz, die Scham, das alles kann ich mit hineinnehmen.

Gaus: Ist Anpassung ein Menschenrecht?

Wolf: Jetzt kommt Ihre Frage ...

Gaus: Sie meinen, die ich in allen meinen Interviews stelle?

Wolf: Schade. Ich hatte nämlich gehofft, Sie stellen mir die Frage, die Sie manchmal gestellt haben ...

Gaus: ... nach dem alten Adam und der alten Eva. Hat der alte Adam, hat die alte Eva ein Menschenrecht auf Anpassung?

Wolf: Lieber Herr Gaus, der alte Adam und die alte Eva sind das erste patriarchalische Paar, und vor Eva hat Adam eine andere Frau gehabt, die Lilith, eine Aufrührerin, die sich nicht angepaßt hat und die deshalb verteufelt und verhext wurde, und so ist es mit dem Anteil des Weiblichen im Patriarchat seitdem gegangen. Und da das Patriarchat bis heute in verstärktem Maße den Anteil des Weiblichen – im Mann natürlich auch – wegdrängt, unterdrückt, beiseite drängt, verhext und verteufelt, brauchen wir es allerdings, uns gegenseitig zuzugestehen, daß wir uns anpassen müssen, daß wir Nachsicht miteinander haben müssen. Es hat anscheinend vorher gesellschaftliche Zustände gegeben, viele, viele Jahrhunderte lang, in denen Menschen mehr beheimatet waren in der Gruppe, in der sie lebten. Aber das ist nun lange vorbei, und die Zustände, die wir heute haben, bedingen, daß wir uns gegenseitig etwas konzedieren und Nachsicht miteinander haben, weil ja die Pressionen, in denen wir stecken, ohne Anpassung für die meisten nicht auszuhalten wären.

Gaus: Ist Anpassung ein Menschenrecht? – Anpassung des Schwachen? Das Sie sich nicht zubilligen wollen? Auf das man, wenn man die Kraft hat und es die Sache wert ist, verzichten sollte? Ist Nichtanpassung ethisch, aber ist Anpassung ein Menschenrecht?

Wolf: Ich kann darauf nicht mit ja oder nein antworten.

Gaus: Haben Sie sich angepaßt in Ihrem Leben?

Wolf: Wenn ich merkte, daß ich mich anpaßte, dann war ich meistens schon soweit, daß ich damit aufhörte. Ich habe mich bestimmt angepaßt, streckenweise, das glaube ich schon. Aber eigentlich bin ich dann immer ausgebrochen aus der Anpassung. Wissen Sie, ich habe es 1989 erlebt, daß Menschen, die sich so lange angepaßt hatten – auch andere, die sich nicht angepaßt hatten, vornean –, daß die plötzlich ein anderes Gesicht bekamen und auf einmal zeigten, was in ihnen außer Anpassung noch ist, nämlich eine ganz große Sehnsucht nach einem erfüllten Leben. Und um das nebenbei zu sagen: Das ist natürlich eine Erfahrung, die mich sehr, sehr froh sein ließ, daß ich in der DDR geblieben bin und das miterleben konnte. Aber genau das hat mir auch gezeigt: Man soll Menschen nicht zu früh konzedieren, daß sie sich anpassen dürfen. Man soll ihnen auch zutrauen, daß sie, wenn's nicht mehr den Hals kostet, aus dieser Anpassung herauskommen.

Gaus: Es geht ja nicht immer gleich um den Hals. Es geht um Arbeitsplätze, es geht um Abhängigkeit in vielerlei Gestalt, unterschiedlich in den Systemen, aber im Kern überall vorhanden, in jedem System. Ist das nicht so?

Wolf: Ja.

Gaus: Ist nicht die Gefahr der Intellektuellen, der Schriftsteller, der Politiker, ist nicht die Gefahr der politisch-intellektuellen Klasse – die Selbstgefährdung – die, daß sie ihre Bedürfnisse und Maßstäbe zu den Bedürfnissen und Maßstäben der Allgemeinheit macht, des hinfälligen, gebrechlichen, schwachen Menschen, Mann wie Frau? Ist diese Gefahr nicht groß?

Wolf: Die Gefahr ist da.

Gaus: Sind wir in der im Moment nicht schon wieder gewesen, bei dem, was Sie gesagt haben?

Wolf: Das glaube ich eigentlich nicht. Weil ich wirklich ausgegangen bin von den Menschen, denen ich die Anpassung zugestehe, und zwar ehrlichen Herzens und gerade jetzt zugestehe, wo sie um Arbeitsplätze bangen, denen ich aber einfach nicht diesen Funken absprechen will, der auch irgendwann einmal zünden kann.

Gaus: Ich will keinem einen Funken absprechen. Ich will ihm nur eine Nische zugebilligt wissen, in die wir nicht hineinkommen mit unserer unterschiedlichen Agitation. Joachim Herrmann hat anders agitiert als die „Frankfurter Allgemeine Zeitung" – Agitation ist beides.

Wolf: Ja, die Nische gestehe ich ihm zu.

Gaus: Agitation beider Organe auch?

Wolf: Ja sicher.

Gaus: Was ist aus diesen Menschen, bei denen Sie in der Wendezeit das Bedürfnis erkannten, Subjekt zu sein, eine Person zu sein, die Selbstbestimmung besitzt, und nicht ein Objekt zu sein, über das man verfügt – was ist nach Ihren Erfahrungen und Eindrücken aus diesen Menschen geworden?

Wolf: Unterschiedliches. Sie haben recht – wir sprachen vorhin schon davon –, der Anpassungsdruck ist sehr groß, und viele passen sich an. Es ist auch so, daß eine große – ja, eine Enttäuschung oder auch eine Trauer da ist. Aber ich erfahre gerade jetzt auch etwas anderes. Es scheint doch so zu sein, daß dieser Appell, dieser Druck, das vergangene Leben bei der Gelegenheit gleich mit zu vergessen – daß der nicht mehr ganz so akzeptiert wird. Ich bekomme jetzt eine ganze Menge Briefe im Zusammenhang mit dieser verdammten Stasi-Akte, auch aus der ehemaligen DDR, und da gibt es sehr nachdenkliche Briefe, ich sehe da, daß die

Leute – diese Leute, die mir schreiben, eine winzige Minderheit natürlich – offenbar bereit sind, doch auch wieder über sich selber nachzudenken, wenn sich solch ein Anlaß ergibt. Ich denke, das hat nichts mit DDR-Nostalgie zu tun, die ich schrecklich finden würde, sondern es hat damit zu tun, daß man eine Identität ja nur weiterentwickeln und eine neue erwerben kann, wenn man die alte nicht einfach wegwirft. Darauf hoffe ich ein bißchen.

Gaus: Was ist Ihr Hauptvorwurf gegenüber der Mehrheit der Westdeutschen, oder sagen wir: gegenüber der Mehrheit der westdeutschen Öffentlichkeit seit der Wende? Was haben wir hauptsächlich falsch gemacht bei der Vereinigung?

Wolf: Ich sagte vorhin schon, daß ich mich jetzt, gerade jetzt, sehr zurückhalte mit Vorwürfen. Ich habe überdies in den verschiedenen Phasen der letzten Jahre unterschiedliche Meinungen dazu gehabt. Was mir wirklich bedauerlich erscheint, sind zwei Dinge. Das eine ist, daß die Kenntnis des Lebens in der DDR nicht vorhanden ist. Das kann man niemandem vorwerfen. Wir sind uns gegenseitig ganz fremd. Das zweite ist, daß nicht versucht wird, das zunächst mal zu sehen, es zu akzeptieren und dann mit behutsamen Schritten einander kennenzulernen, sondern daß statt dessen – nicht überall, und ich will das wirklich nicht verallgemeinern, ich kenne so viele Westdeutsche, die jetzt bei uns unverzichtbar sind – viele, die uns eben nicht kennen und die die DDR nicht gekannt haben, eher mit Schuldzuweisungen oder mit Vorwürfen bei der Hand sind, so daß viele Leute in der ehemaligen DDR es so verstehen konnten, als ob sie tatsächlich ihr Leben verleugnen müßten. Und das ist auf die Dauer gefährlich. Was man ausgrenzt, wozu man nicht stehen kann, das kann man auch nicht durcharbeiten. Unter Tribunalbedingungen – das weiß ich nun von mir selbst – kann man nicht wirklich ehrlich werden. Das müßten wir aber werden.

Gaus: Sie sind derzeit als Stipendiatin in Kalifornien, schreiben dort. In Interviews, die Sie in letzter Zeit gaben, haben Sie gesagt, daß Sie hier in Kalifornien Zeugnisse der Emigration gesehen hätten, Thomas Mann, Lion Feuchtwanger, die aus dem nationalsozialistischen Deutschland vertrieben wurden, und manche in Deutschland haben gedacht, Sie wollten Vergleiche ziehen zwischen dieser Emigration und Ihrem Hiersein jetzt als Stipendiatin. Wollen Sie dazu etwas sagen?

Wolf: Das ist für mich ein schreckliches Mißverständnis, das mich mit am meisten bedrückt hat in den letzten Tagen, als ich gemerkt habe, daß dieses Mißverständnis aufgekommen ist. Ich habe dieses Fernsehinterview selbst ja nicht sehen können. Ich weiß nicht, ob da etwas geschnitten, ob es aus dem Zusammenhang gerissen wurde oder ob ich mich mißverständlich ausgedrückt habe. Wie auch immer, von solcher Anmaßung, mich mit denen vergleichen oder gar mich mit ihnen gleichsetzen zu wollen, die aus Nazideutschland ausgegrenzt, rausgeschmissen wurden, bin ich – gerade jetzt – nie ferner gewesen. Ich bin froh, daß ich das hier sagen kann. Es ist wirklich ein Mißverständnis.

Gaus: Das sozialistische System – die sozialistische Idee vielleicht nicht, aber das sozialistische System – auf der Welt ist, von kleinen Restposten abgesehen, zugrunde gegangen. Man kann sehen, daß das siegreiche System, das kapitalistische, das der freien Marktwirtschaft, neuartigen Problemen immer weniger gewachsen ist. Denken Sie, es wird irgendwann wieder auf etwas wie eine sozialistische Idee hinauslaufen?

Wolf: Nein, das denke ich nicht. Ich erwarte kein Hinauslaufen auf irgendeine Idee oder Ideologie.

Gaus: Zu unseren Lebzeiten und auf eine gewisse Zeit ...

Wolf: Sowieso nicht ...

Gaus: Aber auf ewig nicht?

Wolf: Nein, ich glaube ...

Gaus: Jetzt sind Sie wieder bei der Hoffnung von 1945. Es hat sich etwas endgültig geändert. Es hat sich aber nie etwas endgültig geändert.

Wolf: Nein, Sie sehen es nicht ganz richtig, wie ich das meine. Ich meine nämlich, es könnte sich vielleicht etwas ändern, nur würde das, wie ich es jetzt sehe, wahrscheinlich nicht wieder von einer Idee oder Ideologie ausgehen, was ich mir auch gar nicht wünschen würde, sondern das könnte eigentlich nur von unten kommen, aus den Verhältnissen der Leute und ihrem Ungenügen daran. Es könnte nur etwas Praktisches sein, vielleicht ganz klein anfangend, praktische Versuche, die das Miteinanderleben der Menschen betreffen, nach und nach vielleicht größeren Umfang annehmen könnten. Nur so kann ich das sehen.

Gaus: Ist dies die Hoffnung, oder gibt es eine andere Hoffnung, die Sie nicht aufgegeben haben?

Wolf: Ich hab manchmal wenig Hoffnung, aber ich kann mir immer noch nicht vorstellen, daß die jüngeren Menschen, die jetzt nachwachsen und die doch leben wollen, daß die nicht imstande sein sollen, dem zerstörerischen und selbstzerstörerischen Drang, der im Moment die Menschheit zu beherrschen scheint, in den Arm zu fallen. Natürlich ist das furchtbar schwer, weil das eine ganz grundlegende Änderung der Bedürfnisse bedeutet, der falschen Bedürfnisse, die jetzt auf falsche Weise befriedigt werden. Eine Änderung dieser Bedürfnisse hatte ich mir vom Sozialismus erhofft. Und genau das hat er ganz und gar nicht geleistet und nicht leisten können; er hat das Gegenteil getan. Die Frage ist, ob es irgendeine Chance gibt – von unten her, von zunächst kleinen Gruppen, und vielleicht ausgehend von der großen Gefahr, die dann die Menschen doch sehen mögen –, so etwas zu tun, nach und nach. Das hängt sehr viel mit Verzicht zusammen.

Gaus: Haben Sie Angst vor der Entwicklung in Deutschland?

Wolf: Angst nicht, aber ich habe große Sorge.

Gaus: Erlauben Sie mir eine letzte Frage. Gelingt Ihnen, bisher jedenfalls, das Älterwerden?

Wolf: Manchmal ja, manchmal weniger. Im Moment bin ich in so einer aufgewühlten Situation – ich hab das nicht erwartet, daß ich in meinem Alter noch einmal so von Grund auf erschüttert würde. Und das verjüngt ja vielleicht auch, insofern, als man sich selbst noch einmal ganz in Frage stellt, wie es sonst vielleicht nur jüngere Menschen tun. Aber Angst habe ich vorm Älterwerden nicht. Ich freue mich auf das Größerwerden meiner Enkelkinder.

»Opfer-Akte«
Gefangen im Netz permanenter Beobachtung

> »Aufgrund ihrer verfestigten negativen Haltung zur praktischen Verwirklichung des Sozialismus in der DDR hat sich bei Christa und Gerhard Wolf eine politische Haltung herausgebildet, die eindeutig auf eine Konfrontation mit der Politik der Partei in entscheidenden Fragen des gesellschaftlichen Lebens hinausläuft.«
>
> »Sachstandsbericht« der Stasi aus dem Jahre 1978

Am 12. Februar 1969 faßte die Bezirksverwaltung Potsdam des Staatssicherheitsdienstes der DDR den Beschluß, einen operativen Vorgang (OV) mit dem Decknamen »Doppelzüngler« anzulegen. Es hatte bereits eine operative Maßnahme unter der Bezeichnung »Skorpion« gegen einen Intellektuellen-Kreis in Kleinmachnow gegeben. Von »Skorpion« war in erster Linie Gerhard Wolf betroffen. Danach wurde der Vorgang »Doppelzüngler« speziell für Christa und Gerhard Wolf angelegt, gegen die die Stasi nach längerer, intensiver Beobachtung massiv vorgehen wollte, und zwar mit folgender Begründung:

»Die im OV zu bearbeitenden Personen aus dem kulturellen Bereich des Bezirkes Potsdam versuchen mit konspirativen Mitteln, eine Liberalisierung des Kulturschaffens zu erreichen und gegen die Kulturpolitik von Partei und Regierung der DDR tätig zu werden ... Zielstellung des OV ist der Nachweis der staatsfeindlichen Tätigkeit und die Verhinderung jeglichen Wirksamwerdens dieser Personen. Die angefallenen Personen wurden teilweise mehrfach auf parteilicher und staatlicher Ebene bzw. strafrechtlich zur Verantwortung gezogen, ohne daß sie ihre feindlichen Positionen aufgegeben hätten.«

Mit diesem Beschluß beginnt die »Opfer-Akte« des Schriftstellerehepaares Christa und Gerhard Wolf. Im folgenden Kapitel wird aus dieser insgesamt 41 Bände umfassenden »Opfer-Akte« ein kleiner Ausschnitt dokumentiert:

- *Der Beschluß vom 12. 2. 1969 über den Operativen Vorgang »Doppelzüngler«*
- *Ein Diagramm mit Christa Wolfs »geschäftlichen Verbindungen über den Luchterhand-Verlag Darmstadt«*
- *Ein weiteres Diagramm mit den »Verbindungen zu Privatpersonen«, im Mittelpunkt jeweils Christa Wolf*
- *Ein Stasi-Kontroll-Bericht in russischer und deutscher Sprache über einen Aufenthalt der Familie Wolf im Oktober 1970 in Leningrad*
- *Spitzelreports über Kontakte zwischen Christa Wolf und dem russischen Schriftsteller Efim Etkind aus dem Jahre 1974*
- *Ein »Sachstandsbericht« aus dem Jahre 1978, der belegt, daß die Stasi gezielt Gerüchte ausstreute, um die Schriftstellerin bei anderen Autoren in Mißkredit zu bringen. Christa Wolf habe ihre Unterschrift unter die Petition gegen die Biermann-Ausbürgerung zurückgezogen, wurde lanciert, eine Behauptung, die sich bis in die jüngste Zeit in einzelnen Köpfen festgesetzt hat.*
- *Schließlich neben einer Aktenübersicht eine Zusammenstellung von Einzelaktivitäten der Stasi, die belegt, daß die Bespitzelung bis zum 11. Oktober 1989 fortgesetzt wurde.*

Die Kontrolle durch die Stasi war erheblich dichter und intensiver, als Christa und Gerhard Wolf sich das bis zum Studium ihrer Akten vorgestellt hatten. Sie waren in einem Netz permanenter Beobachtung gefangen und taten kaum einen Schritt, der nicht registriert wurde. Telefongespräche, Besuche, Reisen, Kontakte – alles wurde festgehalten und weitergemeldet. Das erklärt den Umfang des Materials, wobei ein ganzes Jahrzehnt, und zwar die achtziger Jahre, fehlt. Die Karteikarten sowie andere Dokumente bezeugen, daß die Bespitzelung in dieser Zeit nicht aufhörte, sondern eher noch zunahm.

Andererseits stellt Gerhard Wolf im nachhinein mit einer gewissen Genugtuung fest, die Stasi habe die wichtigsten Dinge doch nicht entdeckt, etwa Manuskripte von in Mißkredit geratenen Autoren, die im Kleiderschrank versteckt worden waren, oder Unterlagen, die unter erheblichen Risiken in den Westen geschafft wurden, auch Kontakte mit namhaften Autoren der damaligen Bundesrepublik. Wie in anderen Fällen auch, ersoff der Staatssicherheitsapparat an der eigenen Sammel- und Kontrollwut.

2

Vertrauliche Dienstsache!

Bezirk Potsdam

Diensteinheit XX/1

Mitarbeiter Heidorn

Potsdam, den 12.2.1969

Reg.-Nr. IV/ 1 ? 6/69

Beschluß

für das Anlegen ~~XXXXXX~~ eines Operativvorganges (Vorgangsart angeben)

IM-Vorlaufakte

1. Vorgesehene Kategorie
2. Wohnadresse

IM-Vorgang

1. Kategorie
2. Deckname
3. Wohnadresse
4. Reg.-Nr. der Vorlaufakte

Operativ- Vorlaufakte

1. Deckname (Wenn als notwendig erachtet)
2. Delikt
3. (Verwaltungs- bzw. Wirtschaftszweig auf dem die Akte läuft)

Operativ-Vorgang

1. Deckname "Doppelzüngler"
2. Delikt
3. Kultur (Verwaltungs- bzw. Wirtschaftszweig, auf dem der Vorgang läuft)
4. Reg.-Nr. der Vorlaufakte

Untersuchungsvorgang
nur bei Ermittlungsverfahren ohne U-Haft/gegen Unbekannt/bei Übernahme von anderen Organen

1. Delikt

Objekt-Vorgang

1. Bezeichnung des Objekts

Kontroll-Vorgang

1. Zum -Vorgang Reg.-Nr.

Auszufüllen bei:

Anmerkung: Die Gründe für das Anlegen/Einstellen umseitig angeben.

0550 1162 100.0 **Form 1**

Gründe für das Anlegen/~~Einstellen~~

Die im Ov zu bearbeitenden Personen aus dem kulturellen Bereich des Bezirkes Potsdam versuchen mit konspirativen Mitteln, eine Liberalisierung des Kulturschaffens zu erreichen und gegen die Kulturpolitik von Partei und Regierung der DDR tätig zu werden.
Die Bearbeitung wird gemäß § 1o7 des StGB durchgeführt.
Zielstellung des OV ist der Nachweis der staatsfeindlichen Tätigkeit und die Verhinderung jeglichen Wirksamwerde dieser Personen.
Die angefallenen Personen wurden teilweise mehrfach auf parteilicher und staatlicher Ebene bzw. strafrechtlich zur Verantwortung gezogen, ohne daß sie ihre feindlichen Positionen aufgegeben hättem.

Nur bei Veränderung einer Vorlaufakte zum Vorgang
Die Vorlaufakte ist zum IM bzw. Operativ-Vorgang erhoben
Bestätigt .... Datum ....

Mitarbeiter ....

Leiter der Diensteinheit ....

Bestätigt am 21. 8. 69. von ....
(Unterschrift)

Geschäftliche Verbindungen über den Luchterhand-Verlag Darmstdt.

— Christa Wolf
Luchterhand-Verlag

„Deutsche Welle"
Köln
BRD

„Radio
Bremen"
BRD

"Studio
Kärnten"
Österr.-Rundfk.

„Studio
Steiermark"
Österr.-Rundfk.

„Süddeutscher
Rundfunk"
Stuttgart.

Rias
u. Rias II
Berlin-West

Festival Inter-
nationale d. livre
Paris

Theodor Gut
„Züricher-
Zeitung.

4

Verbindungen zu Privatpersonen

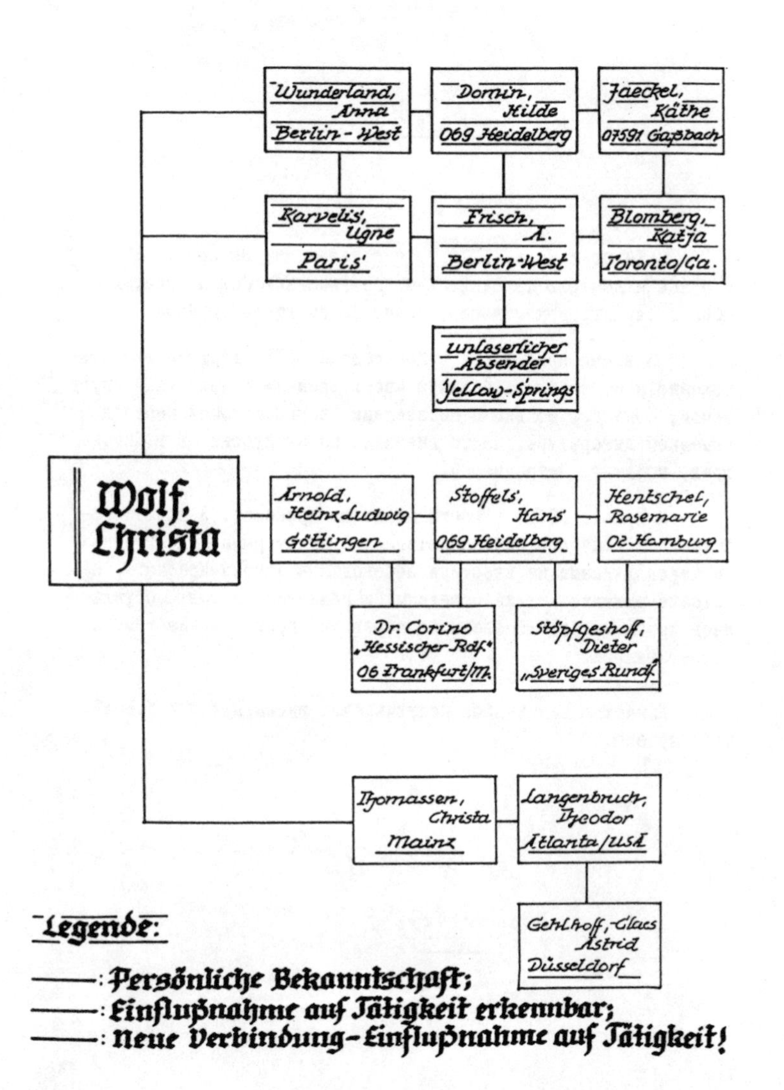

142

СЕКРЕТНО

№ 795/70

СПРАВКА

С I4 по 24 июля I970 г. писательница ГДР Криста ВОЛЬФ с мужем и дочерью находилась по приглашению Союза писателей СССР в Ленинградском доме творчества писателей в Комарово.

За время пребывания в Комарово К.ВОЛЬФ держалась настороженно и обособлено, большую часть времени проводила в кругу семьи, общалась только с писателями, занимающимися переводами немецкой литературы, часто выезжала на экскурсии в г.Ленинград, посетила Петродворец.

К Кристе ВОЛЬФ в гости никто не приезжал. В конце пребывания в Комарово она встретилась с некоторыми ленинградскими переводчиками на квартире переводчика Адмони-Красного. На встрече читались стихи советских и немецких поэтов, обсуждались проблемы художественного перевода, политические темы не затрагивались.

Данных о каких-либо политических высказываниях К.ВОЛЬФ не получено.

6/X-70 г.

141

geheim
Nr. 795/70

Mitteilung –

Vom 14.–24. Juli 1970 hielt sich die DDR-Schriftstellerin Christa Wolf mit Mann u. Tochter auf Einladung des Schriftstellerverbandes d. UdSSR im Leningrader Gesellschaftshaus der Schriftsteller in Komarowo auf.

In der Zeit des Aufenthaltes in Komarowo verhielt sich Christa Wolf vorsichtig u. zurückhaltend, den größten Teil der Zeit verbrachte sie im Kreise der Familie u. verkehrte nur mit Schriftstellern, die sich mit Übersetzungen deutscher Literatur befassen. Sie fuhr oft zu Besichtigungen nach Leningrad u. besuchte Peterhof.

Zu Besuch fuhr niemand zu Christa Wolf. Gegen Ende des Aufenthaltes in Komarowo traf sie sich mit einigen Leningrader Übersetzern in der Wohnung des Übersetzers Admoni-Krasny. Auf der Zusammenkunft wurden Verse sowj. u. deutscher Lyriker gelesen u. Probleme der künstlerischen Übersetzung behandelt. Politische Themen wurden nicht berührt.

Hinweise über irgendwelche pol. Äußerungen Christa Wolfs wurden nicht bekannt.

Unterschrift
6.10.70

i.d.R.d.Ü
[illegible], Hptm.

ZAIG/VSH 479174 213 213

Hauptabteilung II/6

Berlin, den 14. August 1974
Hes/Bö

W o c h e n m e l d u n g

GMS "Walter" - Leningrad

Die Operativgruppe teilte mit, daß "Walter" am 2. 8. 74 in einer Leningrader Buchhandlung die Bekanntschaft mit einem sowjetischen Professor ETKIN, Dr. machte. E., der das Interesse "Walters" an alten Büchern feststellte, wandte sich an ihn, bot ihm einige Bücher aus seinen Beständen an und ließ erkennen, daß er an einer Fortsetzung der Verbindung zu "Walter" stark interessiert ist. Es kam daraufhin zu einer Zusammenkunft in einem Leningrader Restaurant, bei der E. dem GMS mitteilte, daß er am Leningrader Pädagogischen Hertzen-Institut als Professor für Sprache und Literatur tätig gewesen und aufgrund seiner engen Beziehungen zu dem Verräter SOLSHENIZYN von dort entlassen worden sei. Ihm sei vorgeworfen worden, einige Bücher SOLSHENIZYNS rezensiert zu haben, was aber nicht den Tatsachen entspräche. Er sei ferner mit dem westdeutschen Schriftsteller Heinrich BOLL sowie einem im Westen lebenden weiteren Schriftsteller TROTZKI befreundet.
In der Westpresse sei viel über seine -Etkins-Lage geschrieben worden. Er habe sich entschlossen, die UdSSR zu verlassen, da ihm gegenwärtig Möglichkeit genommen wäre, weiterhin auf seinem Gebiet tätig zu sein. ETKIN schenkte "Walter" ein Buch von Anna SEGHERS mit einer persönlichen Widmung der DDR-Schriftstellerin Christa WOLF. Er forderte dabei den GMS auf, bei dessen nächster Reise (Anfang September) an die DDR Christa WOLF aufzusuchen und ihr von seinem persönlichen "Leidensweg" Mitteilung zu machen, da sie seiner Meinung nach nur so richtig informiert werden könne. "Walter" soll sich nach seiner Rückkehr aus der DDR (ca. Ende September 1974) wieder bei E. melden.
"Walter" hat sich zu dem Anliegen E.s nicht verbindlich geäußert und sich damit verschiedene Möglichkeiten offen gelassen.
Diese Information wurde den Freunden in Leningrad, die E. operativ bearbeiten, übergeben.

Seitens des Leiters der V. Hauptverwaltung im KFS, Gen. Generalleutnant BABKOW, wurde über den zuständigen Moskauer Verbindungsoffizier an den Leiter der Operativgruppe die Bitte ausgesprochen, unsere Quelle weiterhin mit E. Verbindung halten zu lassen, um dessen persönliche Pläne und Absichten, weitere Einzelheiten zur vorgesehenen Ausreise und besonders Hinweise zu SOLSHENIZYN und anderen Verbindungen festzustellen.

214 214

- 2 -

Bei "Walter" handelt es sich um eine zuverlässige Quelle. Er ist Aspirant am Physikalischen Institut der Universität Leningrad und würde über die erforderlichen Voraussetzungen verfügen, die von den Freunden gewünschte Aufgabe zu lösen.

Es wird vorgeschlagen, die Hauptabteilung XX/7 vom Sachverhalt zu informieren und in Abstimmung mit dieser Diensteinheit sowie den Freunden die weitere Auftragsstruktur für "Walter" festzulegen.
Ein ausführlicher Bericht von der Arbeitsgruppe Leningrad ist angefordert.

Hauptabteilung II/6 Berlin, den 4. Oktober 1974
Hes/Pe

Bericht

IM "Timur"

Gen. Feustel teilte am 3. 10. 74 folgendes mit:

"Timur" ist am 2. 10. in Leningrad mit dem Prof. Etkin erneut zusammengetroffen. Bei dieser Zusammenkunft teilte ihm E. mit, daß er am 16. 10. aus der UdSSR ausreisen wird. Vorerst wird er sich in Paris etablieren, wo ihm eine entsprechende Tätigke[illegible] angeboten wurde. Er bat den IM erneut, die Christa Wolf in der DDR auszusuchen, ihr Grüße zu bestellen, von seinem Schicksal zu berichten und mit ihr zu klären, ob er (Etkin) ihr von Pari[illegible] aus schreiben kann bzw. welche Vorschläge sie macht, die Verbi[illegible]dung auf andere Weise aufrechtzuerhalten.
Desweiteren bat er den IM, in Berlin 2 Adressen anzulaufen und ihnen ebenfalls von seiner Entwicklung Mitteilung zu geben.
Es handelt sich hierbei um

[geschwärzt] soll als Übersetzer tätig und mit Etkin eng befreundet sein. Die genaue Anschrift könne "Timur" aus dem Berliner Telefonbuc[illegible] entnehmen.

2. 

Die genaue Anschrift war Etkin nicht in Erinnerung, er bemerkte lediglich, daß es sich um eine andere Hausnummer handeln könne.

Die [geschwärzt] sei ebenfalls mit ihm eng befreundet. Sie hat vor etwa 4 Jahren eine Aspirnatur am Herzen-Institut in Leningrad absolviert.

Durch die sowjetischen Sicherheitsorgane war bekannt geworden, daß Etkin tatsächlich für den 16. 10. 74 die Genehmigung zur Ausreise aus der UdSSR erhalten hat.
Auf Grund der gesamten Umstände wurde mit dem IM vereinbart, da[illegible] er unter dem Vorwand, sich um seine zukünftige Arbeitsstelle kümmern zu müssen, eine Reise in die DDR in der Zeit vom 6. - 12. 10. 74 durchführt, um den Wünschen Etkins gerecht zu werden und andererseits ihm über das Ergebnis der Gespräche mit den 3 Personen Bericht erstatten zu können.

- 2 -

Entsprechend der bisherigen Instruktion hat "Timur" versucht, von E. einen Brief oder eine andere Empfehlung für den Besuch bei der Wolf zu erhalten. Etkin hat das abgelehnt mit der Begr-dung, daß er dem IM keine Ungelegenheiten bereiten möchte und daß es völlig ausreiche, wenn er sich auf ihre Gespräche bezie-

Die Überprüfung im Telefonbuch ergab, daß [geschwärzt] nicht verzei-net ist. Lt. VP-Überprüfung existiert in Berlin-Pankow ein Diplom-Philologe, der als entsprechende Verbindung von Etkin infrage kommt.
Die Überprüfung in der Abt. XII ergab, daß er für die HA XX/7 erfasst ist und operativ bearbeitet wird.

"Timur" wurde vom Gen. Sommer auf seinen Besuch bei der Wolf zum Teil vorbereitet. "Timur" bat darum, ihm noch einmal das Buch der Wolf "Nachdenken über Christa T." zu beschaffen, wobe es sich um ein umstrittenes Werk handelt und "Timur" sich hiervon eine günstige Ausgangsbasis für das Gespräch mit der Wolf erhofft.

Nach seiner Ankunft am 6. 10. wird sich "Timur" telefonisch melden.

Hesselbarth
Oberstltn.

104

Hauptabteilung XX/7 Berlin, den 22. 1o.1974
Ko

Abschrift

Bericht

Zusammenfassung der mit dem IMV "Timur" während seines Aufenthaltes in Berlin vom 7. - 13.1o.1974 durchgeführten Maßnahmen

Mit dem IMV wurden am 7. 1o. 1974 14.oo - 17.oo Uhr
9. 1o. 1974 1o.oo - 12.oo Uhr
11. 1o. 1974 14.oo - 17.oo Uhr

in der IMK "Stadion" sowie am 13.1o. 1974 von 8.3o - 9.3o Uhr Treffs durchgeführt.

Der IMV hatte entsprechend der Bitte des Leningrader Literaturwissenschaftlers ETKIND einigen Personen in der DDR Grüße zu übermitteln und ihnen Mitteilung über dessen persönliches Erlebnisse , insbesondere über die für den 16.1o. 1974 bevorstehende Übersiedlung nach Paris zu machen, sowie festzustellen, ob und in welcher Form ETKIND künftig mit diesen Personen korrespondieren kann.

Es handelt sich hierbei um:

1. Wolf , Christa
   wh.Kleinmachnow,Fontanestraße 2o
   freiberufliche Schriftstellerin
   erfaßt für die Abteilung XX, Potsdam

2.

3.

Da ETKIND dem IMV nur unvollständige Anschriften übergab, bzw. auf das Telefonbuch verwies, wurden in Abstimmung mit der HA XX/7 dem IM die Möglichkeiten aufgezeigt, wie er von sich aus die konkreten Anschriften erhalten kann.

Für die Begegnungen mit allen drei Personen wurde "Timur" instruiert, sich wahrheitsgemäß an die Gespräche und Hinweise zu halten, die er mit ETKIND führte bzw. erhielt.

·100

/3

Ihrer Meinung nach sei die Wolf eine solche Persönlichkeit, die Etkind Hilfe gewähren könnte. Die ■ bedauerte wiederholt, E. nicht helfen zu können und erklärte in diesem Zusammenhang, daß sie auch Neider hätte, die ihre Verbindung zu Etkind gegen sie selbst ausnutzen könnten.

Über die allgemeinen Lebensverhältnisse des E. waren ihr einige Einzelheiten bekannt, aus denen der IM entnehmen konnte, daß herzliche auch familiäre Beziehungen bestanden. So hat sie E. in der Wohnung besucht und kennt Frau und Tochter. Sie beauftragte den IM. E. auszurichten, daß sie jetzt jemanden habe. "Timur" schloß aus dieser Bemerkung, daß möglicherweise intime Beziehungen bestanden haben könnten.

In der allgemeinen Unterhaltung über sie sowjetischen Schriftsteller bemerkte die ■, daß man Solchenizyns "Archipel Gulag" nicht unbedingt bejahen müsse, aber jeder müsse sich einen eigenen Standpunkt bilden.

Insgesamt schätzt "Timur" ein, daß das Gespräch seitens der ■ zwar sehr interessiert aber doch abwägend geführt wurde. Sie ließ ihre Sympathie für Etkind erkennen, ohne sich selbst zu sehr, auch in ihrer Haltung gegenüber dem IM festzulegen. Vereinbarungen, sich gegenseitig zu schreiben oder noch einmal zu besuchen, wurden nicht getroffen.
Über sich selbst erzählte die ■ lediglich, daß sie gegenwärtig bei der Akademie der Wissenschaften tätig sei und es ihr in Berlin gefalle. Einzelheiten wurden von ihr nicht dargelegt.

<u>Christa Wolf</u>

Am 9. lo. vormittags suchte der IM die Wohnung der Wolf in Kleinmachnow auf. Die Anschrift hatte er von Etkind erhalten. Er traf lediglich die Tochter an, die mitteilte, daß ihre Eltern verreist seien, am lo.lo. mittags wieder zurück erwartet würden und am 11.lo. erneut wegfahren. Sie bat den IM, am lo. nachmittags anzurufen. Der IM erreichte telefonisch am lo. die Wolf selbst, die , nachdem er mittelte, daß er Grüße von Etkind ausrichten solle, sofort den Vorschlag unterbreitete, sich am 11. um lo.oo Uhr in Berlin im "Lindencorso" zu treffen. Sie erklärte, daß sie nur wenig Zeit habe, da sie noch am gleichen Tage nach Frankfurt /Main zur Buchmesse fahren müsse.

Am 11.lo. gegen lo.4o Uhr erschien die Wolf mit ihrem Ehemann in der genannten Gaststätte und sprach den IM an, der ein Buch vor sich auf dem Tisch gelegt hatte, obwohl ein solches Erkennungszeichen nicht vereinbart war.
Nach einer kurzen namentlichen Vorstellung nahm das Ehepaar W. am Tisch Platz, wobei sich die W. das Buch näher ansah. Es handelte sich hierbei um das Exemplar, das der IM von Etkind geschenkt erhielt und in dem eine Widmung der W. erhalten ist.

106

- 4 -

Der IM schilderte auftragsgemäß die ihm von ETKIND übertragenen Probleme, die im wesentlichen beinhalten:

- Zustandekommen seiner Bekanntschaft mit ETKIND;
- Vorwürfe seitens sowjetischer Stellen, daß E. Solshenizyn unterstützt habe;
- Aberkennung seines wissenschaftlichen Grades und Entlassung aus dem Hertzen-Institut;
- Umgehung einer zeugenschaftlichen Vernehmung im Haifiz-Prozeß unter Vortäuschung von Krankheit;
- Ausreise aus der UdSSR auf eigenem Antrag;
- Gründe der Entscheidung für Paris als künftigen Aufenthaltsort;
- gegenwärtige Lebensverhältnisse;
- Möglichkeiten der Fortsetzung der Korrespondenz zur WOLF.

Von Beginn des Gespräches an zeigten die WOLF als auch ihr Ehemann starke Anteilnahme an der Entwicklung ETKINDS und betonten mehrfach, daß sie volles Verständnis für seine Handlungsweise hätten. Dabei betonten beide, daß sie auch unter diesen Umständen ihre freundschaftlichen Verbindungen aufrechterhalten werden. Auf Grund eines in der UdSSR vorhandenen Kontos könnten sie E. zwar auch finanziell unterstützen, das sei jedoch infolge der fehlenden Möglichkeiten einer persönlichen Reise in die UdSSR sowie der Kürze der Zeit nicht möglich.
Ihrer Meinung nach seien die führenden Kräfte der SU bestrebt, den ganzen Kreis um Solshenizyn aus der UdSSR auszuweisen.
In der DDR hätten sich in den letzten 4 Jahren für die Schriftsteller die Möglichkeiten, kritische Probleme aufzugreifen, wesentlich verbessert. Das hänge damit zusammen, daß die DDR durch die internationale Anerkennung weltoffener geworden sei. Einige ihrer Bekannten aus der SU könnten das mitunter nicht verstehen. Als ein Argument führte die WOLF an, daß sie beide z.B. im Anschluß an das Gespräch mit dem IM nach Frankfurt/Main zur Buchmesse fahren.
Bezüglich der künftigen postalischen Verbindung ETKIND - WOLF machte sie den Vorschlag, evtl. die Adresse der Frau ________ zu verwenden, wobei er ihr in das Wort fiel, bevor sie den Namen aussprechen konnte, mit der Bemerkung, daß das wohl nicht nötig sei und ETKIND durchaus ihre Anschrift in Kleinmachnow benutzen kann.

Ein Teil des Gespräches behandelte die allgemeinen Lebensverhältnisse in der UdSSR, speziell auf dem Büchermarkt. In diesem Zusammenhang war aus Bemerkungen der WOLF zu entnehmen, daß beide die westlichen Veröffentlichungen zu den negativen Schriftstellern kennen und die Maßnahme der sowjetischen staatlichen Einrichtungen gegen diese Personen ablehnen.
Sie baten den IM, ETKIND Grüße auszurichten und mitzuteilen, daß sie an seinem Schicksal Anteil nehmen und von ihm Post erwarten, wenn er in Paris ist. Gleichzeitig deuteten sie die Möglichkeit an, sich mit ihm später einmal im westlichen Ausland zu treffen, wenn es sich mit ihren Ausreisen verbinden

- 5 - 107

läßt, um ihm auch dann konkrete Hilfe zuteil werden zu lassen.

Die W. ließ sich die Berliner als auch die Leningrader Adresse des IM geben und äußerte die Absicht, ihn gelegentlich zu schreiben. Gleichzeitig lud sie den IM mit Frau ein, sie in ihrer Wohnung zu besuchen. Als möglicher Termin wurde Weihnachten 1974 vorgesehen.
Sie interessierte sich ferner sehr stark für die familiären Verhältnisse des IM, seine beruflichen Pläne, sowie seine gegenwärtigen Lebensumstände in Leningrad. Besonders aufmerksam wurde sie als er ihr mitteilte, daß er Physik (Hochenergiephysik) studiert und promovieren wird. Auf Grund ihrer Verbindungen könne sie ihm evtl. nach seiner Rückkehr in die DDR in seiner beruflichen Entwicklung weiterhelfen.
Gegen Ende des Gespräches äußerte der IM die Bitte nach einer Widmung in einem Exemplar des "geteilten Himmel", der sie sofort entsprach.

Obwohl die W. anfangs vorgab, in Anbetracht ihrer bevorstehenden Reise in die BRD nur eine halbe Stunde Zeit zu haben, dauerte das Gespräch bis 11.30 Uhr.
Der IM schätzt ein, daß beide stark an diesem Gespräch interessiert waren und Vertrauen zu ihm gefaßt haben. Das Gespräch selbst wurde von der WOLF bestimmt. Ihr Ehemann ergänzte lediglich diese oder jene Einzelheiten. Daraus schlußfolgert "Timur", daß sie auch in der Ehe das bestimmende Element ist.

3. ██████

Entsprechend der festgelegten Verhaltenslinie rief der IM - nachdem ██████ Anschrift im Tel-Buch nicht enthalten ist - beim Verlag 'Volk und Welt' an und wurde an eine Frau ██████ Tel.-Nr. 55 99 440 verwiesen. Mit ihr sprach er telefonisch am 10.10., richtete Grüße von ETKIND aus und bat ██████ zu sprechen. Die ██████ zeigte sich bereits am Telefon stark interessiert, erklärte, daß ██████ z.Zt. im Krankenhaus liegt und bat den IM, unbedingt abends noch einmal anzurufen, da sie ██████ besucht und bei dieser Gelegenheit einen Termin für ein persönliches Gespräch vortragen wird.
Beim zweiten Anruf des IM wurde vereinbart, daß ██████ am 12.10.1974 zwischen 14 und 15 Uhr in der Wohnung des IM vorsprechen wird.
Wie vereinbart erschien ██████ in Begleitung der ██████ (mit PKW) und boten dem IM an, einen Spaziergang im Tierpark zu machen, da eine längere Unterhaltung in der Wohnung nicht zweckmäßig erschien (ungeheizt, Reisevorbereitungen - Unordnung - usw.) und ██████ infolge des Krankenhausaufenthaltes frische Luft nötig habe. Timur stimmte zu und schilderte dann bei diesem Spaziergang die von ETKIND übertragenen Probleme analog der Gespräche bei der ██████ und der WOLF.

107

- 6 -

Das Gespräch wurde nach ca 1 Stunde auf Einladung ███ in der Wohnung der ███ (Neubauten Hans-Loch-Viertel) fortgesetzt, wobei dem IM Abendessen angeboten wurde.
Hauptgesprächsthema waren ETKIND und die Verhältnisse in der sowjetischen Literatur. Hierbei war zu erkennen, daß ███ eine offene antisowjetische Einstellung hat, in der er von der Milak unterstützt wurde. Er selbst habe die Bücher Solshenizyns gelesen und fände sie gut. Die Maßnahmen der Sowjetregierung gegen diesen und andere Schriftsteller sowie gegen ETKIND seien unbedingt zu verurteilen. Er kenne selbst die gegenwärtigen gesellschaftlichen Verhältnisse in der UdSSR, die er ablehnt, da unter diesen Bedingungen eine freie Entfaltung solcher Talente wie ETKIND nicht möglich wäre. In diesem Zusammenhang erwähnte er die Namen PAGODIN und TRIFONOW.

Mit ETKIND selbst ist er seit einem Übersetzerkongreß 1967 bekannt und kennt auch dessen familiären Verhältnisse. Ihm sei bekannt, daß E. sehr mit Leningrad verbunden sei und nur ungern emigriert.
Ferner beklagte sich ███, daß es auch ihm in der DDR nicht gut gehe. Er würde im Verlag nur 750,-- M verdienen und könne sich davon kein Auto leisten, wenn er nicht noch für zusätzliche Übersetzungsarbeiten Geld hinzuverdienen würde. Besonders sprach er sich gegen die Ausreisebeschränkungen für DDR-Bürger in das NSW aus.
Als der IM das Gespräch auf die WOLF brachte, erklärte ███ daß die WOLF "in einer scheinbaren Opposition von ihrem Thron aus auf die anderen herunterblicke, aber in Wirklichkeit nicht wisse, wie es ihnen gehe." Immerhin hätte sie viel mehr Freiheiten. Bei der Veröffentlichung oppositioneller Literatur in der DDR seien die Verlage das progressive, die Akademie und Institutionen hingegen das Konservative.
Einen breiten Raum nahmen Themen zu Büchern infolge des beim IM ausgeprägten persönlichen Interesses und zu den allgemeinen Verhältnissen in der UdSSR ein.
"Timur" schätzt ein, daß ███ die Veröffentlichungen und alle politisch negativen Schriftsteller und andere, im Westen hochgespielter Feinde der UdSSR kennt und sich ausschließlich westlich orientiert.
Als ███ das Fernsehgerät einschaltete, erschien das II. Westprogramm. Er bemerkte hierzu, daß er das brauche, um sich objektiv informieren zu können.

█ interessierte sich für die persönlichen Verhältnisse des IM, die dieser wahrheitsgemäß darlegte. Er ließ sich dessen Leningrader Adresse geben mit der Bemerkung, daß er den IM evtl. anläßlich seiner nächsten Reise in die SU mit besuchen wird. Diesen Besuch wird er nicht ankündigen, da er schreibfaul sei.
Der IM soll ihn unbedingt bei seinem nächsten Aufenthalt in der DDR in seiner Pankower Wohnung besuchen. Er habe eine umfangreiche Bibliothek, die er dem IM zeigen möchte.

108

/7

"Timur" soll Etkind herzliche Grüße übermitteln und ihm noch einmal versichern, daß ■ weiterhin an der Aufrechthaltung der Verbindung interessiert ist. Zu diesem Zweck soll "Timur" eine Visittenkarte des ■ an Etkind übergeben mit der Bemerkung, daß dieser an die darauf enthaltene Adresse schreiben möchte. Die auf der linken unteren Seite der Visitenkarte enthaltene Verlagsbezeichnung war schräg weggeschnitten.

In der Begegnung erwies sich ■■■ als der Wortführer. Er erklärte dem IM, daß er ■■■

Insgesamt schätzt "Timur" ein, daß die von ihm durchgeführten Besuche sich in gewisser negativer Hinsicht steigerten.
Die ■■■ war im Prinzip abwartend und politisch unverbindlich.
Die Wolf äusserte Absichten , E. zu unterstützen , äusserte sich aber nicht offen gegen die politischen Verhältnisse in der DDR, ■■■ trat hingegen offen negativ auf.
In allen 3 Fällen jedoch war die Übermittlung der Grüße von Etkind eine Art Schlüssel für ein relativ schnelles Vertrauensverhältnis.

Einschätzung des IMV

"Timur" ist überdurchschnittlich intelligent und hat auf Grund seines persönlichen Literatur-Interesses gute Voraussetzungen für Gespräche mit derartigen Personen. Er hielt sich an die ihm gegebenen Instruktionen und stellte sich auf seine Gesprächspartner ein.

In der Berichterstattung traten keine Anzeichen in Erscheinung, die auf eine Unehrlichkeit Sdhlüsse zulassen.
"Timur " hat das erforderliche politisch-ideologische Wissen und die parteiliche Einstellung , um die negativen Äusserungen und Verhaltensweisen richtig zu erkannen.
Für eine weitere operative Bearbeitung dieses Personenkreises hat er günstige Voraussetzungen geschaffen.

„Ich war nicht die Dichterin dieses Staates“

Ein Briefwechsel über Observation, Lüge, Angst und andere Erbschaften der DDR / Von Christa Wolf

Im Juni 1990 begann der sogenannte „Literaturstreit“ um Christa Wolf. Anlaß war das Erscheinen von Christa Wolfs gesammelten Essays, Reden und ihres Prosabandes „Was bleibt“, in dem sie ihre Überwachung durch die Stasi schilderte. Vor einigen Wochen nun ist die IM-Akte bekanntgeworden, nach der Christa Wolf von 1959 bis 1962 selber als IM der Stasi tätig war. Was aber steht in den 42 Bänden Spitzelberichten, die über Christa Wolf und ihren Ehemann Gerhard angelegt wurden? Wir haben Christa Wolf um Auskunft gebeten. Ihre hier dokumentierte Zustandsbeschreibung schlägt den Bogen zurück zum Literaturstreit von 1990 und belegt, neben vielem anderen, nochmals die Skepsis der Autorin gegenüber der Wiedervereinigung des Landes. F.A.Z.

Einblick in die Akten

Efim Etkind, den wir als Germanisten und Verteidiger Joseph Brodskys schätzten und von dem uns unsere Moskauer Freunde viel erzählt hatten, lernten wir 1970 während unseres Aufenthalts im Schriftstellerheim Komarowo bei Leningrad kennen. Wir trafen uns in der Stadt, und er nahm uns in seinem Auto mit hinaus zu seiner Datsche, wo wir an einem langen Abend ins Gespräch kamen; freundschaftliche Begegnung, die wir nie vergaßen; ein kleiner Raum im Haus galt dem Autor Solschenizyn. Daß wir uns damals im Auto ducken sollten, als wir den Posten am Stadtrand passierten, war – wie wir heute wissen – nur zu berechtigt; die Sicherheitsdienste beider Länder haben, obgleich sie uns auch in Komarowo beobachten ließen, von dieser Begegnung nichts erfahren, nichts von unseren späteren Treffen.

chow: je mehr man sagen könnte und je tiefer die Gefühle sind, desto weniger *kann* man ausdrücken, desto weniger Worte stehn uns zur Verfügung. Die russischen Schriftsteller haben es gut verstanden, besonders im „Idiot“ ist es sehr deutlich; dieses Kapitel habe ich betitelt: „Über die Leichtigkeit zu lügen und die Unmöglichkeit, die Wahrheit zu sagen“ (General Iwolgin – Fürst Myschkin).

Mich hat noch sehr bewegt, was Sie auf S. 57 über das „Ich“ schreiben: „Wer war das? Welches der multiplen Wesen, aus denen ‚ich selbst‘ mich zusammensetze? Das, das sich kennen wollte? Das, was sich schonen wollte? ...“ Ich möchte meine Liebe und meine Bewunderung all diesen multiplen Wesen aussprechen, die Christa Wolf heißen.

Ihr Efim Etkind

Christa Wolfs Antwort an Efim Etkind

23.5.1992

Lieber Efim Etkind, Sie glauben nicht – oder vielleicht denken Sie es sich doch –, wie wichtig mir Ihr kleiner Brief zu „Was bleibt“ ist: Sie wissen ja wohl, daß gerade diese Erzählung ganz zerrissen wurde; das hat dazu geführt, daß ich sie eine lange Zeit nicht mehr ansehen konnte, geschweige denn daraus lesen (überhaupt habe ich meine öffentlichen Lesungen sehr eingeschränkt). Unter anderem warf man mir ja vor, ich, die ich eigentlich „Staatsdichterin“ gewesen sei, würde mich in diesem Text widerrechtlich als Verfolgte aufspielen. Ich mußte mich fragen, ob die Leute, die das sagten, nicht lesen können oder nicht lesen wollen; vielleicht beides. Jedenfalls brachte le – und findet an einem das Emblem mit dem Bundesadler: BUNDESARCHIV. Eine Frau, die früher in einem Marktforschungsinstitut gearbeitet hat, ist also für uns beide verantwortlich, das heißt, sie hat alle unsere Akten – es sind 43 Bände – vor uns gelesen und aufbereitet, legt mir oder uns die gewünschten zwei, drei Bände vor, die wir in einem LESERAUM durcharbeiten können, in dem natürlich auch andere „Leser“ zur „Akteneinsicht“ sitzen. Man bekommt Formulare, in die man die gewünschten Kopien eintragen kann. Die Namen, die man auf den Kopien wiederfinden will, muß man sich möglichst herausschreiben, denn sie werden geschwärzt: Personen- und Datenschutz. An unsere Akten aber kommt, wenn er es wirklich will, jeder Mitarbeiter dieser Behörde heran. Einmal hat uns schon anonym eine Journalistin angerufen: Sie habe unsere Karteikarte von den Stasi-Akten, benötige sie nicht mehr: Ob sie sie uns zuschicken solle. Sie tat es dann doch nicht. Mit welchem Recht – außer, um ehemalige Schuldige und Verantwortliche für Straftaten herauszufinden – diese Akten zum Beispiel über mich gehortet werden und späteren Auswertern zur Verfügung stehen sollen, weiß ich nicht.

Gut, dies sind die äußeren Umstände, die schildere ich, damit Sie sich etwas vorstellen können unter dem Terminus: „Einsicht in die Stasi-Akten“. (Es gehört noch dazu, daß der größte Teil unserer Akten in einem grünen, eisenbeschlagenen Holzbehältnis liegt, das wir „Seemannskoffer“ nennen und das in einem Raum mit der Aufschrift „Zwischenlager“ aufbewahrt wird.) Wie aber sind, oder werden bei der Aktenlektüre, die inneren Umstände? Warum war ich in den ersten Tagen, wenn ich da rauskam, so ausgehöhlt, fuhr mit der U-Bahn zum Alex, ging in eines der Kaufhäuser, um mir irgendwelches Zeug zu kaufen, oder in ein Freund der Literatur (was er womöglich *auch* gewesen sein mag). Seinen Namen habe ich vergessen, ich weiß nur seine Decknamen, unter denen ihn die Staatssicherheit führte: zuerst „Werner“, dann „Timur“. IM „Timur“ hatte die Aufgabe, uns, von denen man natürlich wußte, daß wir Sie in Leningrad gesehen hatten, aufzusuchen, von Ihnen zu grüßen und zu erkunden, wie wir auf die Nachricht von Ihrer Entlassung aus dem Institut und von Ihrer Absicht, die UdSSR zu verlassen, reagieren würden. Wir trafen uns vertrauensselig mit ihm in Berlin in einem Restaurant, dann besuchte er uns noch einmal in unserer Wohnung und berichtete seinen Auftraggebern haarklein, daß wir großen Anteil an Ihrem Schicksal nähmen, die Freundschaft mit Ihnen auf keinen Fall unterbrechen wollten, uns überlegten, wie wir Ihnen etwas von dem Geld, das wir in Moskau hatten, zukommen lassen könnten usw. Das mag für die Stasi-Herren das Bild abgerundet haben – aber was hat „Timur“ bewogen, ihnen zu Diensten zu sein? Übrigens hat in diesem Fall die Stasi mit dem KGB, der nun wieder auf Sie scharf war, zusammengearbeitet: Ein kurzes Schreiben auf russisch ist auch mit abgeheftet.

Jedenfalls haben wir jetzt für ein Jahrzehnt eine lückenlose Aufstellung unseres Tuns und Treibens – die Akten der Zeit nach 1980 sind fast vollständig vernichtet worden. Was aber deprimiert mich so, wenn ich das lese? Ich glaube, es ist ein quasi künstlerischer Grund: Ich fühle mich durch die Reduzierung auf die Ja-nein-Frage: Staatsfeind: ja oder nein? als Person beleidigt. Mich kränkt die Banalisierung und Trivialisierung unseres Lebens in diesen unsäglich albernen IM-Berichten – ist das nicht schon wieder zum Lachen? Als würde ich sogar von der Stasi insgeheim etwas wie

Arglos empfingen wir 1974 einen Mann, der in Leningrad studierte, sich als guter Bekannter Etkinds ausgab und uns von der drohenden Ausweisung Etkinds berichtete. Wir baten ihn, Etkind unserer Solidarität, wenn nötig Hilfe zu versichern. Der Mann war, wie wir jetzt in unserer Akte nachlesen konnten – ein Mitarbeiter der Stasi.

Etkind haben wir, manchmal überraschend wie 1978 in London, in den achtziger Jahren in Paris wiedergetroffen. Er gehört zu den Freunden, von denen man sich immer verstanden fühlen konnte. Sein Brief zu Christas vielgeschmähter Erzählung „Was bleibt" zeigt es; sie hat ihm – manche Fragen des laufenden Spektakels vorausnehmend – als Vertrautem offen geantwortet.

Nicht diese Akten, die wahrhaftigen Begegnungen werden bleiben. Sie aber sind den schlagzeilenden Medien und den verschiedenen eilfertigen Moralaposteln immer verschlossen. GERHARD WOLF

Efim Etkinds Brief

Helsinki, den 23.4.92

Liebe Christa, Lew [Kopelew] hat mir Ihr Buch [„Was bleibt"] zu lesen gegeben; ich schreibe Ihnen unter dem sehr starken Eindruck dieser schlichten und tragischen Erzählung. Alles, worüber Sie schreiben, habe ich erlebt („Sind sie noch da? Ja, das weiße Auto steht immer noch ... Was wollen die wissen? Wozu stehen diese armen Kerle? ..."), nur hätte ich es so erschütternd nicht ausdrücken können.

Mich hat noch ein Aspekt Ihres Buches tief beeindruckt. Auf S. 81 schreiben Sie: „... Ich fragte, was zu fragen war, empfing die Antwort, die ich kannte ... vermied nicht einmal Wörter wie ‚Sorge' und ‚Sehnsucht', *da einem ja, wenn man nichts fühlt, alle Wörter frei zur Verfügung stehn.*" Besser kann man diese Idee nicht ausdrücken: ja, man kann alles sagen, wenn man nichts fühlt. Ich bin im Begriff, ein Buch zu diesem Thema zu schreiben, es handelt über Tolstoj, Gontscharow, Dostojewski, Tschemich die Einsicht, daß niemand Argumenten zuhören würde, zum Schweigen. Es hatte und hat keinen Sinn, differenzierte Erfahrungen in diesen Hexenkessel zu werfen, der sich auch auf kulturellem Gebiet „deutsche Vereinigung" nennt und in dem massive Interessen (auch solche psychologischer Art natürlich) die nie wiederkehrende Gelegenheit nutzen, endlich einmal zum Zuge zu kommen; diese Triebe sind so übermächtig und unbezähmbar, daß das Bedürfnis nach historischer Wahrheit und Gerechtigkeit dagegen (noch) minimal ist, hauptsächlich in den „neuen Bundesländern" ziemlich schüchtern artikuliert wird. Mit Verblüffung sehen wir, wie sich in diesem Prozeß extreme Gegensätze berühren, „rechts" und „links" nichts mehr gelten angesichts des überwältigenden Wunsches (der aus unterschiedlichen Motiven kommt), bei der strengen Trennung in „Opfer" und „Täter" der richtigen Seite zugeschlagen zu werden.

Nun gut, da kann man nichts machen, Urgewalten brechen sich da Bahn. Was mich, wenn ich mich vom Druck dieser Kräfte innerlich etwas frei machen kann, wirklich beschäftigt, ist diese verdammte Wahrheitsfrage, auf die Sie in Ihrem Brief zielgerichtet zusteuern: „Über die Leichtigkeit zu lügen und die Unmöglichkeit, die Wahrheit zu sagen". Oder: Wie kommt es, daß, je näher man an „die Wahrheit", das heißt an sich selber, die multiplen Wesen in sich und besonders an jenes Wesen herangeht, mit dem man sich am wenigsten identifizieren möchte: Wie kommt es, frage ich, daß sich in den Text, der sich auf die Spur dieses Wesens und seiner Wahrheit begibt, auf dem Weg vom Kopf über die Hand bis aufs Papier immer ein Hauch von Unaufrichtigkeit einschleicht?

Ich will Ihnen etwas erzählen. Seit zwei, drei Wochen sitze ich, manchmal mit Gerd und keineswegs täglich, über unseren Stasi-Akten. Man fährt raus nach Lichtenberg, begibt sich in den ehemaligen Stasi-Komplex – monströse kafkaeske Gebäude-Area-Café, um besinnungslos Torte mit Schlagsahne zu essen, was ich sonst vermeide? (Das ist das gleiche Syndrom, das ich von mir kenne, wenn ich von irgendeiner Audienz bei einem unserer Großkopfeten kam, denen ich irgendein Zugeständnis für jemanden hatte abringen wollen.) Merkwürdigerweise ist es nicht Wut; es ist eine Mischung aus Trostlosigkeit und dem Gefühl von Erniedrigung – und zwar nun auch wieder nicht deshalb, weil wir, wie wir nun erfahren haben, schon seit 1969 unter strenger Observation standen, wir beide zusammen als „Operativer Vorgang Doppelzüngler" unter dem Dauerverdacht staatsfeindlicher Tätigkeit und von „PUT" (politische Untergrundtätigkeit) und „PiD" (politisch-ideologische Diversion); ich habe mich ziemlich genau beobachtet: Als ich die ersten Akten las, die uns so früh schon als potentielle Schädlinge einstuften, empfand ich doch etwas wie Genugtuung: dieser Staat hatte mich jedenfalls nicht als „seine Dichterin" gesehen. Dann kamen die Telefonprotokolle (Zusammenfassungen von Abhörungen zumeist), dann kamen die vielen ellenlangen Berichte von einem unserer nächsten Freunde, auch über Privatangelegenheiten der Töchter, hin und wieder ein Abhörbericht direkt aus der Wohnung. Fahndungsblätter. Registriert wurde, das gezielt ausgestreute Gerücht, ich hätte mich nach der Ausbürgerung Biermanns insgeheim doch noch „auf Parteilinie" begeben, habe bei einigen unserer Freunde Wirkung gezeigt. Lagepläne unseres Hauses und vom Inneren unserer Wohnung, die mich mit am meisten verletzten. Schilderung von „Legenden", die man erfand, um bestimmte „IMs" bei uns einzuschleusen. Und da kam dann auch in schöner Ausführlichkeit ein Vorgang, der Sie mit betrifft.

Erinnern Sie sich an den Hochfrequenzphysiker aus Berlin, der in Leningrad studiert hatte, dort dann an einem Institut war und Sie öfter besucht hat? Sie sind in einer Buchhandlung, wo Sie Bücher verkauften, mit ihm bekannt geworden. Ein Respekt vor der Unergründlichkeit von Menschen, von dem nun mal die Kunst lebt, erwarten können!

Spaß beiseite, ich muß schon noch etwas näher an meine widersprüchlichen Gefühle bei dieser Lektüre heran. Ein Teil meiner „multiplen Person" empfindet diesen ganzen Schwachsinn nämlich auch als eigene Schande, wenngleich er gegen mich gerichtet ist und ich mich schon sehr lange nicht mehr mit den Urhebern identifizierte. Aber ich tat es doch einst, und ein Nachhall davon erreicht mich auch noch in diesen Aktenstücken. Ich muß mich fragen, wie viele Moralen ich eigentlich in meinem Leben schon in mich aufgenommen, zum Teil „verinnerlicht" habe, warum es jeweils so lange dauerte und so konfliktreich war, mich von ihnen zu trennen ... Ich bin auch einigermaßen erschüttert darüber, was ich zuverlässig verdrängt habe. Mein ohnehin tiefes Mißtrauen gegen das eigene Gedächtnis steigert sich zu einem immer stärkeren Selbstverdacht, den ich kaum noch schreibend überwinden kann. Jeder Satz kommt mir, schon während er entsteht, verlogen vor. – Ist es dies, was die russischen Autoren, über die Sie schreiben wollen, erfahren haben? Dostojewski – der ja. Aber auch Tschechow? Ich bin sehr gespannt auf Ihren Essay.

Ich breche ab, Sie haben längst gemerkt, daß der Brief auch an mich selbst gerichtet ist. Ich werde dem Lew auch eine Kopie geben. „Was bleibt" schicke ich Ihnen mit. Wollen Sie Kopien der Berichte von ‚Timur'? Sicherlich würde Ihnen der Mensch dabei einfallen, aber wozu. Ich bin auch etwas ratlos, wie man mit derartigen Erkenntnissen umgehen soll. Václav Havel soll nach der Einsicht in seine Akten traurig gesagt haben: Ich hoffe, ich habe es schon vergessen. Er ist jedenfalls ein besserer Mensch als ich.

Lieber Efim Etkind, ich bin froh, daß Sie mir geschrieben haben, und ich grüße Sie herzlich, auch von Gerd,

Ihre Christa Wolf

In: Frankfurter Allgemeine Zeitung, 3. 2. 93

286
115

Hauptabteilung XX/7 Berlin, 18. 9. 1978

S a c h s t a n d s b e r i c h t

zum Stand der operativen Bearbeitung des OV "Doppelzüngler", Reg.-Nr.: IV/116/69 gegen die Schriftsteller

W o l f ,	geb. Ihlenfeld, Christa
geb. am:	18. 3. 1929 in Landsberg
wohnhaft:	104 Berlin, Friedrichstr. 133
Wochendgrundstück:	2711 Alt-Meteln, Krs. Schwerin
Beruf:	Diplom-Germanistin
tätig als:	Schriftstellerin
Fam.-Stand:	verheiratet in 1. Ehe
Kinder:	2 Töchter, 26 und 22 Jahre alt
Partei:	SED seit 1949
Organisationen:	DSF, Kulturbund, Schriftstellerverband der DDR, PEN-Zentrum der DDR
Funktionen:	Mitglied des PEN-Präsidiums der DDR
Telefon:	2 82 77 84 Berlin, 0297/237 Alt-Meteln
PKW:	
W o l f ,	Gerhard
geb. am:	16. 10. 1928 in Bad Frankenhausen
wohnhaft:	104 Berlin, Friedrichstr. 133
Wochenendgrundstück:	2711 Alt-Meteln, Krs. Schwerin
Beruf:	Diplom-Germanist
tätig als:	Schriftsteller

111

- 2 -

Familienstand:	verheiratet in 1. Ehe
Kinder:	2 Töchter, 26 und 22 Jahre alt
Partei:	keine (Ausschluß aus der SED Dezember 1976)
Organisationen:	DSF, Kulturbund, Schriftstellerverband der DDR, PEN-Zentrum der DDR
Funktionen:	keine
Telefon:	2 82 77 84 Berlin, 0297/237 Alt-Meteln

Der OV wurde mit der Zielstellung bearbeitet:

- Beweise für die feindliche Tätigkeit der bearbeiteten Personen gemäß § 106 StGB zu erarbeiten und zu dokumentieren,
- Maßnahmen zur vorbeugenden Verhinderung des weiteren feindlichen Tätigwerdens der bearbeiteten Personen und zur Einschränkung der Wirksamkeit feindlicher Vorhaben einzuleiten sowie Voraussetzungen für die Neutralisierung bzw. Zurückgewinnung zu schaffen und entsprechende Maßnahmen durchzuführen,
- feindliche Pläne und Absichten aufzuklären und zu unterbinden und begünstigende Bedingungen für die Feindtätigkeit zu beseitigen,
- Hintermänner und Inspiratoren feindlicher Tätigkeit aus der BRD, WB u. a. kapitalistischen Staaten aufzuklären und ihre inspirierende Rolle nachzuweisen.

In der bisherigen operativen Bearbeitung wurden folgende Ergebnisse erreicht:
In Realisierung der mit der Partei abgestimmten Differenzierungsmaßnahmen wurde erreicht, daß die im Zusammenhang mit der Ausbürgerung Biermanns in Erscheinung getretenen aktivsten feindlichen Kräfte keinen einheitlichen feindlichen Block gegen die Politik der Partei bilden konnten.

117

- 3 -

Der unterschiedliche Ausgang der Parteiverfahren gegen Christa Wolf (strenge Rüge, Verbleiben in der Partei) und Gerhard Wolf (Ausschluß aus der Partei), unterstützt durch von inoffiziellen Quellen ausgesprochene gezielte Vermutungen über mögliche interne Zustimmungserklärungen Christa Wolfs zur Politik der Partei, brachten vor allem Christa Wolf bei einem Teil der übrigen Erstunterzeichner teilweise Mißtrauen ein. Vor allem ███ war über Christa Wolf enttäuscht und äußerte, die Wolf sei für sie "politisch verloren". Von ███ ███ gab es ähnliche Reaktionen.
Seitens Christa und Gerhard Wolfs besteht gegenwärtig ein etwas engerer Kontakt nur noch zu ███ ███

Durch diese abgestimmten differenzierten Maßnahmen und im Ergebnis der Beeinflussung von Christa und Gerhard Wolf durch inoffizielle Kräfte ("Günter", "Anton", "Hans") wurden Christa und Gerhard Wolf von offenen feindlichen Aktivitäten im Zusammenwirken gegen die DDR mit äußeren feindlichen Kräften abgehalten und Voraussetzungen für eine zumindestens teilweise Einbeziehung in das gesellschaftliche Leben geschaffen (z. B. Akademie der Künste, Lesungen, Teilnahme an Veranstaltungen zum 150. Jubiläum des Reclam-Verlages).

Aufgrund ihrer verfestigten negativen Haltung zur praktischen Verwirklichung des Sozialismus in der DDR hat sich andererseits bei Christa und Gerhard Wolf eine politische Haltung herausgebildet, die eindeutig auf eine Konfrontation mit der Politik der Partei in entscheidenden Fragen des gesellschaftlichen Lebens hinausläuft.

Teil I

ø 1.2. | ø 1.4. | ø .2.
Kennziffer gemäß Rahmenkatalog Abschnitt I/1

ø öffentl.Auftr. | ø Resolutionen

ø s.74.83.84 | ø 76.83.84 | ø 83.84
Ereigniszeit

op. int. Zeitraum

§ 106
Rechtsnormen

weitere Deskriptoren
ø Untergrundlit. herst./bes.
Veröffentl.Massenmedien NSA

DOKNR/SI

Teil II

Ortsangaben – territorial – DDR
ø EO Berlin
ø EO BRD

Ortsangaben – territorial – Ausland

ø in Kirchen
Objekte – DDR

ø VB HA XX

ø Ständige Vertretung BRD

Objekte – Ausland
ø Vertr. nichtsoz.Staaten
ø Rundfunk u.Fernsehanstalten
ø Einr.Film-Presse-Verlagsw.

404 O

Teil III

W o l f
Name

Christa
Vorname

12.03.29. 5 Landsberg
geb. am/PKZ/in

DDR
Staatsangehörigkeit

ø 1040 Bln., Friedrichstr. 133
Wohnort

ø Grundstück: Pfarrhaus Alt Woserin/Kreis Sternberg

ø Schriftstellerin
Tätigkeit/Qualifikation

ø freischaffend
Arbeitsstelle

ø Pazif.; ø PUT-Kont.inDDR; ø Pers.umfangr.Verb.;
op. int. Personenmerkmale
ø konterrev.-Symp; ø Reisekader; ø ungen. Publiz.
ø mehrf. angef. Pers. ø Tr./Verbr.PID m.Einfl.;

11411
Erfassungs-Nr.

20 018
Ablage

DOKNR/PI

ø HA XX/7
Erfassende DE

Teil IV

/69
Erfassungsdatum

ø OV "Doppelzüngler"
Erfassungsart

V / 116/69
Reg.-Nr.

Bearbeitungsmaßnahmen

Bearbeitungsergebnisse

Kategorisierung

Pol.-op. Schwerpunktbereiche/Schwerpunkte

Quelle | Nutzung

Verteiler

2. WOLF, Gerhard (Ehemann)
16.10.1928
OV "Doppelzüngler"

Nahm an der "Berliner Begegnung" (Dezember 1981) teil.
6/84: Einladung zur 3. Konferenz für europäische atomare Abrüstung in Perugia/Italien (ZMA/2194I)

Teiln. am 12.10.85 an einer Veranstaltung "Rummel um die Frauen" in der Akademie der Künste der DDR, an der auch Frauen der Frauenfriedensgr. teilnahmen. Veranstaltung verlief positiv. (10070/3)

1.10.85, HA XX/7: Die W. erhielt von Dr. Otto Riewoldt - Red. "Kulturmagazin" eine Einladung zu einer Fernsehdiskussion im WDR, die am 16.10.85 stattfinden soll. THema: "Wieder Lust an Dtsch? ..."

HA VI: 11/85: Bereitet für 1986 eine Vortragsreihe in Österreich über die Lyrik in der DDR vor. (Inf. an HA XX/7) W o l f , Gerhard

Jan. 1988: Im EV gegen Bärbel BOHLEY offiziell als Verbindungsperson dokumentiert.
3.2.89: **Feier zum Jahreswechsel 1988/89 am 31.12.88 in der Wohnung der W. mit Volker BRAUN, Günter de BRUYN, Nuria QUEVEDO u.a., wo über die internationale und innere Lage der DDR in pessimistischer Art debattiert wurde. So würden die Kommunalwahlen im Mai von einem hohen Prozentsatz Nichtwähler und Kandidatenstreichungen gekennzeichnet sein.**
3/89: Mit Unterstützung der W. soll im III.Quartal 1989 ein Textband der KACHOLD im Aufbau-Verlag erscheinen. (ZMA 30076)
3/89: W. kennt Vaclav HAVEL persönlich und ist der Meinung, daß nach ihr vorliegenden Informationen keine Veranslassung bestanden habe HAVEL zu 9 Monaten Haft zu verurteilen.
WÜ 10/89: Generalversammlung des PEN-Zentrums der DDR am 01.03.89 in Berlin. Es wurde ein Brief an das Generalsekretariat des PEN-Clubs in London durch Christa WOLF, Wolfgang KOHLHAASE, Peter GOSSE und Christoph HEIN erarbeitet, worin sich das PEN-Zentrum der DDR den Bemühnungen des PEN-Clubs anschließt, die Frei = lassung des CSSR-Bürgers Vaclav HAVEL zu erwirken. (ZMA 401a)
13.06.89: Teilnahme an der gemeinsamen Tagung der Ev. Akademie und des Ärztekreises "Ärzte für den Frieden" am 03.06.89 in der Stephanusstiftung Berlin-Weißensee. Die W. las aus irem neuen Erzählungsband "Sommerstück", wobei sie keine negativen Äußerungen brachte.
15.09.89: Teilnahme an der Mitgliederversammlung des Schriftstellerverbandes am 14.09.89.
Die W. verlas im Auftrag einer "Frauengruppe" (Schriftstellerinnen) eine Resolution zur Abwanderung von DDR-Bürgern und zur derzeitigen Situation in der DDR. Weiterhin initiierte sie die Bildung einer "Arbeitsgruppe Presse", die die Pressearbeit der DDR überprüfen und entsprechende Vorschläge machen soll. (ZMA 4130)

25.09.89: Neben der W. wurde die obengenannte Resolution noch von Helga KÖNIGSDORF, Gerti TETZNER, Helga SCHÜTZ und Daniela DAHN mit verfaßt. Die W. versuchte die Resolution auch in anderen Bezirks = verbänden durchzusetzen. (ZMA 20018)
11.10.89: Die H. erhält am 19.10.89 die Ehrendoktorwürde der Hochschule Hildesheim. (ZMA 20018)

Briefwechsel »Du sollst wissen, daß Du nicht isoliert bist«

»Ach, wie beneide ich in schwachen
Stunden all die Unschuldigen,
die im richtigen Moment auf der
richtigen Seite waren, die sich
selbst keine Fragen stellen,
und denen auch sonst niemand
Fragen stellt. Muß ich eben
versuchen, mich auf meine stärkeren Stunden zu konzentrieren.«

Christa Wolf an Günter Grass

In der Auseinandersetzung um den IM-Vorgang »Margarete« stand Christa Wolf nicht allein. In zahlreichen Briefen aus Deutschland bekam sie während ihres Aufenthaltes in Kalifornien spontanen Zuspruch, Zuspruch von Leserinnen und Lesern, Zuspruch und Aufmunterung auch von prominenten Schriftstellerkollegen, etwa von Volker Braun, Günter Grass, Peter Härtling und anderen.

Nur ein kleiner Teil dieser Zuschriften kann in diesem Kapitel dokumentiert werden. Das Kapitel beginnt mit einem Briefwechsel zwischen Christa Wolf und dem Bundesbeauftragten für die Unterlagen des Staatssicherheitsdienstes der ehemaligen DDR, Joachim Gauck. Am 26. Januar 1993 und noch einmal mit einer längeren Begründung am 29. Januar 1993 hatte Christa Wolf eine Kopie ihrer IM-Akte beantragt, die sich zuvor verschiedene Zeitungen besorgt hatten. Die Schriftstellerin schrieb: »Ich brauche dieses Material zu meiner Verteidigung.«

Die Akte bekam sie, aber die sechs Fragen, die sie dem Bundesbeauftragten gestellt hatte, blieben lange unbeantwortet. Erst Mitte April 93 reagierte Gauck mit einem längeren Schreiben.

Christa Wolf an den Bundesbeauftragten für die Unterlagen des Staatssicherheitsdienstes der ehemaligen DDR, Joachim Gauck

Santa Monica, 26. 1. 93

Sehr geehrter Herr Gauck,
nachdem meine als IM-Vorgang registrierte Akte weit verbreitet und zum Objekt öffentlicher Auseinandersetzung geworden ist, ohne daß ich sie als Ganzes kenne, geschweige denn habe, beantrage ich hiermit, daß nun auch ich unverzüglich eine Kopie davon bekomme, die meinem Mann, Gerhard Wolf, übergeben werden soll. Ich brauche dieses Material zu meiner Verteidigung.

Hochachtungsvoll
Christa Wolf
Reg.Nr. 334/90Z

Christa Wolf an Joachim Gauck

Santa Monica, d. 29. 1. 93

Sehr geehrter Herr Gauck,
Sie werden sich erinnern, daß ich Ihnen bei unserem Telefongespräch vor drei Tagen einige Fragen stellte, die den Umgang Ihrer Behörde mit den ihr anvertrauten Materialien betrafen. Je mehr ich nun an meinem Fall die Tragweite dieser Fragen erleben muß, um so wichtiger wird es mir, sie noch einmal schriftlich zu formulieren. Für mich kommt jede Korrektur zu spät; was ich noch tun kann, ist, für andere, ähnlich gelagerte Fälle auf den unausweichlich zu grotesken Verzerrungen und zur moralischen Vernichtung führenden Ablauf der Ereignisse aufmerksam zu machen.

1. Warum war es mir nicht möglich, im Mai vorigen Jahres, als ich in meiner »Opfer«akte auf den Hinweis stieß, daß dieser IM-Vorgang vorliegt, auch diese Akte offiziell zu sehen und daraus Kopien zu bekommen? Frau Lorenz, die unsere Akten bearbeitete, erklärte mir, das sei nach den Gesetzen der Behörde nicht möglich, sie hat mir dann aber heimlich und für ganz kurze Zeit ein Aktenstück gegeben, in dem die meisten der Berichte, aus denen nun der SPIEGEL zitiert, nicht enthalten waren. Kopien konnte ich nicht bekommen. Um Frau Lorenz nicht preiszugeben, habe ich öffentlich nicht genau geschildert, was ich unter wel-

chen Umständen zu sehen bekommen habe. Nun erfahre ich, daß sie gestorben ist und kann den wahren Ablauf schildern.

Meine Frage: Müssen die Gesetze, IM-Akten betreffend, derart formal angewendet werden, daß auch jemand, der nach einem kurzen Zeitraum, in dem er (oder sie) als IM geführt wurde, einen zwanzig Jahre andauernden OV-Aktenberg hat, keine Möglichkeit bekommt, auch die IM-Akte normal einzusehen?

2. Woher haben bestimmte Redaktionen, die nach eigener Aussage nur eine Akteneinsicht für allgemeine Komplexe beantragt hatten (Beispiel: Bitterfelder Weg), den Hinweis bekommen, es könne sich lohnen, einmal Akteneinsicht zum Beispiel für mich zu beantragen?

3. Wieso haben die FAZ, der SFB und Karl Corino die Kopie meiner Akte just an dem Tag bekommen, an dem mein Artikel in der »Berliner Zeitung« erwartet wurde, in dem ich selbst über diese Akte berichte?

4. Halten Sie es für vertretbar, daß Ihre Behörde diese mich belastende Akte der Presse aushändigt, ohne mich davon zu unterrichten (ich habe die Akte bis heute nicht von Ihnen), aber auch ohne den Journalisten mitzuteilen, daß da, meine Person betreffend, ein ungleich größeres Konvolut von »Opfer«akten ist: Dadurch hat man die verzerrte Berichterstattung in den Medien bewußt herbeigeführt.

5. Nach Angaben Ihres Pressebearbeiters Herrn Zeidler hat der »Spiegel« meine Akte *nicht* von Ihrer Behörde bekommen, jedenfalls nicht offiziell. Woher und von wem hat er sie also. Muß ich die Aussage eines Journalisten glauben, der mir sagte: »Da ist viel Geld im Spiel«?

6. Was unternehmen Sie dagegen, daß der Spiegel die anonymisierten Namen in der Akte, soweit er sie zitiert, entschlüsselt und dadurch das Datenschutzgesetz verletzt?

7. Was unternehmen Sie dagegen, daß im Spiegel der Bericht eines IM »Hannes« über mich zitiert wird, obwohl ich doch in diesem Fall Opferschutz genießen müßte?

Es wird Ihnen nicht entgangen sein, daß diese Handhabung der Aktenausgabe an die Presse stark dazu beigetragen hat, meinen Ruf zu vernichten. Schaudernd stelle ich mir vor, es wären nicht nur meine »Opfer«-Akten der letzten neun Jahre, sondern *alle* die OV-Akten befehlsgemäß von der Stasi vernichtet worden; ich hätte, da ja nur die Zeugnisse der Stasi als Beweismittel gelten, kein Mittel zu meiner Verteidigung gehabt; die Lage, in die ich dann gekommen wäre, hätte auch meine physische Existenz gefährdet.

Ich hatte bei unserem Gespräch den Eindruck, daß Ihnen der Anteil Ihrer Behörde an der Verzerrung der Tatbestände in der Öffentlichkeit in meinem Fall gar nicht bewußt ist. Vielleicht verliert man, wenn man immer inmitten dieser monströsen Stasi-Hinterlassenschaft sitzt, allmählich den Sinn für Relationen. Glauben Sie mir bitte, daß ich nicht dazu beitragen will, die Möglichkeit der Akteneinsichtnahme für die von der Stasi Bespitzelten und Kujonierten zu beschränken. Doch muß man jetzt ernsthaft über Mittel und Wege nachdenken, die nachträgliche Wirksamkeit der Stasi-Hinterlassenschaft zu begrenzen. Was sie bei manchen Leuten, zu denen ich mich zähle, in der DDR nicht geschafft hat, kann sie in unheiliger Allianz mit unbegreiflicher Aktengläubigkeit, leichtfertigem Umgang mit diesem Material, der zügellosen Gier miteinander konkurrierender Medien nach Skandalgeschichten und der bewußt gezüchteten Stasi-Hysterie in der Öffentlichkeit nachträglich erreichen. Muß das nicht zu denken geben?

Ich bitte Sie, diese Zeilen nicht als Überreaktion einer geschädigten Autorin abzutun, sondern sie ernst zu nehmen und um Abhilfe bemüht zu sein.

Hochachtungsvoll
Christa Wolf

Der Bundesbeauftragte für die Unterlagen des Staatssicherheitsdienstes der ehemaligen DDR, Joachim Gauck, an Christa Wolf

Ihre Nachricht vom
29. 01. 1993

Unser Zeichen
BF-8434/93-7-Cor G

Verwendung von Unterlagen des Staatssicherheitsdienstes der ehemaligen Deutschen Demokratischen Republik

Anlage: Stasi-Unterlagen-Gesetz (StUG)

Berlin, 09. 04. 1993

Sehr geehrte Frau Wolf,
für Ihr Schreiben vom 29. Januar 1993 danke ich Ihnen. Ihre Fragen möchte ich im einzelnen beantworten.

1. Am 29. 4. 1992 ist Ihnen die 116 Blatt umfassende Personalakte des IM-Vorganges Halle-3627/62 vorgelegt worden. Die Einsichtnahme haben Sie quittiert.

Ein Antrag auf Anfertigung von Kopien aus diesem Aktenstück haben Sie damals nicht gestellt. Die Akteneinsicht selbst läßt sich anhand der vorliegenden Protokolle nachvollziehen. Aus diesen Protokollen ergeben sich keine Hinweise, daß bei der Akteneinsicht rechtswidrig gehandelt worden wäre. Wenn es dennoch zutreffen sollte, daß eine Mitarbeiterin Ihnen Informationen über das zulässige Maß hinaus zugänglich gemacht hat, lag es natürlich bei Ihnen, sich zum Inhalt dieser Informationen öffentlich zu äußern. Allerdings ist nach § 16 Abs. 3 StUG eine Einsicht von ehemaligen Mitarbeitern des Staatssicherheitsdienstes in die von Ihnen angefertigten Berichte nur zulässig, soweit ein rechtliches Interesse daran glaubhaft gemacht werden kann. Ein solches Interesse haben Sie damals nicht dargetan.

Die Praxis der Akteneinsicht entspricht den Differenzierungen des Stasi-Unterlagen-Gesetzes. Die im StUG vorgesehenen Zugangsregelungen für Mitarbeiter des Staatssicherheitsdienstes zu den Unterlagen sind schon deshalb sachgerecht, weil in den Berichten zu Betroffenen Informationen enthalten sind, die eines erhöhten Schutzes bedürfen. Dabei bleibt unberücksichtigt, mit welcher Intensität die Tätigkeit für den Staatssicherheitsdienst betrieben wurde, wie nachteilig die Berichte für den Betroffenen waren oder ob etwa der Mitarbeiter später vielleicht selbst zum Betroffenen wurde.

Mir ist in der Sache kein Ermessen eingeräumt. Daher entspringt die von Ihnen als »formal« bezeichnete Anwendung des StUG dem rechtsstaatlichen Grundsatz, daß sich das Verwaltungshandeln am Gesetz auszurichten habe.

2. Durch welche Umstände die Medien initiiert wurden, Anträge auf Verwendung von Unterlagen zu Ihrer Person zu stellen, entzieht sich meiner Kenntnis. Jedenfalls lagen mir begründete Ersuchen – welche sich konkret auf Ihre Person bezogen – vor.

3. Für mich war nicht absehbar, ob und wann Sie hinsichtlich der von Ihnen eingesehenen Staatssicherheitsunterlagen an die Öffentlichkeit tre-

ten wollten. Nachdem Ihnen am 29. April 1992 die fraglichen Unterlagen zumindest zum überwiegenden Teil zur Einsicht gegeben wurden, und Sie somit Gelegenheit hatten, auch diesen Teil Ihrer Vergangenheit zu rekapitulieren, sind durch mich am 18. Januar 1993 erstmals Duplikate aus der IM-Akte an die Presse gegeben worden.

4. Gemäß § 34 Abs. 1 i. V. m., § 32 Abs. 1 StUG werden Unterlagen den Medien zu Zwecken der politischen und historischen Aufarbeitung der Tätigkeit des Staatssicherheitsdienstes zur Verfügung gestellt. Soweit es sich um personenbezogene Informationen zu Mitarbeitern des Staatssicherheitsdienstes handelt, fordert das Gesetz dazu weder eine Einwilligungserklärung, noch ist die betreffende Person über die Einsicht oder Herausgabe zu informieren.

Gleichwohl wird dem Mitarbeiter – sofern er einen diesbezüglichen Antrag gestellt hat – in der Regel vor den Medien Unterlagenzugang gewährt, in Ihrem Fall bereits über 8 Monate vorher.

Mittlerweile dürften Ihnen mittels meiner erweiterten Auskunft vom 8. Februar 1993 sämtliche Informationen zugegangen sein, die Sie benötigt haben. Den Vorwurf, ich hätte die verzerrte Berichterstattung in den Medien bewußt herbeigeführt, weise ich entschieden zurück.

Es widerspräche der Pressefreiheit, wenn durch meine Behörde die Ausgewogenheit von Veröffentlichungen diktiert werden könnte.

Im übrigen ist etwa dem von Ihnen zitierten Spiegel-Artikel sehr wohl die unterschiedliche Quantität Ihrer sogenannten IM- und Opferakten zu entnehmen.

5. Journalisten arbeiten oftmals für verschiedene Medien. Bei der Herausgabe der Duplikate wurde mir eine solche Mehrfachverwendung von dem Journalisten angezeigt, so daß hier kein Verstoß gegen die Zweckbindung nach § 33 Abs. 4 StUG vorliegt.

Sollte mit der Fragestellung: »Da ist viel Geld im Spiel?« der Verdacht geäußert werden, es würden durch mich Informationen verkauft, verwahre ich mich gegen eine solche Behauptung.

6. Ich habe den Medien gemäß § 32 Abs. 1 Nr. 4 StUG Duplikate zur Verfügung gestellt, in welchen personenbezogene Informationen über Betroffene und Dritte anonymisiert waren.

Inwieweit die Presse zum Sachverhalt weitere Informationen aus Quellen außerhalb der Staatssicherheitsunterlagen recherchiert hat, steht nicht in meiner Kenntnis.

Nach § 32 Abs. 3 StUG liegt jedenfalls die Veröffentlichung von Informationen aus den Unterlagen in der Verantwortung der Medien. Soweit sich durch eine etwaige rechtswidrige Verwendung von Informationen die Betroffenen in Ihren Rechten verletzt sehen, steht es Ihnen frei, dagegen rechtliche Schritte einzuleiten.

7. Bei dem Zitat aus dem Vorschlag zur Werbung eines geheimen Informators – gefertigt von IM »Hannes« – handelt es sich *nicht* um Informationen zu einem sogenannten Opfer.

Gemäß § 6 Abs. 3 Satz 2 StUG sind Informationen zu einem Mitarbeiter, die zum Zwecke der Anbahnung und Werbung oder der Kontrolle einer Tätigkeit für den Staatssicherheitsdienst gesammelt wurden, keine Informationen über einen Betroffenen.

Ich möchte an dieser Stelle nochmals betonen, daß es mir bei der Bearbeitung von Medienanträgen nicht obliegt, Unterlageninhalte zu werten oder zu gewichten, sondern Unterlagen in rechtlich zulässiger Weise zur Verfügung zu stellen; ein Mehr oder Weniger wäre rechtswidrig.

Die Behauptung des leichtfertigen Umganges mit den mir anvertrauten Unterlagen muß ich deshalb für die Behörde zurückweisen. Auch bin weder ich selbst noch sind die Mitarbeiter der Behörde Mitglieder in der Allianz, die Sie in Ihrem Brief abschließend beschreiben. Über das Wirken unguter Allianzen können wir freilich dennoch mitreden.

Gerade die öffentliche Aufarbeitung der Tätigkeit des Staatssicherheitsdienstes war insbesondere eine Forderung der Bürgerbewegung der DDR und schon im Unterlagengesetz der Volkskammer verankert.

Der Gesetzgeber hat die Beteiligung der Medien an diesem Prozeß für unabdingbar gehalten, selbst wenn das Niveau der Berichterstattung sehr unterschiedlich und oftmals auch einseitig und verzerrt ist. Daß gerade in der Debatte um Ihre Person in zahlreichen Medien durchaus differenziert wurde und wird, daß ich selbst in diesem Falle Fairneß und Differenzierung angemahnt habe, werden Sie bemerkt haben.

Mit der Bitte um Verständnis für die verzögerte Beantwortung und freundlichen Grüßen

Joachim Gauck

Vgl. die Nachbemerkung des Herausgebers auf S. 340

Paul Parin an Christa Wolf

Zürich, 7. II. 93

Liebe Christa Wolf,
gestern sind die Kopien Ihrer beiden Texte angekommen, aus der Berliner Zeitung und das Interview mit der Wochenpost. Beide sind untadelig, besser kann man es gar nicht schreiben oder sagen. (...)

Ob und wann die Ossi-Wessi-Debatte aufhören wird, ist ungewiß. Wahrscheinlich lange nicht, weil die Versuche, den wirtschaftlichen und sozialen Graben, der sich aufgetan hat, zuzuschütten, untauglich sind. Das groteske Vertrauensverhältnis westlicher Politikaster mit dem Stasi-Akten-Relikt ist auch ziemlich haltbar. Es scheint mir aber nicht ausgeschlossen, daß sich diese Suche nach Sündenböcken irgendeinmal auf andere Menschen und Institutionen richten wird und sich dem projektiven Bedürfnis der Nation neue Wahnvorstellungen anbieten werden.

Nun haben Sie aber am Telefon eine Frage gestellt, auf die ich in meiner Rolle als Analytiker antworten sollte: Ob und wie es möglich ist, daß man so etwas (eben das, woran Sie sich nicht erinnert haben) ganz vergißt, d. h., verdrängt: und ob das glaubhaft ist.

Die Antwort wissen Sie ja: Verdrängung ist ein wichtiger, vielleicht der wichtigste psychische »Mechanismus«; d. h. sie geht automatisch vor sich, ohne daß man etwas von dem Vorgang bewußt wahrnimmt. Will man während einer Analyse Verdrängungen rückgängig machen, sind »Widerstände« zu überwinden. Darum ist eine so lange »Arbeit« dazu nötig. Die Verdrängungswiderstände leiten sich vom ursprünglichen Grund zur Verdrängung und von später – während der Analyse – konstellierten Gründen ab: Scham- und Fremdheitsgefühle gegen den verdrängten Inhalt.

Gewöhnlich gibt es »Deckerinnerungen«, d. h. deutliches »Wissen«, so war es, die an die Stelle des Verdrängten rücken. Am deutlichsten ist dies bei verdrängten Ereignissen aus der frühen Kindheit. In Ihrem Fall dürfte die Erinnerung an den Besuch der »zwei freundlichen Herren« und das »Gefühl der Bedrohung« als Deckerinnerung gedient haben. Je benachbarter der zu verdrängende Inhalt dem nicht verdrängungsbedürftigen banalen Alltagsgeschehen ist, desto haltbarer pflegen Deckerinnerungen in der Analyse zu sein.

(...)

Häufig stellt sich nach der Aufhebung einer Verdrängung das Gefühl ein, das vorher Verdrängte schon immer gewußt zu haben. Freud schrieb über dieses Phänomen: Diese Patienten sagen, sie hätten es »schon immer gewußt, aber nie daran gedacht«.

Ob man Ihnen glauben wird, daß Sie z. B. Ihren Decknamen vergessen hatten? Je nachdem wer und mit welchen Motiven. Ganz allgemein ist ein Zweifel daran, auch unter sonst intelligenten Personen, daß so etwas wie Verdrängung überhaupt vorkommt. Wenn so jemand sich einer Psychoanalyse zu unterziehen versucht – was immerhin vorkommt –, gerät der oder die aus dem Staunen nicht heraus, »also doch, auch bei mir«. So stur darauf zu beharren, daß man alles weiß, was man je erlebt oder getan hat, dazu sind nicht nur Juristen oder Bürokraten im Stande. Es gibt auch Personen ohne Déformation professionelle, die bei sich keine Verdrängung anerkennen. Unter Psychoanalytikern hat sich für diesen Typus der Ausdruck »Normopathen« eingebürgert.

Ich sehe, daß dieser Brief schon wieder sehr lang geworden ist. Dabei möchten wir Sie nur einfach darüber hinwegtrösten, daß Sie solchen Widerwärtigkeiten ausgesetzt sind. Und wenn ich so lang darüber schreibe, sieht es so aus, als ob wir der Sache mehr Gewicht geben würden, als ihr zusteht.

(. . .)

Seit zwei Tagen scheint endlich wieder die Sonne, es liegt kein Schnee, und soeben kommen wir von einer Fahrt zurück, in den Vorfrühling!

Herzliche Grüße
von Ihren
Goldy und Paul Parin

Paul Parin, geb. 1916 als Sohn eines Gutsbesitzerehepaares in Slovenien, Wissenschaftler und Erzähler, studierte zunächst Medizin, schloß sich Titos Partisanenarmee an. Zahlreiche wissenschaftliche Veröffentlichungen, Essays, Erinnerungen, auch politische Bücher, zuletzt *Es ist Krieg und wir gehen hin* (Berlin 1992). Parin lebt in Zürich, wo er als Psychotherapeut tätig war. 1992 wurde er mit dem Erich-Fried-Preis ausgezeichnet. Die Laudatio hielt Christa Wolf.

Rosemarie Heise an Christa Wolf

Berlin, 8. 2. 93

Liebe Christa,
längst wollte ich Dir schreiben, noch ehe die Medien Dich wieder einmal zum Objekt ihrer Begierde erkoren haben, nachdem Du Dich neben Heiner gestellt hast. Ich las Deine Auskunft mit Freude und Beklemmung, mit Freude, daß Du Heiner in dem zu erwartenden Gegeifer nicht allein stehen ließest, mit Beklemmung, weil ich kommen sah, was dann kam; aber im Argen wird unsere Vorstellungskraft meist von der Wirklichkeit übertroffen, wie schon Shakespeare erkannte.

Ich war von Deiner Auskunft auf ganz persönliche Art betroffen, weil das, was ich Anfang 1961 (vor der Mauer also) als Deine Nachfolgerin an der NDL erlebte, haargenau Deiner eigenen Erfahrung mit diesem Apparat entsprach. Es lief alles genau so ab, wie Du es schilderst, und auch mein Verhalten unterschied sich in nichts von Deinem. Es erschien in der Redaktion ein jüngerer Mann im Konsumanzug, von sorgfältig nichtssagendem Äußern, zückte kurz seine Marke und stellte mir die Frage, die Du kennst. Ich habe einen winzigen Augenblick geschwankt, weil alles Konspirative mir zuwider ist. Aber die Auskünfte, die »Werner« (so sollte ich den Mann anreden, aber ich vermied und umging jede Anrede) haben wollte, betrafen meine Redaktionskollegen (. . .) Ich hoffte, das mit einigem Geschick zu kontern, war also bereit und unterschrieb, übrigens mit meinem eigenen Namen; von einem Decknamen war nie die Rede, das wüßte ich ganz genau. Es ist auch der Punkt, liebe Christa, der mich erschreckt hat bei Deinem Interview, weil es mir ganz unbegreiflich ist, wie man derlei vergessen oder auch verdrängen kann. Ich war überzeugt, daß alles, was mit unserem Identitätsgefühl besetzt ist, absolut nicht vergeßbar ist, und wenn wir es noch so sehr wünschten. Natürlich glaube ich Dir im Gegensatz zu Raddatz, daß Du es verdrängt hattest, aber mich bedrängt seither die Frage, was ich womöglich selbst verdrängt habe, von dem ich meine, es niemals verdrängt haben zu können.

Es gab dann zwei oder drei Treffs in einer Wohnung in Plänterwald. Dem Mann, über den ich berichtet hatte, habe ich das übrigens damals sofort gesagt. Ohne lügen zu müssen, hatte ich ein positives Porträt abgeliefert, es nur mit kleinen, harmlosen Schatten versehen, die auch nicht erfunden waren, aber in keiner Weise staatsfeindlich. Man wollte aber mehr und mehr, auch über andere, wissen, und als ich Wolfgang fragte, wie ich mich da rauswinden soll, sagte er ruhig: sag einfach, du willst nicht mehr, du wirst sehen, sie akzeptieren es, du mußt nur bestimmt sein. Er hatte recht – Jedenfalls bis auf weiteres, denn seit 1965 waren wir dann die Observierten. Thomas hat sich – mit meiner Vollmacht – Wolfgangs Akte bestellt. Seine eigene umfaßt dreihundert Seiten von 24 Informanten, und das nur aus der Filmhochschulzeit.

Ich weiß nicht, ob Du noch auf Raddatz eingehen wirst, – es ist schwer, ohne sich auf sein Niveau zu begeben, und die Ignoranz dieser Leute ist im allgemeinen so groß, daß man immer beim Urschleim anfangen müßte. Aber Dein Interview – es war wohl das erste, das Du gabst, andre sah ich nicht, – fand ich zu defensiv.

Alles, was er vorzubringen hatte, beruht, wie zumeist bei den andern auch, auf zwei falschen Prämissen: der Gleichsetzung der Nazis mit den kommunistischen »Henkern«, mit denen Du Dich an einen Tisch gesetzt hättest, und dem völligen Ignorieren des Kalten Krieges vor der Mitte der sechziger Jahre. Natürlich gab es keine von Amerikanern abgeworfenen Kartoffelkäfer, aber Diversion und skrupelloseste Versuche aller Art, die DDR kaputt zu machen, gab es ja weiß Gott, »Quatsch«, Christa, war das nicht, den geglaubt zu haben Du Dich quasi entschuldigtest! Eben deshalb hielten wir doch eine Staatssicherheitstruppe für richtig und notwendig, nur sahen wir, was allmählich erstens aus unserm Staat und zweitens aus dieser Truppe wurde – und trauten dieser Erkenntnis anfangs nicht, wollten ihr nicht trauen. – Die andere falsche Prämisse ist die Gleichsetzungsthese, die meist implizit daherkommt und deshalb oft genug geschluckt wird. Die Sache ist ja auch kompliziert, weil Tote eben tot sind, ob sie nun auf Grund von Verblendung als vermeintliche Feinde eines hohen Menschheitsideals oder einer von vornherein verbrecherischen, menschenverachtenden Doktrin zufolge getötet worden sind. Aber es ist deshalb, glaube ich, verfehlt, im Zusammenhang mit den jetzigen Stasikampagnen auf die nach 45 im Westen ungeschoren gebliebenen Nazis zu verweisen. Vielmehr wären die Leute, die sich mit ihrem Moralismus jetzt vor Euch spreizen und von Dir »enttäuscht« sind, zu fragen, ob sie der Maßstäbe und Kriterien dieses Moralismus wirklich so sicher sind, wie sie vorgeben, denn das ist eigentlich kaum zu fassen.

Christa, ich gerate ins Weite, und dabei wollte ich Dich eigentlich nur grüßen und Dir wünschen, daß Du gute Freunde um Dich hast. Neulich sprach ich mit Marianne Frisch, die meinte, es ginge Dir gut. Das war noch vor dem Medienrummel, und im Interview, fand ich, wirktest Du angestrengt. Denk dran: die Hunde bellen, die Karawane zieht weiter. Es wäre schön, Dich mal wieder leibhaftig zu sehen.

Sei herzlichst umarmt in alter Verbundenheit!

Rosemarie

Rosemarie Heise, Germanistin, Romanistin, Herausgeberin von Schriften Benjamins in der DDR, Frau des Philosophen Prof. Wolfgang Heise. Sie war zeitweise Redakteurin der Neuen Deutschen Literatur.

Günter Grass an Christa Wolf

Friedenau, am 9. 2. 1993

Liebe Christa,
eigentlich wollte ich mit Dir, wie Dein Gerhard vorschlug, telefonieren, doch hat er mir dann doch nicht die Telefonnummer übermittelt, und das ist gut so, denn ein Brief ist eben ein Brief.

Kürzlich hatte ich in Behlendorf Peter Rühmkorf mit seiner Frau und wenige Tage später Jurek Becker zu Besuch. Natürlich haben wir über das, was man hier »Fälle« nennt, gesprochen. Du solltest wissen, daß Du hierzulande, trotz aller Anfeindungen und selbstgerechter Aburteilungen, nicht isoliert bist; ich bin sogar der Meinung, daß – weil das Maß überzogen wurde – die Stimmung sich zumindest versachlicht. (Neuerdings will Herr Greiner, nachdem er sein Pulver verschossen hat, die Stasi-Akten versiegelt wissen: die Schaumkrone der Heuchelei.)

In den zurückliegenden Jahren – und so selten wir uns zur Zeit des Bestehens der DDR gesehen haben – waren wir oft entgegengesetzter Meinung: Nach meiner Einschätzung hättest Du die Kritik an jener Partei, in der Du Mitglied warst, deutlicher und fordernder aussprechen müssen, auch ohne Angst vor dem oft beschworenen Beifall der falschen Seite. Umgekehrt hast Du gelegentlich meine Kritik am Leninismus/Stalinismus als zu schroff empfunden; ich erinnere an den PEN-Kongreß in Hamburg Mitte der achtziger Jahre, als ich bei meinem Einleitungsreferat zum Thema »Literatur und Geschichte« den kommunistischen Terror während des Spanischen Bürgerkrieges durch literarische Zeitzeugen (Orwell, Regler) belegt habe. Diese Meinungsverschiedenheiten haben uns nicht gehindert, weiter im Gespräch zu bleiben, zumal mich meine

Kritik von damals nicht berechtigte, über Deinen Lebenslauf in einer ideologisch geschlossenen Gesellschaft absolut zu urteilen.

Beurteilen kann ich jedoch, was »Der Spiegel« und andere Presseorgane als angeblich stichhaltiges Argument über die ominösen drei Jahre (Ende der fünfziger Jahre) in Form von Zitaten vorgelegt haben. Diese Beurteilungen von Schriftstellern und deren Produkten unterscheiden sich nicht von Lektoratsgutachten, die in der DDR gang und gäbe waren und die es durchaus auch in etlichen Verlagshäusern des Westens gegeben hat. Das liest sich, weiß Gott, nicht angenehm, hat aber dennoch niemanden ans Messer geliefert. Verurteilen kann ich mit Entschiedenheit die nicht nur an Dir angewandte Methode der Gauck-Behörde, Stasi-Unterlagen der Presse freizugeben und dabei den jeweils Beschuldigten uninformiert zu lassen. Erkennbar ist der Versuch, mit dieser über dreißig Jahre zurückliegenden Episode Deine über Jahrzehnte hinweg bewiesene kritische Haltung und mit ihr Dein literarisches Werk zu entwerten. Das darf nicht geschehen. Doch damit das nicht geschieht, muß deutlich die Gegenposition bezogen werden. Was mich betrifft, hatte ich kürzlich bei Lesungen in Frankfurt/Oder, Wittenberg und Oldenburg Gelegenheit, meine Meinung, im Sinne dieses Briefes, bekanntzumachen. Bei keiner der den Lesungen angeschlossenen Diskussionen kam ernst zu nehmender Widerspruch auf, und zwar in Ost und West.

Ohne Dich bedrängen zu wollen, bitte ich Dich dennoch, liebe Christa, Dich nicht als Emigrantin zu begreifen; dafür ist kein Anlaß oder – was uns alle betrifft – noch kein Anlaß. Heinrich Böll, den Du in Deinem mir übersandten Artikel als beispielhaft empfindest, hat während Jahren die schlimmsten Anfeindungen und Diffamierungen, Hausdurchsuchungen und Prozesse aushalten müssen; er könnte uns auch weiterhin beispielhaft sein.

Mir geht es einerseits und andererseits. Die eine Seite erlaubt mir – und sei es für Momente – glücklich zu sein, denn ich sitze seit dem 2. Januar überm Manuskript und unterhalte mich mit fiktivem Personal, das langsam zu leben, das heißt, zu widersprechen beginnt. Die andere Seite entspricht der gegenwärtigen Situation: Mölln liegt 10 km von unserem Haus entfernt. Aus kaum zu definierendem Grund ist es mir zwar gelungen, auf die amorphen deutschen Befindlichkeiten im Verlauf des November und Dezember mit einem Zyklus von dreizehn Sonetten unter dem Titel »Novemberland« zu reagieren; auch sind die Lichterketten-Demonstrationen in fast allen Großstädten, ihre Ohnmacht einbegriffen, ein deutliches, die Akzente verschiebendes Zeichen gewesen. Dennoch bleibt das Gefühl, daß wir – nicht nur in Deutschland – erst am Anfang einer Entwicklung stehen, auf die weder die Politik noch die Gesellschaft in ihrer westeuropäischen Prägung vorbereitet sind.

Am 20. Februar werden wir mit unserem jüngsten Sohn Hans (22 Jahre jung) nach Kuba und anschließend über Yucatán in Richtung Mexico City reisen; über Portugal, wo wir einen ungestörten Zwischenhalt in unserem Haus einlegen wollen, geht es wieder westwärts, so daß wir am 26. März zurück sind. (Die Arbeit am Manuskript verträgt eine Pause.)

Während unserer Rückfahrt nach Behlendorf werde ich am kommenden Freitag für die »Wochenpost« mit Regine Hildebrandt ein Gespräch führen. Diese Frau gefällt mir; von ihr ein Dutzend, und ein begrenzter Teil dieser Welt sähe anders aus.

Ich hoffe, Dir mit diesem Brief angedeutet zu haben, daß ich mich auf Deine Rückkehr in absehbarer Zeit freue und grüße Dich

Dein Günter

P.S. Kürzlich sah ich mich leider gezwungen, aus der SPD auszutreten; ihr Asylrechtsbeschluß war nicht mehr zu verantworten.

Christa Wolf an Günter Grass

Santa Monica, den 21. März 1993

Lieber Günter,
da ich wußte, daß Du erst Ende März wieder zu Hause bist, habe ich probeweise mehrere Briefe an Dich verfaßt und teilweise wieder verworfen, dieser hier wird nun wohl ein Kondensat von allen.

Du hast vielleicht mitgekriegt, daß ich inzwischen auch aus den beiden Berliner Akademien ausgetreten bin, aus bestimmten Äußerungen und (Nicht-)Reaktionen von Walter Jens glaubte ich entnehmen zu müssen, vielleicht irrtümlicherweise, aber das weiß ich bis heute nicht, daß ich kein besonders gern gesehenes Mitglied mehr war, und dann fing die deutsche Öffentlichkeit auch wieder an, sich um die Stasi-durchseuchte Mitgliedschaft der Ost-Akademie zu sorgen, also hielt ich es für geboten, klare Verhältnisse zu schaffen. Ich hoffe nur, daß irgendwann mal die

Protokolle der Ostberliner Akademie ausgewertet werden, da wurde ja jede Sektionssitzung mitstenografiert.

Auch Günter de Bruyn hat nun in seiner Akte einen IM-Vorgang gefunden, langsam wird's tragikomisch, vielleicht dämmert es allmählich auch verschlossenen Geistern, daß eine solche Akte allein nicht alles über den Lebenswandel des oder der durch sie Gezeichneten aussagt. Jedenfalls herrscht über de Bruyns Eröffnung anscheinend betretenes Schweigen, anders als bei mir.

Es ist ja nicht ganz leicht, der eigenen öffentlichen Vivisektion beizuwohnen und die Mittel, um antworten zu können – jene vermaledeite Akte nämlich – selbst nicht in Händen zu haben. Wir werden sie mitsamt der ganzen Diskussion herausgeben, es ist wohl die einzige Möglichkeit, die Spekulationen zu stoppen. Es handelt sich um 136 Blätter, davon sind 52 Seiten meine eigenen »Personalakten«: Lebensläufe von mir, IM-Berichte über mich, Ermittlungen, Fragebögen, Auszüge aus dem Protokoll eines Diskussionsbeitrags von mir usw. 32 Seiten wurden von der Gauck-Behörde herausgenommen, weil sie »ausschließlich die Rechte Dritter« betreffen, auf sechs Seiten wird noch mal zusammengefaßt, was sie über mich zusammengetragen hatten. Der Kern der Akte, nämlich die Treffberichte von Stasi-Leuten mit mir, sind zwanzig Seiten. Dreimal habe ich mich 1959 mit zwei Herren in Berlin getroffen, wo ich hätte wissen und mich erinnern müssen, daß es sich um Mitarbeit handelte; dann gab es 1960 drei Treffen mit einem Stasi-Menschen in Halle, der uns über den Charakter dieser Kontakte im unklaren ließ, und dann noch eines 1962, wonach die Akte geschlossen wurde – auch darüber gibt es wieder seitenlange Protokolle. Ich hätte nicht die »richtige Liebe zur Sache« gezeigt, heißt es da unter anderem.

Die entscheidenden Erinnerungen, nämlich daß ich einen Decknamen hatte, daß ich mich in Berlin einmal in einer konspirativen Wohnung mit ihnen getroffen habe und daß ich einen handschriftlichen Bericht verfaßt habe – Dinge, die ich mir schwer verzeihen kann – sind nicht wieder aufgetaucht. Was nun in den Berichten der Stasi-Leute als angeblich meine Aussagen steht, das kann ich weder bestätigen noch widerlegen, »Stasi-Prosa« nennt Heiner Müller das. Wenn ich diese Sprache lese, bricht mir der Schweiß aus, aber ich weiß ja, so haben wir damals gesprochen, ich habe den Leuten nichts erzählt, was sie nicht in jeder Versammlung hätten hören können.

Doch macht mir diese Phase in meinem Leben nun sehr zu schaffen, unabhängig oder fast unabhängig davon, wie die Medien sie ausschlachten – die Deutschen *brauchen* es so sehr, andere fertigzumachen, ich habe den Hetz-Ton dieser Artikel im Ohr, da geht es nicht darum, unvoreingenommen zu berichten oder gar jemanden zum Nachdenken zu bringen und vielleicht mit ihm nachzudenken; da geht es um moralische Vernichtung, und mit einem Vernichtungsgefühl habe ich darauf reagiert. Freud hat mal gesagt, in einer milden Depression könne man ganz gut schreiben, also scheint meine Depression milde zu sein, denn ich schreibe, um an diese Person von vor dreißig Jahren nochmal heranzukommen und diese Kälte, dieses Fremdheitsgefühl loszuwerden.

Dies schreibe ich Dir, damit Du siehst, daß ich für öffentliche Auftritte zur Zeit, und ich glaube, für lange, ungeeignet bin. Mir scheint, ich habe diesmal eine Überdosis von was auch immer eingetrichtert bekommen, damit muß mein Organismus sich erst auseinandersetzen. An Joachim Gauck habe ich geschrieben und davor gewarnt, in künftigen Fällen mit den Akten so umzugehen wie in meinem Fall, es könnte auch mal schiefgehen. Auf den Brief bekomme ich keine Antwort.

Aber als Emigrantin fühle ich mich keineswegs, Günter, entgegen anderslautenden Meldungen komme ich natürlich Mitte Juli nach Deutschland zurück. Und ich bin auch nicht so blöde und vermessen, daß ich die Maßstäbe verlieren und das, was mir passiert, mit dem Schicksal der Emigranten aus Nazi-Deutschland vergleichen würde . . .

Auf die Gefahr hin, daß der Brief zu lang wird, noch einige Sätze zu Deiner Bemerkung, ich hätte die Kritik an der Partei deutlicher aussprechen sollen. Ich habe sie sehr deutlich ausgesprochen, Günter, und nach 1976 erklärt, daß ich ausgeschlossen werden will und zu keiner Parteiveranstaltung mehr gehen würde – was ich auch nicht tat, und ich habe von Honecker abwärts jeglichem Funktionär auf jeglicher Ebene gesagt, warum.

Manchen habe ich es schriftlich gegeben. Ich habe das nicht in die westlichen Medien gegeben, das stimmt – nicht, weil ich den Beifall von der falschen Seite vermeiden wollte, sondern weil wir uns entschlossen hatten, in der DDR zu bleiben und dort zu wirken, was nicht möglich gewesen wäre, wenn ich mich zu sehr in den westlichen Medien getummelt hätte. Es hat Gespräche mit westdeutschen Politikern gegeben, wo wir vollkommen offen gesprochen haben und am Ende immer aufgefordert wurden, nur ja zu bleiben.

Nach der Biermann-Affäre gab es einen Augenblick – einen jener

Augenblicke, die man nicht vergißt, ich könnte Ort und Zeit noch heute benennen –, da wurde mir klar: Wenn es mir gelingt, mich von jeglicher Abhängigkeit von »denen« zu befreien und kompromißlos zu schreiben, kann ich in der DDR bleiben. Wenn das nicht gelingt, muß ich gehen wie die anderen. Es war ein schwieriger, konfliktreicher Prozeß; kompromißlos geschrieben habe ich; wir konnten einer ganzen Menge von Leuten auf vielfältige Weise helfen. Ich habe erfahren, daß es nicht immer möglich ist, zugleich »moralisch« und menschlich zu handeln; als ich das merkte, war mir klar, daß ich in einer Klemme saß, aus der ich nicht unangefochten herauskommen würde. Und daß ich doch nichts anderes tun konnte. Darüber und was ich anders machen würde, wenn ich was korrigieren könnte, denke ich seit drei Jahren nach.

Gerade jetzt hat eine gute Bekannte mir die Kopie eines Briefes geschickt, den ich ihr im Juni 1979 geschrieben habe; ich zitiere Dir einen Abschnitt daraus:

> Im übrigen ist die Zeit der Klagen und Anklagen vorbei, und auch über Trauer und Selbstanklage und Scham muß man hinauskommen, um nicht immer nur von einem falschen Bewußtsein ins andere zu fallen. ›Im Wind klirren die Fahnen‹, welcher Farbe auch immer – na und? Dann klirren sie eben, aber warum merken wir das erst jetzt? – Wo die Zukunft ist? Das kann man nicht wissen, und es ist wahr, die alten Muster – Tod, Wahnsinn, Selbstmord – sind in diesen 170 Jahren verbraucht worden. Also müssen wir leben nach einem unsicheren inneren Kompaß und ohne passende Moral, nur dürfen wir uns nicht länger selbst betrügen über unsere Lage als Intellektuelle, dürfen uns nicht vormachen, wir würden für andere arbeiten, für »das Volk«, die Arbeiterklasse: die liest uns nicht, das hat Gründe. Trotzdem bezahlt sie uns, letzten Endes, damit wir uns unsere inneren (und äußeren) Konflikte leisten können, die sie gar nichts angehen. Ich sehe nicht, wie das aussehen soll, wir graben in einem dunklen Stollen, aber graben müssen wir halt. Und dazu gehört, als Zwischenstation, die eigene Lage zu artikulieren.

Das schickte ich dann per Post von einer observierten in eine andere observierte Wohnung, zum Totlachen. Jedenfalls: An Einsichten fehlte es nicht, sie wurden auch artikuliert. Ganz pragmatisch dachte ich, ich wollte den Posten, den ich besetzt hielt, wenn möglich nicht räumen. Es war unser Konzept, nicht in jedes Messer zu rennen, und zu versuchen, meine Texte auch in der DDR gedruckt zu kriegen. Weil ich prominent genug war, klappte das meistens; was sich hinter den Kulissen meiner Manuskripte abspielte, habe ich in meinen 42 Bänden »Opfer«-Akten lesen können. Und soll ich Dir noch was sagen? Wenn ich jetzt in meinen Büchern blättere, die in der Zeit entstanden *und* gedruckt worden sind, so finde ich, es hat sich gelohnt.

Ich habe dieses Land geliebt. Daß es am Ende war, wußte ich, weil es die besten Leute nicht mehr integrieren konnte, weil es Menschenopfer forderte. Ich habe das in »Kassandra« beschrieben, die Zensur stocherte in den »Vorlesungen« herum; ich wartete gespannt, ob sie es wagen würden, die Botschaft der Erzählung zu verstehen, nämlich, daß Troja untergehen muß. Sie haben es nicht gewagt und die Erzählung ungekürzt gedruckt. Die Leser in der DDR verstanden sie.

Daß Du anders handeln mußt, weiß ich. Du trittst überall aus, wenn Du Deine politischen oder moralischen Maßstäbe verletzt siehst. Ich habe Respekt vor dieser Position, es muß sie geben, und Du bist der, der sie ausfüllen muß. Ich glaube zu wissen, daß Du die Verletzungen, die Du Dir zuziehst, auch nicht so einfach wegsteckst. Um so höher schätze ich Deinen Mut.

Ach, wie beneide ich in schwachen Stunden all die Unschuldigen, die im richtigen Moment auf der richtigen Seite waren, die sich selbst keine Fragen stellen, und denen auch sonst niemand Fragen stellt. Muß ich eben versuchen, mich auf meine stärkeren Stunden zu konzentrieren. – Wir werden über all das hoffentlich weiter miteinander reden. Ich danke Dir, daß Du mir geschrieben hast.

Herzlich,
Deine Christa

Heiner Halberstadt an Christa Wolf

Frankfurt a. M., 17. Februar 1993

Liebe Christa,
Mit naheliegendem Interesse verfolge ich die Auseinandersetzung über das, was eigentlich die implodierte DDR war und was von ihr »verblieb«.

Dieser Tage war z. B. im Frankfurter Literaturhaus ein Gespräch zwischen K. D. Wolf (Stroemfeld und Roter Stern-Verlag, Ffm.) und Christoph Links (vom gleichnamigen Verlag Berlin-Ost).

Es dauerte nur kurze Zeit und schon war man bei Heiner Müller und Christa Wolf angelangt. Es verlief zwar recht moderat. Aber – und das stimulierte den gesamten Ablauf – die politisch-historische Wertung der Ex-DDR beschränkte und verengte sich im wesentlichen (wie meistens) auf das Phänomen Stasi-Akten und den (besonders hierzulande) geforderten und georderten Umgang aller davon Betroffenen mit diesem unsäglichen Konvolut.

Ich habe auch dort gefragt, ob denn ein subjektives Bekenntnis »Auch ich habe ...«, möglichst eingebunden in ein allgemeines Kollektivschuldbekenntnis von 90 % der gesamten DDR-Bevölkerung, vor allem aber beides verbunden mit dauerhafter Abschwörung und Verdammung jeglicher sozialistischer Positionen und Ideen, den hiesigen Erwartungen am gerechtesten wurde und wer damit eigentlich bedient werden solle und vor allem wem das dienlich ist.

Jetzt las ich in der FAZ (welch seltsame Verschiebung der Ansätze objektiver Annäherung und Wertung im Vergleich z. B. zum »Spiegel«!) Deinen Schriftwechsel mit Efim Etkind. Ich vermag, wenn auch bestimmte Erlebnisse und Erfahrungen in einem anderen gesellschaftlichen Umfeld und dessen Entwicklungsverlauf, also alles nicht vergleichbar mit dem Loben im »realen Sozialismus«, gleichwohl nachzuvollziehen, was Du gegenwärtig im genannten Zusammenhang empfindest und was Du darüber sagst und schreibst.

Die Leute, die heute von Dir, vielfach in anmaßendem und anbiederischem Ton Erinnerung und Bekenntnis fordern, sind offensichtlich außerstande (oder auch nicht Willens) zu begreifen, daß man in bestimmten Zeiten die DDR auch als (sagen wir mal) Ansatz eines neuen deutschen Staates wahrnehmen und angehen konnte, sozusagen als ideelles Aggregat, in dem Sozialgeschichte und Aufklärung vor dem Hintergrund jüngster deutscher Geschichte zueinander finden könnten. Und auch, daß der Kalte Krieg eine rationale Durchdringung der tatsächlichen poststalinistischen Gesellschaftsformation mindestens erschwerte.

Die enormen gesellschaftlichen Umbrüche, die wir jetzt erleben und das, was sie verursachen und in Gang setzen, haben zwar viele Kopfideen, humane und emanzipatorische Gesellschaftsentwürfe, deren Verwirklichung wir uns zeitweise zu nähern glaubten, blockiert und teilweise storniert. Wir haben uns in vielerlei Hinsicht, was die Voraussetzungen und Grundlagen angeht, die das Neue ermöglichen sollten, geirrt.

Der Kapitalismus hat nunmehr global »gesiegt«, die ihn begleitenden und stützenden Ideologien triumphieren hämisch und haben sich selbst in »linken Köpfen« eingenistet.

Aber die materiell so enorm erfolgreiche kapitalistische Ökonomie entfaltet zugleich all die ihr innewohnenden destruktiven Potentiale in einem bisher nicht gekannten Ausmaß; offenbart sich in ihrem wesentlichen Gehalt als uneingeschränkte Verwertungsgesellschaft.

Gibt es in dieser Situation für uns da Veranlassung, die uns eigenen von emanzipatorisch-humanen Wertvorstellungen geprägten Gegenpositionen über Bord zu werfen?

Beim diesjährigen Neujahrsempfang des Frankfurter DGB stellte Detlev Hensche (Vorsitzender der IG-Medien) u. a. die, wie er sagte, unzeitgemäße Frage, warum denn die so hochgelobte, allseitig verordnete Marktwirtschaft offensichtlich weder die wirtschaftlichen Niedergänge in unserem Land noch die schon eingetretenen und sich jeden Tag verstärkenden globalen ökologischen und sozialen Katastrophen erfolgreich angehen könne?

Immerhin, der Beifall, den er für diese Fragestellung erhielt, war recht nachhaltig.

Ich kann mir (einigermaßen) vorstellen, wie Dir zumute ist, wenn miese Geister, darunter manche, die gestern noch eine Christa Wolf hochlobten, nun mit penetrant wirkendem Zeigefinger auf Dich deuten, um möglichst dadurch auch noch in der erweiterten Bundesrepublik Reputation zu gewinnen.

Ich denke, Du wirst Dich nicht niedermachen lassen. Von solchen Geistern schon gar nicht.

Insgesamt: Ich hatte das Bedürfnis, Dir mitzuteilen, daß die Christa Wolf, die ich kennengelernt und gelesen habe, nach wie vor bei mir hoch im Kurs steht.

In Verbundenheit,
Heiner

P.S.: Deine Adresse habe ich von Gerhard.

Heiner Halberstadt, geb. 1928 in Dortmund, lebt in Frankfurt a. M. Auf seine Initiative geht die Gründung des Clubs »Voltaire« in Frankfurt zurück. Der Club lud in den Jahren des Kalten Krieges Christa Wolf zu Diskussionen und Lesungen nach Frankfurt ein, um eine Entkrampfung im Verhältnis zwischen der Bundesrepublik und der DDR zu erreichen.

Peter Härtling an Christa Wolf

Mörfelden-Walldorf, 8. 2. 93

Liebe Christa,
seit Wochen verfolge ich mit angehaltenem Atem, traurig und wütend, was Dir zugeschrieben und nachgesagt wird. Was mich erschreckt, ist die Geschichtslosigkeit, aus der argumentiert und verleumdet wird. Diese Jungen sind nun tatsächlich die bös-erinnerungslosen Vertreter des »Nullpunkts«. Wie auch immer diese intellektuelle Verheerung um sich greift, diese Verhöhnung von Moral, diese Entwertung jeglichen Entwurfs –: Kunst hat ein der Geschichte verbündetes Gedächtnis, unerbittlich und barmherzig.

Ich erzähle mir Deine Geschichte, Christa, ich weiß sie und ich teile sie auch mit Dir. Das sollst Du wissen. Und wenn Du meine Hilfe in irgendeiner Form brauchst, sag's bitte.

Herzlich Dein Peter

Christa Wolf an Peter Härtling

Santa Monica, 11. 2. 93

Lieber Peter,
Dein FAX-Brief hat mir gut getan, ich danke Dir. Ja, es ist unheimlich hart für mich, manchmal dachte ich, da komm ich diesmal nicht durch, und besonders schlimm ist's ja, wenn man selber den Anlaß geliefert hat für so eine Art Vivisektion, die dann nicht mehr viel von mir übrigläßt.

Du erzählst Dir meine Geschichte, sagst Du, und Du willst sie mit mir teilen – das ist die einzige Art, mir zu helfen. Ich erzähle mir meine Geschichte auch, Tag und Nacht, da läuft ein Tonband, das ich nicht abstellen kann. Ich werde sie auch auf dem Papier erzählen müssen, dazu hat dieser Schock mich gebracht. Ich will nun einfach wissen, was damals mit mir los gewesen ist.

Ich hab an Walter Jens geschrieben, daß ich meinen Austritt aus der Akademie anbiete. Das ist ein ernstes Angebot; Du weißt, Sarah Kirsch hat ihre Wahl in die Akademie abgelehnt, weil sie sie als »Stasi-Unterschlupf« bezeichnet, und ich bin sicher, es gibt unter den Mitgliedern einige, vielleicht nicht wenige, die mich jetzt als Belastung sehen; und wahrscheinlich bin ich auch eine Belastung, besonders nach dieser schwierigen Phase der Vereinigung mit der Ostberliner Akademie. Ich kann mich mir auch nicht mehr so recht dort vorstellen, überhaupt unter Leuten – bei mir und für mich hat sich vieles verändert. – Bis Ende Juni bin ich noch hier, dann wieder in Berlin.

Sei herzlich gegrüßt,
Deine Christa

Peter Härtling an Christa Wolf

Mörfelden-Walldorf, 24. 2. 93

Liebe Christa,
ich las Deinen Brief, über den ich mich herzlich freute, mit der emotionalen Sprunghaftigkeit, in der er geschrieben ist. Diese Meute, die auf Schwächen und Verletzungen scharf, abgerichtet ist. Mir ging es schon ähnlich –: ich wollte nichts, als diesen Hechelhunden verloren gehen, mich zurückziehen. Es gelingt nicht, Christa; allenfalls auf Zeit. Darum hielte ich es auch für fatal, wenn Du die Akademie verließest. Ich bitte Dich, bleib! Niemand wird bei der ersten gemeinsamen Versammlung der Akademie (vom 18. bis 20. 6.) dieses Treffen zum Tribunal machen wollen. Sarah Kirsch hat nicht Deinetwegen die Wahl nicht angenommen, sondern aus prinzipiellem Trotz. Das ist ihre Sache, ihre Geschichte. Ich verstehe sie nicht mehr. –

In unserer Abteilung kommt Vieles in Vielen zusammen. Wir haben es verstanden, die oft genug auftretenden Spannungen gemeinsam auszuloten. Du gehörst zu uns, liebe Christa – bleib!

Ich hab den Eindruck, Santa Monica tut Dir wohl. Das soll es auch! Es ist ein Glück, daß Du auf diese Weise ganz unangestrengt Abstand nehmen kannst. Das, was noch kommen will und muß, kannst Du sowieso nicht abwiegeln.

Ich denke an Dich. Gerhard soll, wie ich von Elisabeth Raabe höre, wieder bei Dir sein –: sag ihm bitte einen schönen Gruß. Und sei selbst herzlich gegrüßt von

Deinem Peter

Christa Wolf an Peter Härtling

Santa Monica, d. 4. 3. 93

Lieber Peter,
ich danke Dir sehr für Deinen zweiten Brief, aber ich muß nun doch aus beiden Berliner Akademien austreten. Den Artikel von Rietschel in der FAZ hast Du vielleicht gelesen, und den aus der Berliner Zeitung schicke ich Dir mit. (Nebenbei: Meine »Stasi-Verstrickungen« konnte ich nicht aufdecken, ehe ich selber davon wußte, und das war im Mai 92.) Ich denke, es ist Zeit, dieser Debatte von mir aus ein Ende zu machen. Ich weiß inzwischen aus meiner Akte, deren Kern 20 Seiten umfaßt, daß ich damals recht zurückhaltend war und niemandem geschadet habe. Es ist ja nur ein Symptom für die Absicht, mich verzerrt zu sehen, daß man die 42 Bände »Opferakten« – ein scheußliches Wort – überhaupt nicht zur Kenntnis nimmt. Dagegen kann und will ich nicht mehr an.

Wie schmerzhaft es für mich ist, mich dieser Vergangenheitsphase zu stellen, kannst du Dir denken, und daß ich das versuche, so ehrlich wie möglich, auch. Dieses Gekakel in der Öffentlichkeit hat damit gar nichts zu tun.

Ich habe auch an Walter Jens geschrieben. Leider hat er mir auf meinen Brief vom 30. Januar nicht geantwortet, manches hätte vielleicht vermieden werden können. Aber vielleicht hatte er Gründe dafür. Ich schicke Dir mal den Brief von damals mit, nur zu Deiner Information. (. . .)

Ja also, lieber Peter – auf Wiedersehen. Wenn nicht in der Akademie, dann anderswo, hoffe ich.

Herzlich
Deine Christa

Peter Härtling an Christa Wolf

Mörfelden-Walldorf, 4. 3. 93

Liebe Christa,
diese verschobene, verschiebende Zeit – (auch jetzt, ganz real: bei Dir ist Tag, hier eben Mitternacht) –

wieso, frage ich Dich, traurig und getroffen, wieso geht es nicht, miteinander zu reden, zuzuhören, Erfahrungen zu teilen oder im Erzählen zu erfahren,

wieso wird beschuldigt, zur Seite geschoben, beleidigt?

Diese Verkehrungen, diese Opfer-Täter-Rabulistik macht mich krank.

Aber:
Warum hat Dich mein Brief nicht nachdenklich stimmen, warum nicht überreden können?

Mir ist die Akademie so wichtig nicht. Aber diese Gemeinschaft könnte uns wichtig werden, eine Gemeinschaft, die Erinnerungen nicht abrechnet, sondern austauscht – als Realien unserer Existenz.

Daß Du aus dieser Runde gehst, tut mir weh: Ich sah sie (sehe sie) als einen der Reste *unserer* Geschichte.

Warum hast Du mich nicht noch einmal zu Rat gezogen?

. . . . .
Daß wir uns sehen, sprechen, bald – hoffe ich auch
ich umarme Dich: Dein Peter

Volker und Anne Braun an Christa Wolf

Liebe Christa,
wir wußten doch immer, daß es das eigene widersprüchliche Leben ist, aus dem das *Andere* wird; aus dem Unaushaltbaren hat sich ein anderes Leben und Schreiben ergeben: das sind die dreißig Jahre Arbeit, deren Gewicht nun erst ganz zu ermessen ist. So traurig es ist, sich mit der schwachen Figur konfrontiert zu sehen, die man einmal gemacht hat: Du hast dann in beispielhafter Weise Kraft gewonnen; und das weiß man; und daß das Andere wieder ein neuer Widerspruch war (wie Fühmann es uns sagte), ist noch ganz *unser* Problem. Wir haben Dich eben darum gern, daß Du es vermochtest, Dich frei zu machen, in den großen, sinnlichen Erzählungen über unser Verhängnis. Sie sind eine *Bleibe*, aus der Du rückhaltlos sprechen kannst, und Du tust es zu unserer Erleichterung. Wir lasen Dein Interview in der Wochenpost, und es war uns ganz leicht ums Herz. Müller hatte und hat einen anderen Umgang mit sich und uns: »Ich will nicht wissen, wer ich bin.« – Ich habe die ersten Blicke in meine Aktenstöße getan; Totalüberwachung, »Saint Just«, »Wächter«, »Romeo« und so weiter, manche Woche kein Tag ohne Kontakt, ein gezinktes Leben. Wir sind aus solchem Stoff, wie Akten sind. Die Freunde beklagen sich nur beim Offizier Girod, daß ich mich nie ganz öffnete. Nun, den wirklichen Freunden doch, und darum erwarten wir Dich zurück und freuen uns wieder auf den geliebten Klatsch und unsere schuldige Heiterkeit. Wir umarmen dich, liebe Christa,

Annelie und Volker

25. 2. (93)

Zur Sache: Deutschland Günter Gaus über die »Sieger-Mentalität«

»Der Auftritt von Christa Wolf auf dem berüchtigten 11. Plenum des Zentralkomitees der SED im Dezember 1965 stürzt mich in Zweifel, ob ich in einer vergleichbaren Situation wie sie aufs Podium ginge, um gegen die erkennbare Richtung der Mächtigen und die sie begleitenden Zwischenrufe der Mitläufer meine abweichende Meinung vorzutragen.«

Günter Gaus
im Februar 1992

Die Dokumentation Akteneinsicht Christa Wolf *soll mit einem Text enden, der lange vor Bekanntwerden der Stasi-Vorwürfe gegen die Schriftstellerin entstand. Am 2. Februar 1992 hielt der Publizist und frühere Ständige Vertreter der Bundesrepublik in der DDR, Günter Gaus, im Staatsschauspiel Dresden einen Vortrag in der Reihe* Zur Sache: Deutschland. *Gaus beschrieb exakt den Hintergrund, vor dem der »Fall Christa Wolf« ein Jahr später abgehandelt wurde. »Zu den großen Skandalen im vereinten Land zählt die Methode der Vergangenheitsbewältigung«, heißt es in seinem Vortrag, der eine bissig-ironische Abrechnung mit dem westdeutschen Hang zur Selbstgerechtigkeit darstellt. Insofern ist seine Rede so etwas wie ein frühes Nachwort zur* Akteneinsicht Christa Wolf.

Günter Gaus
Frühes Schlußwort

Mächtige Hüte sind im vereinigten Deutschland aufgestellt. Man mag nicht glauben, daß Hüte mächtig sein können, aber diese sind es. Sie sind nicht kleidsam noch wärmend, nicht praktisch noch witzig. Ihre Macht allein ist Schmuck genug. Wie Wegweiser stehen sie auf hohen Stecken im Land. Man tut gut daran, sie zu grüßen: demütig würde als übertrieben gelten, aber respektvoll sollte der Gruß schon sein. Keinesfalls kann man zur Sache kommen – hier also auf einige Teilaspekte der derzeitigen geistigen und seelischen Verfassung der Deutschen und der gegenwärtigen Beschaffenheit ihrer Gesellschaft, wie ich sie zu erkennen meine –, bevor den Hüten nicht der Achtungstribut gezollt worden ist. Würde man ihn verweigern, so wäre man alsbald in Unterstellungen verstrickt, denen zu entkommen alle Kraft verbrauchte: bis zum Verstummen hin. Also grüßt man besser: vorbeugend, klüglich, gelehrig. Hat man erst oft genug gegrüßt, so winkt manchen Grüßenden eine Prämie: Sie sehen schließlich die Macht der Hüte als die rechtmäßige und einzig wahre an. Friede dann der Asche ihrer Freiheit.

So wird es mit mir hoffentlich nicht enden. Aber anpassen will ich mich immerhin dem deutschen Gruß unserer Tage. Also beuge ich meinen Kopf, mache ich meinen Diener vor den Geßler-Hüten im Lande. Ich buchstabiere, was auf die Hutbänder gedruckt ist, und spreche willig nach: Ja, das SED-Regime war auf seine Weise totalitär; ja, es gab keine Machtkontrolle von unten nach oben; ja, in der DDR fehlte es an Rechtssicherheit; ja, es gab bösartige Drangsalierungen und Einengungen von Amts wegen; ja, Frauen und Männer, die als Andersdenkende auffällig geworden waren, wurden auf vielerlei Weise verfolgt; ja, auch den Menschen, die sich nicht auffällig machten, blieb manches versagt, worauf sie in der politischen Zivilisation unserer Zeit einen verbrieften Anspruch haben. Ja, ja, ja. Habe ich einen Hut der Art, die nach dem schweizerischen Landvogt Geßler benannt worden ist, übersehen? Er sei gegrüßt.

Zu den kleinen Skandalen im heutigen Deutschland gehört, daß solche banalen Einsichten, wie sie auf einem Hutband Platz finden, zunächst ausdrücklich beteuert werden müssen, wenn man auf das Sein und Bewußtsein der Deutschen in Ost und West vor der Wende und seit ihr – ein Sein und Bewußtsein, das von den Hutbändern nicht umfaßt wird –

freimütig und differenzierend zu sprechen kommen will. Die öffentliche Debatte, wie sie vorherrscht, verlangt das Bekunden von Selbstverständlichkeiten als eine Unterwerfungsgeste. Oft erschöpft sie sich in der Unterwürfigkeit gegenüber den Schlagzeilen in großen Lettern, die nicht alle immer ganz oder halb falsch sind, aber doch alle fast immer eine Verfälschung durch Vereinfachung oder Verallgemeinerung: Agitation, welche die Agitatoren gewöhnlich nicht als solche erkennen, sondern für die Ausübung ihres journalistischen Berufs ansehen. Wer darüber argumentativ hinausgehen will, gerät in Verdacht – falls er das Wort so lange behält. Wir waren einmal einsichtsfähiger, jedenfalls die kleine Schar Westdeutscher, die sich früher schon für die Lebensumstände der Menschen in der DDR interessiert hat. Aber historische Zeiten brauchen wohl eine schlichte Ausstattung im Geistigen, damit die Hochstimmung durch den Alltag kommt.

Zu den größeren Skandalen unserer geistigen Provinz ist zu rechnen der weitgehende Verlust an Kritikfähigkeit gegenüber dem politischen System, das die Westdeutschen zu ihrem unverdienten Glück nach 1945 beschert bekamen und das nun auf das Beitrittsgebiet der Bundesrepublik, die ehemalige DDR, ausgedehnt worden ist. Kritik am eigenen Haus war ohnehin keine vorrangige politische Tugend der Alt-Bundesbürger gewesen. Wer sie unter ihnen zu nachhaltig pflegte, dem wurde anempfohlen, doch nach »drüben« zu gehen, falls es ihm zu Hause nicht passe, falls er auch an der besten aller Welten noch Mängel zu entdecken meine. Drüben, also in der DDR, wäre, das ist wahr, eine öffentliche Kritik am sie beherrschenden System anders gehandhabt worden als mit der Aufforderung, das Weite zu suchen. Ja, hätte man sich darauf verlassen können, daß es damit sein Bewenden haben würde und die Aufforderung als Angebot zu verstehen sei, so wäre in der DDR gewiß eine lebhafte öffentliche Systemdebatte geführt worden.

Ich dachte schon seinerzeit, daß der unterschiedliche Umgang mit Kritikern von höchster Bedeutung für die davon betroffenen Menschen sei, aber daß er nicht rechtfertige, die Augen vor möglichen Fehlentwicklungen des eigenen, sehr geschätzten pluralistischen Systems zu verschließen. Immer wenn dieser Unterschied und vergleichbare weitere zwischen hüben und drüben in meinem damaligen Staat, der alten Bundesrepublik, nicht nur zum Nachweis wesentlicher Vorzüge des westlichen Systems benutzt wurden, sondern auch dämpfend wirken sollten auf kritische Prüfungen des eigenen politischen Gehäuses – dann immer habe ich gemeint, wir ließen unser System im Stich; wir rückten es näher heran an die verkrusteten Strukturen des Ostens, in denen Systemkritik als der Sündenfall des Ketzers galt.

Und wie nahe stehen wir nun, seit der Wende, dem untergegangenen System, nicht in den politischen Abläufen, wirtschaftlichen Regelungen und sozialen Verhältnissen, aber mental? Die öffentliche Diskussion, auch unter den feinsten Feuilletonisten und bedeutendsten Leitartiklern, begnügt sich so gut wie ganz mit schmeichelhaften Systemvergleichen. Die Aufdeckung der Scheußlichkeiten und Widerwärtigkeiten, des Schwachsinns und des Wahnwitzes eines Apparates, der partiell offenkundig zum schieren Selbstzweck wurde: die Innereien eines Staates, die sein Zusammenbruch bloßlegt, veranlassen nicht schlechthin zu erhöhtem Mißtrauen gegen staatliches Menschenwerk und dessen moderne Machtmittel, die offenen und die verdeckten. Sie dienen vielmehr der moralischen Überhöhung der eigenen politischen Einrichtungen, die aber doch auch nur von gewöhnlichen Menschen betrieben werden, denen von Natur aus Machtsicherung ein höherer Zweck ist als Machtbeschneidung, wenn es um die eigene Macht geht.

Nun freilich muß ich rasch einen weiteren Geßler-Hut grüßen und versichere dabei ohne Vorbehalt: Ja, ich erkenne und anerkenne die wahrlich wesentlichen Unterschiede zwischen DDR und BRD. Nein, ich leugne nicht, daß ein halbwegs gut funktionierender Hygienedienst, manche Medienorgane reinlicher als andere, die Sauställe auf unserem Hof gelegentlich ausmistet. Kann ich, darf ich zur Sache zurückkommen, Herr Hut? Er wird bewegt vom Wind der öffentlichen Meinung, und ich nehme es dreist als ein zustimmendes Nicken.

Also: Der fast total gewordene Mangel an kritischer Distanz der meisten publizistischen, professoralen und intellektuellen Wortführer größeren und kleineren Kalibers gegenüber den Machtstrukturen und dem Machtvollzug im siegreichen System; die Genügsamkeit, alles Eigene grundsätzlich in Ordnung zu finden durch den Vergleich mit dem Unterlegenen; die Leichtfertigkeit, mit der auch pragmatische Sorgen vor wachsenden Unzulänglichkeiten des Bestehenden als Ausfluß von Sehnsucht nach einer Utopie denunziert werden; die intellektuelle Selbstaufgabe, die darin liegt, das relativ erheblich Bessere nun auch gleich, mehr oder weniger verhüllt, ins absolut Gute zu transponieren; die Blindheit dafür, daß mit eben diesem Schritt vom Relativen ins Absolute die angeblichen Verächter alles Utopischen das eigene System in den Rang einer gegenwärtig, einer faktisch gewordenen Utopie erheben – die Summe all dessen ergibt eine Geisteshaltung, die ihrer Art nach auch den angepaßten Intellektuellen des entschwundenen Systems zu eigen war; ob sie nun aus Überzeugung oder Anpassungsbedürfnis als solchem sich eingeordnet hatten. Der Sieger kann sich schnell am Leichengift des Besiegten infizieren; eine Metapher, die medizinisch nicht standhält, die derzeit jedoch im übertragenen Sinne für das vereinigte Deutschland von Belang ist.

Da unsere Ordnung aus guten Gründen die andere abgelöst hat, werden weithin alle gesellschaftlichen Fragen als erledigt angesehen: beantwortet durch den Verlauf der Geschichte. Es herrscht ein Tonfall der Gewißheit, der boshafte Vergleiche mit dem marxistischen Zungenschlag von der historischen Gesetzmäßigkeit aufdrängt. Die wachsende Entfremdung zwischen politischer Klasse und Bevölkerung auch im Pluralismus; die zunehmenden Gleichgewichtsstörungen im System; die verstärkte Gefahr populistischer Entartungen in den verschiedensten Formen von Despotie – was verschlägt es? Wir lassen uns das intellektuelle Leben in großen Zeiten nicht vergällen.

Eine Selbstgefährdung durch Selbstzufriedenheit. Dementsprechend, Ausnahmen bestätigen die Regel, wird das westliche System samt seinen Schwächen über die Elbe gereicht wie ein Geschenk, an dessen Vollkommenheit Fragen zu richten nicht die demokratische Lernfähigkeit der Ostdeutschen beweist, sondern deren Undankbarkeit. Sollen sie doch nach drüben gehen. Ach, so. Außerdem würden sie gewiß in ihrer ganz überwiegenden Mehrheit auch nicht gehen wollen. Aber warum sind sie dann nicht dankbarer?

Den Mangel an kritischer Distanz zu beklagen heißt nicht, einer hochmütigen Systementrücktheit das Wort zu reden. Im Gegenteil. Wer kann denn wollen, daß sein Gemeinwesen zum alleinigen Besitz derer wird, die unmittelbar politisch handeln? Aber Skepsis statt Verklärung kennzeichnet die gesellschaftliche Funktion des Intellektuellen – vor allem gegenüber dem eigenen politischen System. Ob die Verklärung künstlich beatmet wird von einem ideologischen Dogma oder sich herstellt durch einen leichtgemachten Vergleich, so oder so, die Mitwirkung an ihr führt in dem einen Falle zur Agitation, im anderen zum Geschäft von public relations. Zwischen beiden ist der Weg nicht weit.

Zu den großen Skandalen im vereinigten Land zählt die Methode der Vergangenheitsbewältigung. Auf diesem Felde stehen die Geßler-Hüte besonders dicht. Einigen von ihnen will ich meine Achtung nicht erweisen. Was sie auf ihren Bändern behaupten und fordern und damit dem, der grußlos vorübergeht, als Unterstellung androhen, ist so dumm oder schamlos, daß ich eher die Unterstellung ertragen will als mir ein Verschontbleiben durch Kopfbeugen einhandeln. Ich kann mir das leisten, so vermute ich. Ein paar Zitate aus meinen Büchern, nun ja. Ich bin in Deutschland kein Ausländer aus dem Osten oder Süden, der unbedingt mit einer ungezügelten Bösartigkeit gegenüber seinem Anstößigsein rechnen sollte. Auch betreibe ich nicht die Wiedereinstellung auf einen Arbeitsplatz noch strebe ich ein öffentliches Amt an, was beides die Grußpflicht einschließt. Welchen Hüten ich den Respekt verweigere? Es wird sich zeigen.

Viele Gespräche, die ich geführt, viel Post, die ich erhalten habe nach Fernsehinterviews, in denen ich in den vergangenen zwei Jahren handelnde und behandelte Menschen aus Ostdeutschland zur Person befragte, haben Ratlosigkeit unter meinen privaten Gesprächspartnern und Briefeschreibern zutage gefördert. Die meisten, fast alle der Frauen und Männer, äußerten das Bedürfnis, sich nachdenklich, selbstkritisch auseinanderzusetzen mit dem, was hinter ihnen lag; in ihrem Teil Deutschlands, der Deutschen Demokratischen Republik. Opfer, Täter, Mitläufer: Alle meldeten sich zu Wort, wobei offensichtlich war, daß die Übergänge zwischen den Gruppen in der Regel – mit bitteren, schrecklichen Ausnahmen unter den Opfern – fließend waren.

Einige reklamierten ausdrücklich, unter die Täter gerechnet zu werden: Sie waren keine Gesetzesbrecher gewesen; keine unglückseligen Grenzsoldaten, auf deren Wache, nicht zwei Stunden früher oder später, es zum Ernstfall gekommen war; keine Denunzianten, wie sie – warum denn nicht zunächst einmal glaubhaft? – versicherten. Dennoch wollten sie sich nicht zu den Mitläufern gesellen, sondern beharrten auf ihrer Täterschaft: als überzeugte Sachwalter einer Idee, einer Ideologie, einer Staatsordnung, die ihnen das Abmühen hatten wert erscheinen lassen; denen sie, der aufgeklärte Westler schüttelt sich, einen Glaubenskredit eingeräumt hatten. Sachwalter eines bösen Irrtums, Opfer einer Selbsttäuschung. Aus einem bestimmten Blickwinkel, aus dem der Schlaumeier, konnten sie wie Dummköpfe aussehen. Jedenfalls keine strahlenden Figuren, nicht die Spur vom neuen Menschen an ihnen, den die Lehre verkündigt hatte.

Es gab in den Gesprächen und Briefen Versuche der politischen Rechtfertigung. Aber häufiger waren die Bemühungen, sich zu erklären. Manche trugen vor, in ihrer Parteiorganisation bei dem und jenem Anlaß für die Maßregelung, die Rüge eines Genossen gesprochen zu haben: wohl nur halben Herzens, aber dennoch mit voller Stimme und im Einklang mit allen anderen. Im tiefsten Grunde war dabei der sehr gewöhnliche Charaktermangel zum Zuge gekommen, der in der Regel in allen gesellschaftlichen Systemen die Oberhand behält, wenn die Menschen, weil das die Situation verlangt, sich in Mehrheit und Minderheit scheiden. In Ordnungen, die den Menschen bequemer sind als geschlossene Systeme, Dogmengefängnisse, wie die SED eines war, sind die Gelegenheiten, bei denen man sich entscheiden muß, gewöhnlich nicht ritualisiert; werden sie nicht als Selbstreinigungsprozesse mystifiziert, auch wenn tatsächlich Positionskämpfe ausgefochten werden oder wohlgefällige Protokolle für »oben« zu Papier kommen sollen. Jedoch: Auch im Mitmachen oder Widerstehen auf pluralistischer Grundlage wirkt der erwähnte Charaktermangel, man wird sagen können: gewohnheitsmäßig, mit – wenn etwa in einem Firmenvorstand, einem Ärztekollegium, einem Lehrkörper westlicher Art Mehrheiten und Minderheiten sich bilden. Auch dabei wird, verdeckt oder offen, über berufliche Aussichten mitentschieden. Die Weltliteratur lebt nicht zuletzt von Charaktermängeln.

So viele Banalitäten auf so vielen Hutbändern. Aber diese, die vom systemübergreifenden Charaktermangel, hat derzeit in Deutschland wenige Denkmale, die ihr ins allgemeine Bewußtsein helfen können. Um auf einem gesamtdeutschen Parteitag das Gefieder von Delegierten zu glätten, das sich bei manchen östlichen Parteifreunden wegen des herablassenden Pharisäertums westlicher Christdemokraten schließlich doch gesträubt hatte, wird schon einmal eingeräumt, daß auch nicht jeder Westdeutsche zu den frühen Gründern des »Neuen Forum« gehört hätte: eine Wahrheit, die jedoch aufs Ganze gesehen eine rhetorische Floskel bleibt. In ihrem Schutze kann man eher noch ungenierter auf die herrschende – der westdeutschen Mehrheit angenehmere, auch dienlichere – Vorstellung zurückkommen, wonach bis zur Wende gute und schlechte Menschenart reinlich durch Elbe und Mauer getrennt waren.

Die Einsicht, daß in allen Systemen viele der gesellschaftlichen Schikanen, Zurücksetzungen, Lumpereien, die den Menschen widerfahren können oder an denen sie sich beteiligen oder zu denen sie schweigen, schon hinlänglich von den charakterlichen Eigenschaften des alten Adam, der alten Eva bewirkt werden, überall und immer, bevor die jeweiligen politischen Ordnungen das ihre dazu tun oder manches verhindern – diese

Einsicht führt stets ein kümmerliches Dasein, heute hierzulande ist sie in eine tiefe Ohnmacht gefallen. Dabei könnte allein sie die Musterung der Vergangenheit zu einer gesamtdeutschen Selbstprüfung machen, falls eine Urteilsfindung in Moral und Ethik überhaupt als ein gesellschaftlicher Vorgang möglich ist und nicht in Wahrheit stets ein individueller Akt bleibt. Aber dann gingen die für eine populistische Politik gebotenen Pauschalisierungen, die Verabsolutierung der Systemunterschiede, der westdeutsche Köhlerglaube an das eigene Gefeitsein verloren. Am Ende käme heraus, daß es auch Kommunisten von gutem, lauterem Charakter in der DDR gegeben hat – nicht als ein diskussionstaktisches Zugeständnis, ein flüchtiges »gewiß, ja« im Nebensatz, um sogleich wieder auf dem »aber«-Hauptsatz beharren zu können, sondern als Frucht der Erkenntnis, daß es mit den guten Charakterzügen wie mit den weniger guten ist: Es gibt auch sie in allen Ordnungen.

Unter anderem mit dieser Erkenntnis würde die Vergangenheitsbewältigung der Deutschen den ihr angemessenen Schwierigkeitsgrad erreichen, bis zu dem das Populäre nicht hinaufkommt; auch die intellektuelle Variante des Populismus, bekannt aus feinsinnigen Feuilletons, nicht. Das Tragische gewönne einen weiteren Aspekt. An die Stelle von Ausrufezeichen träten Fragezeichen. Aus der politischen Abrechnung, die der Westen so lange hat aufschieben müssen und für die nun die Mehrheit der Ostdeutschen, die sich in der DDR klüglich bedeckt gehalten hatte, als Kronzeuge dienen muß, schwankend zwischen Verständnislosigkeit und neuerlicher Anpassung – aus der Abrechnung könnte eine Vereinigung werden in der geschärften, heilsamen Besorgnis, wohin es mit den Menschen und ihren politischen Absichten und Werken böse kommen kann: in wechselnden Formen, mit unterschiedlichen Methoden, aber an jedem Ort.

Gewiß schiebt dem das pluralistische System, bei all seinen Mängeln, stärkere Riegel vor, als sie im untergegangenen Regime eingebaut waren. Aber wenn es richtig ist, daß im funktionierenden Pluralismus die Rechtssicherheit und andere Kontrollmechanismen dem Machtmißbrauch einige Grenzen ziehen – dann trifft es ebenso zu, daß in ihm das Erwarten deutlichen Widerspruchs aus gegebenem Anlaß eine geringe Zumutung ist, verglichen mit der Forderung, sich einer solchen Tat inmitten totalitärer Strukturen zu erkühnen. Der Auftritt von Christa Wolf auf dem berüchtigten 11. Plenum des Zentralkomitees der SED im Dezember 1965 stürzt mich in Zweifel, ob ich in einer vergleichbaren

Situation wie sie aufs Podium ginge, um gegen die erkennbare Richtung der Mächtigen und die sie begleitenden Zwischenrufe der Mitläufer meine abweichende Meinung vorzutragen. Das war zu einer Zeit, als die SED noch schärfere Zähne hatte als später.

Verglichen damit, ich wiederhole es, wiegt die Zumutung beschämend gering, sich in unserem Freiheitssystem allemal so zu verhalten wie damals Christa Wolf. Ich mache daher auch kein Aufhebens von dem stets allgemeinen Widerstand westdeutscher Rundfunkredakteure gegen parteipolitische Pressionen. Kein Lokalreporter in Westdeutschland zögert, gegebenenfalls die einflußreichen Freunde seines Verlegers zu attackieren. Mir ist die Selbstverständlichkeit bekannt, mit der altbundesrepublikanische Leitartikler immer das kritisch treffendste Wort wählen, selbst wenn ihr schmeichelhaftes Einvernehmen mit den Großen in Bonn deswegen vorübergehend getrübt wird. Ich weiß, daß sie niemals vor ihrem Manuskript sitzen und an dessen Schlußfassung, bevor sie es in Druck geben, noch die eine oder andere Schärfe glätten. Mir ist, zum Beispiel, der laute öffentliche Protest noch im Ohr, den Marcel Reich-Ranicki erhob, als Joachim Fest die »Frankfurter Allgemeine« auf seine Weise in den Historikerstreit führte. Oder habe ich nur gemeint, nun sei ein öffentlicher Widerspruch fällig? War da gar nichts zu hören gewesen außer in camera caritatis? Ach, warum können wir Westler uns in den Ostlern nicht erkennen?

Seit der Wende im November 1989 sind vom Westen aus hochgestimmte moralische Postulate und ethnische Maßstäbe für das richtige Verhalten unter totalitären Gegebenheiten in Umlauf gesetzt worden: Postulate und Maßstäbe, ins Land gebracht aus dem sicheren Port des Westens, die keinerlei Verbindung haben mit den Wirklichkeiten des gewöhnlichen Menschen – seinen Stärken und Schwächen, seinem gelegentlichen Mut wie seinem häufigeren Mangel daran. Auch mit diesem Rechthaben auf der Basis menschenferner Reinheitsgebote sind gegenwärtig viele westdeutsche Präzeptoren der ideologischen Selbstfesselung dem geschlossenen Denken näher, als mir wegen meines pluralistischen Systems geheuer ist. Wir müssen darauf hoffen, daß unser System besser ist, als wir es sind; daß sich in ihm verkapselt, womit wir es – ausgerechnet in der Stunde seines Triumphes – vergiften.

Außerdem wird die Zeit das ihre tun. Selbst den Prenzlauer Berg werden die Intellektuellen, an häufigen Weidewechsel gewöhnt, eines nicht so fernen Tages abgegrast finden. Die Politiker – Ausnahmen bestätigen die Regel, vor allem bei vermuteten Wahlkampfvorteilen – werden das Thema gering achten, sobald sie ganz wahrnehmen, es dämmert ihnen schon, daß das natürliche Leserinteresse an den großen Balkenschlagzeilen über noch eine Aufdeckung nicht identisch ist mit den vorrangigen Sorgen und Bedürfnissen ihrer arbeitslosen Wähler; der sächsischen Industriearbeiter und brandenburgischen Genossenschaftsbauern beispielsweise, die noch für manches Jahr in großer Zahl ehemalige Industriearbeiter und Genossenschaftsbauern und nichts sonst sein werden. Wenn es dann, zu meinem Bedauern, zu mehr als einem Kolportagestück von den Gefährdungen und Selbstgefährdungen der Menschen in modernen Staaten und – so oder so – demokratischen Gesellschaften nicht gekommen sein wird – zu mehr nicht als zu einem Oberflächenbefund, griffig in seiner Grobkörnigkeit, dann wird daran nicht allein die Verstocktheit von Kommunisten und Blockparteilern die Schuld tragen.

Woher rührt die Ratlosigkeit mancher der ostdeutschen Gesprächspartner und Briefeschreiber, von der ich eingangs dieser Textpassage gesprochen habe? Viele von ihnen grübelten über ihre moralische Verstrickung ins Unrecht, die sich aus einem zu langen, zaudernden Abschied von Irrtümern, die einmal ihre Hoffnungen waren, ergeben hatte. Auch Mitläufer zeigten sich betroffen. Ratlos waren fast alle, weil sie die Vergangenheit, wie sie ihnen nun überwiegend präsentiert wurde, nicht wiedererkannten. Die DDR ist nicht so gewesen, wie sie von ihren Regierenden dargestellt worden ist. Aber sie war auch nicht so oder nur in Teilen so, wie sie jetzt, nach der Wende, beschrieben wurde. Weder hatte es einen frühen, massenhaften Andrang zu Oppositionsgruppen gegeben, noch hatte die große Mehrheit der Frauen und Männer in der DDR ihr Leben in Furcht und Schrecken verbracht. Privates Glück wie privates Unglück hatten ihren Vorrang für die allermeisten Menschen ungeachtet der Stasipräsenz behaupten können. Es herrschte, anders als in vielen Landstrichen der Erde, keine materielle Existenznot.

Vor dem Hintergrund dieser Tatsachen, die nicht widerlegt worden sind von der Wende, müßten die Fragen nach einer moralischen Schuld durch Mittäterschaft oder Gewährenlassen beginnen, wenn sie zu Antworten über die Minderheit der Opfer hinaus führen sollten. Zu suchen ist im Blick auf die DDR nicht nach dem Verhalten der Menschen unter einer Verfolgung, die auch den Unauffälligen direkt bedroht, vor der es kein Ausweichen gibt und der gegenüber also die Trennung einfach zu sein scheint zwischen verzweifeltem Widerstand und verzweifelter Passivität und – schwieriger schon – verzweifeltem, nicht überzeugtem Mittun als einer anderen Form der Unterwerfung; obwohl Berichte aus Gettos und Todeslagern ergeben, daß nicht einmal in ihnen die gewöhnliche Menschennatur sich auf eindeutige Begriffe bringen läßt. Danach ist nicht zu suchen. Für die DDR besteht das Fragwürdige in der Unmerklichkeit, mit der das persönliche Arrangement mit den gesellschaftlichen Normen, stillschweigend oder durch Lippenbekenntnis begründet, übergehen konnte in eine Komplizenschaft.

Aber auf welchem Meßtischblatt, außer auf dem der ganz individuellen Selbstbesinnung, soll denn dieser Übergangspunkt markiert werden? Ein Punkt, der in Wahrheit kaum je einer war, sondern in der Regel konturlos auslief in noch einen und noch einen Kompromiß mit dem Bestehenden, aus unterschiedlichen, keineswegs immer unbedingt opportunistischen Motiven, oder zu weiter andauernder Gleichgültigkeit gegenüber allem, was nicht zum engsten Umfeld gehörte. Kein Punkt, der durch einen Blitzschlag erhellt wurde, von dem aus der Anstoß zu Einsicht und Umkehr überwältigend hätte werden können. Es gab keine Sammeltransporte von Juden zu sehen – und als sie einmal zu sehen gewesen waren, hatten auch nicht alle Großeltern der jetzt Erwachsenen sie wahrgenommen. Wenn am Arbeitsplatz morgens jemand fehlte, ohne in Urlaub oder krank zu sein, dann hatte er sich so gut wie immer, nichts anderes war man gewohnt, unterstellen zu müssen, die Ausreise ertrotzt oder war entlassen worden, weil er noch mitten in der Auseinandersetzung darüber war: in einem Kampf gegen Schikanen, den die Kolleginnen und Kollegen anteilnehmend oder skeptisch über die Weisheit des Ausreiseantrags seit Monaten verfolgten. Der Versuch eines illegalen Grenzübertritts galt als leichtsinnig, paßte zur Bedenkenlosigkeit jüngerer Leute. Von einer gestatteten Reise nicht zurückzukommen und Frau und Kinder im Stich zu lassen – wie sollte man das wohl nennen? Der prominente Literat, der ohne Zwischenstation, oder der Aufmüpfige, der nach kurzer Haft nach drüben abgeschoben wurde – im vorherrschenden Empfinden der Zurückgebliebenen, der Unauffälligen hatten sie ziemlich preiswert erreicht, was sie, wie man vermutete, im Grunde gewollt hatten. So habe ich es oft gehört, die Rede ist von der Mehrheit der Bevölkerung und von der Zeit nach den stalinistischen Jahren der DDR.

Wer seinerzeit solche Vorgänge wie das Abgeschobenwerden, die Ausbürgerung allein oder ganz überwiegend nach seinen Interessenwerten eingeschätzt hat, dem mag heute rückblickend eine Schuld bewußt werden, weil er sich damals nicht über seinen Horizont hinaus mitbetroffen fühlte. Aber wenn er nun die Koordinaten sucht, auf denen er zu seiner moralischen Schlappe gelangt ist, dann findet er sie nicht mehr. Die jetzt nachgestellten Spuren seiner möglichen Mitschuld führen in Gefilde, in denen er sich nach seiner Kenntnis der Vergangenheit niemals aufgehalten hat. Das Zurückliegende, an dem er sich überprüfen soll, wozu er auch, mit abnehmender Bereitschaft, willens ist, wird ihm von den tonangebenden, westlich gestimmten Medien grob verfälscht dargeboten. In diesem Reich der Dämonen mochten andere ihre Not gehabt haben, er und seinesgleichen hatten nicht in ihm gelebt.

Sie haben nach ihrer mehrheitlichen Erinnerung in einem Gemeinwesen ihr Auskommen gesucht, an dem sie manches in Ordnung fanden; bedeutend mehr als unzulänglich ansahen, vor allem im ständigen Vergleich ihrer Lebensumstände mit denen der bessergestellten Vettern und Basen im Westen; und vieles als einengend, lästig und vage bedrohlich zu ertragen hatten. Chancen konnten verkürzt werden, aber manche, Ausbildungschancen vor allem, hatte das System auch eröffnet – nicht nur für Genossen. Ganz oben auf der Liste des Bedrückenden standen der Mangel an Reisefreiheit, die beleidigende Augenauswischerei der Medien, die arrogante Willkür in Ämtern. Alles in allem ermattete, erschöpfte das Regime die Mehrheit der Bevölkerung eher, als daß es sie durchgängig trotzig werden ließ. Es gab auch Spaß, Erfolge, Kollegialität, gänzlich unpolitische Mißgunst, Ehekrisen, Versöhnungen, Kümmernisse mit den Kindern, strahlende Ferientage: alles Teile des Knäuels, in dem unter anderem auch steckten zweckmäßig verschleierte Distanz zum Politischen; Desillusionierungen; Durchstechereien; routinemäßige Planmanipulationen; Untertänigkeit vor Leistungsebenen, aber auch Widerspruchsgeist in Fragen, die sich im Rahmen hielten; redliches oder opportunistisches oder aus beidem gemischtes Engagement in der Hauptpartei, den Nebenparteien und Massenorganisationen.

Vom System vorgegeben war, daß es stärker und direkter als die pluralistische Ordnung ins Private hineinwirkte, in die Erziehung der Kinder etwa; um so vieles stärker und direkter, daß hier Quantität in Qualität, eine despotisch wirkende Qualität umschlug. Aber je mehr eine Familie sich den Absichten und Umständen nach im Unauffälligen bewegte, also zum Beispiel weder eine SED-Bindung besaß, die auf niedriger Ebene zunächst einmal Auffälligkeit verschaffte, noch eine aktenkundige Abweichung, etwa zu einer deutlichen kirchlichen Aktivität hin, sich leistete – desto eher war es ihr möglich, auch unter den gesellschaftlichen Bedingungen der DDR eine Normalität des Lebens zu empfinden und zu praktizieren.

Das muß jenen Westdeutschen, die nur ein nachträgliches Interesse an der DDR nehmen, schier unbegreiflich sein. Es fällt uns Menschen allgemein schwer, in andersartigen Lebensumständen anderes als deren Andersartigkeit zu erkennen – normal ist nur das jeweilige Wuppertal. Bessergestellte im besonderen scheinen die Annehmlichkeiten ihrer Verhältnisse unter anderem mit dem Verlust ihrer Vorstellungskraft bezahlen zu müssen, wie findig die weniger Begünstigten darin sind, eine ihnen mögliche Normalität durch Anpassung ans Gegebene zu behaupten: offenbar die Befriedigung eines Grundbedürfnisses. Für die Normalität, welche die Mehrheit der Menschen wo irgend möglich sich schafft – notfalls auch unter übleren Bedingungen als denen der DDR –, gibt es kein Urmeter, wie es als Metallstab, allen Einflüssen entzogen, in Paris aufbewahrt wird. (Und selbst dieser Grundstecken des Längenmaßes ist, wie moderne Messungen ergaben, nicht ganz genau.)

In der DDR waren für die Mehrheit der Bevölkerung Verhältnisse vorherrschend, die relativ erheblich schlechter waren als im anderen deutschen Staat und relativ erheblich besser als in den meisten Gegenden der Welt. Wir müßten nur den Blick heben, dann könnten wir es sehen. Bin ich noch immer nicht gänzlich von Illusionen befreit, wenn ich erwarte, eine solche Tatsache könne auch angesichts der gegenwärtigen deutschen Hutmode festgestellt werden, ohne daß dahinter geargwöhnt wird: eine Entschuldigung für die teils eingeborenen, teils aus einer besonderen Situation sich entwickelnden Fehler, Vergehen, Verbrechen in der DDR; eine Gleichgültigkeit in der Frage, ob es, wenn es denn so war, nicht so hätte bleiben können; eine Geringschätzung der Nöte auch der Unauffälligen im Land; ein beschwichtigendes, selbstbeschwichtigendes Aufrechnen der Repressionen dort gegen massivere Unterdrückung anderswo? Sollte ich besser davon ausgehen, daß unsere öffentliche Diskussion derzeit bodenlos ist, also ohne ein Fundament selbstverständlicher gemeinsamer Gesittung? Ich denke, ich habe niemals stärker an der Beständigkeit unseres Pluralismus gezweifelt als beim Beobachten der Vereinigung der beiden deutschen Nachkriegsstaaten. Es steht außer Frage, daß die Siegerpartei – die sich weithin wie eine solche benimmt, aber um keinen Preis so genannt sein will – in vielen Fällen nichts anderes verfolgt, ahndet als bloße Gesinnung, ohne dies in ihrer Befangenheit auch nur immer wahrzunehmen. Darin vor allem findet sich das Bestürzende: im bewußtlosen Abweichen vom Unterschied zum Vergangenen, der grundlegend sein sollte. Es ist kein Vergehen, es ist nicht moralisch anstößig, sich eine DDR ohne Fehl und Tadel gewünscht zu haben. Der Mangel an Einsicht in reale Möglichkeiten steht auf einem anderen Blatt.

Das heutige unmerkliche Fehlverhalten; das Stillschweigen der Wächter politischer Moral darüber; der weitgehende Verzicht auf Gewissensanspannung im Differenzieren zwischen Gesinnung und nachgewiesener, justitiabler Schuld: Hier kann sich dem, der will, erschließen, wie dünn die Linie ist, jenseits der die Teilhabe am moralisch und ethisch Verwerflichen beginnt. Das westdeutsche Beispiel aus der Gegenwart weist den Weg zu ostdeutschen Verfehlungen in der Vergangenheit. Es muß nicht eine Partei allein, unkontrolliert herrschen; kein Schnüffelapparat mit seinen Spitzeln das menschliche Zusammenleben pervertieren, bis er sich schließlich selber lähmt, aus der Menge seines Wissens am Ende wohl eher Ohnmacht als Macht bezieht, damit man spüren kann, daß etwas faul in einem Staate, einer Gesellschaft ist. Heinrich Böll fehlt uns. Sich auszumalen, was manchmal in Gesprächen geschieht, wie in Westdeutschland verfahren worden wäre, wenn die andere Seite gewonnen hätte, und aus diesem vergleichenden politischen Sittengemälde auf unsere Vorzüglichkeit zu schließen: Wie moralisch genügsam sind wir geworden? Nur die Lumpen sind bescheiden.

Ich würde der ostdeutschen Mehrheit, der nichts anderes als irrige Gesinnung, zum kleineren Teil, oder Mitläufertum, zum größeren Teil, anzulasten ist, raten, einen ausgestreckten Zeigefinger gegen die westdeutschen Landsleute zu richten – müßte ich ihr nicht zu ihrem Fortkommen empfehlen, auch unter den neuen Gegebenheiten still mit dem Strom zu schwimmen. Viel ist erreicht, wenn der eine und andere Mitschwimmer künftig sich wenigstens nicht darüber täuscht, was er tut.

Das ist für die Schamanen jeder Gesellschaft, die sich so oder so auf ihre Volkslegitimität beruft, natürlich unerträglich: ein Menschenbild, das von der Geschichte immer wieder als authentisch nachgewiesen wird und den jeweiligen schmeichlerischen Beschwörungen seiner Tugenden hohnlacht. Nichts hat Kommunisten, wenn ich mit ihnen sprach, als ihre Partei das Land regierte, mehr irritiert als meine Zweifel an ihrem neuen Menschen. Die Selbsttäuschung der Idealisten und der Opportunismus der Machtpraktiker, die Lippendienste zynisch als Glaubensbekenntnis gelten ließen, waren ihre Anpassung an die Wirklichkeit. Die repräsentative Demokratie des Pluralismus läßt den Menschen gewöhnlich ihre bescheidenen Maße, was zu ihren größten Freiheiten gehört.

Aber in historischen Zeiten werden auch in ihr die Regel-Menschen rhetorisch in ein Prokrustesbett gezwängt, bis ihre moralischen und ethischen Dimensionen den gesellschaftlichen Klischees entsprechen. Die Art Mensch, die so als Figur einer öffentlichen Rede ins Leben tritt, gespeist aus dem bildungsbürgerlichen Wortschatz der politischen Klasse – diese Art Mensch setzt mehrheitlich, nein: hundertprozentig das Gemeinwohl über den Eigennutz, allemal. Zum Volk zusammengeschlossen, ist sie von höchstem Opfersinn, weitester Toleranz, tiefstem nationalen Empfinden bei gleichzeitiger – moderner Zusatz – Weltbürgerlichkeit beseelt. Sie kennt von Zeit zu Zeit nichts Schöneres, als der Humus der Geschichte, sozusagen ein freudiges Düngemittel, zu sein, weil sie so ihre Erfüllung findet.

Tatsächlich muß es schon viel unerträglicher sein, als es in der DDR für die Mehrheit der Menschen gewesen ist, oder muß als einigermaßen risikolos eingeschätzt werden, die Helden der späten Demonstrationen marschieren auf, oder muß einer fanatischen Aufwallung entspringen – in welch letzterem Falle man besser das Weite sucht –, damit die Masse der Menschen sich unmittelbar politisch engagiert.

Der Schriftsteller Jürgen Fuchs, dem die aggressive Verteidigungsapparatur des Regimes Böses angetan hat, nennt sinngemäß – für mich sehr verständlich – das unablässige sozialistische Fahnenschwenken über den Sieg des Volkes, die Sicherung der Rechte des Volkes, den nun endlich regelmäßigen Stuhlgang des Volkes (alles meine Formulierungen, also mir, nicht Fuchs anzukreiden) als den ersten Anstoß für ihn, über den weiten Abstand zwischen Agitation und Realität in der DDR nachzudenken. Wann meldet er sich krank mit Brechdurchfall, ausgelöst vom pluralistischen Pathos, das die Kluft zwischen Alltag und Sonntag der deutschen Vereinigung füllt? Er müßte dazu den Kopf aus den Akten nehmen.

Auch so, wie wir mehrheitlich sind, muß nichts verloren sein, wenn wir unsere Ordnungen danach einrichten, daß in ihnen der hinfällige Mensch genommen wird, wie er ist, und der engagierten Minderheit, welcher auch immer, verwehrt ist, ihn zu überfordern. Mich irritiert, daß viele Kirchenleute unter jenen sind, die im Rückblick auf die DDR den Menschen und seine Schwächen aus dem Auge verloren haben. In den kurzen Besinnungsjahren nach 1945, angesichts der physischen und psychischen Überstrapazierungen, Verheerungen der Menschen, Opfer, Täter, Mitläufer, durch Nationalsozialismus und Krieg, dämmerte mir, geboren 1929, und habe ich früh und wiederholt geschrieben, daß wir gut daran täten, ein abendländisches Idol durch ein anderes zu ersetzen. Anstelle von Ikaros, der im Höhenflug der Sonne zu nahe kommt, so daß das Wachs seiner Flügel schmilzt und er abstürzt, sollten wir seinen Vater Dädalos preisen, der das Fliegen erfunden hat, aber in bekömmlicher Höhe praktizierte. Das war eine Absage ans Utopische, lange bevor derlei in diesen Monaten intellektuell modisch wurde, aber es war natürlich auch eine Utopie selber, mindestens eine Illusion: gerichtet auf die Selbstbescheidung der Engagierten, auf ihren Verzicht, alle Menschen, die Menschheit auf schwindelnde Höhe zu zwingen. Oder, bescheidener, aber auch nicht ganz von dieser Welt, die Auffälligkeit einer Bürgerinitiative für das gewöhnliche Menschenmaß auszugeben.

Derzeit, in unserer Vergangenheitsbewältigung, solange das Interesse andauert; es gibt erste Mahnungen, das Feuern aus der Hüfte einzustellen: derzeit versuchen wir uns in Deutschland an der Illusion, mittels Akteneinsicht und daran ohne weiteres sich anschließenden Aushangs des Gelesenen auf dem Marktplatz, da, wo früher der Pranger stand, eine der heikelsten Wechselbeziehungen zwischen Menschen – die von Schuld und Vergebung – zu einem öffentlichen Vorgang machen zu können, der Individuen wie Allgemeinheit von moralischem Schmutz säubert. Gutgläubigkeit, also hier an die reinigende Wirkung eines so verordneten Volksbads, kann das Tor zu manchem Schrecken öffnen, zu einer Barbarei, die einer vorangegangenen folgt. Es ist daran nach meinem Eindruck auch nicht nur Gutgläubigkeit beteiligt. Nichts gegen begründete persönliche Heimzahlung zum Beispiel, aber sie soll mir nicht moralisch kommen oder soll ihre spezielle Moral bekennen. Auch hört man – also: ich höre zuverlässig, kann es jedoch nicht belegen, aber das ist ja über ganz andere Sachen zu unserer herrschenden öffentlichen Moral geworden –, auch hört man, daß bei Blättern, die vornehmlich an Kiosken vertrieben werden, im Westen erfolgreich sind, aber ihre östlichen Leser noch nicht in wünschenswerter Zahl gefunden haben, sich in Verlagsbüros ein gesundes Geschäftsinteresse zu dem Verfolgungseifer der Redakteure gesellt; nicht so sehr bei den Marktführern, aber bei denen, die dichtauf sind. Aber ich zweifle nicht, daß die Journalisten aus eigenem Antrieb ihre Arbeit tun. Einen Steinbruch solcher Ergiebigkeit, einen ganzen zusammengestürzten Staat – was käme wohl zutage, wenn andere zusammenbrächen? – ausbeuten zu können, im Besitze des richtigen Eiferertums und einer Geburtsurkunde von der Sonnenseite der Elbe, wo die Gerechten siedeln – wer wollte sich da bedenken?

Ein Redakteur sitzt in einer Gesprächsrunde im Fernsehen einem Manne gegenüber, der in letzter Zeit viel beschuldigt worden ist, ohne daß ein Beweis erbracht worden wäre: der Redakteur zieht seinen erst nachmittags frisch gefangenen Kranich aus der Tasche, ein Papier unbekannter Herkunft, das eine Empfehlung enthält, aus der auf die Schuld des Mannes im Sessel gegenüber geschlossen werden soll: die Szene wird zum Tribunal: der Redakteur will sein papierenes, dubioses Beweisstück ins Gespräch bringen, damit sein Gegenüber ausruft: »Sieh da, sieh da« und endlich gesteht. Zusammenbruch, ein letztes Wort vor dem Fernsehgericht, kein weiteres Federlesen, öffentliche moralische Exekution: Dieser Triumph der Gerechtigkeit blieb dem Redakteur versagt. Aber es verließ auch keiner die Runde. Niemanden trieb die Erinnerung an einen zivilisatorischen Umgang mit Schuld und Vergebung – das stets im Munde bereitliegende hohe Ziel – aus dem Sessel.

Ich denke, es ist an der Zeit, daß einer aufsteht und nein sagt. Wir müssen aus dem Sumpf auf festen Boden. Der Abstand zwischen unserer politischen Gesittung und der vorherrschenden des vergangenen Regimes muß wieder größer werden; so groß, wie es menschenmöglich ist. Die Herstellung von Öffentlichkeit für die ganz ans Individuum gebundene Problematik von moralischer Schuld und ihrer Vergebung endet unvermeidlich als Schau. Dies gehört faktisch in das Herrschaftskapitel von Brot und Spielen. Intellektuell kennzeichnet der Versuch, Schuld und Vergebung durch Medienteilnahme zu demokratisieren, den Übermut, der ethischer Haltlosigkeit entspringt; natürlich spielt auch die sich verfestigende Angewohnheit hinein, als Leben nur noch gelten zu lassen, was das Fernsehen zeigen kann. Die Demokratisierung von möglichen Gewissensnöten ist in der Sache schauerlich, in den Formen gelegentlich komisch.

Vermutlich haben wir die Chance – falls sie uns je eingeräumt ist –, moralische Schuld im gesellschaftlichen Sinne nachträglich zu erkennen und daraus, jeder für sich selber, eine Mahnung für künftiges Verhalten abzuleiten, längst vertan. Allenfalls, wenn einer von dem Karussell heruntersteigen würde, das von jedem neuen Fundstück, jeder neuen Interpretation alter Fundstücke, von jedem aus dem Außenbezirk des Außenbezirks Prenzlauer Berg, der sich nun auch sein Stückchen von der

Öffentlichkeit schneiden will, von jedem, der seine einstigen Ausreisemodalitäten heute in anderem Lichte sieht, wieder angestoßen wird, um nach einer weiteren Runde systemgemäß als Karussell an derselben Stelle zu halten, bis er neuerlich in Gang kommt – allenfalls, wenn einer abstiege, nein sagte und damit Schule machte, könnten jene Gespräche geführt werden, nach denen öffentlich, in Zeitungen, über Radio und Fernsehen, so heftig verlangt wird, daß die Heftigkeit alle Peinlichkeiten rechtfertigen soll. Gespräche unter vier Augen, im kleinen Kreis, ohne jede Öffentlichkeit, auch ohne Mitschnitt zum Zwecke späterer Vermarktung, kein Abschlußkommuniqué, nicht einmal intern das alles einebnende versöhnliche Schlußwort, das den Moderatoren öffentlicher Diskussionen stets so vortrefflich albern gelingt: Die Rede war doch dann von Gewissen, von Zweifeln, von Motiven, von Irrtümern, aber auch andauernden Gewißheiten gewesen. Es war nicht um Rechthaben und Unrechthaben gegangen, woraus später öffentlich Plus- oder Minuspunkte sich ergeben würden. Sogar hatte es sein können, daß der jeweils Angegriffene einen Teil seiner Last dem Vorwurfsvollen aufgebürdet hatte, und der hatte es verstanden, wie auch umgekehrt. Die Außenstehenden würden es nicht erfahren, falls es zu solchem Austausch kommen würde; aber sie würden danach vielleicht eine Qualitätssteigerung der öffentlichen Auseinandersetzung wahrnehmen – denn sie sollte ja nicht gestoppt, ihr sollte der Sensationscharakter genommen werden. Ich mußte nicht erfahren, um eine Vorstellung von der Stasi zu gewinnen, welche Rolle der Mann Vera Wollenbergers gespielt hat.

Das Nein zum öffentlichen Rummel öffnet die einzige Tür, so meine ich, zu den anderen Gesprächen. Ich höre, daß da und dort im Land Menschen, die mit keinerlei Öffentlichkeit rechnen können, auf diese Weise miteinander gesprochen haben. Aber denen, die einen Platz auf dem Karussell besitzen, mag das schwerer fallen. Die Teilnahme an Öffentlichkeit scheint süß zu sein selbst für den, der vorgeführt wird. Nein, ich erwarte nicht zuversichtlich, daß es gelingen wird, das Ringelspiel auf die hier skizzierte Weise zum Stillstand zu bringen. Wir werden wohl noch eine Zeitlang Moral-Monopoly spielen.

Aber, wer weiß: Vielleicht hat die Mehrheit der Frauen und Männer aus der ehemaligen DDR hinter dem Rücken der Öffentlichkeit noch nicht vergessen, da ihr auf der politischen Bühne des entschwundenen Regimes stets Minderheitenspiele vorgeführt worden sind, die ihre Sache nicht waren. Das könnte ihr den Blick schärfen dafür, daß es sich auch diesmal um eine solche Veranstaltung handelt. Ein Teil der Gesellschaft monopolisiert öffentlich seine speziellen Probleme aus seiner Vergangenheit, weswegen die Mehrheit das Feld, auf dem sie ihre moralischen Niederlagen zu suchen hat, nicht wiedererkennt. Obwohl viele aus ihr, wie ich verstanden hatte, nach der Wende es anders wollten, wird sie sich dann wohl auch damit zufriedengeben, nichts zu finden. Selbst die Schufte sind nun halbwegs als eine Minderheit eingegrenzt: die Stasi und ihre Helfershelfer.

Der Schritt war wohlgetan. Ohne ihn wäre eine Abrechnung vom Westen her nicht möglich gewesen. Zunächst hatte man das nicht bedacht und war sehr allgemein an den Aufwasch herangegangen. Das hätte unversehens dazu geführt, daß so gut wie alle Erwachsenen in der DDR, wie das System angelegt war, nachträglich Täter durch Handeln, nicht durch Gewährenlassen geworden wären, die dann aber gleichzeitig, damit die Unterdrückung ihre andere Seite erhielte, auch als Opfer hätten dienen müssen.

Vielleicht hat in diesem unbrauchbaren Ansatz mehr Wahrheit gesteckt als in der jetzigen Aufteilung, die freilich praktisch ist. Denn so, wie es war – ohne daß es für die Mehrheit so spürbar gewesen wäre, weder faktisch noch psychisch, wie jetzt pauschal kolportiert wird –, stand zwischen den einzelnen aus der Mehrheit und der Stasi auch immer nur ein Mitarbeiter des allumfassenden Apparats, der über den einzelnen, die einzelne berichtete, daß er und sie sich ordnungsgemäß verhalten, gegebenenfalls aufrücken können, reisetauglich sind, oder der nicht berichtete, weil eben alles in der geltenden Ordnung war. Genauso groß, einen Berichterstatter lang, breit und dick, ist der Abstand zwischen moralisch »gerettet« und »gerichtet«, der sich glücklich gebildet hat, so daß einerseits mit der Moral Attacke geritten werden kann, ohne daß andererseits alles niedergemacht wird, was als Wahlvolk dienlich ist. Jeder im Land weiß das oder kann es wissen, wenn er auch nur seine Logik wieder in seine Gewalt bringt. Ein Mitarbeiter nur, enttarnt oder noch unentdeckt, zwischen Mielkes Apparat und den moralisch Geretteten – oder die Stasi war nicht, was Gaucks zweihundert Kilometer Stasi-Akten vorspiegeln. Ich tippe eher auf die Omnipräsenz der Stasi.

Das ist nun mein Problem nicht. Ich habe ausgebreitet, auf welche Art Vergangenheitsbewältigung ich – nicht optimistisch, aber auch nicht gänzlich verzagt, jedoch vergeblich wohl – gehofft hatte. Die Verlogenheit und den Irrsinn, die derzeit herrschen, müssen jene mit ihrem Gewissen abmachen, die dazu beitragen oder schweigen.

Drei Gruppen mit unterschiedlichen Motivbündeln meine ich zu erkennen, die die Sache mit der Vergangenheit gegenwärtig besorgen; von auch vorkommender Reporter-Jagdlust als Selbstzweck zu schweigen. Das ist zum einen die Geistesfraktion des totalitären Antikommunismus, die sich keineswegs nur im Geistigen bewegt. Ich stehe ihr hilflos gegenüber wie allem Totalitären, weil ich aus Erfahrung weiß, sie ist, wie ihre fanatischen Verwandten zur linken Hand, rational nicht zu erreichen.

Da ist zum nächsten die Schar nicht mehr so ganz junger westdeutscher Feuilletonisten, Publizisten, die ich dennoch die Schar der »schrecklichen Kinder« nennen will, obwohl ich mich sonst sorgsam hüte, höheres Alter als solches argumentativ in einen Streit einzubringen. Ich nenne sie trotzdem so, schreckliche Kinder nenne ich sie, weil sie nach meinem Eindruck die Möglichkeit lustvoll ergreifen, am Zusammenbruch der DDR endlich jenen moralischen Rigorismus auszuüben, welcher einstmals die 68er Bewegung sterilisiert hat. Diesmal wird die in die Jahre gekommene Jugendschar unterstützt, das hilft auch auf Feuilletonistensesseln, von der zuerst erwähnten Fraktion der totalitären Antikommunisten.

Ich warte nun darauf, daß im Kulturteil der FAZ, anderer Blätter und von Rundfunkstationen, sobald die DDR aufgearbeitet worden ist, der publizistische Streit mit den politischen und wirtschaftlichen Teilen der Organe ausbricht: über die schweren Menschenrechtsverletzungen zum Beispiel, die Armut und Hautfarbe in den USA auf sich ziehen. Einen Streit um Moral, ohne Ansehen des Systems und unnachgiebig, bei dem die Redakteure sicherlich die zuverlässige Unterstützung ihrer derzeitigen freien Mitarbeiter für die Reinigung der DDR finden werden.

Die dritte Gruppe ist die der Bürgerrechtler aus der DDR, die früh den Widerspruch – so, wie er ihr nicht zuletzt mit Hilfe von Stolpes Kirche möglich war – riskiert hat. Die Opfer der Stasi, die einen respektablen Nachweis für ihre Verfolgung erbracht haben, der von der Öffentlichkeit zur Kenntnis genommen wurde und nun von den vorher genannten Bewältigungs-Gruppen aus unterschiedlichen Motiven instrumentalisiert wird. Ich kann verstehen, daß diese Gruppe endlich auch einen Teil des öffentlichen Worts führen will. Aber erkennt sie nicht, daß ihre westdeutschen Unterstützer ihr dabei einen zweckgerichteten demokratischen Fundamentalismus im Argumentieren zubilligen, den sie ihr in der gesamtdeutschen politischen Praxis so wenig durchgehen lassen wie anderen alternativen Bewegungen aus der Alt-Bundesrepublik vorher?

Der Vorwurf an Manfred Stolpe, den Bärbel Bohley öffentlich erhebt, ist, daß er sie aus dem Gefängnis geholt hat, obwohl sie doch an jenem Ort noch längere Zeit für die Opposition Zeugnis ablegen wollte. Falls man das, was man der Redlichkeit halber als Erkenntnis höher veranschlagt als die Scheu, den Opfern des Regimes der DDR aus dessen Endzeit einen Einwand entgegenzuhalten, dann ist dazu zweierlei zu sagen: Erstens bezieht die friedliche Revolution der deutschen Wende einen wesentlichen Teil ihres Ruhms aus der Behauptung, man habe nicht sicher sein können, als man im Herbst 1989 auf die Straße ging, und sei dennoch gegangen, ob nicht in Leipzig oder andernorts ein Platz des Himmlischen Friedens wie in Peking sich auftun werde: ein Sterbeplatz für Hunderte. Das ist eine Frage der politischen Einschätzung, die keinen Zweifel am Mut der frühen Demonstranten rechtfertigt. Aber dann ist auch Stolpe und seinen Mit-Pragmatikern bis zu Bischöfen hinauf in ihrem Abwiegeln zuzubilligen, daß sie bei ihrer Gratwanderung zwischen Opposition und Regime schon vor dem Herbst 89 Schreckensbilder, wie sie wenig später in Chinas Hauptstadt zu sehen waren, vor dem inneren Auge hatten. Der eine Bischof, so hört man jetzt, hat Stolpe nicht gefragt, wie er seinen Auftrag der Kirche erfüllt. Wen beschädigt das? Der Konsistorialpräsident und die, die gefragt hatten, wie auch jene, die es ungefragt zuließen, was Stolpe tat – sie alle durften bei solchen Vermittlungen sogar einer hochmoralischen Gesinnung nach eine schrittweise Verbesserung der DDR zum Ziele haben, anstatt sie um jeden Preis reif machen zu wollen für ein Beitrittsgebiet.

Zweitens macht es frösteln, wenn Gesinnungsethik, die im vorliegenden Fall zum Anspruch auf Märtyrertum tendiert, die Verantwortungsethik des politischen Handelns in moralische Zweifel zieht. Das gehört zu dem Verlust an Maßstäben, der freilich einen großen Teil unserer derzeitigen öffentlichen Diskussion erst ermöglicht. Auch so ist es dahin gekommen, daß wir in einer Gesellschaft leben, in der Auschwitz die Singularität bestritten wird, die Schrecken der DDR jedoch als eine Einmaligkeit präsentiert werden.

Aus: *Zur Sache: Deutschland. Dresdner Reden '92*. Veranstaltet vom Staatsschauspiel Dresden und der Verlagsgruppe Bertelsmann. Dresden 1992. Mit freundlicher Genehmigung des Bertelsmann Buchclub, Gütersloh.

Daten zu Leben und Werk von Christa Wolf

1929	Geboren am 18. März in Landsberg/Warthe (heute Gorzów Wielkopolski) als Tochter des Kaufmanns Otto Ihlenfeld
1939–45	Besuch der Oberschule in Landsberg
1945	Nach Mecklenburg umgesiedelt
1945–46	Verschiedene Tätigkeiten, Schreibkraft beim Bürgermeister in Gammelin bei Schwerin
1946	Besuch der Oberschule in Schwerin. Aufenthalt in einem Lungensanatorium
1947	Umzug nach Bad Frankenhausen (Kyffhäuser)
1949	Abitur. Eintritt in die SED
1949–53	Studium der Germanistik in Jena und Leipzig. Diplomarbeit bei Hans Mayer über *Probleme des Realismus im Werk Hans Falladas*
1951	Heirat mit Gerhard Wolf
1952	Geburt der Tochter Annette
1953	Umzug nach Berlin
1953–55	Wissenschaftliche Mitarbeiterin beim Deutschen Schriftstellerverband
1955–77	Mitglied des Vorstandes des Deutschen Schriftstellerverbandes (seit 1973 Schriftstellerverband der DDR)
1956	Cheflektorin des Verlages Neues Leben. Geburt der Tochter Katrin
1958–59	Redakteurin der Zeitschrift *Neue Deutsche Literatur*
1959	Umzug nach Halle
1959–62	Lektoratsarbeit für den Mitteldeutschen Verlag in Halle
1960–61	Studienaufenthalt im VEB Waggonwerk Ammendorf
1961	*Moskauer Novelle.* Kunstpreis der Stadt Halle
1962	Umzug nach Kleinmachnow bei Berlin, seitdem freischaffende Schriftstellerin
1963	*Der geteilte Himmel.* Heinrich-Mann-Preis der Akademie der Künste der DDR
1963–67	Kandidatin des ZK der SED (vom VI. bis VII. Parteitag der SED)
1964	DEFA-Film *Der geteilte Himmel,* Regie Konrad Wolf. Nationalpreis III. Klasse für Kunst und Literatur. Rede auf der Zweiten Bitterfelder Konferenz
1965	Mitglied des PEN-Zentrums der DDR. Teilnahme am Internationalen PEN-Kongreß in Bled (Jugoslawien). Diskussionsbeitrag auf dem 11. Plenum des ZK der SED
1967	*Juninachmittag*
1968	*Nachdenken über Christa T.*
1972	*Lesen und Schreiben. Aufsätze und Betrachtungen; Till Eulenspiegel. Erzählung für den Film* (gemeinsam mit Gerhard Wolf). Theodor-Fontane-Preis des Bezirks Potsdam
1973	Teilnahme an der Tagung der PEN-Exekutive in Stockholm
1974	*Unter den Linden. Drei unwahrscheinliche Geschichten.* Mitglied der Akademie der Künste der DDR. Writer in Residence am Oberlin College, Ohio (USA)
1975	DEFA-Film *Till Eulenspiegel* nach Motiven der Filmerzählung, Regie Rainer Simon

1976	Umzug nach Berlin. Unterzeichnung des »Offenen Briefes« gegen die Ausbürgerung Wolf Biermanns. *Kindheitsmuster*
1977	Literaturpreis der Freien Hansestadt Bremen
1978	Gastvorlesungen an der University of Edinburgh, Edinburgh, Schottland. Teilnahme am PEN-Kongreß in Stockholm
1979	*Kein Ort Nirgends; Fortgesetzter Versuch. Aufsätze, Gespräche, Essays.* Karoline von Günderrode, *Der Schatten eines Traumes. Gedichte, Prosa, Briefe, Zeugnisse von Zeitgenossen* (Hg.). Aufnahme in die Deutsche Akademie für Sprache und Dichtung, Darmstadt
1980	Reise nach Griechenland. Georg-Büchner-Preis der Deutschen Akademie für Sprache und Dichtung
1981	Teilnahme an der »Berliner Begegnung zur Friedensförderung«, Mitglied der Akademie der Künste Berlin (West)
1982	Poetik-Vorlesungen an der Universität Frankfurt a. M. Teilnahme am Haager Treffen
1983	*Kassandra. Vier Vorlesungen. Eine Erzählung.* Friedrich-Schiller-Gedächtnis-Preis des Landes Baden-Württemberg. Ehrendoktorwürde der Ohio State University, Columbus, Ohio, USA. Dort Gastprofessur
1984	Mitglied der Europäischen Akademie der Künste und Wissenschaften, Paris. Franz-Nabl-Preis der Stadt Graz
1985	*Ins Ungebundene gehet eine Sehnsucht. Gesprächsraum Romantik. Prosa, Essays* (mit Gerhard Wolf). Honorary Fellow der Modern Language Association of America. Österreichischer Staatspreis für Europäische Literatur. Ehrendoktorwürde der Universität Hamburg
1986	*Die Dimension des Autors. Essays und Aufsätze, Reden und Gespräche 1959–1985.* Teilnahme am PEN-Kongreß in Hamburg. Mitglied der Freien Akademie der Künste, Hamburg
1987	*Störfall. Nachrichten eines Tages.* Teilnahme am Internationalen Schriftstellergespräch »Berlin – ein Ort für den Frieden«. Nationalpreis I. Klasse für Kunst und Literatur. Geschwister-Scholl-Preis der Stadt München. Gastprofessur für ein Schreibseminar an der Eidgenössischen Technischen Hochschule, Zürich
1988	*Ansprachen. Reden, Briefe, Reflexionen*
1989	*Sommerstück.* Juni: Austritt aus der SED. 4. November: Rede auf der von Berliner Kulturschaffenden initiierten großen Kundgebung (»Sprache der Wende«)
1990	*Im Dialog* (im Aufbau Verlag, Berlin u.d.T. *Reden im Herbst*). *Was bleibt.* Premio Mondello in Palermo/Italien für die italienische Ausgabe von *Sommerstück.* Ehrendoktorwürde der Universität Hildesheim. Verleihung des Ordens »Officier des arts et des lettres«, Paris
1991	Honory Member der American Academy and Institute of Arts and Letters
1992	Erich-Fried-Ehrung in Wien
1993	Scholar des Getty Center for the History of Art and the Humanities in Santa Monica, Kalifornien. Brigitte Reimann, Christa Wolf, *Sei gegrüßt und lebe.* Eine Freundschaft in Briefen. März: Austritt aus den Akademien der Künste Berlin, Ost und West

Nachbemerkung des Herausgebers zum Brief von Joachim Gauck an Christa Wolf vom 9. 4. 1993 (vgl. S. 294 ff.)

Der Bundesbeauftragte Joachim Gauck hat die Genehmigung zum Abdruck seines Schreibens an Christa Wolf vom 9. 4. 1993 (vgl. S. 294 ff.) mit dem Hinweis verbunden, mit dem Brief reagiere die von ihm geleitete Behörde auf konkrete Anfragen bzw. Vorhaltungen. Nicht enthalten sei die Differenzierung, die der »Fall Christa Wolf« im Vergleich zu anderen Fällen verdiene. Als Beleg dafür möge ein Auszug aus einem Interview im Deutschlandfunk vom 28. 2. 1993 dienen: »Ich denke, daß Christa Wolf nicht besorgt sein muß, was ihren Ruf und ihre Rolle betrifft. Sie hatte als junge Kommunistin einen Fehler gemacht, den sie auch als Fehler beschrieben hat. Sie hat öffentlich auch über die Verdrängung gesprochen, der viele ja unterliegen, wenn es um solche Dinge geht. Aber ich möchte deutlich darauf hinweisen, daß es genügend Menschen gibt – und ich zähle mich zu diesen –, die sagen: Diese Frau hat eine Art der Suche nach Wahrheit gehabt, die sie schon verdächtig gemacht hat für die Staatssicherheit, nicht ihre revolutionäre Haltung, die es so nicht gegeben hat. Aber die Intensität ihrer Suche war es, die sie zu einer verdächtigen Person gemacht hat, und wenn jemand als verdächtige Person dann im Laufe der Zeit über 40 Bände Opferakten ansammelt, dann hat er ein Recht darauf, daß dies in der öffentlichen Debatte deutlicher benannt wird, als es die dünnen Bände einer 30 Jahre zurückliegenden Kooperationsetappe betrifft. Da hat sie das Ihrige getan, auf daß wir heute ein anderes Thema haben, wenn wir über sie sprechen.«

Danksagung

Herausgeber und Verlag danken allen Rechteinhabern für die freundliche Genehmigung zum Abdruck ihrer Beiträge und für die rasche und unkonventionelle Zusage. Wir danken darüber hinaus Gerhard Wolf und Helmut Hirsch für die hilfreiche Unterstützung bei der Sammlung und Sichtung des Materials sowie Dr. Walter Süß, Behörde des Bundesbeauftragten Gauck, Berlin, für die Überlassung reprofähiger Vorlagen.

Hermann Vinke, geb. 1940 in Rhede-Ems, Niedersachsen. Abitur, Studium der Geschichte und Soziologie in Hamburg. Redakteur bei verschiedenen Tageszeitungen und beim Noddeutschen Rundfunk in Hamburg. 1981 bis 1986 Fernostkorrespondent der ARD in Japan; 1986 bis 1990 USA-Korrespondent des NDR und des WDR. März 1991 Leiter des ARD-Studios Berlin/Ostdeutschland. Seit Frühjahr 1992 Hörfunkdirektor von Radio Bremen. Autor mehrerer Bücher; mehrere Auszeichnungen, darunter Deutscher Jugendbuchpreis 1981.